tredition®

www.tredition.de

"Meine Mutter, Frau von Schnabelewopska, gab mir, als ich heranwuchs, eine gute Erziehung. Sie hatte viel gelesen; als sie mit mir schwanger ging las sie fast ausschließlich den Plutarch; und hat sich vielleicht an einem von dessen großen Männern versehen; wahrscheinlich an einem von den Gracchen. Daher meine mystische Sehnsucht, das agrarische Gesetz in moderner Form zu verwirklichen."

– Heinrich Heine, Aus den Memoiren des Herren von Schnabelewopski, 1834

Martin Seelos

Das antike Eigentum

Aspekte der politischen Ökonomie

2019

www.tredition.de

Das antike Eigentum. Aspekte der politischen Ökonomie

Beiträge zur Kulturgeschichte, Teil 5

Cover-Illustration: Bildbearbeitung: Martin Seelos 2017, unter Verwendung von: Wenzel Jamnitzer, Perspectiva Corporum Regularium, Nürnberg 1568 (dokumentiert von der Sächsischen Landesbibliothek – Staats- und Universitätsbibliothek Dresden, vgl.: http://digital.slub-dresden.de/werkansicht/dlf/12830/).

Verlag und Druck: tredition GmbH, Halenreie 42, 22359 Hamburg

ISBN
978-3-7497-3838-0 (Paperback)
978-3-7497-3839-7 (Hardcover)
978-3-7497-3840-3 (e-Book)

Druck in Deutschland und weiteren Ländern

Bibliografische Information der Deutschen Nationalbibliothek: Die Deutsche Nationalbibliothek verzeichnet diese Publikation in der Deutschen Nationalbibliografie; detaillierte bibliografische Daten sind im Internet über http://dnb.d-nb.de abrufbar.

Inhaltsverzeichnis

ANHANG

Für Georg

Vorwort

Antikes Eigentum? Unter diesem Titel ließe sich die Kulturgeschichte, zum Beispiel des römischen Rechts, aufrollen. Indes, dieses Buch handelt von der ökonomischen Dimension des Eigentums und wenn einmal die juridische Dimension des Eigentums angesprochen wird, dann um die ökonomische besser begreifbar zu machen.

Es geht um die Frage, welche Auswirkungen die spezifisch antike Eigentumsform auf Technik, Kultur und Politik in der antiken Gesellschaft hatte. Das Thema ist somit sehr weit gesteckt und es wäre gar nicht so verkehrt, es auch unter dem Überbegriff „Kulturgeschichte der Antike“ zu verpacken.

Dieses Buch ist aber zumindest zur Hälfte auch eine Reflexion darüber, welche Aussagen maßgebliche Autoren und Fachhistoriker über die Antike formulierten. Es wurden „klassische“ Autoren wie Mommsen bis hin zu Finley und auch zeitgenössische Quellen berücksichtigt. Über weite Strecken liest es sich wie ein unterhaltsames Lesebuch mit kritischen Kommentaren.

Die Kritik ist aber nicht Selbstzweck, sondern diskursives Mittel, um zu einem positiven Ergebnis zu gelangen. Wenn die äußere Maske der Antiken-Begeisterung – Stichwort „Heroik der Perserkriege“, „Griechenland als Geburtsland der Demokratie“, „Rom als Muster für Zivilisation und Rechtswesen“ – abgenommen ist, stellen sich erstaunliche Entsprechungen der griechischen, römischen und punischen Gesellschaft im Gegensatz etwa zur mesopotamischen, persischen und ägyptischen heraus.

Die Entsprechung lässt sich auf die Formel abstrahieren:

Grundeigentum = Bürgerrechte + Gewaltmonopol

Fast ist es so, als nähmen wir den Blickwinkel eines Ethnologen an, der unbekannte Gesellschaftsstrukturen entschlüsseln möchte. Auch wenn der Leser mit dem einen oder anderen Schluss nicht einverstanden sein möchte, so wird doch auch zumindest etwas Ungewöhnliches geboten und auf eine nachvollziehbare Beweisführung großen Wert gelegt.

Der Autor stellte sich der als Marxist gar nicht so leichten Aufgabe, das Ende der Antike und den Beginn des Mittelalters zu erklären – ähnelt doch der Übergang der antiken in die feudale Produktionsweise in keiner Weise einer klassischen Revolution, wie jene von 1789 oder von 1917.

Der daran anschließende dritte Teil dieses Buches handelt von der Auseinandersetzung zwischen dem „Modernismus“ und dem „Primitivismus“ innerhalb der Wirtschaftsgeschichtsschreibung: War die Antike Kapitalismus oder nicht und etwas ganz anderes? Wir wollen unser Résumé dieser Reflexion an dieser Stelle nur andeuten: Wir sehen hier noch Platz für ein „Weder-noch“.

Diese literarische Reise durch die Antike war notwendig, um am Ende des Buches zu dem Schluss zu gelangen, worin sich die antiken Eigentumsverhältnisse vom Privateigentum an Waren, das ja in der Antike im gleichen Maße vorherrschte, unterscheiden.

I. Die Antike missverstehen

Kapitel 1: Die Maske

1814 vollendete Jacques-Louis David (1748–1825) „Léonidas aux Thermopyles". Das Gemälde befindet sich heute im Musée du Louvre, Paris. Die klassizistische Deutung dieser Episode aus den „Perserkriegen" zeigt den jungen spartanischen König zentral in der unteren Mitte. Gelassen und gleichzeitig gefasst, dem, was nun kommen wird, dem sicheren Tod, bietet er seinen starken und wehrhaften Körper an. Weshalb? Will man Herodot Glauben schenken, hielt Leonidas mit nur 300 Lakedämoniern die erdrückende Übermacht der vielleicht hundertfachen Menge des persischen Landheeres auf – zumindest so lange, bis Athen und Attika Zeit zur militärischen Verteidigung fanden. Am Ende waren alle Spartaner niedergemacht, aber drei Tage für Griechenland gewonnen. Noch antike Autoren berichten von der Inschrift auf einer Stele an jener Stelle, an der Leonidas und die Seinen fielen, und sie soll gelautet haben:

„Fremder, melde den Lakedämoniern, dass wir hier liegen, den Worten jener gehorchend."[1]

Der Stoff dieser Begebenheit – halb Legende, halb tatsächlicher historischer Verlauf – wurde im 19. Jahrhundert sehr gerne verarbeitet. Er bot sich den ideologischen Bedürfnissen des Nationalstaates geradezu an. Das Timbre des Heldenmuts und des Opfers für das Gemeinwohl schwingt hier mit. David stellte den Stoff 1814 in eine Linie zu der Allegorie, vielleicht einer Tradition des französischen Manierismus folgend – zumindest was den Bildaufbau betrifft. Der Vordergrund unten ist dem Betrachter zugewandt, hier dominieren Farben des Lebens und die Leiber sind geradezu pornographisch schön und nach einem Muster angeordnet, der Hintergrund oben ist in Grau und Braun gehalten und weist nach hinten – sozusagen dem Tod und dem Ruhm, den die Posaunen und Lorbeerkränze verkünden, zugewandt.

Wie bei den meisten seiner Werke der klassizistischen Periode kommt die Konstellation in einer eigenartigen, klaren Kälte zum Ausdruck – etwa wie in „Der Schwur der Horatier" (1784) und „Die Sabinerinnen" (1799), die zudem, was das Sujet betrifft, mit „Leonidas" vergleichbar sind. Noch interessanter sind Davids Verarbeitungen zeitgenössischer Themen. Aber auch hier kokettiert der Maler keineswegs mit der Wärme des Privaten. In „Porträt Madame Récamier" (1800) und „Napoléon dans son cabinet de travail" (1812) wirken die Portraitierten nicht deswegen so menschlich, weil ihnen liebevolle Schwächen, die uns mit ihnen verbinden könnten, zugedacht werden. Nein, Récamier, Bonaparte und Marat überzeugen umgekehrt, indem sie völlig mit ihrer öffentlichen und politischen Rolle eins werden; in dieser aufgehen. David schaffte damit etwas ganz Erstaunliches: Er konnte die Großen seiner Zeit ganz unprätentiös darstellen. Bonaparte steht 1812 ganz locker da, das linke Bein fast tänzelnd vor dem rechten, die linke Hand schlapp angelehnt. Fast wirkt der Kaiser etwas schüchtern und als wäre es ihm unangenehm, sein öffentliches Sein durch seinen Körper zu repräsentieren.

Selbst in dem Werk „Bonaparte franchissant le Grand-Saint-Bernard" (1800–1802) blieb David vergleichsweise nüchtern. Fast ist es, als würde das dem Maler und Betrachter zugewandte Gesicht Bonapartes sagen: „In Ordnung, fünf Minuten bekommen Sie. Dann muss ich weiter!" – die Momentaufnahme eines einfachen Staatsaktes. Da alles an der Epoche Davids bereits heroisch war, musste der Maler dieser Wirklichkeit keine

Heroik extra draufgeben. Das Öffentliche war das Natürlichste. Vergleichen wir etwa Davids Gemälde des Kaisers Napoleon I. von 1812 mit jenem von König Charles X. im Krönungsornat aus dem Jahr 1827: Pierre-Narcisse Guérin (1774–1833) konnte aus dem Grafen von Artois nur eine Art Theaterkostümierung machen. Hier ist alles falsch und künstlich.

Noch deutlicher können wir Davids Methode in „Der Tod des Marat“ (1793) erkennen. Auch hier ist das Private und das Öffentliche zu einem verschmolzen – in Davids Verarbeitung des Themas und eigentlich auch bei Marat selbst. Marat behandelte eine Hautkrankheit mit Bädern, Fräulein Corday täuschte ein öffentliches Anliegen vor, um in Marats Privatzimmer zu gelangen. Davids „Aufnahme“ stellt die Begebenheit kurz nach dem Mord dar. Dezent, die Eintrittswunde keineswegs dominant, die Mordwaffe liegt irgendwo im Halbdunkel am Boden. Das Antlitz des ermordeten Revolutionärs wirkt fast friedlich, das Blut ist ihm aus dem Gesicht gewichen: Einer, der zu Hause noch etwas gearbeitet hat; Feder und Papier noch in der Hand. Das Private und das Öffentliche sind eins. Dabei müssen wir uns vor Augen halten, dass 1793 und 1794 geradezu ein religiöser Kult um den Zeitungsherausgeber Marat, der von einer Royalistin aus der Provinz ermordet wurde, ausbrach. Der öffentliche Druck auf David, die Szene mehr dramatisch und aufgeladen darzustellen, kann vorausgesetzt werden.

Dennoch blieb David souverän bei seiner sachlich-kühlen Nähe zum Menschen. Diese Nähe kommt dadurch zustande, indem der Künstler eben *keine* besondere Szene aus dem Sujet macht; das nicht extra künstlerisch aufzuwerten sucht, was bereits außerhalb des Künstlers seine Größe hat. Davids Werk hat dabei keine Überschneidung mit der späteren Epoche des Realismus in der Literatur: Sie nimmt nicht das Persönliche, um auf das Öffentliche zu schließen. Vielmehr wird das Öffentliche durch den Körper einer Person verwirklicht. Aber sonst durch nichts und deswegen geht David mit der Person so vorsichtig um. Sie ist ihm kostbar und zerbrechlich, gerade weil er sie nicht idealisieren muss.

Ein wenig erinnert uns dieser Zugang – Empathie durch Zurückhaltung – an einige Text-Stellen in Georg Büchners „Dantons Tod“ (1835). Hier mit der Besonderheit, dass die Zurückhaltung durch Ironie hergestellt wird. Noch mehr Empathie finden wir im Novellenfragment „Lenz“ (posthum 1839), in dem wir Leser sozusagen an der Seite des unglückseligen Protagonisten einhergehen. Etwa so, wie man einen Freund zum Zahnarzt begleitet. In Büchners „Helden-Tod der vierhundert Pforzheimer“ (1829/1830) – der Autor war zu diesem Zeitpunkt noch Schüler – gibt es diese Zurückhaltung noch nicht. Hier heißt es:

„Erhaben ist es, den Menschen im Kampfe mit der Natur zu sehen, wenn er mit gewaltiger Kraft sich stemmt gegen die Wut der entfesselten Elemente und, vertrauend der Kraft seines Geistes nach seinem Willen die Kräfte der Natur zügelt. Aber noch erhabner ist es den Menschen zu sehen im Kampfe mit seinem Schicksale, wenn er es wagt mit kühner Hand in die Speichen des Zeitrades zu greifen, wenn er an die Erreichung seines Zweckes sein Höchstes und sein Alles setzt. (...) Solche Männer zeugte Sparta, solche Rom. Doch wir haben nicht nötig die Vorwelt um sie zu beneiden, wir haben nicht nötig sie wie die Wunder einer längstvergangnen Helden-Zeit zu betrachten, nein, auch unsre Zeit kann mit der Vorwelt in die Schranken treten, auch sie zeugte Männer, die mit einem Leonidas, Cocles, Scävola und Brutus um den Lorbeer ringen können.“[2]

So ging der Kampf bei den Thermophylen in die Auffassung des 19. Jahrhunderts ein. Überraschenderweise fährt Georg Büchner mit einem „Heldentodbeispiel“ aus den Koalitionskriegen des alten Europas gegen das Frankreich der Französischen

Revolution fort:

„Ich meine den Freiheits-Kampf der Franken; Tugenden entwickelten sich in ihm, wie sie Rom und Sparta kaum aufzuweisen haben und Taten geschahen, die nach Jahrhunderten noch Tausende zur Nachahmung begeistern können. Tausende solcher Helden könnte ich nennen, doch es genügt allein der Name eines L'Atour d'Auvergne, der wie ein Riesenbild in unsrer Zeit dasteht, hunderte solcher Taten könnte ich anführen, doch nur eine und die Thermopylen hören auf die einzigen Zeugen einer großen Tat zu sein. Als die Franken unter Dumouriez den größten Teil von Holland mit der Republik vereinigt hatten, lief die vereinigte Flotte der Holländer und Franzosen gegen die Engländer aus, die mit einer bedeutenden Seemacht die Küsten Hollands blockierten. An der Küste von Nordholland treffen die feindlichen Flotten aufeinander, ein verzweifelter Kampf beginnt, die Franken und Holländer kämpfen wie Helden, endlich unterliegen sie der Übermacht und der Geschicklichkeit ihrer Feinde. In diesem Augenblick wird der *Vainqueur*, eins der Holländischen Schiffe, von drei feindlichen zugleich angegriffen und zur Übergabe aufgefordert. Stolz weist die kühne Mannschaft, obgleich das Schiff schon sehr beschädigt ist, den Antrag ab und rüstet sich zum Kampf auf Leben und Tod. (...) Mit letztem Ruck feuern sie auf die Feinde, schwenken noch einmal die Banner der Republik und versenken sich mit dem Ruf: es lebe die Freiheit! in den unermeßlichen Abgrund des Meeres. Kein Denkmal bezeichnet den Ort wo sie starben, ihre Gebeine modern auf dem Grunde des Meeres, sie hat kein Dichter besungen, kein Redner gefeiert, doch der Genius der Freiheit weint über ihrem Grabe und die Nachwelt staunt ob ihrer Größe."[3]

Vielleicht sah auch David die Analogie zwischen den Perserkriegen und den Revolutionskriegen – eine Analogie, die strukturell gesehen Substanz hat, wenngleich aus anderen

Gründen als jene, die Büchner anführte. Dessen Interpretation der Ereignisse als Heldentod wurde im Laufe des 19. Jahrhunderts als Pflicht am Vaterland, ja am Staat umgedeutet. Das bei Georg Büchner noch vorhandene Element, dass Helden sich mit fast unmenschlicher Kraft gegen das sie umgebende Milieu und die Sitten der Zeit stemmen, wurde zu einem Element der Vaterlandsliebe, der Pflichterfüllung, des Konformismus. Der Held war nun der, der sich der Öffentlichkeit bedingungslos unterordnet. Das Rebellische wurde der Moral des Beamtenstaates angepasst. Eine ganze Reihe von Kunstwerken und Interpretationen folgte dieser Spur. Das Wilhelminische und das faschistische Deutschland hatten Nachfrage nach dem Lorbeerkranz Leonidas‘ und seiner Spartaner. Mythen sind zäh und nicht durch „Aufklärung“ auszurotten. Diese Erfahrung machte bereits Franz Mehring (1846–1919), der über die, wie er es nannte, Lessing-Legende vor dem Ersten Weltkrieg forschte: Das industriell aufstrebende Bürgertum verzichtete nach 1848/49 auf eine bürgerliche Revolution und gab sich mit den Halb-Freiheiten und Halb-Unfreiheiten der Hohenzollern-Monarchie zufrieden. „C'est la vie!“ – könnte man sagen. Aber damit nicht genug, suchte die bürgerliche Öffentlichkeit ihr limitiertes Ausmaß an Courage dadurch zu beschönigen, dass sie diese Haltung retrospektiv den deutschen Aufklärern des 18. Jahrhunderts andichtete. Genau das ist die Legende in den Worten Mehrings.

Nach dem Desaster des Faschismus war es mit der Bewunderung für Sparta erst einmal vorbei und auch der „Heldentod für das Vaterland“ wurde 1945 eine Spur differenzierter gesehen.[4] Auf der künstlerischen Ebene kann nun „Thermophylae“ (1954) des österreichischen Expressionisten Oskar Kokoschka genannt werden. Das Triptychon illustriert weit mehr als hundertfünfzig Jahre zuvor bei David das Unheil und das Unheilvolle des

Kampfes: Der Himmel ist an einer Stelle blutrot. Vor allem aber wird die innere Zerrissenheit des Protagonisten, der von seiner Familie für immer Abschied nehmen muss, dargestellt. Eine berührende Szene eines Aspekts, der in den Verarbeitungen des Themas vor Kokoschka keineswegs im Zentrum stand.

Auf der Ebene der Belletristik ist Heinrich Bölls Erzählung „Wanderer, kommst du nach Spa...“ (1950) das explizite Gegenmodell zu dem Heldennarrativ vergangener Tage. Ein junger Mann wird im Krieg verwundet und in eine als Lazarett umfunktionierte Schule gebracht:

„(...) sie trugen mich die Treppe hinauf. Erst ging es in einen langen, schwach beleuchteten Flur, dessen Wände mit grüner Ölfarbe gestrichen waren (...) und im Treppenhaus selbst, auf der Wand, die hier mit gelber Ölfarbe gestrichen war, da hingen sie alle der Reihe nach: vom Großen Kurfürsten bis Hitler (...) die drei Büsten von Cäsar, Cicero, Marc Aurel, brav nebeneinander, wunderbar nachgemacht, ganz gelb und echt, antik und würdig standen sie an der Wand (...) Ich wußte nicht genau, wie ich verwundet war; ich wußte nur, daß ich meine Arme nicht bewegen konnte und das rechte Bein nicht, nur das linke ein bißchen (...) Der Arzt drehte mir den Rücken zu und stand an einem Tisch, wo er in Instrumenten herumkramte; breit und alt stand der Feuerwehrmann vor der Tafel und lächelte mich an; er lächelte müde und traurig, und sein bärtiges, schmutziges Gesicht war wie das Gesicht eines Schlafenden; an seiner Schulter vorbei auf der schmierigen Rückseite der Tafel sah ich etwas, was mich zum ersten Male, seitdem ich in diesem Totenhaus war, mein Herz spüren machte: irgendwo in einer geheimen Kammer meines Herzens erschrak ich tief und schrecklich, und es fing heftig an zu schlagen: da war meine Handschrift an der Tafel. (...) Da stand er noch, der Spruch, den wir damals hatten schreiben müssen, in diesem verzweifelten Leben, das erst drei Monate zurücklag: Wanderer, kommst du nach Spa … Oh, ich weiß, die Tafel war zu kurz gewesen, und der Zeichenlehrer hatte geschimpft (…) Der Feuerwehrmann war jetzt auf einen leisen Ruf des Arztes hin beiseite getreten, so sah ich den ganzen Spruch, der nur ein bißchen verstümmelt war, weil ich die Schrift zu groß gewählt hatte, der Punkte zu viele. Ich zuckte hoch, als ich einen Stich in den linken Oberschenkel spürte, ich wollte mich aufstützen, aber ich konnte es nicht: ich blickte an mir herab, und nun sah ich es: sie hatten mich ausgewickelt, und ich hatte keine Arme mehr, auch kein rechtes Bein mehr (…).“[5]

Eine präzisere Demontage sowohl des Heldentodes für den Staat *und* des traditionellen deutschen Philhellenismus gibt es bislang nicht. Heinrich Bölls Erzählung braucht weder kommentiert, analysiert noch extra gewürdigt werden. Wie alles Meisterhafte spricht sie für sich selbst. Mit der Ästhetik der Rückschau bei Friedrich Schiller …

„Wanderer, kommst du nach Sparta, verkündige dorten, du habest Uns hier liegen gesehn, wie das Gesetz es befahl.“[6]

… ist es mit Bölls Verarbeitung ein für alle Mal vorbei. Die Nachkriegsautoren setzen nun andere Standards. Nun steht der Alltag im Vordergrund, der Alltag der Kriegsheimkehrer und der Trümmerfrauen. Gute und schlechte Menschen vielleicht … aber eben Helden sind sie nicht und müssen dies nicht sein, außer vielleicht „Helden des Alltags“, die sich irgendwie durchschlagen. Und diese sind es bei Böll auch in den Jahren des Wirtschaftsaufschwungs – wie zum Beispiel in „Ansichten eines Clowns“ (1963).[7]

Böll bediente das Bedürfnis nach einer „heldenfreien Literatur“ und nach einem deutschen Antihelden glaubhaft. Der Antiheld in der deutschsprachigen Literatur war im 19. Jahrhundert und im 20. Jahrhundert bis 1945 ein Minderheitenprogramm, das manche freilich ebenfalls gut bedienten, wie Robert Walser oder Franz Kafka. Für das neue Paradigma der heldenfreien Zone sind im Roman „Ansichten eines Clowns“ alle Ingredienzen vorhanden: Der Erzähler – ein glückloser Mensch, der sich manchmal mit ungestümer Art gegen die Klischees und Unvernunft seiner Zeit und seiner Umgebung wendet. Mit so jemandem identifiziert sich der Leser in einer *unheroischen Zeit* gern, falls er sich überhaupt gerne mit etwas identifiziert. Der Erzähler ist, wie der Titel schon sagt, ein Berufsclown. Zumal einer, der sich nicht gerade am Zenit seiner Berufslaufbahn befindet: Als ihn seine Marie zu Gunsten eines katholischen Eiferers verlässt, fängt der Berufskomiker ganz systematisch mit dem Trinken an. Seine Auftritte werden immer schlechter, selbst kleine Bühnen wollen ihm nur noch die halbe Gage zahlen. Das Desaster ist perfekt, als er sich bei einem dieser Auftritte auch noch das Knie verletzt und damit arbeitsunfähig wird. Der Clown fährt in seine selten verwendete Wohnung nach Bonn, er hat noch genau eine D-Mark, etwas Schnaps, einige wenige Zigaretten und ein kaputtes Knie. Er schnappt sich das Telefonbuch und macht eine Liste von Leuten, die nun angerufen werden müssen. An erster Stelle die Katholiken, um herauszufinden, wo Marie abgeblieben ist, und um sie wiederzugewinnen. Die besondere Herausforderung dabei: Der agnostische Clown muss die erzkatholischen Argumente selbst anwenden, um den Katholiken deren Widersprüche zu beweisen. Das entbehrt nicht einer gewissen Komik – ein Lesegenuss auf Seiten des Lesers. Auf Seiten des Clowns misslingt der Plan. An zweiter Stelle geht es darum, Geld aufzutreiben, also Leute anzupumpen. Auch dies misslingt, da sich der Clown immer auf kontroverse Dispute über Gott und die Welt einlässt und seinem Ruf als schwierigen Charakter, dem man lieber doch nichts borgt, alle Ehre macht.

Wir können somit etwas grob verallgemeinern, dass das 20. Jahrhundert das Heldennarrativ zuerst einmal widerlegte. Sagte das 19. Jahrhundert: „Seht Leonidas, welch Heldenmut und feine Gesinnung!", so sagte die Nachkriegszeit: „Heldentod ist Betrug und Leonidas einer der Irreführer!" Die Katastrophe des Weltkrieges entzaubert die alten Helden; Nation und Nationalstaat bekommen eine vorsichtigere, sozusagen zivilgesellschaftliche Deutung. Aber was, wenn dieser Nationalstaat in Wirklichkeit nichts mit der antiken Demokratie, nichts mit Leonidas, nichts mit den Spartanern und nichts mit Xerxes und dessen Gesellschaftsform zu tun hatte? Werden einem Mythos sachlich richtige Argumente entgegengesetzt, so wird der Mythos nicht automatisch entschleiert. Jede Widerlegung hat als Negation das ursprünglich Positive weiterhin als Grundlage. Dabei zeigt sich, dass selbst Ideologiekritik – auch wenn die Argumente der Kritik stimmen – das ursprüngliche Kriterium nicht aufhebt. Es relativiert die Allgemeingültigkeit des Kriteriums bloß für einige Zeit. Aber jede Zeit hat ihr Ende. Und so kam das Ende der Kritik am Helden Leonidas und seinen Spartanern Anfang des 21. Jahrhunderts. Die Republik Iran war dem Vernehmen nach gerade dabei, das Atomwaffenmonopol der traditionellen Atommächte aufzulockern, als der Film „300" von Bros Warner & Co produziert wurde.

Das war im Jahr 2006. Im Stil der Zeit und geeignet als Blockbuster sind die Spartaner Superhelden, die die freie Welt vor der Invasion dunkler Mächte verteidigen. Dass die Anspielung

. . .

Sparta = der Westen, Xerxes = die Führer der islamischen Republik

. . . so plump ausfiel, störte niemanden; außer freilich die iranische Öffentlichkeit und das nicht zu Unrecht.[8]

„Mittlerweile gehört der Film mit einem weltweiten Einspielergebnis von über 456 Millionen US-Dollar zu den 70 erfolgreichsten Filmproduktionen aller Zeiten."[9]

Auch in Athen wurde „300" ein Kinoerfolg. Indes, die Zeit blieb auch hier nicht stehen. Zwei Jahre später brach die Weltwirtschaftskrise aus und in deren Folge eskalierte die europäische Schulden- bzw. Gläubigerkrise. Nun war die kulturelle Frontstellung wieder verlegt und Deutschland samt anderen Gläubigerländern standen Griechenland samt anderen Schuldnerländern gegenüber. Aber vor allem Griechenland. Und vor allem Deutschland. Flugs wurden die Position Athens als „Wiege der Demokratie" und die Heldentaten des antiken Perserkrieges von der deutschen Journalistik relativiert.[10] Gewiss, die Ebene der Politik ist kurzlebiger als die Ebene der Journalistik und die Ebene der Journalistik ist kurzlebiger als die Ebene des Feuilletons und die Ebene des Feuilletons ist kurzlebiger als die Ebene der Belletristik und so weiter. Aber es zeigt sich dabei doch recht deutlich, dass ein Mythos wie „Athen ist die Wiege der Demokratie" – sprich: „Athen ist die Wiege des bürgerlichen Parlamentarismus" – genauso unsinnig ist wie die Widerlegung dieses Mythos als Unwahrheit. Stattdessen müsste es einer Kulturkritik darum gehen, zu sagen …

„(…) wie es eigentlich gewesen."[11]

Und zwar nach den Usancen der antiken Welt. Leopold von Ranke (1795–1886) zu der Aufgabensetzung der Geschichtsschreibung:

„Man hat der Historie das Amt, die Vergangenheit zu richten, die Mitwelt zum Nutzen zukünftiger Jahre zu belehren, beigemessen: so hoher Ämter unterwindet sich gegenwärtiger Versuch nicht: er will bloß zeigen, wie es eigentlich gewesen."[12]

Dies müsste somit lauten: Man hat der Historie das Amt, die Vergangenheit nach den Kriterien der Moderne zu richten, beigemessen. Es kann aber nur darum gehen, die Vergangenheit nach den damaligen, den historischen, Kriterien zu bewerten: wie es eigentlich nur sein konnte.

Freilich, so allgemein formuliert, lauern noch einige Fallstricke. Denn mit den „damaligen, den historischen, Kriterien" können auch jene des damaligen *Bewusstseins* gemeint sein, statt der *objektiven* damaligen Verhältnisse. Gerade die europäische Alt-Philologie und Alt-Historiographie des 19. Jahrhunderts bewertete die antike Geschichte aus der subjektiven Sicht der „alten Griechen und Römer". Von Schlegel über Schleiermacher, Droysen über Niebuhr und viele andere: Seit dem 18. Jahrhundert – also ziemlich parallel zum Aufstieg des industriellen Kapitalismus – wurden die antike Ästhetik und die antike Politik wieder zum Referenzpunkt. „Wieder zum Leben erweckt" ... was freilich im wörtlichen Sinne nicht möglich ist. Etwa so, wie ein Stück Fleisch mit Sehnen, Fell und Zähnen nach vielen Jahrhunderten oder Jahrtausenden im Eis nun aufgetaut wird. Bloß zum Leben wird es damit nicht wiedererweckt. Dennoch wäre es zu klein gedacht, diese Gelehrten wären einfach nur töricht gewesen. Sie entdeckten die Antike neu und sie fanden dabei etwas, was tatsächlich ihrer bürgerlichen Welt entsprach – aber nur zur Hälfte, wie wir im Laufe dieses Buches noch sehen werden. Wenn man so will: Sie entdeckten dabei eine Seite ihres eigenen, erst im Entstehen begriffenen, bürgerlichen Seins. In Wirklichkeit schrieben sie mehr über ihre eigene Welt, wenn sie das Alte in Worte fassten.

Wenn wir hingegen nicht diese gelungene Kulturpsychoanalyse bewerten, sondern die nüchterne Erforschung der Vergangenheit: Die bürgerlichen Gelehrten identifizierten die modernen Maßstäbe mit jenen „der Alten". Sogar die akademisch betriebene Geschichtsschreibung des 20. Jahrhunderts war vor der Versuchung, „Okzident vs. Orient" nach modernen bürgerlichen Maßstäben zu messen, nicht gefeit. So schrieb Pierre Grimal (Sorbonne Paris) zu Roms Griff nach der östlichen Mittelmeerwelt im 2. Jahrhundert:

„Die Galater lebten in relativem Frieden in dem Gebiet zwischen Pessinous und Ankyra. Manlius griff sie mit seiner gesamten Streitmacht an. Sie zogen sich auf die Berge Olymp und Megaba zurück und führten ihre Frauen, Kinder und Schätze mit sich. Die beiden Verteidigungsstellungen der Galater wurden in Sturm genommen und sie selbst niedergemetzelt. (...) War Manlius nichts anderes als ein Plünderer (...)? (...) Es ist jedoch auch anzunehmen, daß er dem tief im Römer verwurzelten Drang zur Befriedung folgte.“[13]

Der Begriff „Befriedung“ hat den etymologischen Bestandteil „Frieden“ in sich und bedeutet in diesem Zusammenhang wie auch in jedem anderen Zusammenhang nichts anderes, als ein Gebiet mit Krieg zu überziehen, also schier das Gegenteil von Frieden. Befrieden bedeutet, anderen den eigenen Frieden zu diktieren, wozu nun einmal die Gewalt das probate Mittel ist. Der Historiker übernimmt mit dem Motiv Befriedung die antike Rechtfertigung für die Gewalt. Werfen wir einen Blick auf den dritten Makedonischen Krieg, der den endgültigen Untergang des Staates Makedonien und die Bildung einer römischen Kolonie auf dessen Gebiet mit sich brachte. König Perseus, der Nachfolger Philipps V., unternahm alles, um Rom auf diplomatischer Ebene zufriedenzustellen. Schließlich aber:

„Perseus verwarf den zwischen den Römern und Philipp V. abgeschlossenen Vertrag (...)“

– der den Bedingungen des Senates 196 nach dem Zweiten Makedonischen Krieg folgend bereits die völlige Unterwerfung des Königreiches zum Inhalt hatte, der nun aber auch Rom zu wenig weit ging –

„(...) erklärte sich aber bereit, einen anderen Vertrag auf der Basis völliger Gleichberechtigung der Kontrahenten abzuschließen."[14]

Pierre Grimal fügt an diesen Satz den rätselhaften Schluss an:

„Der Krieg schien unvermeidlich."[15]

Nun war Rom immer erfindungsreich, wenn es um eine juridische Begründung für die Anwendung nackter Gewalt ging. Wie soll sich ein moderner Historiker gegenüber diesen Begründungen verhalten? Besteht sein Produkt darin, eine sprachlich moderne und flüssige Nacherzählung der Inhalte antiker Schriftsteller anzubieten – so wie es ja noch heute mit den antiken Sagen gemacht wird?

„Alle Staatsgebilde, die im Laufe der Jahrhunderte in dieses Reich integriert wurden, waren mit Rom durch ein *foedus* verbunden. Sie behielten ihre Autonomie und entrichteten als Gegenleistung für den ‚Schutz' Roms bestimmte Steuern, wie den Tribut, die Stellung von Truppenkontingenten – je nach Wunsch des römischen Volkes – sowie die Lieferung von Naturalien. (...) Neben den verbündeten Städten gab es überall in Italien ‚Kolonien'. Die Kolonien bestanden entweder aus Bürgern *pleno iure* oder solchen, die nur das latinische Recht besaßen."[16]

Die „Kolonie" hat zuerst einmal Analogien in den ehemaligen Pflanzstädten der Griechen in Italien und ihre Existenz bedeutet noch nicht Ausbeutung durch die Stadt Rom. Im Falle der „verbündeten Städte" war dies indes anders. Die Gegenleistung für die Entrichtung eines Tributs war der Schutz Roms. Aber vor wem? Am ehesten hätten die Städte des Schutzes vor dem Zugriff ... Roms bedurft. Die Verwendung des Begriffs „Gegenleistung" erinnert ein wenig an die vulgärwissenschaftliche Rechtfertigung der feudalen Ausbeutung: Die Feudalherren (vulgo „Ritter") werden zwar durch die Arbeit „ihrer" Bauern miternährt, besorgen aber als Gegenleistung deren „Schutz".

Mitunter stimmt dies auch in dem Sinne, dass Schutz vor *anderer* Ausbeutung gewährt wird. Das Motiv auf Seiten der Waffenträger ist, der Quelle des feudalen Reichtums nicht verlustig zu gehen.

Grimal verhält sich zu den unterschiedlichen Rechtstiteln, die der römische Senat seinen Eroberungen gab, nicht gänzlich unkritisch. Aber seine Kritik bleibt in Ermangelung eines absoluten Kriteriums immer *relativ*, bezogen auf die Interessen Roms, mit denen er sich als Historiker identifiziert. Der Materialismus als Methode böte hingegen einen „absoluten Nullpunkt" und von diesem ausgehend ist die Expansion Roms erklärbar und die antiken Rechtstitel als bloß bewusster oder unbewusster, jedenfalls aber *ideologischer* Ausdruck der Notwendigkeit zur geographischen Expansion wie der daraus folgenden Notwendigkeit zur sozialen Desintegration deutbar. Oder einfacher formuliert: Der Historiker hat sich von dem durchaus realen juridischen Erfindungsreichtum des Senats am Tiber in die Irre leiten lassen. Ein anderes Beispiel: Die iberische Stadt Sagunt war zuerst einmal in eine punische und römische Sphäre geteilt. Wie diese Situation zustande kam, braucht uns hier nicht zu interessieren; sie ist bloß Ausgangspunkt für folgendes Geschehen: Die Punier wurden aus Sagunt verdrängt und Karthago griff daraufhin Sagunt an. Nun meinte Pierre Grimal, dass daraufhin wiederum die Römer „moralisch verpflichtet" gewesen seien, ihrerseits einzugreifen.[17] Mit derselben Berechtigung hätte nun wiederum Karthago eingreifen können (was es auch tat). Die punische Berechtigung wird uns nur deswegen weniger deutlich, weil Karthago im Gegensatz zu Rom kein umfangreiches Schrifttum zu diesem Thema hinterlassen hat. Wir kennen somit nur den römischen *Standpunkt*.

Dieser scheint uns normal. Schließlich wurde Karthago selbst einige Jahrzehnte nach dem Sagunt-Konflikt ausgelöscht. Und wie heißt es doch so schön – auf Lateinisch und nicht auf Punisch: *Vea victis*! In Wirklichkeit bestand die „moralische Berechtigung“ für Expansion auf beiden Seiten: Die Mittelmeerwelt mit der technologischen Voraussetzung des Regenfeldbaus förderte wie ein natürliches Treibhaus das Gedeihen von Privateigentum, großen Grundbesitz, Sklavenarbeit und Warenhandel. Nicht jede einzelne Handlung ist aus dieser Kombination erklärbar, aber die grundsätzliche Tendenz zu Expansion und Krieg sehr wohl. Und damit die grundsätzliche Konkurrenz jener Staaten, die auf Expansion und Krieg aufbauten. Gerade weil Rom und Karthago eine ähnliche Sozialstruktur aufwiesen, standen sie in einem lebhaften Gegensatz um den endlichen Raum des westlichen Mittelmeers. Wir brauchen uns weder von der ideologischen Rechtfertigung für den Krieg beeindrucken lassen, noch den pazifistischen Standpunkt der Nachkriegszeit auf die Antike anwenden.

Noch deutlicher wird die grundsätzliche Identifikation des Historikers mit Rom bei der Beurteilung der Folgen des Dritten Punischen Krieges. Nach dem Ende des Zweiten Punischen Krieges stellte Karthago keinen militärisch oder ökonomisch relevanten Gegner für Rom mehr dar. Die Sache hätte somit auf sich beruht werden lassen können. Dem war nicht so.

„Die Zerstörung Numantias (im Jahre 133) erfolgte 13 Jahre nach der Zerstörung Karthagos, die ihrerseits zeitlich mit der Eroberung und Plünderung Korinths zusammenfiel. Die Welteroberung Roms endete im Zeichen des Schreckens. Diese drei ‚Beispiele‘ sind wahrscheinlich keine reinen Zufälle. Man muss sie eher als dreifachen Ausdruck ein und derselben Politik sehen, als den Wunsch, ein für alle Mal mit den brutalsten Methoden der schier endlosen Kette von Kriegen ein Ende zu setzen. ‚Nie wieder Krieg‘ – Rom wurde der militärischen Anstrengungen überdrüssig, die ihm nun schon seit der Invasion

Hannibals abverlangt wurden."[18]

„Nie wieder Krieg!" war selbstverständlich kein Slogan der immer bellizistischen Antike, sondern des bürgerlichen Zeitalters und auch das nur zeitweise nach den humanitären Katastrophen der beiden Weltkriege im 20. Jahrhundert. Pierre Grimal nimmt wohl an, dass dieser Slogan die Politik des Senats in Rom seinen Lesern näherbringe. Der Historiker hat zudem sachlich unrecht, dass Roms aggressive Politik in Griechenland mit der Angst vor einem zweiten Hannibal und einem Zweifrontenkrieg zusammenhinge. Rom hatte diese Angst nicht, sondern schuf sich gerade erstmals richtige, tributleistende, Kolonien im Osten – das Argument, ein neuer „Hannibal" könne wiederauftauchen, war einfach nur politische Propaganda.

Nun geht Grimal vorsorglich auf den möglichen, vielleicht aber unzutreffenden Vorwurf ein, Roms Expansion hätte einen „imperialistischen" Charakter. Wobei, wie wir sehen werden, fraglich ist, welcher Imperialismus-Begriff hier Pate stand. Wir greifen nur eine von mehreren Stellen zum „Imperialismus-Thema" heraus. In folgender Passage geht es um Rom im Ersten Punischen Krieg:

„Als Regulus im Vorteil war, hatte er unbewusst verraten, welches die von Rom verfolgten Kriegsziele waren, und daß sie auf nichts Geringeres abzielten als auf das Verschwinden Karthagos als Großmacht. Regulus und seine Freunde im Senat wollten gewiß nicht Karthago in seiner Rolle als handeltreibende Republik durch Rom ersetzen und noch weniger sein Territorium annektieren, so daß man in diesem Sinne nicht von Imperialismus sprechen kann (. . .)."[19]

Das entbehrt nicht einer gewissen Pointe! Zuerst soll Karthago als Großmacht verschwinden – das ist aus Sicht Roms tatsächlich ganz naheliegend und legitim. Aber Grimal spricht die objektive Tendenz zu Expansion und Krieg (siehe oben) nicht an, sondern möchte die Offenherzigkeit des Regulus wieder zurücknehmen und Rom harmloser machen, als es tatsächlich war, indem er anschließt, es handle sich dabei nicht um „Imperialismus“. Das Motiv Grimals ist die (eigentlich unnötige) Rechtfertigung der römischen Expansion, aber die Mittel dieser Rechtfertigung sind ungeeignet. Denn grundsätzlich gibt es „Imperialismus“ auch ohne Annexion des Territoriums, das Rom zudem – der Pointen gibt es offensichtlich keinen Überdruss – nach dem Dritten Punischen Krieg tatsächlich annektierte.

Die wirtschaftlichen Vorteile Roms nach dem Ausgang der punischen Kriege sind jedenfalls ganz unbestreitbar. Dass die Inkorporation des sizilianischen und afrikanischen Getreideanbaus zum Ruin der italischen Kleinbauern führte, ist ebenfalls eine nette Volte der Geschichte und Max Weber trifft die Sache punktgenau in folgender Passage:

„Der zweite punische Krieg dezimierte überdies den Bauernstand in der Heimat, – die Folgen seines Niedergangs sind zum Teil auch Hannibals späte Rache.“[20]

Das hätten auch die Nachkriegs-Historiker nicht bestritten, nur belassen sie die ökonomischen Auswirkungen im Fach Wirtschaftsgeschichte, hübsch sauber und aseptisch getrennt von der politischen Geschichte. Somit gibt es in der Sphäre der Politik immer moralische, kulturelle oder psychologische, aber keine wirtschaftlichen Motive! Und wo eine Expansion keine wirtschaftlichen Motive hätte, weil die antiken Quellen diese nicht erwähnen, gibt es auch keinen Imperialismus! Würden wir aber Grimals Imperialismus-Begriff anwenden, wir täten uns im Gegenzug zu ihm schwer, Rom *nicht* als imperialistisch zu bezeichnen.

Zu dem ökonomischen Aspekt kommt der Gewaltaspekt. Und nicht immer befand es der Senat von Rom als notwendig, diplomatische (oder noch besser: juridische) Rechtfertigungen für die Gewalt zu produzieren. Dann handelt es sich offensichtlich nur um nackte Eroberungen, und dann kann auch der Historiker nicht anders, als die Sache nüchtern zu schildern:

„Die Eingeborenen auf Sardinien und auch auf Korsika, wo die Römer zur gleichen Zeit begonnen hatten, sich festzusetzen, leisteten den neuen Eindringlingen lange Widerstand.“[21]

Indes ist der Begriff „Imperialismus“ in einem ganz anderen Zusammenhang entstanden. Er bezog sich entweder auf die ursprüngliche kapitalistische Akkumulation, begünstigt durch den Ressourcenzufluss durch frühneuzeitliche Kolonien. Oder aber auf den Kapitalexport des industriellen Kapitalismus nach Afrika, Asien, Amerika, Osteuropa. Kurzum: Hier geht es immer um Kapitalakkumulation und Kapitalverwertung. Die Expansion der antiken Gemeinwesen basierte aber nicht auf einem Kapitalismus, sondern auf einer antiken Produktionsweise. Pointiert gesagt: Sie basierte auf Reichtum, nicht auf Kapital. Auf Geldreichtum, nicht auf Kapitalreichtum. Kapital vs. Reichtum ... das ist ein erheblicher, qualitativer Unterschied, den etwa Karl Marx im ersten Band des Buches „Das Kapital“ oder in den „Grundrissen der Kritik der politischen Ökonomie“ aufrollt. Und wir werden im dritten Abschnitt unserer Darstellung noch näher auf den Unterschied zwischen dem Kapital- und dem Geldkreislauf eingehen. Hier reicht uns aber vorerst die Conclusio, dass der Begriff „Imperialismus“, auf die Antike angewendet, wenig Sinn macht. Oder eigentlich: Es macht überhaupt keinen Sinn, diesen Begriff auf die Antike anzuwenden.

Die antike Produktionsweise basierte auf Sklavenarbeit und damit auf Sklaven. Dieses gleichermaßen im Distributionsprozess monetär wertlose wie im Produktionsprozess unentbehrliche Gut konnte nur durch Schuldknechtschaft, Krieg oder Aufzucht in Apartheid produziert werden. Aggression, Brutalität und Unmenschlichkeit der antiken Gemeinschaften waren bereits hier angelegt, nicht erst durch eine besondere, expansionistische Politik einer Gesellschaft, die auf Warenproduktion basierte. Freilich schließt Ersteres Letzteres nicht unbedingt aus. Denken wir nur an das ausgeklügelte wie gleichzeitig brutale System des Delisch-Attischen Seebundes, welches sowohl die militärische Potenz Athens wie auch einen ökonomischen Wertetransfer auf Kosten der Bundesgenossen nach Athen gewährleistete. Und das sittenstrenge Rom? Sofern nicht einfach enorme Masse an Kriegsbeute ihren Besitzer wechselte – wie im 2. vorchristlichen Jahrhundert zulasten des besiegten Makedoniens und der griechischen wie auch kleinasiatischen Gemeinden – wurde die Übervölkerung Roms wie folgt gelöst:

„Die Ländereien, die der Eroberer neu angesiedelten Kolonisten zugewiesen hatte, stellten nur einen geringen Teil des gesamten Bodens dar."[22]

Immerhin, ein Teil des guten Bodens wurde aber nun umverteilt. Einerseits an Kolonisten (wie es bereits griechische Praxis war), anderseits indem ein wiederum anderer Teil des Bodens zum *ager publicus* Roms wurde:

„(...) wurden dem römischen Volk durch die Übergabe die gesamten Rechte über Menschen, Güter und den Boden übertragen. Rom hatte jeweils die Nutznießung dieses Eigentums wieder an die Unterworfenen abgetreten, doch es behielt das Recht der Lehnsherrschaft, das sich in der Praxis allein auf den *ager publicus* auswirkte, auf den Teil des Territoriums, der unmittelbar vom römischen Volk zu seinem Nutzen weiterverpachtet wurde und auf dem die Kolonien gegründet wurden. Doch dieser *ager publicus* blieb meistens in seinem Umfang sehr begrenzt. In Sizilien dagegen war es ein riesiges Territorium, das Rom tributpflichtig wurde."[23]

Dieser Passus ist deswegen so rätselhaft, weil in ihm die

juridische mit der ökonomischen Lage gleichgesetzt wird. In Wirklichkeit handelte es sich hier – wir befinden uns gerade im 3. vorchristlichen Jahrhundert – keineswegs um Lehensherrschaft und in diesem Falle ist auch der Begriff „Pächter" mit Vorsicht zu genießen, wie dies im 2. Jahrhundert an Hand der von Rom betrieben Bergwerke in Spanien gezeigt werden kann. Dass indes die Eroberten weiterhin als Eigentümer arbeiteten, erklärt sich aus der Unantastbarkeit des Privateigentums in der Antike. Auch der *ager publicus* widerspricht dem Primat des Privateigentums nicht. Er zeigt hier nur an, dass der Genuss dieses Bodens Rom zustand und nicht den Eroberten. Dass gerade in Sizilien der *ager publicus* groß und etwa auf Korsika klein blieb, erklärt sich aus der Produktionsweise: Eine Subsistenzwirtschaft wie in Korsika aus der Ferne auszubeuten, macht keinen Sinn.[24] Hingegen eignet sich die hoch entwickelte und mit Sklaven bewirtschaftete Agrarproduktion Siziliens – vor allem die Ebene südlich des Ätnas hinter Catania – für die Warenproduktion zugunsten der Eroberer.

Nur deswegen ist folgendes naheliegend:

„In der Verwaltung desjenigen Teils von Sizilien, der römisches Eigentum geworden war, ahmten die Römer das von Hieron in seinem Königreich Syrakus eingeführte System nach. Dieses System (...) war vielleicht nach dem Modell der von den Lagiden errichteten fiskalischen Institutionen geschaffen worden. Es sah die Ablieferung des Zehnten in Naturalien vor, wie in Ägypten (...)."[25]

Mit dem Hinweis auf die Lagiden hatte Grimal ganz recht; wenig geglückter sind die Begriffe „Zehnten" und „Lehen" (vgl. oben), die für den Feudalismus passend wären. Dieses Missverständnis hängt damit zusammen, dass viele bürgerliche Historiker schlicht alles, was nicht direkt Warenwirtschaft, Sozialismus oder Urgesellschaft ist, unter „feudal" subsumieren – sicher mit der prominenten Ausnahme Moses I. Finleys. Es bleibt indes erklärungsbedürftig, weshalb eine Warengesellschaft Naturalien abliefert und nicht etwa Steuern – also Abgaben in Form von Geld. Hier sehen wir, dass der Unterschied der Ausbeutung anderer Territorien zwischen Athen und Rom darin bestand, dass Letzteres Anleihen bei hellenistischen Verwaltungsmethoden nahm, die paradoxerweise gleichzeitig antiquierter wie moderner als jene von Athen waren.

Wir werden später sehen, weshalb dies so war. Hier genügt es jedenfalls festzuhalten, dass die antike Wirtschaft bei aller Ausbeutung fremder Ressourcen dennoch keinen Kapitalexport im Sinne des industriellen Kapitalismus kennen konnte. Alleine deshalb ist die Verwendung des Begriffs „Imperialismus" ziemlich sinnlos. Nebenbei vergab Grimal die Etikette „imperialistisch" allein dem Krieg in der späteren *Gallia Narbonensis* zur Zeit des Marius. Das wiederum ist eigenartig, denn gerade dieser Krieg fand im Gegensatz zu den Punischen und Griechischen Kriegen Roms im 2. Jahrhundert mit einem weitaus stärkeren Benefit für die Plebs anstelle der Grundeigentümer im Römischen Senat statt. Bei Grimal kommt der Leser zu der Quintessenz, die Kriege der Senatoren, die er „die Väter" nennt, seien moralisch gerechtfertigt, aber die Kriege zugunsten der Plebs „imperialistisch"! Hier schwingt ein eigenartiger Standesdünkel mit. Vor allem, wenn man bedenkt, dass Grimal im Gegenzug die Zerstörung der großartigen Stadt Korinth auf Befehl des römischen Senats im Jahre 146 rechtfertigt – vielleicht gerade deswegen, weil der griechische Aufstand gegen Rom die plebejischen Klassen der Gesellschaft umfasste:

„Die antirömische Bewegung, die ihren Anfang bei den Seeleuten, Arbeitern und Sklaven in Korinth nahm, breitete sich mit unglaublicher Geschwindigkeit in den anderen Städten aus."[26]

Die Rechtfertigung Roms für die Vernichtung Karthagos, Korinths und Makedoniens, es habe einen Zweifrontenkrieg und einen zweiten Hannibal verhindern wollen, hatte den Charakter von Propaganda. So gut wie jeder Krieg soll durch das Argument der *notwendigen Verteidigung* legitimiert werden. Die beschworene Gefahr gab es im 2. Jahrhundert nicht. Indem der Historiker Pierre Grimal die antike Argumentation Roms übernimmt, übernimmt er den notwendig ideologischen Gehalt dieser Argumentation – anstatt die Ideologie mit ökonomischen und sozialen Gegebenheiten in Verbindung zu setzen und sie damit verstehbar zu machen. Ähnlich sein Kollege auf bundesdeutschem Boden. So schrieb Hermann Bengtson, 1966–1977 Professor an der Universität München, nachdem er ganz richtig die Leistungen Dareios I. gewürdigt hatte:

„Es ist nicht zu übersehen, daß sich in die leuchtenden Farben auch dunkle Schatten eindrängen, die, je länger das Reich bestanden hat, umso düsterer geworden sind. Unzweifelhaft ist die persische Auffassung vom Herrschertum und vom Verhältnis des Großkönigs zu den Untertanen mit der abendländischen und insbesondere mit der griechischen Freiheitsidee ganz unvereinbar.“[27]

Hier liegt das Problem nicht nur in der Identifikation des Historikers mit den Belangen der griechischen, vor allem athenischen Gegner der Achämeniden. Schwerer wiegt, dass der Historiker die Verhältnisse der orientalischen Gesellschaft mit jenen der antiken misst. Nur nebenbei sei erwähnt, dass die ionischen Stadtstaaten Kleinasiens, die 546 von Kyros II. unter persische Oberhoheit gebracht wurden, vermutlich weit mehr Freiheit genossen, als der ganz überwiegende Großteil der Menschen in Sparta. Jenem Sparta, dem das neuzeitliche Europa posthum die Verteidigung der griechischen Sache an den Thermophylen so hoch anrechnet. Freilich werfen wir hier zwei Freiheiten zusammen, die staatliche und die persönliche. Aber dieses Zusammenwerfen bewertet Sparta erst recht milde. Bengtson sieht dies anders. Als Grund für den ionischen Aufstand gegen Dareios I. nennt der Autor zuerst eine ganze Reihe von ökonomischen Motiven der Ionier, die eigentlich alle ganz plausibel klingen und heutzutage zumindest nicht a priori verworfen werden. Dann heißt es jedoch:

„Klarheit darüber ist nicht zu erlangen."[28]

Hermann Bengtson verwirft gleich wieder seine Überlegungen, um zu dem für ihn naheliegenden Schluss zu kommen:

„(...) für die Erhebung waren nicht die ökonomischen, sondern die politischen Motive ausschlaggebend, vor allem die Einschränkung der kommunalen Autonomie. (...) Nur ein Grieche konnte empfinden, was es bedeutet, wenn über sein eigenes Schicksal nicht mehr durch die Ekklesie der Heimatstadt, sondern durch den Satrapen oder durch den persischen Großkönig im fernen Susa entschieden wurde."[29]

Besser, wenngleich polemisch, trifft ein Dilettant der Geschichtsschreibung den Punkt. Egon Friedell (1878–1938) zu der Ausgangslage der ionischen Griechen:

„Die Lage der ionischen Griechen war keineswegs drückender als unter Kroisos: Die Perser beschränkten sich darauf, Tyrannen einzusetzen, von denen sie annahmen, daß sie ihnen aus Dank ergeben sein würden, und beließen den Städten im übrigen ihre völlige Freiheit, sogar das für die Hellenen wichtigste Recht, sich untereinander befehden zu dürfen."[30]

Und nach dem ionischen Aufstand und dessen Niederschlagung durch die Perser:

„Die übrigen Städte wurden nunmehr offiziell dem Satrapen in Sardes unterstellt und erhielten demokratische Regierungen, da die Tyrannis sich nicht bewährt hatte."[31]

Entbehrt letzteres Detail nicht einer gewissen Pointe gegenüber der Auffassung Bengtsons, dass der Wechsel von der lydischen zur persischen Oberhoheit der ionischen Griechenstädte mit dem Verlust der Griechen-Freiheit einherging? Wir haben den Charakter der Griechen-Freiheit noch nicht näher bestimmt und nehmen hier ein Stückweit die Erzählung vorweg: Die Differenz zwischen der antiken Tyrannis und der antiken Demokratie ist eher darin zu suchen, welche sozialen Kräfte die Außenpolitik bestimmen. Aber dazu kommen wir später. Schauen wir uns noch einmal den Passus zu Dareios I. an:

„Es ist nicht zu übersehen, daß sich in die leuchtenden Farben auch dunkle Schatten eindrängen, die, je länger das Reich bestanden hat, umso düsterer geworden sind. Unzweifelhaft ist die persische Auffassung vom Herrschertum und vom Verhältnis des Großkönigs zu den Untertanen mit der abendländischen und insbesondere mit der griechischen Freiheitsidee ganz unvereinbar."[32]

Nach dieser Auffassung stehen sich Ideen gegenüber und sie bestimmen den weiteren Verlauf der Geschichte. Woher kommen sie und weshalb stehen sie sich gegenüber? Bengtson schildert das Perserreich aus dem Blickwinkel des modernen Bürgertums und aus diesem Blickwinkel sieht man tatsächlich nur Fremdes, bei den Ioniern hingegen den „nationalen Widerstand".[33]

„Für den Großkönig sind alle Untertanen, gleichgültig, welchen Standes und welcher Herkunft, letztlich Sklaven, und es ist sicherlich kein Zufall, wenn kein einziger der Helfer des Dareios in der Überlieferung wirkliches Relief erhält. Das Leben des Großkönigs vollzieht sich zudem in bewußter Isolierung vom Volk, nur die Großen und Mächtigen dürfen ihn bei den Audienzen von ferne erblicken. Sicher, kein Herrscher der Welt kann auf Gewalt verzichten, aber es kommt darauf an, daß diese Gewalt nicht um ihrer selbst willen, sondern zur Durchsetzung einer sittlichen Idee angewandt wird. Wir erschrecken, wenn wir hören, in wie unmenschlicher Weise Dareios die ‚Lügenkönige' verstümmeln ließ und wie hinterhältig er beispielsweise den Satrapen Oroites von Sardes aus dem Weg räumen ließ."[34]

Auch hier haben wir eine „Idee", der die Perser nicht gerecht werden sollten. Aber vielleicht wird die Idee den Persern nicht gerecht? Jedenfalls wurde Dareios I. ganz und gar dem gerecht, was wir uns von der Spitze eines Gemeinwesens mit asiatischer Produktionsweise – zu diesem Terminus kommen wir gleich – erwarten dürfen:

Kollektiver Besitz der Bauern schafft das Mehrprodukt, das der Staat mittels Steuern einhebt, um damit Infrastrukturtechnik zu „finanzieren". Breitet sich solch ein Gemeinwesen über das Kollektiveigentum der Bauern hinausreichend weiter aus, wird die Ökonomie der unterworfenen Gebiete beibehalten – aber wie gewohnt werden Steuern und Tribute eingefordert. Solch ein Staat ist per se föderal, aber mit einer zentralen Spitze ausgestattet, die über die Zuteilung des eingesammelten Mehrproduktes verfügt. Gegenüber den lokalen und regionalen Produzenten ist die Staatsspitze liberal, gegenüber anderen Staatsspitzen oder Anwärtern um die Staatsspitze ist sie totalitär. Dareios I. musste sich nach dem Tode Kambyses' II. erst einmal gegen die Konkurrenz anderer Anwärter durchsetzen. Anwärter, die, wenn sie gegen Dareios gesiegt hätten, diesen nicht geschont hätten. Das Verhalten von Dareios I. wäre im Rahmen einer griechischen Polis, also einer Vereinigung von Grundeigentümern, völlig unpassend und deswegen unmöglich gewesen. Sein Verhalten im Rahmen eines orientalischen Staates war passend und rational. Eher müsste in dieser Hinsicht Dareios III., sechs Generationen nach Dareios I., anders bewertet werden.

Gleichwie, Hermann Bengtson hätte dem altorientalischen Staat gleich frank und frei vorwerfen können, nicht Griechenland zu sein – also eine Gemeinschaft von individuellen Sklaven- und Grundeigentümern. Die Eigentumsverhältnisse sind wiederum für Bengtson ein zweitrangiges, ja zufälliges Element. Bengtson sieht diese nicht als eine gegebene Struktur an, die Politik und Kultur ihren Rahmen gibt. Genau umgekehrt verwendet der Autor die ökonomischen und sozialen Aspekte als Argumente von Politik und Kultur. Ausgerechnet den Achämeniden wird im Gegensatz zu den Griechen unterstellt, die „Untertanen" zu Sklaven zu machen. Positiv gesehen verhielt es sich gerade umgekehrt: In Hellas dominierte die Sklavenarbeit, in Persien die der Bauerngemeinschaften. In Griechenland dominierten die antiken Sozialverhältnisse wie in Rom, von dem schon Theodor Mommsen sagte:

„Die Menschenarbeit ward regelmäßig durch Sklaven beschafft."[35]

Zwar kam auch in den orientalischen Reichen Sklavenarbeit zum Einsatz ... aber wie auch die qualifizierten Handwerker, Ingenieure und Wissenschaftler aus allen Weltgegenden wurden diese Produktionsfaktoren nur vom Staat zugekauft. Wir sprechen hier von der Staatsspitze, nicht von der ökonomischen Basis, wo das Mehrprodukt der Gesellschaft erwirtschaftet wurde. Was für ein Gegensatz zum antiken Griechenland! Hier konnte jeder einzelne Grundeigentümer und Manufakturist für sich Sklavenarbeit einsetzen und als Quelle des Mehrproduktes nutzen. Im Osten wiederum wurde mittels des Mehrproduktes der Bauern die Arbeit von Spezialisten zugekauft. Im Westen waren die Produzenten direkt mit dem Weltmarkt Mittelmeer verbunden. Im Osten lebten sie isoliert voneinander, verbunden allein durch staatliche Straßen, Kanäle und die Steuereintreiber der Satrapen. Das alles ist gewiss überzeichnet, aber dafür ist hier der wesentliche Unterschied auf den Punkt gebracht.

Das persische Reich der Achämeniden hatte viel gemeinsam mit seinen assyrischen, babylonischen und sumerischen Vorgängern und mit seinen Nachbarn, dem ägyptischen Reich im Südwesten und dem alten Indien im Osten. In diesen Ökonomien orientierte sich der politische Charakter der Tribute an dem ökonomischen Charakter der Naturalsteuer der Bauerngemeinden an den Großkönig. Das Geld – Dareios I. ließ eine bekannte Goldmünze prägen – hatte bloß die Funktion, ganz unterschiedliche Großwirtschaftsräume zu verbinden, wirkte aber nicht zurück auf den Charakter der bäuerlichen Mehrproduktion:

„Während in Kleinasien und in Babylonien, teilweise wohl auch in Ägypten, die Münzgeldwirtschaft existierte, verharrten die anderen Länder des Reiches vielfach im Zustand einer reinen Naturalwirtschaft.“[36]

Was Letzteres in Wirklichkeit auch immer bedeuten mag. Dass es sich im Falle des antiken Griechenlandes, Karthagos und Roms um Gesellschaften einer ganz anderen Produktionsweise als jene des Achämeniden-Reiches, Ägyptens und Indiens handelte, strich der Wirtschaftshistoriker Moses I. Finley völlig zurecht heraus:

„Die Wirtschaft der vorderasiatischen Kulturen wurde von großen Palästen und Heiligtümern beherrscht, denen der größere Teil des anbaufähigen Landes gehörte und die faktisch ein Monopol besaßen auf alles, was man ‚industrielle Produktion‘ nennen könnte, wie auch auf den Außenhandel (das schließt den Handel mit benachbarten Städten ein, nicht nur den Fernhandel). Sie organisierten das wirtschaftliche, militärische, politische und religiöse Leben der Gesellschaft allein mit Hilfe einer komplizierten bürokratischen Aufzeichnungspraxis, für die ‚Buchführung‘ im weitesten Sinne die beste kurze Bezeichnung ist, die mir einfällt.“ [37]

An dieser Stelle sei der Einschub gewagt, dass eine solche zentrale Buchführung über alle ökonomischen Aktivitäten der Gesellschaft auch für die ... Planwirtschaften, zumindest die bürokratischen des 20. Jahrhunderts, kennzeichnend war und es ist kein Zufall, wenn Rudolph Bahro in seinem ehemals berühmten Buch „Die Alternative" den Stalinismus als Herrschaftsform einer modernen „asiatischen Produktionsweise" genial missverstand. In dem 3. Kapitel mit dem bedeutungsvollen Titel „Von der agrarischen zur industriellen Despotie" heißt es:[38]

„(...) daß der Führer der russischen Revolution ursprünglich keine ganz präzise Vorstellung vom Charakter der mächtigen vorkapitalistischen Formation der russischen Gesellschaft hatte. (...) Diese partielle Hilflosigkeit betraf ja nicht Lenin allein. Nach seinem Tode begleitete ein Großteil der alten Garde den Aufstieg Stalins mit endlosen Diskussionen über einen drohenden ‚Thermidor', über eine von Stalin drohende *bürgerliche* Konterrevolution. Noch in dem späten Entsetzen Bucharins über den ‚neuen Dschingis-Khan' haben die Bolschewiki das wahre Wesen des Stalinismus erst erahnt. Was sie schockierte, war nicht nur das spezifisch Irrationale des despotischen Terrors, sondern die Irrationalität der Erscheinung als ganzer, die aus der proletarischen Revolution, für die sie gelebt hatten, unmöglich hervorgehen konnte. Sie wußten nicht mehr, woran sie beteiligt waren."[39]

Unsere Analogie wäre hier: Wenn die asiatische Produktionsweise der Urahn besagter Planwirtschaft ist, dann ist die antike Produktionsweise der Urahn des Kapitalismus. Zwar hinkt diese Analogie, aber wir werden sehen, dass sie uns zu einer interessanten Fragestellung führt: Wenn es zwischen Planwirtschaft und Kapitalismus einen ökonomischen Austausch geben kann, der – aus Sicht der Planwirtschaft – im günstigsten Fall eine „ursprüngliche sozialistische Akkumulation" nähren kann, so auch zwischen der antiken und der asiatischen Produktionsweise. In dieser Hinsicht ist die Periode des Hellenismus von besonderem Interesse, denn in dieser wurden ökonomische Ressourcen der asiatischen Produktionsweise in klingende Münze der antiken Handelswelt geschlagen.[40]

Kommen wir nach diesem kurzen Exkurs wieder zurück zu Finleys Definition der Antike in Abgrenzung zu den vorderasiatischen Kulturen mit deren zentralen bürokratischen Buchführung:

„All das ist für die griechisch-römische Welt nicht wichtig, bevor nicht durch Alexander und später die Römer weite Gebiete Vorderasiens eingegliedert wurden. Dann erst wird man sich mit dieser vorderasiatischen Gesellschaftsform näher zu beschäftigen haben. Doch sollte ich (...) ‚Antike' als beide Kulturbereiche umfassend verstehen, so gäbe es nicht ein einziges Thema, das ich erörtern könnte, ohne getrennte Kategorien und unterschiedliche Vorstellungen und Modelle anzuwenden."[41]

Wir sehen hier, dass Finley von den Kategorien „asiatische" und „antike Produktionsweise" nur noch durch einen Haarspalt, der vermutlich bloß Missverständnissen verschuldet war, entfernt ist.[42]

„Die Ausschließung der vorderasiatischen Kulturen ist daher nicht willkürlich, obwohl es eben einfach schwieriger ist, die Beibehaltung der Bezeichnung ‚Antike' mit anderen Argumenten zu vertreten als mit Tradition und Bequemlichkeit."[43]

Finley hat aber ganz recht, daß Wirtschaftspolitik, Politik, Heerwesen und Kultus nach der „Blaupause" der jeweiligen Gesellschaftsstruktur bewertet werden müssen. Mit dieser Herangehensweise kam er nie zu den abfälligen Urteilen Bengtsons gegenüber dem persischen Reich. Finley verwendet die weicheren Begriffe „Kultur", wo wir die härteren Begriffe „Produktionsweise“ und „Produktionsverhältnisse“ verwenden. Immerhin rückt der „bürgerliche“ Finley ähnlich wie Max Weber näher an einen Klassenbegriff heran, auch wenn Ersterer im Gegensatz zu Letzterem diesen Begriff bewusst zu meiden sucht:

„Ich möchte nicht zu sehr vereinfachen. Es gab privaten Landbesitz in Vorderasien, der auch privat bewirtschaftet wurde; es gab unabhängige Handwerker und kleine Händler in den Städten. Die Quellen erlauben zwar keine Beurteilung der Zahlen, dennoch glaube ich nicht, daß man diese Leute zu der vorherrschenden Erscheinung des Wirtschaftslebens machen kann. Die griechisch-römische Welt hingegen war im wesentlichen ganz auf Privateigentum aufgebaut, das von ein paar Hektar Landbesitz bis zu den riesigen Domänen römischer Senatoren und Kaiser reichen konnte; sie war eine Welt des privaten Handels, der privaten gewerblichen Wirtschaft. Beide Welten kannten gesonderte, untypische Randgruppen, wie zum Beispiel die Nomaden, die eine ständige Bedrohung für die seßhafte Bevölkerung der Flußebenen in Mesopotamien und Ägypten waren, oder vielleicht die Bevölkerung der phönizischen Städte an der Küste Syriens (. . .).“[44]

Nicht ganz präzise ist Finley bei der Unterscheidung zwischen Besitz und Eigentum. Oder besser gesagt: Er macht keine Unterscheidung zwischen diesen beiden Formen und verwendet diese Begriffe synonym, was – entgegen der juristischen Usancen – tatsächlich der ökonomischen Realität ... *des Kapitalismus* entspricht. Für alle vorkapitalistischen Gesellschaftsformen ist die Unterscheidung jedenfalls ökonomisch relevant. Aber das soll uns hier zuerst einmal nicht weiter stören. Gut getroffen ist in der zitierten Passage, dass bei der Charakterisierung der Unterschiede zwischen antiker und asiatischer Produktionsweise von diversen Randgruppen, die eine besondere Rolle gegenüber der Produktionsweise einnahmen, zu der sie sich an sich aber atypisch verhielten, abzusehen ist. Die Methode ist hier ganz richtig.

„Gleichgültig wie viele Sklavinnen im Harem des Kalifen von Bagdad zu zählen einem Historiker gelingen mag, sie bedeuten nichts gegenüber der Tatsache, daß die landwirtschaftliche und industrielle Produktion zumindest von freien Männern ausgeführt wurde.“[45]

Ebenfalls richtig betont Finley den fundamentalen Unterschied zweier Produktionsweisen:

„Wenn wir (. . .) uns auf die großen ‚klassischen‘ Perioden in Griechenland und Italien konzentrieren, so sehen wir uns den ersten wirklichen Sklavenhaltergesellschaften der Geschichte gegenüber, die umgeben sind von Gesellschaften (oder in sie eingebettet), die auf anderen Formen der abhängigen Arbeit basieren.“[46]

Der amerikanische Wirtschaftshistoriker streift hier an dem Thema „duale Ökonomie“ an. Dort, wo bereits die asiatische Produktionsweise vorhanden war, konnte die antike Produktionsweise nicht Fuß fassen, nur an der bereits existierenden „schmarotzen“.

„Die Folge war, dass in Kleinasien, Syrien und Ägypten auf dem Lande die Sklaverei niemals zu einem bedeutenden Faktor wurde. Roms westliche Eroberungen aber, die auf einer anderen vorrömischen Basis aufbauten, nahmen eine andere Entwicklung.“[47]

Das ist ganz richtig. In Gallien, Spanien und dem karthagischen Nordafrika war entweder das Privateigentum bereits vorherrschend oder aber gerade in derselben embryonalen Entwicklung begriffen, wie in Italien und Griechenland einige Jahrhunderte zuvor.

Anlässlich der Frage der Grundsteuer betont Finley zu Recht den Unterschied zwischen der Absenz derselben in der antiken Produktionsweise und der Existenz derselben in der asiatischen. Nur wegen der staatlichen Steuer, die für Infrastruktur wie etwa Bewässerungstechnik des Feldbaus verwendet wurde, konnten höhere Erträge pro Hektar (wenngleich meist nicht pro Bauer) erwirtschaftet werden:

„Wir wollen mit dem außerordentlichen und atypischen Fall Ägypten beginnen. Er war nicht typisch, weil sein Bewässerungsanbau relativ stabile, hohe Erträge hervorbrachte (ungefähr einen zehnfachen Ertrag für Getreide) (...) und weil die dort beheimateten Bauern niemals eine freie Bevölkerung waren wie die griechischen und römischen der klassischen Zeit. In einem typischen Dorf des Faijum der ptolemäischen Zeit, wie z.B. Kerkeosiris mit einer Bevölkerung von vermutlich 1.500 Familien, die eine Fläche von ungefähr 1.200 ha bebauten, lebten viele Bauern am bloßen Existenzminimum mit einem Besitz von nur einem halben oder einem Hektar, einige von ihnen mit jährlichen Pachtverträgen und alle zur Zahlung von Abgaben und Steuern verpflichtet.“[48]

Auch wenn Finley den Begriff „asiatische Produktionsweise“ nicht verwendete, wesentlich ist die Logik des Autors, die wir hier weiterführen wollen. Es gibt einen fundamentalen Unterschied zwischen der sozialen Welt Griechenlands, Roms, Karthagos und so weiter auf der einen und jener Ägyptens, Mesopotamiens, Indiens und so weiter auf der anderen Seite. Und dieser Unterschied bestimmt auch den politischen Spielraum, die kulturellen Sitten und die Staatsformen. Es wäre somit ein Unding, etwa die großpersische Politik nach den Kriterien der antiken Produktionsweise zu bewerten. Genau das unternimmt indes Bengtson, wobei er nebenbei zusätzlich den Fehler macht, die antike Welt mit modernen bürgerlichen Zuständen gleichzusetzen.

„Es ist das unbestreitbare Verdienst des Dareios (...) durch die Einführung einer Reichsmünze einen gewissen Wandel geschaffen zu haben. Es handelt sich um die Einführung einer Goldmünze, des Dareikos; die Münze enthielt 8,42 g Gold, sie hatte das halbe Gewicht des Staters von Phokaia, einer sehr gebräuchlichen griechischen Handelsmünze. Andererseits stellte ihr Gewicht den 60. Teil der babylonischen Mine dar.“[49]

Ohne hier in das komplexe Thema des antiken Währungssystems eindringen zu wollen, sei noch der Hinweis angeführt, dass der Dareikos wohl eher eine Außenwährung gewesen sein dürfte, ähnlich dem Gold-Tscherwonez Sowjetrusslands. Vielleicht auch ein Legitimationsmittel Dareios‘ I., also gerade jenes Königs der Achämeniden, der sich zuerst einmal gegen andere Prätendenten für den Thron durchsetzen musste. Für die Annahme, dass der Dareikos eine Außenwährung gewesen sei, spricht auch …

„Da ferner auch die Tribute keine eigene persische Münzprägung voraussetzten (…).“[50]

Die Frage der Währung und des Geldes ist für die Charakterisierung der Unterschiede zwischen den antiken und den orientalischen Gesellschaften nicht ganz unwesentlich. Dominiert die Scheidemünze vor der Goldmünze, so wäre dies ein Indiz für eine Gesellschaft, die auf Warenproduktion aufbaut. Denn in dieser wird auch der Detailhandel für die Produktions- und Konsumtionssphäre durch das Geld umgesetzt. Hier geht es um viele kleine und billige Produkte, die mittels der Kupfermünze gehandelt werden. Dominiert hingegen die Goldmünze, so ist diese ein Indiz für eine Gesellschaft, die nicht auf Warenproduktion aufbaut, sondern nur wertvolle Überschüsse zu Waren verwandelt und mit gehortetem Gold auf einem äußeren Markt Dienste von Spezialisten einkauft. Dieses Gold befindet sich nicht dauernd in der Zirkulation und hat daher eher den Charakter eines ökonomisch passiven Schatzes.

Unter Historikern wird der antike Streit, ob nun die Griechen oder die Perser mehr „unproduktives Gold" gehortet hätten, weitergeführt ... aber es ergibt sich aus dem Zusammenhang, dass die Tauschwertproduktion auf griechischer Seite dominieren musste und dass hier Gold die Funktion hatte, die Warenwerte für den Warenumlauf zu decken. Im Perserreich hatten Gold und Goldmünzen eine andere Funktion. Sie wurden vom Staat – und nicht von Privatpersonen – gehalten. Diesen Schatz hob Alexander III., als er in Persepolis einzog, und brachte das Gold sofort als Währung in Umlauf. Das war im Jahre 330 v. Chr. Und 160 Jahre zuvor: Die damals zeitgenössische Anekdote, die Xerxes gegen Kroisus, des Königs von Lydien, wegen des „unproduktiven Goldes der Griechen" in Rage geraten lässt, ist nur politische Propaganda und hat nichts mit der tatsächlichen Funktion des Goldes einerseits in Hellas, andererseits in Mesopotamien und Persis zu tun. Weshalb war das „unproduktive Gold" überhaupt Gegenstand des Disputes im Konflikt zwischen Griechenland, Persien und Lydien? Es galt, obgleich einer primitiven ökonomischen Vorstellung folgend, Wohltäter zu sein und deswegen Geld auszugeben und somit die Legitimität als Oberhoheit über Kleinasien zu besitzen. Kleinasien, ein Gebiet mit Überschneidungen der antiken und der asiatischen Produktionsweise. Hier spielte das Argument „Gold" eine Rolle. Die modernen Historiker führen diesen Disput weiter und stellen sich ebenfalls auf eine der Seiten – posthum sozusagen.

„Jedoch haben aber die persischen Herrscher Geld nicht gehortet, sondern dieses auszugeben, eben um monumentale Anlagen und Bauten zu realisieren und so auch die Wirtschaft zu stimulieren."[51]

Das ist genauso unkritisch wie die Gegenposition:

„Die Perserkönige haben nämlich weithin das Edelmetall gehortet; es wurde in den Schatzhausern der königlichen Residenzen thesauriert, ohne den geringsten Nutzen zu stiften."[52]

All diese Fragen lassen sich nur sinnvoll beantworten, wenn wir die Produktionsweise als Raster der Interpretation ansehen. Dieser Raster wird nicht dadurch entwertet, indem wir etwa in Alt-Ägypten ein Dorf mit einem Geldschatz finden oder umgekehrt in Thessalien oder Boiotien einen Bauernhaufen, der nur für sich arbeitet, ohne Kontakt zur Warendistribution. Es geht nicht um Ausnahmen. Es geht immer um das Große und Ganze: Die Griechen hatten im Laufe der Zeit eine vom Orient unterschiedliche Produktion entwickelt ... vermutlich, weil in archaischer Zeit die Viehherde die sesshafte Agrarproduktion überwog und vor allem, weil beim Trockenfeldbau – heute ist der Begriff „Regenfeldbau" gebräuchlicher – kein bürokratischer Staat für Bewässerungsanlagen erforderlich war.

„Andererseits benötigten weder Oliven noch Trockenanbau jene hochentwickelte soziale Organisation, welche die bedeutenden Kulturen der Flußtäler des Nil, des Tigris und des Euphrat, des Indus und des Gelben Flusses möglich machte. Anbau mit Hilfe künstlicher Bewässerung ist produktiver, verläßlicher und geeigneter bei großer Bevölkerungsdichte. (...) Dafür verwandelten sich die Flußtäler geradezu in Ödland, sobald die zentrale Lenkung einmal zusammenbrach, während sich die antiken Trockenanbaugebiete schnell von Naturkatastrophen und menschlichen Verwüstungen erholten."[53]

Hier sind wir bereits in der klassischen Periode der Antike. Die vorklassischen Verhältnisse der Landnahme durch die Viehherdeneigentümer konnten sich wegen der Absenz der Notwendigkeit eines zentralen Staatsapparates zumindest in Spurenelementen konservieren. Welche Gesellschaftsstruktur wiesen die Viehherdeneigentümer auf? Und welche politischen Formen entsprachen denselben? Vieles können wir für die schriftlose und archäische Zeit nur erahnen. Andererseits entspricht das Wenige, das wir wissen, Gesellschaften in unterschiedlichen geographischen Räumen. Hier können wir ein Muster erkennen, das noch nicht durch die Spezifität der späteren politischen Geschichte Athens, Roms, Karthagos, Spartas, Makedoniens und so weiter überwuchert ist. Die alte Verfassung mit Doppelkönigen und Heeresversammlung lässt sich für das vorrepublikanische Rom sowie für das klassische Sparta nachweisen, ohne dass die eine von der anderen abstammte oder beeinflusst wurde. Und dann: Die Koppelung von Heeresverfassung und politischer Verfassung ist noch in Perikles' Athen wie in der Römischen Republik vorhanden. Ja, das Bezeichnende der Servianischen Verfassung ist gerade die Identität von politischem Stimmrecht und militärischem Aufgebot:

„Die Servianische Verfassung teilte alle nunmehrigen Bürger nach dem Vermögen in fünf Klassen ein: Danach wurde das Heer rekrutiert und ergänzt, das aus den Zenturien der betreffenden Zensusklassen bestand. Möglicherweise waren die Zenturien der bewaffneten Krieger mit denen der politischen Abstimmungsberechtigten identisch. In der Praxis sah das so aus, daß die Reichsten (equites) 18 Abstimmungszenturien bildeten, die gleichzeitig 18 Reitereinheiten formierten. Die Zenturien der jeweils weniger Bemittelten wurden als Schwerbewaffnete, Leichtbewaffnete oder Plänkler eingeteilt. Verständlicherweise hatten die militärisch besser verwertbaren Zenturien auch den stärkeren politischen Einfluß. Während die Reichsten 18 Stimmen (Zenturien) besaßen, gaben die zahlenmäßig zweifelslos weit überlegenen Proletarii, die militärisch in *einer* Zenturie (...) zusammengefaßt waren, auch nur *eine* Stimme ab."[54]

Das spricht eine deutliche Sprache. Und in Griechenland? Erst nach der ersten Kolonisationsperiode tritt das Heereswesen des Viehhalters hinter das des Grundeigentümers zurück.

Wie dies konkret von statten ging und welche Rolle dabei die mykenische Palastwirtschaft als „Katalysator“ spielte, ist nicht ganz klar – so wie überhaupt die mediterrane Palastwirtschaft der Bronzezeit der politischen Ökonomie noch einige Rätsel aufgibt. Gleichwie, das Ergebnis dieses Umwandlungsprozesses ist zumindest sichtbar: ungleich verteiltes Grundeigentum von Familien (*gens*), aber kaum öffentliches Kollektiveigentum. Dieses tritt hier nur noch als *ager publicus* auf, wenn wir hier die römischen Begriffe als Aliasnamen für ein allgemeines antikes Phänomen verwenden dürfen. Übrigens deutet gerade die Tatsache, dass es für den Gemeindeanger einen eigenen Begriff gab, darauf hin, dass dies die spezifische Ausnahme gegenüber dem ihn umgebenden „natürlichen“ Privateigentum an Grund und Boden war.

Wie bereits erwähnt, verwenden die bürgerlichen Historiker an dieser Stelle gerne die Begriffe „feudal“ und „Aristokratie“.[55] Sie meinen damit eigentlich nur die Usancen des Grundeigentums, vor allem des großen. Aber um eine feudale Produktionsweise handelte es sich dabei nicht. Denn diese ist davon geprägt, dass das feudale Eigentum ständig durch bäuerliche Abgaben an den Feudalherren reproduziert wird, dass dieses Mehrprodukt den zivilisatorischen Überbau der Gesellschaft „finanziert“ und damit die gesamte Dynamik der Entwicklung prägt. Diese Konstellation kann für das gesamte Altertum nicht ausgemacht werden, weder im Achämeniden-Reich – das auch gerne von Autoren wie Hermann Bengtson als „feudal“ charakterisiert wird – noch in der vorklassischen oder klassischen Epoche Roms oder Athens.

Die Unterschiede zwischen dem Perserreich und Griechenland bezogen sich nicht auf ein Feudalverhältnis, sondern auf etwas anderes. Grund und Boden wurde in Hellas direkt Privateigentum, ohne den großen, abgehobenen Infrastrukturstaat der altorientalischen Reiche. Das Grundeigentum wurde hier zur ersten Grundlage verallgemeinerter Sklavenarbeit – aus welchem objektiven Zusammenhang heraus, werden wir später sehen. Versklavung ist freilich per se ein gewaltsames Ereignis.

Nun sieht Hermann Bengtson die Gewalt zwar sehr wohl auf beiden Seiten, bei Griechen wie Persern. Aber er macht einen Unterschied:

„(...) es kommt darauf an, daß diese Gewalt nicht um ihrer selbst willen, sondern zur Durchsetzung einer sittlichen Idee angewandt wird.“[56]

Das Attribut der „Sittlichkeit“ sieht Bengtson bei den Griechen, bei den Persern nicht. Und er bringt diese sittliche Idee in Zusammenhang mit einer anderen Idee:

„(...) eine große gemeinsame Idee, ein hellenisches Nationalgefühl (...).“[57]

Was wissen wir aber über die sittliche Idee der Griechen? Was könnten ihre eigentlichen Beweggründe sein? Was ist der Zusammenhang zwischen der Sozialordnung und der Gewalt bei den Griechen? Die Polis ist die Gemeinschaft der individuellen Grundeigentümer. Nun ist die Polis auch Heeresverfassung, der Vollbürger ist gleichzeitig schwerbewaffneter Hoplit. Und dieses Militär setzt sich selbst in ständigen Kleinkriegen, auch zwischen den griechischen Poleis, ein. Letztlich auch aus einem pragmatischen Grund: um Sklaven zu machen. Die Griechen sind keineswegs unkriegerischer als die Perser, nur anders, mit anderen Kriegszielen. Ihre „sittliche Idee“ ist, die Sklavenarbeit zu nutzen und gegen die Konkurrenz am Weltmarkt Mittelmeer mit den Phöniziern und Etruskern zu reüssieren.[58] Sklavenarbeit entspringt – falls es dieser Feststellung noch bedarf – einem Gewaltverhältnis. Die griechische und die persische Gewalt sind einfach unterschiedlich gestrickt. Beide sind daher schwer in quantitativer Hinsicht zu vergleichen. Dennoch sei die Vermutung aufgestellt, dass Athen, Sparta und die restlichen Verbündeten im „Mederkrieg“ nicht unkriegerischer verfasst waren als Xerxes, Kambyses oder Dareios.

Wiederum Bengtson:

„Die knapp zwei Jahrhunderte persischer und griechischer Geschichte von 520 bis 323 v. Chr. sind der unbestrittene Höhepunkt der gesamten antiken Kultur.“[59]

Der Autor meint damit eigentlich die griechische, nicht die persische Geschichte. Oder er meint doch auch die persische Geschichte. Aber nur, weil diese als Hintergrund der griechischen jener erst die richtige Statur gibt. Das ist eine clevere Methode: Ist der Feind überwunden, wiegt der Sieg umso mehr, wenn der Feind kein Zwerg, sondern ein Riese gewesen sein soll. Die antiken Griechen selbst machten es vor: In den Texten, die das persische Heereswesen betreffen, wurde ganz ungeniert übertrieben. Das vielleicht deutlichste Beispiel in dieser Hinsicht: Herodot![60]

Bengtson fährt nach dem oben zitierten Satz fort:

„Die hohen kulturellen Leistungen stehen in untrennbarer Verbindung mit der griechischen Polis, dem ‚Gemeindestaat‘. (...) In der Polis ist zum ersten Mal der Gedanke der Selbstverwaltung durch freie Bürger in die Wirklichkeit umgesetzt worden. Auf diesem Boden haben die Athener im Zeitalter Perikles’ in Politik und Kunst einzigartige Leistungen hervorgebracht, die für alle Zeiten vorbildlich bleiben. Die Kunst der Politik aber besteht im Maßhalten und auf diese schwere Kunst haben sich insbesondere manche unter den Nachfolgern des Perikles nicht mehr verstanden. (...) An der Stelle einer politischen Ethik, auf die kein Kulturvolk verzichten kann, tritt in Griechenland vielerorts die Hybris. (...).“[61]

Die „politische Ethik, auf die kein Kulturvolk verzichten kann“ beinhaltete die Ethik Athens gegenüber den Bundesgenossen des Delisch-Attischen Seebundes. Auch unter Perikles wurde der Bund zu einem Instrument der Hegemonie Athens. Ja, selbst die Schönheit der Akropolis wurde durch die Beitragszahlungen der Bundesgenossen finanziert. Bekanntlich wurden Staaten, die aus dem Bund aussteigen wollten, rigoros und mit Gewalt bestraft – auch unter Perikles. In dieser Zeit kam in Athen die Überlegung auf, die Bürger der Stadt müssten nicht mehr selbst arbeiten, sondern könnten allein von dem Ertrag der Silbermine und der Arbeit anderer leben. Die athenischen Banausen (Handwerker), die im „Mederkrieg" erstmals mit auf die Trieren durften, wurden zur Klerouchie ermutigt, also zu der gewaltsamen Landnahme außerhalb Attikas – auch das unter Perikles. Mehrere Autoren sprechen in diesem Zusammenhang von einem „athenischen Imperialismus", eine Charakterisierung, die – wie oben anlässlich eines sogenannten „römischen Imperialismus" bereits ausgeführt – ihre Schwächen hat, aber zumindest die tatsächliche politische und militärische Expansion Athens im 5. Jahrhundert auf den Punkt bringt. Dass Athen nicht in einem leeren Raum agierte, sondern im Zuge der politischen Expansion mit Korinth und anderen Staaten mit Westorientierung zusammenstieß, lag in der Natur der Sache. Was ist das aber für eine Natur? Vermutlich einfach die Konkurrenz einiger Handelsstaaten und Warenproduzenten am Weltmarkt Mittelmeer. Hier wurde Athens „Sizilianischem Abenteuer" vorgebaut, das sich für Athen zu einem veritablen Desaster auswachsen sollte. Das Desaster war im Grunde ein Element des Zufalls der Geschichte, während die Rivalität im Mittelmeerhandel kein Zufall, sondern Notwendigkeit des Aufstiegs Athens unter Perikles war. Insofern ist es zu kurz gedacht, Perikles für die Kunst des Maßhaltens und für die politische Ethik zu loben und seine Nachfolger für das Abgleiten in die folgenvolle Maßlosigkeit (Hybris) zu tadeln.

Es ist die nämliche Politik, die bloß mit unterschiedlicher Geschicklichkeit und Glück verfolgt wurde. Und diese Politik war insofern *notwendig*, als sie der objektiven Ausgangslage der Konkurrenz von warenproduzierenden Gesellschaften sowie der strategischen Stärke Athens entsprang. Nur der Ausgang war zufällig. Hätte Sparta und nicht Athen im Peloponnesischen Krieg den Kürzeren gezogen, Bengtson hätte später nicht gezögert, Kleon auf eine Stufe mit Perikles zu stellen.

„Auch das Perserreich ist ein Kulturstaat mit einer vorzüglichen Verwaltung auf feudaler Grundlage. In dem Aufbau des Staates und in der Gesellschaft spielt die Treue in dem Verhältnis zwischen Herren und Vasallen eine entscheidende Rolle. Diese ethischen Bindungen dürfen niemals übersehen werden, denn sie geben dem Leben der Perser ihren eigentlichen Inhalt."[62]

Wie bereits weiter oben erwähnt, wird mit dem Attribut *feudal* zu leichtfertig umgegangen, „etwas locker und burschikos" – um mit Friedrich Schiller zu sprechen. Ein Satrap des Großkönigs, der diesen hinterging, wurde wohl kalkuliert sanktioniert, handelte es sich doch um einen Staatsbeamten mit einem eindeutigen Pflichtenkatalog, nicht um einen mittelalterlichen Fürsten mit einer diffusen Gefolgschaftstreue gegenüber dem nächsthöheren Lehensherrn.[63] In der Stellung eines Feudalherrn steckt weitaus mehr Souveränität gegenüber dem König, ist er doch direkter Adressat des bäuerlichen Mehrproduktes, das er in Form von Feudalleistung einheben kann. Der Satrap hingegen ist bloß ein Beamter, der das Mehrprodukt für den Großkönig verwaltet. Doch soll uns dieser Nebenschauplatz hier nicht weiter kümmern. Wesentlich ist für uns hier der von Bengtson aufgestellte Gegensatz der persischen zu den griechischen Sitten. Denn der namenlosen „Treue" der Perser stellte der Münchner Autor die Tatsache entgegen, dass die Griechen

...

„(...) Gelegenheit hatten, ein ihren Fähigkeiten entsprechendes Leben zu führen (...). Sie haben dafür in den Perserkriegen Opfer gebracht, aber diese Opfer haben sich gelohnt. (...) Die bewundernswerten Leistungen der griechischen Poleis erhalten nun durch das Alexanderreich ihre Krönung. (...) Was die Griechen im Zeitalter der Polis geschaffen haben, ist nicht umsonst gewesen. Was in der Polis gesät worden war, das hat in den neuen Monarchien des Ostens, die aus dem Alexanderreich hervorgegangen sind, reiche Frucht getragen, und durch das Medium der hellenistischen Kultur ist auch die Welt der Römer und nicht minder die Welt des Christentums von griechischem Geist geprägt worden. In der Idee des Menschlichen, des Humanen aber wirkt der griechische Geist noch heute und er wird nicht aufhören, die Menschen zu bilden, solange eine abendländische Kultur auf unserer Erde existiert.“[64]

Ob bewusst oder unbewusst arbeitete Bengtson mittels der zuletzt zitierten Passagen an einer großen Analogie: Die Welt der Griechen verhält sich zu der Welt der Perser so wie unsere bürgerliche Welt zu der feudalen Welt. Die Freiheit der einen ist die Negation der Unfreiheit der anderen. Indes, diese Analogie ist zwar groß, aber sachlich falsch. Nur die eine Seite stimmt: Tatsächlich hat die bürgerliche Welt die feudale Welt *überwunden* und die bürgerlichen Freiheiten konnten nur gegen die feudale Unfreiheit durchgesetzt werden. Oder anders herum: Die feudalen Freiheiten, nämlich mit den Bewohnern eines Bauerndorfes, das zu einer Herrschaft gehört, nach Belieben umspringen zu können, fand sein Ende im gleichen bürgerlichen Recht, das ein Staat mit seiner Staatsgewalt garantiert. Dieser Staat entstand als totale und restlose *Verarbeitung* der feudalen Verhältnisse. Aber die Welt der Griechen entstand überhaupt nicht durch die Verarbeitung der Welt der Perser.

Beide „Welten“ lebten föderal nebeneinander. Sie kamen erst in Konflikt, als sie sich in Kleinasien überschnitten. Und der Konflikt bedeutete keineswegs die totale Verarbeitung des Orientalischen, sondern bloß dessen spätere ökonomische Ausbeutung im Zuge des Hellenismus. Die griechische Welt wäre auch die griechische Welt gewesen, wenn sie keine Auseinandersetzung mit der persischen Welt gehabt hätte. Die bürgerliche Welt entstand aber nur und ausschließlich durch die Auseinandersetzung mit der feudalen. Ohne die Serie an bürgerlichen Revolutionen in West- und Mitteleuropa von der frühen Neuzeit bis ins 19. Jahrhundert hinein hätte sich die bürgerliche Welt nicht durchgesetzt. Sie konnte nur auf dem Boden der Vernichtung der feudalen Welt entstehen. Genau das versteht die Dialektik unter dem Begriff „Verarbeitung“. Hingegen Griechen und Perser: Beide Seiten blieben das, was sie waren – antik oder eben orientalisch. Dass aber wenigstens die Griechen ihr Nationalgefühl über den Umweg der Perserkriege entdeckt und entwickelt hätten, wie es Hermann Bengtson behauptet, überzeugt auch wiederum nicht: Die Kriege *innerhalb* der hellenischen Welt gingen im 5. Jahrhundert nach den ersten erfolgreichen Kriegen gegen die Achämeniden Xerxes und Dareios unbekümmert weiter und kulminierten sogar in dem desaströsen Peloponnesischen Krieg ... immer wieder geschickt finanziert durch das Gold der Großkönige. Wenn die Griechen ein Nationalgefühl hatten, so handelten sie wenigstens nicht danach.

Bengtson sah bei den Persern die Idee der Unterordnung und bei den Griechen die Idee des Menschlichen, des Humanen, der Freiheit und immerhin ließ er uns nicht im Unklaren, auf welche Ideen er mehr gab. Im Kapitel zur Anabasis Alexanders des Großen ließ der Autor alle Hüllen fallen und spricht wörtlich von „asiatischen Horden“ bzw. „Orientalen“, die gegen „die Europäer“ militärisch keine Chancen gehabt hätten, eben weil sie „asiatische Horden“ bzw. „Orientalen“ gewesen wären. Aber auch abzüglich dieser, dem Rassismus verschuldeten „Ausrutscher“ ist das Signifikante dieser Geschichtsschreibung, dass sie sich in den Griechen wiedererkennt, weil das *bürgerliche* Ferment der europäischen Antike die bürgerliche Realität der modernen Welt anspricht. Freilich mit dem Nebeneffekt, den ebenso realen *nichtbürgerlichen* Stoff der Antike, also das Fehlen einer Nation und die Existenz der Sklavenwirtschaft, zu übersehen.

Karl Marx sah einen ähnlichen Aspekt. Er meinte, dass die Attraktivität der antiken, respektive griechischen Kunst darauf beruht, dass sie einer noch nicht voll entwickelten bürgerlichen Gesellschaft entsprach. Wir erkennen uns zwar irgendwie in dieser – vermutlich, weil uns das Arsenal von Privateigentum und Waren vertraut ist – aber wir erkennen uns nicht wie in einem Spiegelbild, sondern wie Reife auf das Unreife zurückblicken:

„Aber die Schwierigkeit liegt nicht darin, zu verstehn, daß griechische Kunst und Epos an gewisse gesellschaftliche Entwicklungsformen geknüpft sind. Die Schwierigkeit ist, daß sie für uns noch Kunstgenuß gewähren und in gewisser Beziehung als Norm und unerreichbare Muster gelten. Ein Mann kann nicht wieder zum Kinde werden, oder er wird kindisch. Aber freut ihn die Naivität des Kindes nicht, und muß er nicht selbst wieder auf einer höhren Stufe streben, seine Wahrheit zu reproduzieren? Lebt in der Kindernatur nicht in jeder Epoche ihr eigner Charakter in seiner Naturwahrheit auf? Warum sollte die geschichtliche Kindheit der Menschheit, wo sie am schönsten entfaltet, als eine nie wiederkehrende Stufe nicht ewigen Reiz ausüben? Es gibt ungezogene Kinder und altkluge Kinder. Viele der alten Völker gehören in diese Kategorie. Normale Kinder waren die Griechen. Der Reiz ihrer Kunst für uns steht nicht im Widerspruch zu der unentwickelten Gesellschaftsstufe, worauf sie wuchs. Ist vielmehr ihr Resultat und hängt vielmehr unzertrennlich damit zusammen, daß die unreifen gesellschaftlichen Bedingungen, unter denen sie entstand und allein entstehn konnte, nie wiederkehren können."[65]

Marx meint, dass wir in der antiken Kunst noch mehr von jenem Naturzustand angesprochen werden, von dem wir uns in der industriellen Gesellschaft weiter entfernt haben. Richtig ist an folgendem Passus, dass wir uns nicht von jedem oder irgendeinem Naturzustand angesprochen fühlen, sondern nur von einem, der zu uns führt. Also von dem griechischen mehr als von dem altorientalischen:

„Nehmen wir z.B. das Verhältnis der griechischen Kunst und dann Shakespeares zur Gegenwart. (...) Ist die Anschauung der Natur und der gesellschaftlichen Verhältnisse, die der griechischen Phantasie und daher der griechischen [Mythologie] zugrunde liegt, möglich mit Selfaktors und Eisenbahnen und Lokomotiven und elektrischen Telegraphen? (...) Alle Mythologie überwindet und beherrscht und gestaltet die Naturkräfte in der Einbildung und durch die Einbildung: verschwindet also mit der wirklichen Herrschaft über dieselben. Was wird aus der Fama neben Printinghouse Square? (...) Nicht jede beliebige Mythologie, d.h. nicht jede beliebige unbewußt künstlerische Verarbeitung der Natur (hier darunter alles Gegenständliche, also die Gesellschaft eingeschlossen). Ägyptische Mythologie konnte nie der Boden oder der Mutterschoß griechischer Kunst sein. Aber jedenfalls eine Mythologie. Also keinesfalls eine Gesellschaftsentwicklung, die alles mythologische Verhältnis zur Natur ausschließt, alles mythologisierende Verhältnis zu ihr; also vom Künstler eine von Mythologie unabhängige Phantasie verlangt. Von einer andren Seite: Ist Achilles möglich mit Pulver und Blei?"[66]

Die meisten Autoren stellen diese Frage nicht. Sie untersuchen nicht, was es über uns selbst aussagt, wenn wir uns von der antiken Kultur angezogen fühlen. Ohne Selbstreflexion kann die Beziehung der „Griechen" zu ihrer Umgebung nur nacherzählt, nicht verstanden werden. Pierre Grimal stellt sich in die Spur Bengtsons, etwa wenn er über das 5. Jahrhundert im Vergleich zu den Diadochenkämpfen schreibt:

„Damals standen die Griechen allein dem Barbarentum gegenüber."[67]

Der Begriff „Barbar" wird hier von den antiken Griechen übernommen, so als wäre die moderne Geschichtsschreibung die Nacherzählung der Texte Herodots und Thukydides'. Deren Leistungen waren gemessen an ihren Voraussetzungen großartig. Wenn wir sie aber unter heutigen Voraussetzungen nicht einer Quellenkritik unterwerfen, machen wir sie wiederum kleiner, als sie tatsächlich waren. Das Interessante vor allem wiederum an Bengtsons Methode: dass er *Ideen* für geschichtsmächtig nimmt. Wenn er – etwas altmodisch – von „sittlichen Ideen" spricht, dann meint er Ethik und Moral. Nun kann es nicht bezweifelt werden, dass unterschiedliche Gesellschaftsformen unterschiedliche Formen der Moral aufweisen. In diesem Falle ist die Moral bereits etwas Strukturelles, das tief mit der Sozialordnung und der Wirtschaft verwurzelt ist. Diese Moral ist nicht mehr bloß eine Idee, die jemand zufällig hat, sondern gibt für diese den notwendigen Rahmen ab. Die relevante Frage ist somit: Welche Funktion hat eine bestimmte Moral für die Sozialordnung und die Produktionsweise in einer bestimmten Gesellschaft. Woher kommt die Moral? Bei Bengtson und Grimal folgt die Geschichte einer Idee. In der materialistischen Geschichtsschreibung wird hingegen die Frage gestellt: Woher kommt die Idee, weshalb taucht gerade diese auf und welche Funktion hat sie für die sozialen Grundlagen der Gesellschaft?

Der Idealismus stellt die Idee vor den historischen Verlauf, der Materialismus sieht die Idee als Konsequenz von etwas, das bereits existiert.

Indes, Bengtson und Grimal sind hier in guter Gesellschaft – auch andere bzw. spätere Historiker halten sich an diese Herangehensweise, wenngleich nicht mehr so prononciert wie Hermann Bengtson und vermischt mit einigen Zugeständnissen an den Materialismus. Ein Beispiel wäre das „Studienbuch Geschichte“ (1995, Klett-Cotta), in dem es heißt, dass Ideen und Kulte die Griechen trotz politischer Zersplitterung zusammenhielten: die Götter des Olymps, die olympischen Spiele, das Orakel von Delphi und …

„Die Wirkung Homers auf die Hellenen ist kaum zu überschätzen. Die Epen ließen alle politische Zersplitterung vergessen und zeigten die gemeinsamen Grundlagen der Sprache und Kultur.“[68]

Ungefähr so steht es ja auch bei Bengtson:

„Das Griechentum in der Zeit um 500 v. Chr. war in der Tat vor allem nur auf sakralem Gebiet eine Einheit (…) Außer diesem idealen Band gab es nur wenig Gemeinsamkeiten. (…) Nur in fremder Umwelt (…) wurden sich die Hellenen ihrer völkischen und kulturellen Eigenart gegenüber den Fremden bewußt.“[69]

Hingegen auf der politischen Ebene:

„(…) das Bild einer weitgehenden Zersplitterung. Allerdings erstreckt sich der griechische Lebensraum von der Ägäis bis nach Spanien (…), aber es ist, abgesehen vom griechischen Mutterland, eine im wesentlichen punktförmige Ausdehnung (…) finden sich viele griechische Siedlungen, aber sie sind vielfach auf sich alleine gestellt und entbehren des inneren Zusammenhalts. Wohin man auch blickt: die vielen griechischen Gemeindestaaten, die Poleis stehen unverbunden nebeneinander, es gibt nicht einmal eine große gemeinsame Idee, ein hellenisches Nationalgefühl, das sich vielleicht erst am Vorabend des großen Perserkrieges zu bilden beginnt.“[70]

Dies kann auf folgende Formel gekürzt werden:

$$Hellas = kulturelle\ Einheit + politische\ Zersplitterung$$

War die Ursache der „Zersplitterung“ das Fehlen eines Nationalgefühls? Und konnte eine Nation überhaupt auf Basis der antiken Produktionsverhältnisse entstehen? Das Fehlen eines Nationalbewusstseins wird bedauert, so als hätten die Griechen irgendeinen unbegreiflichen Defekt. Die andere Seite der Gleichung hängt freilich ebenfalls etwas in der Luft. Denn woher stammte die kulturelle Einheit, das Freiheitsverlangen der Griechen, die gemeinsame sittliche Idee? Wie kam es, dass Ideen an den Thermophylen aufeinanderprallten und um ihre Verwirklichung stritten? Wie konnte die allen Griechen eigenen Ideen überleben, über Jahrhunderte hinweg und zerstreut über das gesamte Mittelmeer und Schwarze Meer, von der Nilkolonie Neokratis bis nach Spanien und Marseilles, von Thrakien bis nach Sizilien? Das ist ein wenig rätselhaft.

Werden Ideen nicht durch die materielle Wirklichkeit getragen, werden sie bald zur Nostalgie. Es gibt kein gründlicheres Todesurteil für eine Idee als die Nostalgie. Das ist in etwa so, wie der Fruchtzucker liegengelassenen Obstes sich irgendwann in Alkohol verwandelt. Damit ist aber auch das Rätsel der gemeinsamen Idee der politisch und geographisch zerstreuten Griechen gelöst: Ihre Ideen waren nicht Nostalgie, sie wurden nicht durch Homers Epen, durch Mythen oder Götter ins Leben gesetzt. Genau umgekehrt wurden diese Ideen täglich aufs Neue durch die soziale Wirklichkeit reproduziert. Die Griechen nahmen in den Kolonisationsperioden ihre soziale Gliederung, ihre Eigentumsverhältnisse, ihre Gleichsetzung von Grundeigentum mit politischer Demokratie einfach an einen anderen Ort mit. Die antike Produktionsweise verbreitete sich immer mehr um das Mittelmeer herum und somit auch die dazu passenden Ideen, die in gemeinsamen Amphiktyonien gepflegt wurden.

Die Griechen sagten „Zweifüßler“ zu den Sklaven – als Analogie zu den „Vierfüßlern“, dem altgriechischen Überbegriff für Tiere. Gibt es eine vollständigere Entmenschlichung, indem Menschen andere Menschen zu Tieren machen? Die politische Freiheit der griechischen Poleis basierte auf der Unfreiheit ihrer Sklaven. Ein Beispiel dafür liegt auf der Hand: Die zwischen 490 und 480 für den „Mederkrieg“ und den Aufstiegs Athens entscheidende Vervielfachung der Anzahl der Trieren wurde durch die forcierte Ausbeutung der Sklaven in der Silbermine von Laureion finanziert.[71] Alleine in dieser Mine arbeiteten angeblich 20.000. Genaue Zahlen sind schwer zu ermitteln – sehr wahrscheinlich deswegen, weil Sklaverei so normal war wie die Luft, die wir in der Regel gar nicht spüren.

„Die Schätzungen moderner Gelehrter für das klassische Athen gehen weit auseinander und reichen von 20.000 bis 400.000. Beide Zahlen sind indiskutabel, doch sie zeigen unseren bedauerlichen Informationsstand.“[72]

Dieser Autor sagt „indiskutabel“, da er 20.000 als zu gering und 400.000 als zu hoch gegriffen findet. Denn die Zahl 20.000 wurde bereits nur für die Silberminen genannt und die Zahl 400.000 überschreitet sehr wahrscheinlich bereits die Anzahl der Stadtbewohner Athens. Für uns reicht hier aber, dass es viele waren und dass die verpönte physische Arbeit hauptsächlich von Sklaven erledigt wurde. Die Mythen, Kulte, Ideen, ja auch die Freiheitsidee der Griechen basierten auf den sehr handfesten Tatsachen von Warenproduktion, Grundeigentum und Sklavenarbeit. Und solange diese Tatsachen existierten, gab es keinen Grund, die Freiheit, eigene Sklaven auszubeuten und mittels der Kriegs- und Handelsmarine Konserven-Amphoren in die ganze Welt zu exportieren, zur Nostalgie werden zu lassen. Die Nostalgie entstand erst nach der Antike, als auf der ganzen Welt die Sklavenarbeit durch andere Formen der Ausbeutung längst abgelöst worden war.

Interessant ist die Haltung Aristoteles' zur Sklavenarbeit, die wir eigentlich nur deswegen kennenlernen dürfen, weil zu seiner Zeit die Stellung der Theten als Teilhaber der *perikleischen* Demokratie nicht mehr selbstverständlich war. Er rückte die Theten in die Nähe der – rechtlosen – Sklaven, deren Existenz er so wenig hinterfragen musste wie Platon. In einer deutschen Zusammenfassung aus dem Jahre 1875 lesen wir zu der Argumentation Aristoteles':

„Nach allem Vorangegangenen versteht sich das Verbot banausischer Arbeit für den Bürger des besten Staates und die Ausschliessung aller Banausen von dem Bürgerrecht von selbst. Hier gibt es nur eine Wahl: entweder Verzicht auf jede Erwerbsarbeit oder Verzicht auf die Tugend, ohne die es kein Bürgerrecht gibt. Darum lautet der Wahrspruch des Aristoteles: ‚Der beste Staat wird keinen Banausen zum Bürger machen'!"[73]

Die Argumentation Aristoteles' ist sehr erhellend: Indem er körperliche Arbeit der Theten in die historische Nähe der Sklavenarbeit rückt … sagt er implizit, dass ein Staat, der Sklavenarbeit zulässt, nie demokratisch sein kann. Die notwendige Unfreiheit der Sklaven strahlt auf andere Klassen aus. Das ist in der Tat der Fall. Diese Schlussfolgerung zieht Aristoteles nicht, der wie Platon die Sklavenarbeit als ganz natürliche Sache hinnimmt. Aber diese Schlussfolgerung müsste aus seiner (im Übrigen historisch unzutreffenden) Erzählung gezogen werden:

„„In der Vorzeit setzte sich an einigen Stellen das gesamte

Banausenthum aus Sklaven oder Fremden zusammen und dies fällt noch heute meistens zusammen. Im besten Staat kann der Banause nicht Bürger sein. Wo er's doch ist, da ist auch die Bürgertugend, wie wir sie oben festgestellt haben, nicht jedem Bürger, ja nicht einmal jedem Freigeborenen, sondern nur Denen eigen, die von der Arbeit für ihres Leibes Nothdurft entbunden sind. Wer diese Arbeiten (als Leibeigener) für einen Herrn besorgt, ist Sklave, wer es für Jedermann thut, ist Banause oder Thete'."[74]

Und, wie Wilhelm Oncken in diesem Punkt Aristoteles zusammenfasst:

„Der Banause aber, der aus einem Lohgerber zum Besitzer einer grossen Gerberei, aus einem Lampenmacher zum Eigenthümer einer Lampenfabrik, aus einem Schwertfeger zum Chef eines grossen Waffengeschäftes wird, bleibt auch was er ist, nämlich ein Banause, den die vornehme Welt über die Achsel ansieht, und doch hat er im Vergleiche mit seiner Vergangenheit eine aristokratische Stellung gewonnen, doch hat er die ‚Musse', die den Bürger staats- und regierungsfähig macht und noch dazu ist ihr Erwerb sein eigenstes Verdienst. Das Alles hilft ihm Nichts. Passt die Benennung ‚Banause' im engsten Sinne nicht mehr auf ihn, so kommt ihm eine andere zu, die in Aristoteles' Augen weit schlimmer ist, er ist Chrematistiker, Geldmensch, Krämer, Wucherer usw. geworden."[75]

Der Autor dieser Aufarbeitung der Staatslehre des Aristoteles, ein Historiker des Deutschen Kaiserreiches, Wilhelm Oncken (1838–1905), hatte das Ziel, eine zu seiner Zeit passende bürgerliche Staatsmoral auszuloten. Bei Aristoteles wurde er nicht fündig. Vielleicht hätten sich römische Philosophen nicht gar so abfällig über die körperliche Arbeit ausgedrückt. Aber Aristoteles traf einen für die gesamte Antike gemeinsamen Punkt: Jeder Reichtum, der durch Arbeit zustande kommt, steht im unausgesprochenen Gegensatz zum Reichtum, der dem Grundeigentum entstammt. Dem konnte Oncken nicht zustimmen und diese Haltung passte auch nicht mehr zum preußischen Junkertum, das im 18. und 19. Jahrhundert sein Getreide nach London exportierte. Freilich ist die Haltung Aristoteles' so natürlich für die Antike und ihre Produktionsweise, wie sie für die kapitalistische Produktionsweise unnatürlich ist.[76] Ist die Arbeitskraft eine Ware, so ist sein Träger Teil der politischen Gesellschaft – ist die Arbeit aber Sklavenarbeit, kann deren Träger nicht Teil der politischen Gesellschaft sein. Er muss ein Ding bleiben. Für die Antike war das ganz selbstverständlich. Nicht aus Bosheit oder einem Mangel an Kultur, die wir ja den „alten Griechen" schwerlich vorwerfen können, sondern weil die Identität der Grundeigentümer mit der Polis objektives Produktionsverhältnis war. Es ändert auch nicht viel, dass es neben der Sklavenarbeit auch freie Arbeit gab, unselbstständige oder selbstständige ... der Fluchtpunkt der Arbeit an sich blieb der Sklave und deshalb konnte der Banause in dessen Nähe gerückt werden.

Erst im Zuge der ursprünglichen kapitalistischen Akkumulation und durchgesetzt durch die bürgerlichen Revolutionen (wie 1789 in Frankreich) wurde die Lohnarbeit verallgemeinerte Form der Arbeit. Erst unter diesen Verhältnissen entsprach die politische Integration der Arbeiterklasse und des Kleinbürgertums im bürgerlichen Parlamentarismus den Produktionsverhältnissen. Der bürgerliche Staat ist unpolitisch in dem Sinne, als die Mehrwertaneignung ohne sein Zutun erfolgen kann – eine Tatsache, die zum ersten Mal die Integration aller Klassen zu einer Nation ermöglicht.

„Der Mensch, wie er Mitglied der bürgerlichen Gesellschaft ist, der *unpolitische* Mensch, erscheint aber notwendig als der *natürliche* Mensch. Die *droits de l'homme* erscheinen als *droits naturels*, denn die *selbstbewußte Tätigkeit* konzentriert sich auf den *politischen Akt*. Der *egoistische* Mensch ist das *passive*, nur *vorgefundne* Resultat der aufgelösten Gesellschaft, Gegenstand der *unmittelbaren Gewißheit*, also *natürlicher* Gegenstand. (...) Endlich gilt der Mensch, wie er Mitglied der bürgerlichen Gesellschaft ist, für den *eigentlichen* Menschen, für den *homme* im Unterschied von dem *citoyen*, weil er der Mensch in seiner sinnlichen individuellen *nächsten* Existenz ist, während der *politische* Mensch nur der abstrahierte, künstliche Mensch ist, der Mensch als eine *allegorische, moralische* Person. Der wirkliche Mensch ist erst in der Gestalt des *egoistischen* Individuums, der *wahre* Mensch erst in der Gestalt des *abstrakten citoyen* anerkannt."[77]

Der Unterschied zwischen bürgerlicher Demokratie – etwa jene der Französischen Revolution – und der antiken Demokratie ist daher nicht ein Unterschied von einem Mehr oder Weniger an demokratischen Rechten, sondern ein Unterschied von dem politischen zu dem unpolitischen Staat. Die Exklusivität des antiken Eigentums kann nur einer Exklusivität der politischen Rechte entsprechen. Der antike Staat ist daher immer politisch und ungleich, so wie der bürgerliche Staat immer unpolitisch ist und gleiches Recht für alle gewährt. Der bürgerliche Staat bleibt dabei gleichzeitig ein Klassenstaat, da er die außerhalb der Sphäre der Politik stattfindende Aneignung von Mehrwert nicht verhindert, ja diese gegen etwaige Angriffe schützt. Er braucht diese Aneignung aber nicht durch besondere Maßnahmen zu erzwingen, sie findet bereits am Markt statt, indem sich die Arbeitskraft selbst als Ware anbietet. Insofern ist der bürgerliche Staat „unpolitisch“ und von Grund auf anders als der antike.

Für die antiken Griechen war die Sklavenarbeit so selbstverständlich wie für uns das Wertgesetz der Warenwirtschaft

– Letzteres muss nicht einmal kodifiziert werden, dennoch tauschen wir jedes Gut gegen gleiche Werte aus. Platon etwa erwähnt die Sklavenarbeit in seiner Politeia nur, weil freie Bürger sich gegenüber der Sklavenart abgrenzen sollten. Er nimmt Sklaverei als ganz selbstverständliche Grundlage seines Idealstaates. Er spricht nicht einmal über die Sklaverei oder über die Sklaven als solche, sondern über die Bürger, die mit Sklaven zu tun haben. Er meint, die Wärter des idealen Staates dürfen die Sklaven nicht nachahmen, ein andermal geißelt er den sozialen Aufstieg eines Gesellen, der, „eben erst der Sklavenkette entwischt“, sich als Reicher benimmt.[78] Platon meint:

„Weil, antwortete ich, die edle freie Seele keinerlei wissenschaftliche Kenntnis mit erwerben soll; denn die körperlichen Anstrengungen, mit Zwang verrichtet, machen den Körper um nichts schlechter; aber in einer Seele ist keine mit dem Stocke beigebrachte Kenntnis von Dauer.“[79]

Streitlust bedeutet:

„Ferner gegen Sklaven roh, ohne ein Feind von Sklaven zu sein, wie der vollkommen wissenschaftlich Gebildete (. . .).“[80]

Platon über die Suche des Tyrannen, Unterstützer für die eigene Herrschaft zu finden, nachdem jeder Rechtschaffene sich von der Tyrannis nur abwenden kann:

„(. . .) von ausländischem Gesindel aus allerlei Herren Ländern! (. . .) Sollte er nicht lieber in dem Inlande wollen ...? (. . .) Die Sklaven den Staatsbürgern nehmen, sie mit der Freiheit beschenken und sie zu seinen Leibwächtern erheben. (. . .) denn diese wären ihm noch am treuesten. Fürwahr (. . .) ein schönes Stück von Glückseligkeit (. . .) wenn er die Freundschaft und Treue solcher Früchtchen zu genießen hat, nachdem er jene früheren Freunde beiseitegeschafft!“[81]

Platon grenzt seinen Idealstaat ab von einer Gesellschaft, in der niemand mehr den rechten Platz findet und spottet:

„(...) aber der höchste Grad von Volksfreiheit, die in einem solchen Staate zum Vorschein kommen kann, tritt ein, wenn bekanntlich die gekauften Sklaven und Sklavinnen ebenso frei sind wie die kaufenden Herren und Herrinnen.“[82]

– ein Skandal, der nur noch in den Schatten gestellt werde von der Gleichheit zwischen Mann und Frau, so Platon anschließend. Oder nein, es kommt noch schlimmer:

„Denn nicht nur die Hunde sind nach dem Sprichworte ganz wie ihre Herrinnen, sondern auch Pferde und Esel sind da gewohnt, ganz wie freie Leute und gravitätisch einherzuschreiten.“[83]

Damit ist eigentlich schon alles gesagt, wobei wir uns vor Augen halten müssen, dass Platon im Vergleich zu Aristoteles den Graben zwischen Freien und Sklaven weniger tief grub. Das einzig Ehrenhafte der Antike bestand in diesem Zusammenhang darin, Sklavenarbeit nicht extra zu beschönigen – so wie es heute retrospektiv mitunter der Fall ist.[84]

Das 18. und 19. Jahrhundert hatte eine eigene Haltung dazu, die geprägt war von der Tradition der Aufklärung und des aufkommenden Bürgertums. Wir müssen uns auch vor Augen halten, dass organisierte Sklaverei zur Zeit Niebuhrs und Mommsens noch nicht abgeschafft war. Für Autoren wie Niebuhr und Mommsen galt es nichts zu verschweigen, während sie gleichzeitig das republikanische Rom als Ideal maßen, mit dem verglichen das damals zeitgenössische Mitteleuropa nur bescheiden abschneiden konnte. Niebuhrs römische Geschichte entstand bis 1832, jene Mommsens zwischen 1854 und 1885. In beiden Phasen erlebten sie jeweils einen reaktionären preußischen Staat, vor dessen Hintergrund die Sklaverei der Antike nicht den edlen Glanz der freien römischen Bürger trüben konnte. Die Sklaven traten für Niebuhr eher dann in den Fokus, wenn sie Subjekte der politischen Geschichte waren, wie bei den Sklavenaufständen. Diese wie auch deren Niederschlagung waren durch Grausamkeit und Brutalität gezeichnet, die sich von dem Ideal des selbstständigen italischen Bauern und des selbstgenügsamen römischen Bürgers abhoben. Für Mommsen hingegen trat die Sklaverei auch als ökonomische Besonderheit auf und der Ruin der kleinen Bauern durch die Sklavenarbeit in großen Gütern als unvermeidliches Element des Klassenkampfes, den Niebuhr noch viel mehr als „Parteienhass" moralisch verurteilte. Vielleicht war Mommsen nüchterner und ehrlicher, weil er mehr an der Realität der verhinderten bürgerlichen Revolution in Deutschland litt und den Römern deswegen mehr „verzieh". Für Max Weber stand ein weiteres Element im Fokus, das bei Mommsen und vor allem bei Niebuhr keine Rolle spielte: das unbürgerliche Leben der Sklaven, ihre erzwungene Ehe- und Eigentumslosigkeit. Für Weber war das Schicksal dieser Klasse gleichzeig das Schicksal der römischen Antike. Im 20. Jahrhundert änderte sich das Verhältnis der Historiker zur Sklavenarbeit. Da die bürgerliche Welt bereits verwirklicht war, verblasste die Sehnsucht nach der Antike. Die Antike wurde nun zur Rechtfertigung der bürgerlichen Wirklichkeit, die bereits verwirklicht war. Dem Parlamentarismus und dem Nationalstaat können durch die antiken Vorläufer einiges an Legitimation zuerkannt werden. Nun hat die Sklaverei wenig Platz in der Geschichtsschreibung und sie wird, wenn überhaupt, nur als zufälliger Makel abgehandelt. Es gibt natürlich immer Ausnahmen, wie etwa Finley, doch hier zeigt sich ein weiteres Element. Finley grenzt sich gegenüber der in seinen Augen moralischen Kritik der Sklavenarbeit anderer Autoren ab und fokussiert auf das technologische Potential der Sklaverei, misst der Sklavenarbeit aber die Hauptrolle bei der Erwirtschaftung des gesellschaftlichen Reichtums bei. Jenseits der Wirtschaftsgeschichtsschreibung wird in der allgemeinen Geschichtsschreibung vor allem in der zweiten Hälfte des 20. Jahrhunderts die Dimension Sklavenarbeit vernachlässigt. Man kam nicht umhin, sie zu erwähnen – aber sie wird als Zusatz beziehungslos zu der großen politischen Geschichte oder der Kulturgeschichte gestellt. Wir werden jedenfalls im zweiten und dritten Abschnitt dieses Buches den technologischen, sozialen und politischen Auswirkungen der Sklaverei auf der Spur sein.

Wie auch immer, unser Ausgangspunkt war: Auch das für sie Unsichtbare, Selbstverständliche – wie die Sklaverei – nahmen Griechen mit, wenn sie ihre Polis verließen, um anderswo eine neue zu gründen. Und die Sklaverei ist nur ein Teil eines spannungsgeladenen Sozialgefüges. Eben das erkennen wir, wenn wir nach den Motiven der Neugründungen von Töchterpoleis suchen. Es gab Handelsniederlassungen an strategisch gut gewählten Plätzen wie Marseilles oder auf Sizilien – aber das Menschenmaterial, das die Mutterpoleis verließ, war nicht irgendeines. Es zogen jene zu neuen Siedlungsplätzen, die kein oder nicht genug Eigentum hatten. Exemplarisch dafür steht die athenische Kleruchie im 5. Jahrhundert. Nachdem die politisch stimmlosen Banausen (Keramikhandwerker aus der Steuerklasse der Theten) noch anlässlich der Perserkriege zumindest aufgewertet werden mussten, um sie als Ruderer für die Kriegstrieren zu bekommen, waren sie nach der Schlacht von Salamis wieder „überflüssig" und ein polemischer Streit entstand, ob sie wirklich für die Mitwirkung an der Politik der Polis taugten – übrigens von daher kommt der abwertende Beigeschmack des Wortes „Banause". Wir könnten dies so auf den Punkt bringen: Da Bürger mit vollen politischen Rechten nur auf das Eigentum, meist ist Grundeigentum gemeint, beschränkt waren, schied dieses antike Eigentum wie von selbst immer eine Masse an Menschen aus, die „überflüssig" waren.

Sie waren überflüssig, weil sie kein Eigentum hatten und weil sie auch nicht zu einer Arbeiterklasse einer Industrie werden konnten, da die unselbstständige Arbeit bereits durch die Sklaverei abgedeckt war. Somit entstand diese „Übervölkerung“ einfach durch die Eigenheiten des antiken Eigentums. Und wir dürfen uns die „Übervölkerung“ nicht absolut vorstellen, als große Anzahl von Menschen auf kleinem Raum, denn verglichen mit der Reproduktion der Bevölkerung unter dem Ventil des kapitalistischen Eigentums waren die antiken Städte (bis auf die späteren hellenistischen Ausnahmen Alexandria und Rom) spärlich besiedelt.

Karl Marx schrieb 1858 in den „Grundrissen der Kritik der politischen Ökonomie“:

„Andrerseits, wenn die Schranken der Bevölkerung, die durch die Dehnbarkeit der bestimmten Form der Produktionsbedingungen gesetzt, nach der letztren sich ändern, zusammenziehn oder ausdehnen – also war Überpopulation bei Jägervölkern anders als bei den Atheniensern, bei diesen anders als bei den Germanen –, so aber auch die absolute Rate, worin sich die Population vermehrt, und daher die Rate der Überpopulation und Population. Die Überpopulation, die auf einer bestimmten Produktionsbasis gesetzt, ist daher ebenso bestimmt wie die adäquate Population.“[85]

Und:

„Wie klein erscheinen uns die Zahlen, die den Atheniensern Überpopulation bedeuten! Zweitens dem Charakter nach. Eine Überpopulation von freien Atheniensern, die in Kolonisten verwandelt werden, ist von einer Überpopulation von Arbeitern, die in workhouse inmates verwandelt werden, bedeutend verschieden.“[86]

Nicht die Natur bot den Athenern zu wenig Raum, so dass sie Töchterstädte gründen mussten, sondern das Eigentum ließ nur wenigen Platz. So dass jene, die Grundeigentümer und somit Bürger werden wollten, gehen mussten. Für jene hingegen, die so oder so nie Bürger werden konnten, war immer genug geographischer Platz:

„Für den Sklaven in Athen war keine Schranke da seiner Vermehrung außer den produzierbaren necessaires. Und wir hören nie, daß im Altertum Surplussklaven existiert hätten. Vielmehr steigt das Bedürfnis nach ihnen. Wohl aber Surpluspopulation von Nichtarbeitern (im unmittelbaren Sinn), die nicht zu viele waren in bezug auf vorhandne Lebensmittel, sondern die der Bedingungen verlustig gegangen waren, unter denen sie sich aneignen konnten.“ [87]

Genau das versteht Marx unter Eigentum: Die *Eigentumsverhältnisse* definieren die Mittel von Menschen, die eigene soziale Stellung zu reproduzieren. Die Griechen haben ihre Eigentumsverhältnisse nicht aufgelöst, um den Eigentumslosen Genüge zu tun, sondern sie geographisch vervielfältigt. Wobei die Kleruchie naheliegenderweise auch mit Mitteln der Gewalt einhergehen musste – da sie ja nicht unbesiedelten Raum einnahm. Hier ein schönes Beispiel aus der Mitte des Peloponnesischen Krieges (431–404):

„Mytilene verlor seine Autonomie und seine Stadtmauern, mußte aber auch seine Flotte ausliefern und große Teile seines Territoriums für attische Kleruchen bereitstellen: Hiermit wurde eine spezielle Form der Besatzungspolitik mitten im Krieg angewandt, da die Kleruchen eine ganze Anzahl regulärer Krieger ersetzen konnten und als neue Besitzer und Eigentümer des eroberten Territoriums stärker an dessen Sicherheit interessiert waren.“[88]

Wenn nun aber die Griechen bei sozialen Spannungen diese nur so „lösen“ konnten, indem sie ihre Eigentumsverhältnisse in die Fläche verlängerten, so ist es auch ganz naheliegend, dass alle Ideen, die diesen Verhältnissen entsprachen, ebenfalls in die Fläche mitgenommen wurden. Insofern ist es wenig erstaunlich: Die kulturellen Gemeinsamkeiten (also die Summe der „Ideen") ...

„(...) ließen alle politische Zersplitterung vergessen und zeigten die gemeinsamen Grundlagen der Sprache und Kultur."[89]

Wohin nahmen die Griechen ihre Eigentumsverhältnisse mit? Als Warenproduzenten spielte der Handel eine integrale Rolle und so ist es nicht verwunderlich, dass Siedlungen an hochrangigen Verkehrswegen angelegt wurden. In der Antike waren nur die Wasserstraßen günstige Verkehrswege. Die Küsten des Mittelmeeres, die Mündungen großer Flüsse ins Meer (Marseilles) und später im Landesinneren an großen Flüssen (wie Narbonne oder Lyon) – das gab offensichtlich das geographische Panorama der Antike ab.

„Fast alle großen Zentren – Athen, Syrakus, Kyrene, Rom, Alexandria, Antiochia, Konstantinopel – lagen nur wenige Kilometer von der Küste entfernt. Das, was hinter diesem Streifen lag, war für lange Zeit Peripherie, war Land, auf das man als Rückzugsgebiet zurückgreifen konnte und zur Beschaffung von Nahrungsmitteln, Metall und Sklaven, Land, das man ausplündern konnte oder zur Verteidigungszwecken besetzen (...)."[90]

Letzterer Hinweis ist nicht unwesentlich. Es wäre ein Missverständnis, dass die Griechen und die Phönizier nur Handelsvölker gewesen wären, die den Handel für andere Gesellschaften in die Hand genommen hätten. Das haben sie auch, aber das war nicht die Hauptsache. In der Hauptsache waren sie Warenproduzenten und dies bedeutete auch eine funktionale Beziehung zu dem Umland, das ausgenutzt, um nicht zu sagen, ausgebeutet wurde. Deswegen hatte das Umland – griechisch *chora* – nie dieselben Rechte wie die Stadt. Selbst im römischen Reich in der Kaiserzeit können wir diese Art der „Raumordnung“ wahrnehmen.[91]

Die materielle Realität dieser Polis-Welt förderte kein Nationalgefühl. Das ist nicht verwunderlich und wir finden es übrigens auch nicht im Achämenidenreich. Erst recht nicht, könnte hier zugefügt werden. Denn in diesem war das bürgerliche Ferment noch geringer verbreitet, die asiatische Produktionsweise funktionierte auch ohne Warenwirtschaft. Die materielle Realität der Polis-Welt brachte aber nicht nur die Demokratie der individuellen Grundeigentümer, sondern auch den Ausschluss vieler Bevölkerungsgruppen von Bürgerrechten mit sich, wozu wir später noch im Detail kommen. Hier genügt die grobe Schätzung, dass selbst unter Perikles nur für 1/8 der Bevölkerung und in Sparta nur für ein paar Familien das Realität wurde, was wir im Nachhinein als Wiege unserer Demokratie gründlich missverstehen. Und vor allem: Die Entrechtung von Frauen, Sklaven, Periöken, Theten und „Fremden“ wird meist zwar erwähnt, aber nur als bedauerliches Manko der „Wiege der Demokratie“ hintangestellt. Es wird nicht als integraler und notwendiger Teil des antiken Eigentums verstanden.

Dennoch macht es natürlich einen Unterschied, ob die Legende weiter genährt wird oder nicht:

„Zusammenfassend gibt es wenige Gemeinsamkeiten zwischen der athenischen und der modernen Demokratie.“[92]

So steht es faktisch richtig im SciLogs, dem Blog-Channel der „Spektrum der Wissenschaft“. Aber ist damit die Tatsache der geringen Gemeinsamkeiten zwischen der athenischen und der modernen Demokratie bereits erklärt? Athen war nicht deswegen *nicht* die Wiege der parlamentarischen Demokratie, weil es zu undemokratisch gewesen wäre, sondern weil es andere Produktionsverhältnisse als die bürgerlichen aufwies. Es fragt sich daher wieder, nach welchen Kriterien wir die Antike messen – nach den heutigen oder nach den antiken? Und diese Kriterien werden nicht durch ein emphatisches Empfinden bestimmt, sondern durch eine Analyse. Wir müssten zuerst einmal verstehen, wie die bürgerliche und wie die antike Produktionsweise tatsächlich funktionieren und welche gesellschaftlichen Verhältnisse diese zu Tage fördern. Vielleicht waren Athen, Sparta, Rom oder gar Persepolis gemessen an deren eigenen objektiven Möglichkeiten wiederum demokratischer als der heutige Parlamentarismus des industriellen Kapitalismus? Der Vergleich kann nur relativ Sinn machen, nicht absolut. Mit einem absoluten Vergleich umreißen wir nur die Unvergleichbarkeit. Das europäische Bürgertum fand hingegen in der Antike nur das, was es auch suchte und handelte sich damit nicht nur Zustimmung ein:

„Oder ist es die Schuld der sogenannten ‚Höheren Schulen' und ihrer geheimnisvollen Alchemistengabe, jedes Element in Blei zu verwandeln? In der Tat genießt ja die Blütezeit der griechischen Kultur seit vielen Jahrhunderten den zweideutigen Vorzug, das Liebkind aller Magister zu sein."[93]

– lästerte Egon Friedell in seiner Kulturgeschichte Griechenlands, die 1950 posthum erschien. Die Spannbreite des Missverstehens ist breit. Während der oben erwähnte Text im „Spektrum der Wissenschaft" zur Zeit der griechischen Schuldenkrise im Mai 2015 entstand, also nach der Regierungsbildung der Syriza, stammt folgender Text aus dem Jahre 1998, und dieses Detail macht einen Unterschied:

„Kein europäisches Land konnte im Prozeß der Nationsbildung so weit in die Geschichte zurückblicken wie Griechenland. Die Zeit der Antike, die kulturelle Hochblüte und die territoriale Ausdehnung des griechischen Herrschaftsbereiches hatten für das griechische Nationalbewußtsein eine ausnehmende Bedeutung. Zwei antike Helden genossen im Griechenland des 19. Jahrhunderts besondere Verehrung: der Spartanerkönig Leonidas, der 480 v. Chr. mit seinen Truppen gegen die Übermacht des Perserkönigs Xerxes kämpfte und fiel, und Alexander der Große, der in nur dreizehn Jahren sein Reich von Makedonien bis an den Indus auszudehnen und das Perserreich niederzuringen vermochte."[94]

So das Deutsche Historische Museum im Ausstellungstext zu „Mythen der Nationen" 1998, dem Zehnjahresgedenken der Deutschen Wiedervereinigung. Das DHM meint, etwas verschämt, mit dem Begriff „Mythos" eigentlich einfach das tatsächliche Nationalbewusstsein, das an sich – da es unter der ideologischen Schirmherrschaft antiker Helden ruht – auch für Deutschland nicht so abwegig sein könne. Indes, die Schlacht bei den Thermophylen mit der Geburt eines Nationalgefühls in Verbindung zu bringen, ist vorderhand insofern zynisch, als ja die Niederlage Leonidas' und die Auflösung der spartanischen Phalanx gerade deswegen zumindest bereits nach drei Tagen zustande kommen konnte, weil die Bewachung des Passes, über den die persischen Truppen schließlich zwecks Einkreisung der Spartaner zogen, abgebrochen wurde. Diesem langen Satz folgt eine kurze Frage: Weshalb? Deshalb: Die mit Sparta verbündeten Truppen zogen kurzerhand in ihre eigene, nahegelegene Polis ab, um diese zu schützen. Sozusagen frei nach dem Motto: „Das Hemd ist mir näher als der Rock". Und dann: Vielleicht hatten die Verbündeten die Relativität der Treue von ihrem Meister gelernt. Kamen doch die spartanischen Verbände zehn Jahre zuvor den Athenern bei der Schlacht bei Marathon höchstwahrscheinlich absichtlich zu spät zu Hilfe:

„Auch die Spartaner hatten Hilfe versprochen, trafen jedoch nicht rechtzeitig ein. Es ist anzunehmen, dass sie – weniger aus Feindschaft oder Rivalität gegenüber Athen als vielmehr aus Furcht vor der unterdrückten Helotenschaft ihres Landes – absichtlich zu spät zum Kampf erscheinen wollten, um Verluste zu vermeiden."[95]

Genau das ist der Punkt. Die Spartiaten hatten sich auf eine besondere Art der Ausbeutung fremden Mehrprodukts spezialisiert. Im Gegensatz zu den anderen griechischen Staaten nutzten sie nicht als Individuen Sklaven, die gekauft oder im Kriege als Beute gemacht wurden, sondern hielten sich die einheimische Bevölkerung der Halbinsel, nämlich die von Friedell angeführten Heloten, als Staatssklaven.

Wenn man uns eine etwas hinkende Analogie zum Kapitalismus erlaubt: Sparta spezialisierte sich auf die absolute Steigerung von Surplusarbeit, Athen auf die relative Steigerung von Surplusarbeit, also auf den Fortschritt der Arbeitsproduktivität – freilich innerhalb der Grenzen der antiken Produktionsweise, aber immerhin auch mittels des Fernhandels. Athen war nach außen, Sparta nach innen gerichtet. Die Sklaven in Athen waren Privateigentum und wurden als Ware gehandelt; die Sklaven Spartas waren kein Privateigentum und wurden nicht als Ware gehandelt. Sie waren bloß Besitz der unmittelbaren Nutzer.[96] Es ermangelte den Spartanern der sonst für die Griechen so typischen proto-bürgerlichen Elemente zur Gänze. Sparta stellt einen zu erklärenden Sonderfall der Geschichte dar. Hatte es eine fortschrittlichere oder reaktionärere Produktionsweise als Athen, Persepolis, Rom und Karthago? Formell gesehen sieht Sparta wie ein Zwitter von Griechenland und dem Perserreich aus. Mit Ersteren hat es die Sklavenwirtschaft, mit Letzteren die Staatswirtschaft gemein. Tatsächlich aber ist Sparta eine so extreme Form der antiken Sklavenwirtschaft, dass sie sich bereits wieder seinem vermeintlichen Gegenteil annähert. Es zeigt das Potential einer Produktionsweise, sich selbst zu widerlegen.

Was nun die griechischen Kriege betrifft, wurde das an sich kriegsmächtige Sparta immer wieder durch seine eigene

Apartheidpolitik im Inneren behindert und im Zaum gehalten. Denn die Art und Weise der Ausbeutung der Heloten durch die Spartiaten hatte ihre eigenen Gefahren. Das demonstriert der Heloten-Aufstand im Jahre 464. Der Aufstand dauerte einige Jahre und Periöken schlossen sich den Aufständischen an, was übrigens die rezente Legende widerlegt, diese wären mit der politischen Unterdrückung durch die spartanischen Familien nicht unglücklich gewesen.

Sparta goutierte es nicht, seine teuren und gut trainierten Hopliten, deren Sinn die Unterdrückung der Heloten war, in dauernden Kriegen aufs Spiel zu setzen. Es tat dies nur, falls sich ein genau kalkulierter Vorteil zu erwarten ließ. Obwohl Sparta Schlachten und sogar Kriege gewann, war es aus sozialen Gründen militärisch auf die Vergangenheit konzentriert: Es konnte weder eine taktische Kavallerie wie die orientalischen Großreiche aufbauen, noch eine große Flotte wie Athen. An Letzteres war überhaupt nicht zu denken. Selbst Athen schaffte dies nur durch demokratische Zugeständnisse an die zuvor politisch ausgeschlossene Steuerklasse der Theten. Nur durch diese „demokratische Mobilisierung“ für die Kriegsziele der attischen Sklavenhalter und Grundeigentümer konnte die Flotte in den entscheidenden Jahren zwischen 490 und 480 verdoppelt werden – einmal abgesehen von den Silbererlösen aus der attischen Staatsmine. Das war die Lage der Dinge, als die Schlacht bei den Thermophylen 480 stattfand. Nicht nur, dass die Bewachung des Passes von „unpatriotischen“ Verbänden aufgegeben wurde, von dem Saumpfad durch das Gebirge Richtung Athen wussten die ortsunkundigen persischen Verbände nur durch den Verrat eines griechischen, mit Sparta verbündeten, Kombattanten, der kurzerhand die Seiten wechselte:

„Erst der Verrat durch Ephialtes von Trachis (Herodot VII, 213f.) erlaubte es den Persern, die griechischen Linien über das

Gebirge, den Anopaiapfad südlich des Küstenkamms, zu umgehen, und die griechischen Truppen einzukesseln.“[97]

Episoden wie diese gibt es in der antiken griechischen Geschichte zuhauf. Das „Die-Seiten-wechseln“ war so geläufig, dass es keineswegs einen Sturm der Empörung hervorrief. Es genügt, sich zu vergegenwärtigen, dass die persischen Heerzüge immer einen Tross griechischer Ingenieure, Militärs und Wissenschaftler mitführten, für die das vergossene Blut der „griechischen Brüder“ genauso rot war wie jedes andere. Griechische Söldner wurden von den Großkönigen angemietet, um sich gegen Athen, Sparta und Makedonien zu schlagen. Ja, selbst noch in den Schlachten von Issos und Gaugamela, die Dareios III. gegen Alexander III. verlor, bildeten griechische Söldner das Zentrum der ... persischen Aufstellung. Hier eine andere bekannte Episode – diesmal aus dem Peloponnesischen Krieg: Alkibiades führte Athen in diesem verheerenden Krieg gegen Sparta, und war innerhalb dieses Krieges für das für Athen unglücklich verlaufene „Sizilianische Abenteuer“ verantwortlich, bis er von der Heimatstadt angeklagt wurde ...

„Die Flotte ging ab; dann aber wurde doch plötzlich die Anklage erhoben und Alkibiades *in contumaciam* zum Tode verurteilt. Er aber sagte: ‚Wir werden beweisen, daß wir noch am Leben sind‘ und ging nach Sparta. Er klärte die dortige Regierung darüber auf, daß ein athenischer Sieg im Westen die Blockade des Peloponnes und den Untergang der lakedaimonischen Großmachtstellung bedeute, und bewirkte dadurch die Wiederaufnahme des Kriegs, und nicht genug damit, brachte er auch ein Bündnis mit Tissaphernes, dem Satrapen in Sardes, zustande, der Sparta Hilfsgelder zahlte, gegen Überlassung der Griechenstädte, die vor den Freiheitskriegen Persien untertan waren (...).“[98]

Derselbe Autor weiter:

„Und nun folgte der Dekeleische Krieg, 413 bis 404, der so heißt, weil die Spartaner sich diesmal nicht mit den bisherigen Plünderungszügen nach Attika begnügten, sondern sich dort in dem Fort Dekelea dauernd festsetzten: eine viel empfindlichere Maßregel, die das gesamte attische Wirtschaftsleben ins Stocken brachte und, ebenso wie die vortreffliche Wahl des Ortes, wiederum von Alkibiades herrührte. Doch wurde diesem allmählich auch der spartanische Boden zu heiß, da er dem König Agis nicht nur in seiner politischen Stellung, sondern auch in seiner Ehe erfolgreich Konkurrenz machte, und er begab sich nunmehr zu Tissaphernes, dem er nahelegte, daß es das Beste für Persien sei, durch eine wohlausgewogene Schaukelpolitik keine der beiden griechischen Vormächte hochkommen zu lassen."[99]

Wäre Alkibiades nicht ermordet worden, er hätte vermutlich noch ein drittes Mal die Seiten gewechselt. Offensichtlich war das, selbst wenn die neue Seite der Hof von Persepolis war, kein Affront gegen die griechische Nation und das griechische Nationalbewusstsein. Weshalb? Weil es solch eine Nation und ein dazu passendes Gefühl, also ein Nationalbewusstsein, nicht gab. Und diese Dinge gab es nicht deswegen nicht, weil die griechische Welt irgendwie bei all ihrer Genialität und Schönheit von einer Art moralischem Defizit befallen gewesen wäre, sondern weil der Nationsbildungsprozess fehlte. Also ein historischer Prozess der Überwindung einer feudal zersplitterten Welt. Erst die englische, niederländische, amerikanische und französische Revolution der neuzeitlichen Jahrhunderte spannte alle produktiven Klassen gemeinsam vor ein Ziel, nämlich den Zugriff der unproduktiven Klassen auf den Staat zu beenden. Eine Gesellschaft, die in sich gespalten ist wie die antike, gespalten in Rechtlose und Rechtreiche, kann keine Nation bilden. Man kann Sklaven keine Bürgerrechte geben, ohne auf die

Sklavenarbeit zu verzichten. Und weil die griechische Polis keine Nation sein konnte, waren die Griechen auch unpatriotisch – nach heutigen, bürgerlichen Maßstäben gemessen. Es ist für uns schwer, uns eine solche Welt vorzustellen: Sie wies bürgerliche Elemente auf, wie das Privateigentum, aber genauso auch gänzlich unbürgerliche, wie den Einsatz von Sklavenarbeit im Produktionsprozess. Diese Ambivalenz ist verwirrend. Das moderne Bürgertum kann auf die griechische Welt nicht gerade blicken, es kann nur schielen.

„Der griechische Patriotismus war so stark, daß er sogar den Boden überwand: die Polis ist transportabel; wo die Gemeinschaft der Bürger sich niederläßt, ersteht sie neu, denn sie ist eine überzeitliche und überörtliche Idee. Daher die Leichtigkeit, mit der der Grieche auswanderte. Sein Begriff der ‚Heimat' war ganz unromantisch."[100]

Da ist alles verkehrt. Gerade weil die alten Griechen keinen bürgerlichen Patriotismus kannten, genossen sie ihre jeweilige Polis aus ganz pragmatischen Gründen. Sie wanderten nicht aus, weil sie „Heimat" mitnehmen konnten, sondern weil sie „Heimat" nicht kannten. Im Übrigen wanderten ja ab der zweiten Auswanderungswelle nicht „die Griechen" als solche aus, sondern gerade die Land- und damit Rechtlosen, die erst am neuen Ort zu Land und damit zu Bürgerrechten kamen. Wie weiter oben bereits im Detail ausgeführt: Das einzige, was die Griechen wie einen unsichtbaren Rucksack immer mitnahmen, waren ihre Klassenverhältnisse. Diese Klassenverhältnisse waren von der Eigenheit der Warenproduktion mittels Sklavenarbeit geprägt. Das Selbstverständnis eines individuellen Wareneigentümers hatten nicht nur jene Griechen, die Bergwerke, Reedereien, Agrar-, Keramik- und Konservenproduktion betrieben, sondern auch die Denk-Dienstleister:

„Eine Anklage wegen Religionsfrevels wurde auch gegen den

Philosophen Anaxagoras erhoben, den Freund und Lehrer des Perikles, weil er erklärt hatte, die Sonne sei ein glühender Stein; er entzog sich dem Todesurteil durch die Flucht nach Lampsakos, einer ionischen Kolonie am asiatischen Ufer des Hellespont, wo er mit größten Ehren aufgenommen wurde, und tröstete sich über sein Exil mit einigen Bonmots: als man zu ihm sagte: ‚Du hast die Athener verloren', antwortete er: ‚nicht ich habe sie, sondern sie haben mich verloren' (...)."[101]

Die schönsten Charakterzüge der Griechen bestanden offensichtlich in dieser bestechenden Ehrlichkeit und unverblümten Offenheit. Die Griechen – zumindest jene, die in die Geschichtsbücher eingingen und sich von der namenlosen Masse der Frauen, Periöken, Sklaven und Heloten absetzten – verhielten sich immer wie Privatiers, wie Privatunternehmer, die sich nur zwecks gegenseitiger Absprachen zu staatlichen Formen zusammentaten. Und was beim griechischen Staatsapparat, zumindest in seiner klassischen athenischen Ausführung, am meisten ins Auge fällt, ist seine Nichtexistenz. Die Bürokratie – sonst das unvermeidliche Übel jedes Staates – wurde von je her durch die Liturgie ersetzt, also durch freiwillige Ehrenämter mit nicht ganz billigen Pflichten. Und ein Phänomen wie den *Ostrakismos* konnte es nur hier geben. Egon Friedell sieht diesen superschlanken Staat immerhin mit offenen Augen und mit der gebührenden Neugierde, aber gleichzeitig mit der natürlichen Erwartung des modernen Bürgertums an eine ordentlich funktionierende Infrastruktur:

„Eine solche Polis entsteht immer durch Synoikismos, Zusammensiedelung bisheriger Dorfgemeinden. Eine Mauer und eine Burg gehören nicht notwendig zum Begriff der Stadt. Sparta war ein Komplex von Dörfern, die ein offenes Feldlager bildeten, und doch im höchsten Sinne Polis. Hingegen besitzt jede Stadt ein Prytaneion oder Gemeindehaus, ein Buleuterion oder

Rathaus, einen Marktplatz (...).«[102]

Ähnlich geht nach Egon Friedell der französische Historiker Pierre Grimal an die Sache heran, um die Eigenheiten des Hellenismus zu erklären:

„Und man stellt fest – ein Paradoxon, das die modernen Historiker nicht immer zu würdigen gewusst haben – daß der politische Zerfall des Ostens die Erhaltung einer Idee und gewisser Lebensformen begünstigte, die dem Staatsgefüge wenig oder nichts verdankten. Um diese Darstellung der Erscheinungen zu verstehen, müssen wir uns von bestimmten Vorstellungen und Vorurteilen der abendländischen Historiker des 19. Jahrhunderts frei machen, für die sich die Kultur mit der Existenz einer Nation verband und die der ‚Politik' unbedingten Vorrang einräumten. Nichts wäre irriger, als diese Kategorien *a priori* auf die antike Welt und vor allem auf die hellenistische Welt anzuwenden. Die Stadt bleibt für die meisten hellenisierten Städte der geistige Rahmen (. . .).«[103]

Negativ, als Kritik an der modernen Herangehensweise der Geschichtsschreibung ist der eben zitierte Passus treffend. Aber positiv, als Erklärung, weshalb es in der Antike anders zuging, als von den Historikern des 19. Jahrhunderts angenommen, ist dieser Passus schwach. Wie bei Bengtson und Friedell bleibt nach Abzug der Nation nur eine „Idee" übrig, ein Residuum. Eine Kultur, die in keiner Beziehung einerseits zum Staat und andererseits zur Produktion steht. Im Gegensatz dazu zeichnet sich die materialistische Herangehensweise eben *nicht* dadurch aus, dass sie die Ökonomie über oder neben die Politik stellt – quasi als Gegenmodell zu der alternativen Geschichtsschreibung, also als spezielle Kultur- oder Wirtschaftsgeschichte – sondern indem sie den Zusammenhängen zwischen Kultur, Wirtschaft und Politik auf den Fersen ist. Die materialistische Geschichtsschreibung wird gerne als Sozial- und Wirtschaftsgeschichte wahrgenommen. Das ist ein Missverständnis. Diese Wahrnehmung kam nur deswegen zustande, weil die idealistische Geschichtsschreibung keinen Zusammenhang zwischen dem materiellen Leben und der Politik bzw. der Kultur finden kann. Sie blickt auf die „Sozialordnung" wie auf ein pittoreskes Detail. Nun aber retour zu Egon Friedell, übrigens dem Schöpfer des Begriffs „pittoresker Dreck":[104]

„πολιτεύεσθαι bedeutet ‚an den Staatsgeschäften teilnehmen, die bürgerlichen Rechte ausüben', aber auch einfach ‚leben', denn ein Leben außerhalb der Polis war undenkbar. (...) und das Wort ‚Politik', das in alle modernen Kultursprachen übergegangen ist, leitet sich ja auch von Polis her. Aber von Polis kommt auch Polizei. Die Bürger sind die Zellen, die Polis ist der Organismus, daher, obgleich aus ihnen bestehend, mehr als sie."[105]

Eben nicht. Vor diesem Halbsatz hätte Friedell enden sollen, dann wäre alles richtig. So verfängt sich die Beobachtung Friedells im Idealismus:

„In ihr allein erfüllt sich der Sinn jedes Daseins, vollendet sich jeglicher menschliche Wert. Sie ist die Trägerin aller Kultur, aller Ethik, sogar aller Religion."[106]

Gerade der Hinweis auf die Polizei ist entlarvend: Es gab keine!

Die Polis ist die Polizei, aber die Polis ist nur die Gemeinschaft der Bürger; und Bürger ist nur, wer Grund und Sklaven sein eigen nennt. In dieser Eigenschaft üben die Bürger ohne eigenen Staatsapparat das aus, was in dem tatsächlich bürgerlichen Zeitalter der Staatsapparat besorgen würde. Bürgerschaft ist bereits Gewaltmonopol. Der Staat der Griechen ist in einem so hohen Ausmaß politisch, dass er keinen extra Staatsapparat benötigt. Der moderne bürgerliche Staat hingegen ist so unpolitisch, dass er ohne einen angeblich über den Gesellschaftsklassen stehenden Staatsapparat nicht auskommt.[107]

Egon Friedell weiter:

„(...) Auch den modernen Begriff des ‚Landes' als eines gleichwertigen Gegensatzes zur Stadt kannte er nicht; das Land ist politisch so gut wie nicht existent, die Dörfer oder Komen haben nur in untergeordneten lokalen Fragen ein Selbstbestimmungsrecht, der Bürger heißt Städter, polites. Politik gibt es eben nur in der Stadt.“[108]

Auch das stimmt, wie es auch wiederum nicht stimmt. Es stimmt, dass die Stadt über dem Land stand, aber es stimmt nicht, dass das Land nicht existierte. Es existierte als Umland, das von der Stadt ausgebeutet wurde. Deswegen konnte das Land (Dorf, Gehöft, Waldsitz) keine Rechte haben, es war Teil der Gebietskörperschaft der Stadt und dieses Verhältnis zwischen Stadt und Land sollte sich bis zur Spätantike nicht ändern.

„Selbstverständlich war jeder Bürger wehrpflichtig, aber der Militarismus der Polis war ein ganz andrer als der heutige. Die Griechenheere waren durchwegs Landwehren (...).“[109]

... eigentlich: Milizen ...

„(...) stehende Armeen gab es nicht (...) auch die größten Feldherren, ein Miltiades, Themistokles, Alkibiades waren Zivilisten. Daß bei den Spartanern die oberste Heeresleitung in den Händen der beiden Könige lag, die meist verschiedener Meinung waren, ist höchst verwunderlich. Noch unglaublicher aber ist es, daß die Athener im Kriege zehn Strategen wählten, die täglich im Kommando miteinander abwechselten.“[110]

Für uns, die wir mit einem stark ausgestalteten Staatsapparat leben, ist das tatsächlich „höchst verwunderlich“. Die alten Griechen misstrauten in der Tat jeder Verfestigung eines Staatsapparates, weil sie selbst Staat waren und ihre schönste Sitte ist in ein großartiges Vokabular gegossen: ὁ ὀστρακισμός, *ho ostrakismós* – das Scherbengericht. Jeder „Beamte“ war ebendies nur nebenbei und auf Zeit, einer Verfestigung eines Beamtenstaates und dem Aufkommen eines „Bonapartes“ baute der Ostrakismus vor. Die sozial herrschende Klasse – Grundeigentümer, Sklavenhalter – konnte gleichzeitig die politisch herrschende Klasse sein. In der Funktion der politischen Machthaber wechselten sie sich hübsch demokratisch ab, weshalb auch nicht? Ein „Bonaparte“ wäre nur notwendig für eine Loslösung der politischen Herrschaft von der sozialen Herrschaft. Es gab keine Notwendigkeit für solch eine Loslösung – zumindest solange die Grundeigentümer und Sklavenhalter das Gewaltmonopol selbst ausüben konnten: mittels der Hopliten-Heere, die freilich nur für eine strategisch und geographisch begrenzte Kriegsführung taugten.

In der asiatischen Produktionsweise des Perserreiches ist eine feste Schicht von Berufsbeamten notwendig, um das von den Bauern abgepresste Mehrprodukt in kollektive Infrastrukturprojekte umzuleiten. In Athen hingegen waren solche Projekte Ausnahmeerscheinungen und wurden solche Projekte, wie der Bau der Akropolis oder der drei langen Mauern von der eigentlichen Stadt Athen zum Hafen Piräus, getätigt, so zahlten die Bundesgenossen des Attisch-Delischen Seebundes, weshalb man die Bundeskassa praktischerweise von Delos nach Athen verlegte. Auch für solche Projekte war keine Bürokratie von Nöten.

Kurzum: Die griechische Staatsform war bürgerlich in einer „neoliberalen“ Reinheit, wie sie das echte Bürgertum im 18., 19., 20. und 21. Jahrhundert nie erreichen konnte und nie erreichen wird. Wiederum zu einem etwas anderen Ergebnis kommen wir, wenn wir den athenischen Staat nicht mit dem modernen bürgerlichen, sondern mit jenem des Achämenidenreiches vergleichen. Mit dem antiken Staat hatte dieser gemeinsam, dass er unverblümt politisch war und keine Illusion einer Äquidistanz zwischen den Produzenten des Mehrproduktes und den Konsumenten des Mehrproduktes aufbaute. Mit dem griechischen Staat hatte dieser aber nicht gemeinsam, dass er seinem eigenen Staatsapparat misstraute. Einen Begriff für Ostrakismus gab es in der altpersischen Sprache nicht. Und im modernen bürgerlichen Staat wäre die dazu passende Praxis ebenfalls undenkbar. Was die Produktion im Achämenidenreich – wohl mit prominenten Ausnahmen wie Ägypten in der Periode zwischen Kambyses II. und Artaxerxes II. – von der antiken wie der modernen, abhob: Die Masse des Mehrproduktes, das pro Produzent hergestellt wurde, war gering. Nicht nur wegen dem geringen Stand der Produktivität, sondern wegen der geringen Ausbeutungsrate.

„Die Hauptmasse der Produkte wird für den unmittelbaren Selbstbedarf der Bauern produziert und (...) unter den Mitgliedern verteilt. Nur der Überschuß der Produkte fließt dem Staat als Naturalrente zu.“[111]

Zur Ware wurde überhaupt nur ein kleiner Teil der Produktion, der über die dörfliche Selbstversorgung hinausging, und auch das nur durch die Hand des Staates, an den die Mehrproduktion abzuliefern war und der abgesehen von der Luxusproduktion für den Hofstaat des Großkönigs öffentliche Infrastrukturprojekte finanzierte, für die die einzelnen Bauerngemeinden nicht aufkommen hätten können. Die Funktion des Staates als virtueller Eigentümer allen Landes und aller Produktion auf dem Lande, der mittels des keineswegs virtuellen, sondern höchst realen Mehrproduktes der Bauern Infrastruktur baut, geht auf Uuruk, Sumer, Akkad, Babylon, Ninive und Assur im eigentlichen Zweistromland zurück. Als die „Meder-Konföderation“ unter Kyaxares II. im Jahr 614 das neuassyrische Reich zerschlug und weite Teile des Zweistromlandes eroberte, geschah dies zuerst „nach Skythenart", also nach Art einer Gesellschaft, die sicherlich nichts mit der asiatischen Produktionsweise zu tun hatte – ganz analog zu dem späteren Verhältnis der germanischen Stämme zur antiken Produktionsweise. In diesen Fällen prägte das Objekt der Eroberung den Eroberer mehr als umgekehrt. Der Anteil der Iranier an der Bewässerungsinfrastruktur Mesopotamiens war vielleicht gering, doch bauten sie immerhin Fernstraßen. Auch wenn wir annehmen würden, dass in dem eigentlich iranischen Hochland keine ausgeprägte asiatische Produktionsweise vorherrschte, vielleicht da Regenfeldbau und Viehhaltung eine verhältnismäßig größere Rolle spielten als „unten", so brachten sie nach der Einverleibung Mesopotamiens diesem Gebiet doch auch keine neue Produktionsweise mit.[112] Die alte blieb bestehen und finanzierte, so nehmen wir an, den Staatsapparat des Reiches. Deswegen dürfen wir von dem Achämenidenreich insgesamt als eine der Verkörperungen der asiatischen Produktionsweise sprechen. Wir nehmen dieses als pars pro toto. Wenden wir uns dieser Produktionsweise als solcher zu und hören wir noch einmal den Satz von Ahlers & Co:

„Die Hauptmasse der Produkte wird für den unmittelbaren Selbstbedarf produziert und (...) unter den Mitgliedern verteilt. Nur der Überschuß der Produkte fließt dem Staat als Naturalrente zu."[113]

Wir können diesen Satz auch umdrehen und damit eine Vermutung aufstellen: Hier kann es kein bürgerliches Element geben, weil alles, was über den Eigenverbrauch hergestellt wurde, Objekt der staatlichen Steuerbehörde wurde. Eine Vermögensbildung in den Händen der Produzenten war nicht möglich. Die eigentlichen Produzenten hatten unter diesen Bedingungen vielleicht kein objektives Interesse an einer Steigerung der Produktion. Aber sie hatten sicherlich auch nicht selbst die

Instrumente zur Steigerung der Produktion in der Hand, denn die Weiterentwicklung von beiden, von Handwerk wie auch von Agrikultur, wurde durch die fehlende Arbeitsteilung behindert. Da beides noch in den Händen der Bauerngemeinden konzentriert war, konnte sich weder das eine noch das andere spezialisieren. Die Arbeitsteilung wurde behindert, da die Dörfer für sich wirtschafteten. Jedes Dorf wurde zu seinem eigenen Kosmos, nur verbunden durch den Staat. Insofern behinderte wiederum der Staat die horizontale Arbeitsteilung: Die Dörfer der altorientalischen Reiche hatten keinen Anlass, eine arbeitsteilige Verbindung untereinander herzustellen. Die Arbeitsteilung trat hier nur vertikal auf, indem der Staat all das organisierte, wozu die isolierten Bauerngemeinden nicht in der Lage waren. In dieser Hinsicht wiederum waren die Produktivitätsvorteile einer staatlichen Infrastruktur erheblich und übertrafen den antiken Konterpart. Die antiken Produzenten wiederum waren eher in der Lage, für sich, frei von einem Staat, das Maximum aus ihren Betrieben herauszuholen, die private Sklavenarbeit ließ mehr Mehrproduktion zu als die Überschussproduktion der freien Bauern sowie einen größeren Anteil an innerbetrieblicher Arbeitsteilung.

Der Begriff „asiatische Produktionsweise“ fiel außerhalb der marxistischen Tradition dem Missverständnis zum Opfer, es handle sich um eine spezifisch „asiatische“ Besonderheit. Das ist nicht der Fall und kam vermutlich daher, dass der Begriff für Marx nur ein Arbeitsbegriff war, verwendet in den „Grundrissen“, die ja nicht zur Publikation redigiert wurden. Später, unter Stalin, geriet der Bedeutungsinhalt der „asiatischen Produktionsweise“ auch innerhalb der Arbeiterstaaten unter Beschuss. Freilich nicht aus Gründen der dort betriebenen Altertumsforschung, sondern – unglaublich und haarsträubend, aber wahr – aus Gründen der Außenpolitik der Sowjetunion. Im deutschen Sprachraum haben in den 1970er Jahren etwa Rudolf Bahro, ein Dissident in der DDR, und in Westdeutschland ein Autorenkollektiv mit Ingolf Ahlers den Bedeutungsinhalt wieder fruchtbar gemacht.[114]

Ahlers & Co zu der asiatischen Produktionsweise, die sie hier mit „APW“ abkürzen:

„Die Produktionseinheit in der APW ist das Dorf, dessen ökonomische Basis das innerhalb der zu diesem Gemeinwesen gehörigen Familien betriebene häusliche Nebengewerbe zusätzlich zu Ackerbau ist (...). Die Produktionsweise ist charakterisiert durch die kollektive Produktion der Dorfgemeinschaft und durch die ökonomische Intervention der staatlichen Autorität, die die Gemeinde zur gleichen Zeit ausbeutet und lenkt.“[115]

Dass es innerhalb dieser Produktionsverhältnisse auch fremde und buntscheckige Einschlüsse gab – Sklavenarbeit, Lohnarbeit – und dass eroberte Gebiete an der Peripherie der altorientalischen Reiche ihre „eigene Produktionsweise“ beibehalten konnten, genauso wie – zumindest unter den Achämeniden – ihren eigenen Kult, ändert an der Richtigkeit unserer Einschätzung nichts. Denn gerade das föderale Buntscheckige der sozialen und ökonomischen Verhältnisse ist Resultat der Spaltung der asiatischen Produktionsweise in einen lokalen und überregionalen Part. Zudem hat die Eigentumsform an der Basis verschiedene Entwicklungsstufen in sich vereinigt:

„Neben dieser kollektiv-wirtschaftlichen Form kann sich in der APW (...) eine andere Form der Distribution der Produktionsmittel entwickeln, (...) in der das Ackerland, obwohl es Gemeindeeigentum bleibt, periodisch zwischen den Mitgliedern der Ackerbaugemeinde derart aufgeteilt (wird), daß jeder Ackerbauer die ihm zugewiesenen Felder individuell aneignet, während in den archaischen Gemeinschaften gemeinsam produziert und nur das Produkt aufgeteilt wird.“[116]

Bei aller Variationsbreite bleiben indes die Charakteristika der asiatischen Produktionsweise das Fehlen von Privateigentum in den Händen der Produzenten, das Dorf als ökonomisches Zentrum von Agrikultur und Handwerk, sowie die kollektive Staatsrevenue.

Diese Ökonomie funktioniert überhaupt nur durch eine große Masse an Bauernwirtschaften, die miteinander durch den Staat in Verbindung stehen. Dieser Staat kann aber nur durch ein gewisses Minimum an Surplus-Produktion existieren und ist deswegen unter der – allerdings nicht in allen Königreichen, Provinzen oder Satrapien gegebenen – Randbedingung einer geringen Arbeitsproduktivität auf eine große Fläche angewiesen. Ja, die Größe der Fläche steht in einer direkten Korrelation zu dem bescheidenen Entwicklungsstand der Produktivkräfte. Die altorientalischen Reiche mussten immer groß sein. Jede ökonomische Bewegung ist langsam und braucht genauso wie viel Fläche viel Zeit. Viel „Kleinmist" muss zusammengetragen werden, gelagert, neuformiert und eingesetzt werden. Es ist per se eine schwerfällige, am Ende aber doch wirkungsvolle Ökonomie. Da die Art der Kriegsführung immer auch durch die Art der Ökonomie bestimmt ist, ist die Kriegsführung der Achämeniden gegen die athenische Allianz zu Beginn des 5. Jahrhunderts eben so: langsam, schwerfällig, umständlich, aber damit doch eine ungeheure Masse an militärischer Infrastruktur in Bewegung setzend. Selbst wenn wir die Zahlenangaben Herodots um ein Vielfaches reduzieren, war die persische Rüstung gewaltig. Für die griechischen Poleis mussten besonders die zehn Jahre zwischen 490 und 480 unheimlich gewesen sein. Während dieses Jahrzehntes geschah nichts anderes, als dass im riesigen Achämenidenreich für die Revanche für die Schlacht bei Marathon gerüstet wurde. Hier trifft Hermann Bengtson den Punkt gut, als er meint, die Beschwingtheit der griechischen Kultur gerade dieser Jahre habe von der kollektiven Angst vor den im Hintergrund drohenden „Mederkriegen“ ablenken sollen.[117] Im Verhältnis zur „Staatsfläche“ war freilich die antike Produktionsweise kriegsmächtiger, so wie heute etwa kapitalreiche Staaten im Kriegsfall weniger Verluste an Menschenleben zu verzeichnen haben als kapitalarme. Die vom Kapitalreichtum abgeleitete Arbeitsproduktivität steht in einem Verhältnis zur Tötungsproduktivität. Diese ist Resultat von jener. Die Griechen hatten einen größeren Metallanteil an der Rüstung, die Perser einen größeren Lederanteil. Der spezifische Vorteil der achämenidischen Kriegsaufstellung war, abgesehen von der schieren Masse, die Reiterei. Doch wurde dieser Vorteil wiederum dadurch kompensiert, dass die griechischen Einheiten auch ihre Produktionsweise verteidigten, ihr Privateigentum. Ein klein wenig klingt hier das Thema an, das wir von den Napoleonischen Kriegen kennen: Die Franzosen verteidigten die revolutionären Errungenschaften des Bürgertums gegen die halbfeudalen Staaten der Koalition.[118] Der Vergleich hinkt irgendwie, aber immerhin stimmt zumindest, dass zwischen 1792 und 1815 nicht nur unterschiedliche Staaten miteinander in militärischem Konflikt standen, sondern auch zwei unterschiedliche Produktionsweisen. Insofern böte das 1814 von Jacques-Louis David vollendete *Léonidas aux Thermopyles* eine hübsche Anspielung. Wir wissen aber nicht, ob sich David dessen bewusst war.

Die antike Produktionsweise war nicht besser als die asiatische, aber sie war moderner und krisenanfälliger. Themen wie die Inflation, die die Massen verarmen ließ, und der Ruin von einst unabhängigen Bauern, die über die Schuldknechtschaft in die Sklaverei gerieten und aus diesem Grunde Material für einen Bürgerkrieg abgaben wie etwa in der römischen Republik, kennen wir aus den altorientalischen Reichen nicht.

Die Stabilität dieser ist die Stabilität einer prämonetären Ökonomie. Die Ware kann hier nicht soziale Beziehungen zersetzen. Aber diese Stabilität wird erkauft durch eine Stagnation der Produktivkräfte, sobald diese durch die staatliche Infrastruktur über den Stand des „Neolithikums" gehoben sind.

Nur deswegen, weil die Antike moderner als die asiatische Produktionsweise war, ist es überhaupt vorstellbar, sich retrospektiv auf die Seite der Griechen zu stellen, als sie in einem militärischen Konflikt mit Staaten der asiatischen Produktionsweise verwickelt waren. Sicherlich nicht wegen der Apartheid-Demokratie und sicherlich nicht wegen dem „Frieden", denn die Griechen waren als Sklavenhalter notorisch kriegerischer und auch nicht, wie Joachim Diesner in guter Gesellschaft mit vielen anderen Historikern glaubt, wegen der Unterdrückung, den ein persischer Sieg gegenüber der Polis-Welt bedeutet hätte. Denn auch die Athenische Koalition unterdrückte die plebejischen Klassen und unterlegene Staaten. Aber eben in der Art und Weise einer progressiveren Produktionsweise.[119]

Wie war nun diese antike Produktionsweise? Marx charakterisiert diese nach der asiatischen Produktionsweise als zweite Form einer Klassengesellschaft ...

„Die zweite Form (...) unterstellt auch das Gemeinwesen als erste Voraussetzung, aber nicht wie im ersten Fall als Substanz, von der die Individuen bloß Akzidenzen sind oder von der sie rein naturwüchsig Bestandteile bilden –, sie unterstellt nicht das Land als die Basis, sondern die Stadt als schon geschaffnen Sitz der Landleute. (Grundeigentümer.) Der Acker erscheint als Territorium der Stadt; nicht das Dorf als bloßer Zubehör zum Land. Die Erde an sich – so sehr sie Hindernisse darbieten mag, um sie zu bearbeiten, sich wirklich anzueignen – bietet kein Hindernis dar, sich zu ihr als der unorganischen Natur des lebendigen Individuums, seiner Werkstätte, dem Arbeitsmittel, Arbeitsobjekt und Lebensmittel des Subjekts zu verhalten. Die Schwierigkeiten, die das Gemeindewesen trifft, können nur von andren Gemeindewesen herrühren, die entweder den Grund und Boden schon okkupiert haben oder die Gemeinde in ihrer Okkupation beunruhigen.“[120]

Es ist nicht ganz klar, was Marx mit der Formulierung ansprechen wollte, dass die Erde hier kein Hindernis darstellt, sondern nur andere Gemeinwesen. Vielleicht ist damit gemeint, dass in der antiken Kulturzone Regenfeldbau möglich war und kein Staat über den Eigentümern von Nöten war, der eine Infrastruktur für den Bewässerungsfeldbau auf die Erde setzte. Wiederholen wir den letzten Satz, um die Fortsetzung des Zitats zu verstehen:

„Die Schwierigkeiten, die das Gemeindewesen trifft, können nur von andren Gemeindewesen herrühren, die entweder den Grund und Boden schon okkupiert haben oder die Gemeinde in ihrer Okkupation beunruhigen. Der Krieg ist daher die große Gesamtaufgabe, die große gemeinschaftliche Arbeit, die erheischt ist, sei es um die objektiven Bedingungen des lebendigen Daseins zu okkupieren, sei es um die Okkupation derselben zu beschützen und zu verewigen. Die aus Familien bestehende Gemeinde daher zunächst kriegerisch organisiert – als Kriegs- und Heerwesen, und dies eine der Bedingungen ihres Daseins als Eigentümerin. Die Konzentration der Wohnsitze in der Stadt Grundlage dieser kriegerischen Organisation. (…) Das Gemeindeeigentum – als Staatseigentum – ager publicus hier getrennt von dem Privateigentum. Das Eigentum des einzelnen hier nicht wie im ersten case, selbst unmittelbar Gemeindeeigentum, wonach also nicht Eigentum des einzelnen als von der Gemeinde getrennt, der vielmehr nur ihr Besitzer ist.“[121]

Hier ist der Unterschied zwischen dem antiken Privateigentum und dem „asiatischen“ Besitz angesprochen.

„(...) die Bedingungen gegeben, daß der einzelne Privateigentümer von Grund und Boden – besondrer Parzelle wird, deren besondre Bearbeitung ihm und seiner Familie anheimfällt. Die Gemeinde – als Staat – ist einerseits die Beziehung dieser freien und gleichen Privateigentümer aufeinander, ihre Verbindung gegen außen, und ist zugleich ihre Garantie. Das Gemeindewesen beruht hier ebensosehr darauf, daß seine Mitglieder aus arbeitenden Grundeigentümern, Parzellenbauern bestehn, wie die Selbständigkeit der letztren durch ihre Beziehung als Gemeindeglieder aufeinander, Sicherung des ager publicus für die gemeinschaftlichen Bedürfnisse und den gemeinschaftlichen Ruhm etc. besteht."[122]

Und hier ein Aspekt, auf den wir im Zusammenhang mit den antiken Bürgerrechten noch zu sprechen kommen werden:

„Voraussetzung bleibt hier für die Aneignung des Grund und Bodens, Mitglied der Gemeinde zu sein, aber als Gemeindemitglied ist der einzelne Privateigentümer. Er bezieht sich zu seinem Privateigentum als Grund und Boden, aber zugleich als seinem Sein als Gemeindemitglied, und die Erhaltung seiner als solchen ist ebenso die Erhaltung der Gemeinde, wie umgekehrt etc. Die Voraussetzung der Fortdauer dieses Gemeinwesens ist die Erhaltung der Gleichheit unter seinen freien selfsustaining peasants und die eigne Arbeit als die Bedingung der Fortdauer ihres Eigentums. Sie verhalten sich als Eigentümer zu den natürlichen Bedingungen der Arbeit (...)."[123]

Das antike Privateigentum unterscheidet sich wiederum vom bürgerlichen Privateigentum:

„Es ist nicht Kooperation in der wealth producing Arbeit, wodurch sich das Gemeindemitglied reproduziert, sondern Kooperation in der Arbeit für die gemeinschaftlichen Interessen (imaginären und wirklichen) zur Aufrechterhaltung des Verbandes nach außen und innen. Das Eigentum ist quiritarium, römisches, der Privatgrundeigentümer ist solcher nur als Römer, aber als Römer ist er Privatgrundeigentümer."[124]

Ahlers fasste einiges, aber nicht alles, an diesem Passus sowie andere Stellen prägnant zusammen:

„1. Die Stadt als Zentrum der Grundeigentümer; 2. die Identität von Gemeindemitglied und Grundeigentümer, 3. die kriegerische Organisation der Bevölkerung, 4. die Existenz des Staates als Beziehung der freien und gleichen Privateigentümer zueinander, 5. die Trennung von Privat- und Staatseigentum an Boden."[125]

Dies ist indes mehr eine Beschreibung, weniger eine Erklärung für die Ursachen der Entstehung des antiken Eigentums. Versuchen wir es so:

Es stellen sich hier zwei Fragen. Erstens: Weshalb entstand auf dem Boden der Antike das Privateigentum, während in den altorientalischen Reichen der Staat Eigentümer der Besitztümer der eigentlichen Produzenten, der Bauern, blieb? Und zweitens: Wie kam die Sklaverei als Produktionsweise zu dem Privateigentum?

Beide Fragen sind nicht ganz leicht zu beantworten. Erstens, weil hier die Quellenlage nur Vermutungen zulässt, und zweitens, weil es keine einfache Kausalität gibt, die zum Inhalt hat, dass sich die Produktionsweisen in einer ganz bestimmten Reihenfolge ablösen. Gerade die antike Gesellschaft und die daraus entstandene europäische Feudalität hatten spezifische Züge und es gab keine Notwendigkeit, dass andere Flecken der Erde diese Entwicklung wiederholen mussten. Die Phrase „spezifische Züge" bedeutet nicht, dass es überhaupt keine Kausalität gab und nur der Zufall eine Rolle spielte, sondern bloß, dass eine *Kombination* an unterschiedlichen Faktoren auftrat, die an anderen Stellen der Erde nicht oder nicht so auftrat.

Vielleicht können wir uns das so vorstellen, dass das Privateigentum an Grund und Boden einen vorderhand paradoxen Ursprung darin hat, dass der Grund und Boden als festes Agrarland weniger wertvoll und für die Zivilisation weniger bedeutsam war, als in den Gegenden, in denen wegen klimatischen und pedologischen Gegebenheiten Bewässerungsanbau von Nöten war. Während die Zonen mit Regenfeldbau bei Ernteverlusten sich den Bedürfnissen ihrer Vieherden anpassen konnten, zu besseren Weideplätzen umziehen konnten oder wenigstens die halbnomadische Lebensweise noch nicht völlig aus dem kollektiven Gedächtnis verschwunden war, blieb die Bevölkerung in den Bewässerungsgebieten stationär auf „ihrem" Gebiet – immerhin war dies Objekt von gemeinschaftlichen Infrastrukturleistungen, die erhebliche Mengen an Mehrarbeit veranschlagt hatten. Deswegen konnten hier die Nutzer des Ackerbodens diesen nicht selbst verkaufen. Sie wurden höchstens zu Besitzern, nicht zu Eigentümern.

Gerade die relative „Wertlosigkeit" eines Flecken Bodens in den Zonen des Regenfeldbaus eignete diesen als Objekt des Privateigentums. Er konnte verkauft und gekauft werden – keine staatliche „Hypothek" lastete darauf. Gerade die relative Unabhängigkeit vom einem bestimmten Flecken Erde zeichnete die Eigentümer dieses Fleckens aus – im Gegensatz zu der Abhängigkeit von einem bestimmten Flecken Erde am Nil, Euphrat, Tigris, Indus, im Tamil Nadu und anderen Gegenden mit Wasser- und Düngersystemen.

Das alles steht zuerst einmal im eklatanten Widerspruch zu der Tatsache, dass gerade in der europäischen Antike das Eigentum an Grund und Boden als der natürliche Zustand eines *Bürgers* galt. Aber dieser Widerspruch ist nur oberflächlich. Denn als Erde, die sich nicht wie in der asiatischen Produktionsweise „auf ewig an die Bauern band", war Grund und Boden verkaufbar, er bildete damit die Quelle des individuellen

Reichtums wie auch des individuellen Elends, was wiederum die Besitzer des Bodens in den altorientalischen Reichen nicht kannten.

Noch heute ist die Zonierung der Pflanzenanbaufläche der Erde in Bewässerungsfeldbau und Regenfeldbau deutlich sichtbar und erstere Variante macht ca. 20 % der Ackerfläche aus. Aber diese Differenz der Ackertechnik bestimmt nicht mehr einen sozialen Unterschied. In Europa, Japan, den USA und China ist die Bewässerungsfeldwirtschaft Ausdruck des Kapitaleinsatzes für eine Agrarproduktion, die einen Platz in der internationalen Arbeitsteilung des Kapitalismus gefunden hat. Die soziale Spaltung betrifft in einer Gesellschaft, in der die Beschäftigung nicht mehr die Landwirtschaft, sondern die Industrie bietet, den Widerspruch zwischen Kapital und Arbeit, sowie zwischen kapitalreichen und kapitalarmen Ländern. Die soziale Differenzierung entsteht nicht mehr aus den Usancen der Landwirtschaft, wie in der Antike bzw. im Altertum, sondern aus den Usancen der Industrie.

In den Zonen des Regenfeldbaus konnte der Grund und Boden zur Ware werden, in den Zonen der Bewässerungsfeldwirtschaft nicht. Das ist freilich nur als Zusammenhang, nicht als Gesetzmäßigkeit zu verstehen. Im Siedlungsgebiet der Iranier zum Beispiel gab es auf Grund der geographischen Lage beides und die Avesta (des Zarathustra) differenziert auch begrifflich zwischen „Ackermann und Viehzüchter“.[126] Dennoch entwickelten sich hier keine antiken Sozial- und Wirtschaftsverhältnisse. Umgekehrt kannten auch Provinzen des römischen Reiches westlich der gedachten Diagonale Nil-Delta – Elbrus Bewässerungstechnik und lokalen Bewässerungsfeldbau. Wir müssen hier ein wenig simplifizieren, um den Unterschied zu verdeutlichen. Oder aber, was der eigentliche Punkt ist: Wenn bereits antike Verhältnisse existierten, wurden diese nicht durch eine

Änderung der Ackertechnik geändert. Letztere hatte bloß eine initiale Rolle, den Weg in eine der beiden Produktionsweisen zu ebnen. Es handelte sich sozusagen um eine historische Weichenstellung jener Gesellschaften, die gerade erst angefangen hatten, ein Mehrprodukt zu erwirtschaften.[127]

Kommen wir nun zu der zweiten Frage: Wie gesellte sich die Sklavenarbeit als dominante Form der Mehrarbeit zum antiken Eigentum? Nur in der Warenwirtschaft war es möglich, etwa durch Unglück oder fehlende Geschicklichkeit einen Hof zu verschulden. Meist dauerte dieser Prozess einige Generationen an und konnte ganz banale Ursachen haben, wie etwas weniger vorteilhafte pedologische Bedingungen, die im Laufe der Zeit Reichtums-Unterschiede verfestigt hatten. Am Ende konnte der Verlust des Hofes und der Gang in die Schuldknechtschaft stehen. Diesen Prozess kannte das orientalische Dorf nicht. Die Schuldknechtschaft als Aspekt des antiken Eigentums zieht sich als Thema durch die Innenpolitik der gesamten Antike: Der größere Hof wird noch größer, der kleinere noch kleiner.

Selbst die Erbteilung auf alle Nachkommen konnte die Tendenz, dass sich das Grundeigentum über Generationen hinweg in wenigen Händen konzentrierte und damit die Verteilung von Boden politisch polarisierte, nicht aufhalten. Sie gab dieser Tendenz nur ein spezifisches Muster.[128]

Vielleicht war auch die Schuldknechtschaft – und somit indirekt das Privateigentum – der Ursprung der antiken Sklaverei. Hinzu kamen auch Kriegsgefangene. Die Versklavung von Kriegsgefangenen kannten indes *alle* alten Gesellschaften, sobald sie Krieg führten. Sie benötigten hierfür nicht die „Institution“ des Privateigentums. Aber ohne Privateigentum wurden auch die Sklaven kein Privateigentum, sondern blieben Eigentum des Kollektivs. Wenn, dann wurden sie vom Kollektiv bzw. vom Staat Einzelnen als Besitz überlassen. Es bildete sich hier kein Warenmarkt und auch kein Sklavenmarkt. Die Sklavenarbeit blieb immer ein zusätzliches, ein äußeres Verhältnis, das die Gesellschaft nicht definierte. Nur in Gesellschaften mit verallgemeinertem Privateigentum wurden auch Sklaven Eigentum und somit ein Produktionsfaktor, während sie in den Subsistenzgesellschaften ein Konsumtionsfaktor blieben. Der Begriff „Subsistenzwirtschaft" wird hier und in weiterer Folge umgangssprachlich verwendet, als logischer Gegensatz zur „Warenwirtschaft". Subsistenzwirtschaft bedeutet in diesem Sinne nicht, dass die Bauern keine Mehrarbeit leisten mussten.

Es ist übrigens fraglich, ob in anderen Weltgegenden mit ähnlichen Voraussetzungen des Regenfeldbaus ähnliche soziale Verhältnisse wie in Griechenland entstehen konnten – etwa in Mittelamerika oder in Nordchina.[129]

Auch wenn wir nicht alle Zusammenhänge aufdecken können und einiges im Dunklen bleibt, so lässt sich ein erheblicher Unterschied zwischen einer antiken und einer „asiatischen" Produktionsweise ausmachen und dieser Unterschied erklärt viel an dem Ablauf der politischen Geschichte. Dieser Unterschied ist somit nicht einfach nur Objekt einer Sozialgeschichte, sondern bietet einen Raster, vor dem die Aussagen der Akteure der politischen Geschichte wie auch ihrer modernen Historiker bewertbar werden. Das ist die Basis der weiteren Erzählung. Um es methodisch zu formulieren: Wenn wir die antiken Gesellschaften mit den altorientalischen vergleichen, dann macht uns dieser Querschnittsvergleich sicher. Wenn wir aber einen Längsschnittvergleich machen und die Antike mit der Vorantike und der Nachantike, oder gar mit dem industriellen Kapitalismus vergleichen, sind wir bereits auf einem weitaus schwierigeren Terrain.

Denn die Antike wies tatsächlich einige – wiewohl unfertige und entstellte – Anlagen des Kapitalismus auf. Und es stellt sich an dieser Stelle sofort die Frage, ob diese Anlagen eine eigene Gesellschaftsformation bildeten oder bloß eine unterentwickelte Vorform einer späteren Entwicklung waren. Bei Karl Marx werden jedenfalls beide Aspekte angesprochen, einmal aus der geschichtlichen und einmal aus der ökonomischen Perspektive, und wir werden am Ende dieses Buches noch einmal darauf zu sprechen kommen.

Hier jedenfalls genügt ein Querschnittsvergleich, um zu verstehen, wer die Mehrarbeit der Gesellschaft weiterverwendete. In den antiken Gesellschaften konnten die Reicheren die Ärmeren ohne die vermittelnde Rolle des Staates zu Mehrproduktion in Form von Zins, Schuld und Zwangsarbeit anhalten und die politischen Strukturen reduzierten sich auf die gegenseitige Absprachen der privaten Nutzer der Mehrarbeit. Großkönig, König, Satrap, Steuereintreiber, General ... das alles ist in der antiken Welt die *civitas* und die *politeia*.

So haben die sozialen Verhältnisse ihre Entsprechung in den politischen. Ja, die politischen sind gleichzeitig Ausdruck und Instrument der sozialen Verhältnisse. Das Wesentliche an den antiken Produktionsverhältnissen ist, dass der Grundeigentümer bereits von der Gemeinde bzw. vom Staat losgelöstes Privateigentum ist. Der Grundeigentümer ist zugleich Bürger, aber nur er ist Bürger. Den aufmerksamen Lesern wird vielleicht aufgefallen sein, dass der Satz sich bei Marx anders anhört:

„(...) der Privatgrundeigentümer ist solcher nur als Römer, aber als Römer ist er Privatgrundeigentümer.“[130]

Der Unterschied besteht nicht darin, dass Marx nur auf die Römer und nicht etwa auf die Griechen abzielt. Der Satz ist genauso gut à la Marx, wenn statt Römern Griechen verwendet werden. Aber es geht darum, dass Marx mehr die Herkunft des Eigentums aus der kollektiven Gemeinde betont. Das Privateigentum ist bei ihm Ausfluss des alten Gemeindeeigentums. Da hier aber nur Gemeindemitglieder zum Zuge kommen, gilt auch das Privateigentum nur für die Mitglieder einer Gemeinde, einer Stadt, eines Staates. Wie auch immer, deswegen stimmt unser Aspekt nicht weniger: Der Privatgrundeigentümer ist solcher nur als Bürger, aber als Bürger ist er Privatgrundeigentümer.

„Denn es war ein allgemein gültiges Gesetz – ich kenne keine Ausnahme –, daß Landbesitz ausschließlich Vorrecht der Bürger war.“[131]

Das ist richtig. Aber aussagekräftig nur dann, wenn wir den Satz umdrehen: Bürgerrechte waren Vorrechte der Grundeigentümer.

Wenn Egon Friedell sagt:

„Die Nichtbürger konnten keinen Grundbesitz erwerben (. . .).“[132]

Oder wenn Finley sagt:

„Die Griechen waren es, die den Bürgern im größten Umfang das Recht auf Landbesitz als Monopol bewahrten (. . .).“[133]

– dann ist dies genauso eigentlich nur verkehrt herum richtig. Der Nichtbürger ist Nichtbürger, *weil* er kein Grundeigentum hat. Nicht jemand ist vom Eigentum ausgeschlossen, sondern das Eigentum schließt jemanden aus. Friedell und Finley, um zwei der exzellenteren Autoren heranzuziehen, nehmen die juridische Entsprechung einer sozialen Tatsache als das Wesentliche. Finley nahm zum Beispiel sehr deutlich die Steuerfreiheit in der Antike (bis in die römische Kaiserzeit hinein) wahr.[134] Aber das Erstaunliche daran verblasst doch, wenn wir uns vor Augen halten, dass das Mehrprodukt bereits von Privateigentümern angeeignet wurde, im Orient hingegen sammelte der Staat das Mehrprodukt ein. Finley sagt:

„Ich bin der Meinung, daß die Steuerfreiheit eine wesentliche

Forderung jener ungewöhnlichen, selten wiederholten Erscheinung der klassischen Antike war, der Eingliederung der Bauern als vollwertigem Teil der politischen Gemeinschaft.“[135]

Auch dies erklärt sich nur daraus, dass hier der Bauer – im Gegensatz zum Bauern in Mesopotamien – selbst Grundeigentümer ist, auch wenn das Eigentum seines Hofes klein sein mag. Die antike Gesellschaft leistete nicht etwas extra Besonderes damit, die Bauern vollwertig in die politische Gemeinschaft einzugliedern, das erledigten hinter der Politik bereits die Eigentumsverhältnisse und diese bedingten, nebenbei gesagt, auch die Möglichkeit des Ruins und damit des Verlustes der Teilhabe an der politischen Gemeinschaft. Groß oder klein: Das spielte eine bestimmende Rolle, ebenfalls im Gegensatz zu der Klassenbildung in den orientalischen Reichen.

Finley konnte den Faktor *Größe* in der Warenwirtschaft auch nicht ganz umgehen und spricht von den großen Grundeigentümern, die nicht mehr selbst in der Landwirtschaft arbeiteten, sondern in der Stadt lebten:

„Für sie bedeutete Landbesitz, wie ich bereits bemerkte, keinen Beruf zu haben; für die anderen bedeutete es unermüdliche Arbeit. Allen war ein Hunger auf Land gemeinsam, der auf der einen Ebene seinen Ausdruck darin fand, daß man, soweit möglich, ein Landgut nach dem anderen erwarb, auf der anderen Ebene in einer verbissenen Bereitschaft, nach Scheitern und Verlust des Besitzes wieder von vorn anzufangen.“[136]

Wie auch sonst bei bürgerlichen Historikern wird kaum zwischen Eigentum und Besitz unterschieden. Vielleicht liegt es an der Übersetzung aus dem Englischen ins Deutsche, aber Finley meint jedenfalls Eigentum, wo er von Besitz spricht.

„Wir hören, daß in Athen im Jahre 403 v. Chr. ein Vorschlag gemacht wurde, die politischen Rechte eines jeden Bürgers, der kein Land besaß, einzuschränken, und daß durch diese Maßnahme, wäre sie durchgeführt worden, was nicht der Fall war, 5.000 Bürger betroffen worden wären.“[137]

Athen konnte es sich aus ökonomischen Gründen leisten, Nichtgrundeigentümer politisch zu integrieren, so sie ein anderes relevantes Eigentum hatten. Aber dass überhaupt ein Vorschlag wie der eben zitierte auf das Tapet kommen konnte, zeigt ganz deutlich, dass Grundeigentum grundsätzlich die Basis der Bürgerrechte ist. Ja, das ist geradezu das Charakteristische an dem antiken Eigentum: *Grundeigentum zieht Bürgerrechte nach sich.* Das Grundeigentum ist das Grundlegende – die politischen Rechte, die sich darauf beziehen, das Abgeleitete. Wir können diesen Sachverhalt leicht prüfen, indem wir die Frage umdrehen: Wie kommt jemand in den Genuss des Bürgerrechtes? Wenn das Bürgerrecht das Grundlegende und das Eigentum das Abgeleitete wäre – wie es der idealistische Zugang zur Geschichte nahelegt – würde das Bürgerrecht auch die Quelle des Bürgerrechts sein. Das wäre eine Tautologie.

Wenn wir sagen: „Im antiken Griechenland zieht Grundeigentum Bürgerrechte nach sich“, dann macht dieser Satz wiederum den Charakter der Bürgerrechte deutlich. Vielleicht haben Historiker nicht den passenden Begriff gefunden, mit heutigen passiven staatsbürgerlichen Rechten hat der antike Inhalt kaum etwas gemein. Unsere Bürgerrechte entsprechen der Rolle des Citoyens, wie diese sich vor allem im Zuge der bürgerlichen Revolutionen des 18. und 19. Jahrhunderts herausbildete. Der „Bürger“ und das „Bürgerliche“ der Antike haben nur insofern etwas mit dem „Bürger“ und dem „Bürgerlichen“ der Moderne zu tun, als beide sich auf Privateigentum und Warenwirtschaft beziehen. Mehr aber auch nicht. Den Charakter der Bürgerrechte der Antike sehen wir leicht in der Steuerfreiheit des Grundeigentums. Nur die Grundeigentümer bildeten den Staat. Es handelte sich nicht um eine Nation, die allen

Staatsbürgern gleiche formale Rechte gewährt. Weshalb sollte das Grundeigentum „sich selbst besteuern"? Bürgerrecht der Antike ist nichts anderes, als die Gewalt, über das eigene Privateigentum zu bestimmen. Oder genauer bzw. in Anwendung des Marxschen Eigentumsbegriffs formuliert: Bürgerrecht der Antike ist nichts anderes, als die Gewalt, andere Klassen vom Grundeigentum auszuschließen. Der passendere Begriff wäre „Bürgergewalt" oder „Eigentümergewalt" und mit dem Gewalt-Begriff sind wir schon nahe an der Tatsache, wie das Eigentum den Nichteigentümern Gewalt antut, sie komplett aus der politischen Sphäre ausschließt oder zu Unfreien macht – Sklaven in letzter Konsequenz. Die Sklaverei ist die komplementäre Seite des Grundeigentümerverhältnisses.

Dass aber Rom im Zuge der Expansion sein Bürgerrecht veränderte –

„Die römische Expansion in Italien z.B. hatte eine Öffnung der Bürgerrechtspolitik zur Folge, so daß die Latiner von einem frühen Zeitpunkt an, und mit dem beginnenden 1. Jahrhundert v. Chr. alle freien Italiker, das Privileg erhielten, römischen Boden zu besitzen."[138]

– ändert an dem antiken Wesen nicht das Grundlegende. Damit wird nur gesagt, dass ein Grundeigentum außerhalb Roms genauso gut als Eigentum ist wie ein Grundeigentum in Rom. Dies signalisiert keinen sozialen Wandel. Ein sozialer Wandel zeichnete sich erst ab, als der *tributum* und die *stipendia* nicht nur von den Provinzen, sondern auch von den Bewohnern Italiens und der Stadt Rom eingehoben wurden. Deswegen ist die Konvention der Geschichtsschreibung, die Spätantike mit Diokletian beginnen zu lassen, völlig richtig:

„Der Gegensatz zwischen dem herrschenden römischen Volke und der unterworfenen Provincialbevölkerung war damals nach der einen Seite hin dadurch ausgeglichen, dass durch Caracalla alle Provincialen das römische Bürgerrecht erhalten hatten. Er bestand indessen darin noch fort, dass der auf dem Provincialboden liegende Tribut nach wie vor gezahlt wurde, während Italien noch von jeder Grundsteuer frei war. Unter Diocletian wurde auch dieser letzte Unterschied der Bewohner des Reiches aufgehoben und das Tributum der Provinzen auch in Italien eingeführt.«[139]

Mit Diokletian, wenn wir solch eine Zäsur machen wollen, beginnt sich der Bedeutungsverlust des freien Grundeigentums gegenüber dem indirekteren Grundbesitz auch auf der politischen Ebene anzubahnen. Die Verhältnisse in der Spätantike – präziser wäre der Begriff „Postantike“ – sind für die antiken nicht mehr typisch, während in der Periode des Prinzipats die Änderungen Roms gegenüber dem klassischen Griechenland bloß eine Anwendung hellenistischer Praktiken auf die spezifisch antiken Verhältnisse bedeuten.

„In einem Stadtstaat war des weiteren das Land prinzipiell frei von regelmäßiger Besteuerung. Der Zehnte oder eine andere Form der direkten Besteuerung des Bodens war nach Aussage der Griechen ein Merkmal der Gewaltherrschaft. (...) Territorialstaaten wiederum bezogen ihr hauptsächliches Einkommen aus Bodenpachten und Grundsteuern (...) Italien seine traditionelle Steuerfreiheit bis zum Anfang des 4. Jahrhunderts n. Chr. bewahrte.«[140]

Wir könnten dies auch so sehen: Die Steuerfreiheit des Grundeigentums war Konstante der antiken Produktionsweise, die Besteuerung des Bodens und seines Ertrages war Konstante der asiatischen Produktionsweise. Seit dem Prinzipat hatte Rom Elemente der Staatsform der asiatischen Produktionsweise aus politischen Gründen übernommen, aber erst seit der Spätantike wandelte sich das *Grundeigentum* in besteuerbaren *Besitz*. In der Spätantike lösen sich die antiken Produktionsverhältnisse auf und damit wird Grund und Boden im ganzen römischen Reich besteuert. Das ist eine qualitative Änderung der Produktionsverhältnisse und dies sehen wir deutlich, wenn wir die Zustände seit Diokletian mit den klassischen antiken Abgaben vergleichen. Über diese lesen wir:

„Dagegen blieben die römischen Vollbürger von direkten Steuern weitgehend freigestellt. Sie hatten in Rom, Italien und in privilegierten Städten der Provinzen weder die für die Provinzialen erhebliche Belastung der Grundsteuer (*tributum, soli, vectigal, stipendium*) zu tragen noch die Kopfsteuer (*tributum capitis*) zu entrichten. Steuerlich belastet waren sie in diesem Bereich nur dann, wenn sie auf nichtprivilegiertem Territorium Besitz erworben hatten."[141]

Mit der angesprochenen Wandlung Roms änderten sich auch hier die Akzente, selbst wenn die reichen Grundeigentümer sich vor der Steuerlast der Militärmonarchie zu schützen wussten. Sozusagen eine Kompensation für den politischen Bedeutungsverlust des Senats seit dem Prinzipat. Was wir im Falle Roms im Gegensatz zu Griechenland einige Jahrhunderte zuvor wahrnehmen: Dass das Bürgerrecht auch für das Kleineigentum galt, nicht nur für klassisches Grundeigentum. Darin sehen wir sowohl eine archaische als auch eine moderne Komponente. Die archaische: Die Konzentration des Grundeigentums war in den Anfängen der römischen Republik noch weniger fortgeschritten. Die moderne: Im Zuge der Ausweitung des römischen Herrschaftsgebietes wandelte sich die Staatsform Roms von einer direkten Polis-Demokratie zu einer hellenistischen Monarchie. Das Bürgerrecht verkam zu einem ziemlich bescheidenen Rechtsstand, der zum Beispiel das Recht auf Appellation an den Kaiser beinhaltete. Hier das Recht der Eigentümer im Polis-Staat, über alles zusammen mit anderen Grundeigentümern zu bestimmen, dort das Recht der Plebejer, in den Staat integriert zu werden, zuerst politisch und später, in der Periode des Prinzipats, nur noch sozial als Adressat von kaiserlichen Zuwendungen.

Das ist jetzt ein wenig überspitzt formuliert, denn auch im Prinzipat bedeutete Bürgerrecht immerhin noch das Recht, Eigentumskonflikte in geordneten Bahnen auszutragen und etwa den Streitfall vor den Stadtrat oder eine andere Instanz zu bringen.[142] Offensichtlich ist auch dies ein wichtiges Element eines juristischen Überbaus gegenüber dem Privateigentum. Das römische Recht pflegte das Eigentum und den Besitz bis ins letzte Detail zu definieren und das nicht aus einem wissenschaftlichen Eifer heraus. Nein, die lokalen politischen Strukturen wie die Stadträte hatten permanent Eigentums- und Besitzkonflikte zu schlichten. Freilich hatte sich das Bürgerrecht während der gesamten Antike immer wieder gewandelt, aber es drückte im Wandel doch immer dasselbe aus: Dass Menschen mit Eigentum viel und Menschen ohne Eigentum wenig zu sagen haben. Aber ist dies nicht heute genauso? Ja, aber nur deswegen, weil ein gleiches Recht, angewandt auf ungleiche soziale Lage, die soziale Ungleichheit konserviert. In der Antike hingegen war nicht nur das Soziale ungleich, sondern auch das Politische. Ungleiches Recht wurde auf ungleiche soziale Lage angewandt, aber nicht um letztere Ungleichheit zu kompensieren, sondern um sie zu konservieren. In einer Gesellschaft mit Sklavenarbeit ist dies auch gar nicht anders möglich. Hier liegt eine Spannung begründet: Einerseits soll das Recht alle möglichen Eigentumskonflikte lösen, andererseits schließt es die Eigentumslosen vom Recht aus.

Die Herkunft des römischen Bürgerrechts aus dem Polis-Recht erkennen wir in dieser Tatsache:

„Charakteristisch war, daß die Polis nie territorial oder abstrakt, sondern stets personal als eine Gemeinschaft von Bürgern aufgefasst worden ist.“[143]

Dieser Satz ist ganz richtig. Es war eine Gemeinschaft von *bestimmten* Bürgern, mit *bestimmten* Eigenschaften. Oder aber: Bürger war nur, wer nicht zu folgender Menschengruppe gehörte ...

„Hörige in verschiedenen Rechtsabstufungen, Sklaven, die Eigentum des einzelnen, eines Gottes oder der Gemeinde sein konnten, Metöken, d.h. Hellenen und Barbaren als Schutzbürger (Dauersiedler), und schließlich die nur vorübergehend anwesenden Fremden.“[144]

Es wäre somit eine irrige Annahme, dass die Polis die Bewohner eines Territoriums in einer staatlichen Struktur politisch vereinigte – was die Grundlage einer Nation hätte sein können. So wie eben erst die Französische Revolution eine französische Nation schuf. Der Nationswerdungsprozess war überhaupt ein sehr spezifischer Vorgang im Übergang der feudalen zu den bürgerlichen Verhältnissen. Wobei gerade in dieser Hinsicht insofern eine Vorahnung dessen in der Antike anzutreffen ist, als das Eigentum an sich „nationsbildend“ ist. Freilich nur für die Eigentümer; die Nichteigentümer schließt es von dieser „Nation“ aus, was wiederum gegen die Anwendung des Nationsbegriffs auf die antiken Usancen spricht.

Wir können dies so formulieren: Die Arbeit – als Gegensatz zum Eigentum – war nicht in die „Nation“ integriert. Das wäre nur mit einem Ersatz der Sklavenarbeit durch Lohnarbeit möglich gewesen. Insofern ist es nicht falsch, zu sagen: Das Fehlen einer verallgemeinerten Lohnarbeit geht mit dem Fehlen einer Nation einher. Von diesem Punkt aus erklärt sich die unverblümte Verachtung der alten Griechen gegenüber der körperlichen Arbeit, die die bürgerlichen Historiker der Neuzeit immer wieder in ungläubiges Staunen versetzt. Das erste Hindernis für die Entstehung einer Nation war die Existenz von Sklaven.

Wären diese Teil der Nation, wären sie Personen mit Rechten, was wiederum die Existenz als Sklave unmöglich machte. Alle Bemühungen der verschiedenen antiken Staatswesen, so etwas wie eine „nationale Außenpolitik" zu betreiben, scheiterten sofort an diesem inneren Widerspruch. In der Endphase des Peloponnesischen Krieges war Athen in seiner Bewegungsfreiheit behindert – wegen der Furcht, einen Sklavenaufstand in den Bergwerken zu provozieren. Die Spartaner hatten in diesen Jahren keine Skrupel, Attikas Landwirtschaft zu verwüsten, die Weinstöcke auszureißen und die Bäume der Obst- und Olivenplantagen zu fällen. Aber den Hass der Sklaven gegenüber den athenischen Sklaventreibern in den Silberminen auszunutzen und diese zu befreien ... davor hatte Sparta Skrupel. Offensichtlich, weil die Befreiung der Sklaven Athens den Heloten Spartas ein schlechtes Vorbild abgeben könnte. Dreihundert Jahre später wurden die mit Sklaven bewirtschafteten Latifundien in Süditalien zur tödlichen Konkurrenz der italischen Kleinbauern. Als im 1. Jahrhundert vor Christus der große Sklavenaufstand losbrach, gelang es den konsularischen Armeen nur schwer, die Disziplin der Bauernlegionäre aufrecht zu erhalten. Die Bauern sahen in den Aufständischen eine geringere Gefahr als in den arbeitenden Sklaven. Ein Ex-Prätor griff zu drastischen Mitteln:

„Anfangs stellten sich (...) keine Erfolge ein, obwohl Crassus zur besonderen Abschreckung sogar eine Truppe hatte dezimieren lassen (Hinrichtung jedes 10. Soldaten)."[145]

Offensichtlich hielt sich so etwas wie nationale Begeisterung in Grenzen. Die Existenz von Sklaven korrumpierte die gesamte Gesellschaft, zumindest nach nationalen Maßstäben. Jede militärische Aktion, jedes außenpolitische Abenteuer musste diese innere Brüchigkeit der Gesellschaft miteinkalkulieren – bewusst oder vielleicht schon eingeübt: unbewusst. Eine Konsequenz dieser Konstellation war die Mutation der ursprünglichen Hopliten- und Bauernmilizen in Söldnerformationen. Es war kein Problem, sich selbst mit Haut und Haaren zu verkaufen. Tatsächlich ähnelte diese Sitte den Usancen der Sklaverei. Söldner, die etwa wegen Ausbleiben von Lohn und Kriegsbeute in den „Streik" traten und den militärischen Gehorsam verweigerten, wurden bekämpft und bei Unterwerfung selbstverständlich mit dem Tode bestraft. Auch in diesem Punkt machten zwei gerade verfeindete Staaten lieber gemeinsame Sache, als die Schwächung des Gegners, der seine Söldner verloren hatte, auszunutzen. Nicht nur die Existenz der Sklavenarbeit, auch die Existenz der Söldnerarbeit behinderte eine „nationale Politik" bzw. eine „nationale Kriegsführung". Im Verlauf der frühen „Perserkriege" der Griechen gibt es eine hübsche Anekdote, die sich auf das Scheitern einer solchen Kriegsführung bezieht:

„Themistokles hatte angeordnet, an den Felsen der Küste Inschriften anzubringen. In ihnen wurden die auf persischer Seite kämpfenden Ioner und Karer aufgefordert, zu den hellenischen Kontingenten überzulaufen, oder, wenn dies nicht möglich sei, im Kampf gegen die Griechen keinen besonderen Eifer zu zeigen."[146]

Selbst Hermann Bengtson musste andeuten, dass der Versuch Themistokles' keine bekannte Wirkung zeitigte und er blieb eine Episode. Diese Episode bezog sich auf die Seeschlacht bei Artemision im Jahre 480, als Söldner noch nicht so üblich waren wie 150 Jahre später bei jenen Schlachten, bei denen die Hellenen des Korinthischen Bundes gegen die Verbände des Dareios III. aufeinandertrafen. Das vermeintliche Nationalbewusstsein hatte sich nicht entwickelt. Die Entlohnung der Söldner sowie die Versorgung der Veteranen waren ein die gesamte Antike durchziehender Stoff von sozialen Spannungen. Hier denken wir etwa an den Aufstand der griechischen Kolonisten in Baktrien zur Zeit des Todes Alexanders III., die in das 2.000 km entfernte Hellas zurückkehren wollten. Die Aufständischen vereinigten bald 20.000 Mann Infanterie und 3.000 Mann Kavallerie. Der Nachfolger Alexanders in Asien, Perdikkas, konnte solch einen Faktor nicht zulassen und entsandte ein Söldnerheer von Babylon nach Baktrien. Es stand unter dem Kommando Pheitons, der den Auftrag hatte, den Aufstand zu befrieden.

„Statt rücksichtslos anzugreifen, begann Peithon zu verhandeln (...) Die Aufrührer unterwarfen sich und Peithon verzieh ihnen. Aber die makedonischen Soldaten, denen Perdikkas vor dem Abmarsch ausdrücklich die Habe der Söldner als Beute versprochen hatte, setzten sich darüber hinweg, umzingelten die Griechen überraschend und metzelten sie bis zum letzten Mann nieder."[147]

Falls die Zahlen stimmen, so bedeutete dies: 23.000 Tote, obwohl es bereits eine politische Einigung gab. Als weiteres Beispiel sei der Zug der thrakischen Söldner im Jahr 413 angeführt.

„Die Athener hatten eine thrakische Söldnertruppe angeworben, insgesamt 1.300 Mann. Ursprünglich dazu bestimmt, sich mit Demosthenes nach Sizilien einzuschiffen, wurde die Truppe wieder zurückgeschickt, da ihr Unterhalt zu hohe Kosten verursachte und da man bereits über genügend Mannschaften verfügte. Nach der Durchfahrt durch die Meerenge zwischen Böotien und Euböa wurde die Truppe durch den Athener Dieitrephes nach Mykalessos dirigiert (...) sie setzte sich in Besitz des Ortes. (...) Die Thraker töteten buchstäblich die gesamte Bevölkerung, wobei weder Frauen noch Kinder, ja nicht einmal das Vieh verschont wurde. Wir hören davon, daß die Thraker in eine Schule eindrangen und alle Kinder ohne Ausnahme erschlugen.«[148]

Beispiele wie diese gibt es zuhauf vor allem in der griechischen Geschichte ab Mitte des 5., in der hellenistischen Welt ab Mitte des 4. Jahrhunderts sowie in der Spätantike an allen Landgrenzen des römischen Reiches. Einen aus heutiger Sicht besonders „pervertierten“ Charakter hatte das Söldnerwesen allerdings in der griechischen Welt. Weshalb? Weil hier jede Polis Söldner einkaufen und gegeneinander verwenden konnte. Das Problem wurde durch die Anzahl der Poleis multipliziert. Rom hingegen übernahm vom Hellenismus zumindest die Überwindung der Polis, die *urbs* war einfach nur noch Stadt in einem größeren Verband. Mit dem Söldnerwesen der hellenistischen Staaten und jenem des Römischen Reiches hatte das Phänomen zwar gemeinsam „als Lohnarbeit“ aufzutreten. Hier ist aber nur der Form nach Lohn vorhanden. Die Söldner verkaufen ihre Arbeitskraft an kein Kapital, sondern bieten ihre oft sehr spezialisierte Dienstleistung der Politik an. Heute würde man dies als die Existenzform eines kleinen Selbstständigen definieren, freilich mit der Besonderheit, dass die Selbstständigkeit gerade in der Stringenz des Krieges ihr Ende finden konnte. Diese Besonderheit ist die Quelle der Konflikte zwischen den Söldnern und den Auftraggebern, sowie zwischen den Söldnern und deren Beute. Interessant ist jedenfalls, dass auch das Söldnerwesen demonstriert, dass in einer Ökonomie der Sklavenarbeit die Lohnarbeit nicht zur typischen Form der Arbeit werden kann. Als Soldaten konnten die Sklaven aber nicht verwendet werden, außer man versprach ihnen als „Lohn“ den Aufstieg in die Reihen der Personen – ein Vorgang, der nur in der puren Existenzkrise einer Polis gewählt wurde und selbst dann nicht immer. Jedenfalls: Vorausgesetzt, es waren genug Sklaven vorhanden, um daraus ganze Armeen zusammenzustellen – wer blieb dann für die Sklavenarbeit? Sklaven als Soldaten war somit ein Minderheitenprogramm und die Söldner setzten sich aus allen möglichen Schichten zusammen, freilich mitunter auch aus freigelassenen oder entlaufenen Sklaven.

Söldner entwickelten in der Antike spezialisiertes Wissen und Fertigkeiten, um sich unentbehrlich zu machen. Aber wegen dem beschränkten Maß an Loyalität gegenüber den Auftraggebern und wegen der materiellen Eigeninteressen der Söldner mussten sie immer mit Obacht, „wie ein rohes Ei“, behandelt werden. Der Staat war mit dieser Bürde in seinem außenpolitischen Agieren genauso eingeschränkt wie durch die Sklavenarbeit. Beides – die Sklavenarbeit in der zivilen Produktion und die Söldnerarbeit in der bellizistischen Produktion – verunmöglichten eine „nationale Politik“ und eine „nationale Kriegsführung“; ungeachtet dessen, dass auch andere Voraussetzungen für die Bildung einer Nation und eines Nationalbewusstseins fehlten. Jedenfalls bedeutet dies alles, dass die immer wieder auftretenden Exzesse der Söldner gegenüber Dritten oder die Aufstände der Söldner gegen ihre Auftraggeber oder die selbstsüchtige Mobilisierung der Söldner für den Erhalt einer Parzelle Land als Altersversorgung – ein Land übrigens, das ja zu diesem Zwecke einigen Bauern weggenommen werden musste – nicht ein moralisches Defizit, sondern eine strukturelle Gegebenheit ausdrückten.

Gerechterweise muss man sagen, dass weder die zivilisatorischen Leistungen noch die erstaunliche Brutalität der antiken Welt etwas mit einer Nation oder Nationalgefühl zu tun hatte. Brutalität und Grausamkeit in der Antike waren kein Ausdruck von Rassismus oder Nationalismus, sehr wohl aber von einer Art sozialem Chauvinismus. Die bürgerliche Geschichtsschreibung, die bis heute die Antike durch die Brille des bürgerlichen Nationalstaates zu deuten sucht, kann mit dieser Grausamkeit nicht umgehen, sie kann sie nicht einordnen und in ihr ein strukturell notwendiges Element erkennen. Somit ist es nur möglich, diese als bedauernswerte Exzesse einiger fehlgeleiteter Führer zu deuten. Indes, eine Gesellschaft, deren Produktionsweise durch die Sklavenarbeit dominiert ist und somit einen guten Teil der Menschen in das Reich der Tiere stößt, kann mit der Absenz von Grausamkeit nichts anfangen, sie hat dafür keinen Begriff.

Die Usancen des Söldnerwesens prägten die politische Geschichte. Hier denken wir etwa an den großen Aufstand, als Karthago im punischen Krieg seine Söldner nicht mehr bezahlen konnte und unter den Aufständischen ein Blutbad anrichtete. Karthago selbst hätte den Aufstieg der römischen Republik vermutlich verhindern können und hatte in den Beskiden versierte Feldherren, die indes intern von der Rivalität unter den großen Sklavenhalterfamilien ausgebremst wurden. Oder denken wir an die mit Gewalt ausgetragenen Spannungen zwischen Marius und Sulla, um die Agrarreform zugunsten der Veteranen – eine Variante des mit Gewalt ausgetragenen Konflikts zwischen den Gracchen und den großen Grundbesitzern. Spannungen, Konflikte und Klassenkämpfe hätte es ohne Sklaven- und Söldnerarbeit auch gegeben, aber die Sklaven- und Söldnerarbeit gab ihnen ihr eigenes Gesicht.

Bevor wir uns genau damit beschäftigen, können wir zuerst einmal zu dem Ausgangspunkt zurückkommen: Die Schlacht bei den Thermophylen, wie David, der Maler der Französischen Revolution das Thema nur auffassen konnte – künstlerisch ganz richtig, historisch falsch. Für Franz Mehring, den Historiker der deutschen Vorkriegssozialdemokratie, waren „die Thermophylen" ein Thema der Sozialordnung. Mehring stellte die Frage nach einem militärischen Ereignis immer materialistisch: Welche sozialen und ökonomischen Hintergründe stehen hinter unterschiedlicher Strategie und Taktik. Er sah zum Beispiel in der frischgebackenen französischen Nation von 1789 die Grundlage einer Militärstrategie, die Carnot und Bonaparte in den Revolutionskriegen die Fortune sicherte. Analog verhält es sich mit der militärischen Fortune der athenischen Allianz in den Perserkriegen 490 und 480. Das Rätsel der Rückschau auf das Ereignis der Thermophylen war ja seit dem 18. Jahrhundert immer: Wie konnte das kleine Griechenland dem großen Persien widerstehen? Franz Mehring hätte diese Frage akzeptiert – was wir nicht tun – und hätte auf diese falsche Frage die richtige Antwort parat gehabt:

„Tatsächlich hat bei Marathon das Bürgeraufgebot einer kleinen Republik das erlesene Berufsheer eines großen Despoten geschlagen."[149]

Wir könnten dies wie folgt weiterspinnen: Die Griechen verteidigten ihr Privateigentum, sie rüsteten sich sogar als Privatpersonen aus und investierten in Metall statt in Lederzeug. Ihre Überlegenheit war sozusagen der höheren Kapitalintensität geschuldet, der Qualität ihrer Defensive zu Land und ihrer Offensive zur See. Sie setzten dabei immer auf den Faktor Zeit, nämlich auf Geschwindigkeit. Die Gegenseite erkaufte ihre numerische Überlegenheit durch Langsamkeit. Der Kriegszug der Achämeniden, basierend auf der asiatischen Produktionsweise: Wie langwierig und mühsam musste die Staatsbürokratie ihr riesiges Heer zusammenstellen! Das bedeutet nicht zwangsläufig, dass das Bürgerheer dem Berufsheer überlegen war.

„Von den Bürgeraufgeboten einer Anzahl kleiner Republiken kann nicht erwartet werden, dass sie ihre gesamten Truppen so weit von zu Hause schicken und den Gefahren einer großen Schlacht aussetzen (...)."[150]

Das liegt an dem Charakter von „Bürgeraufgeboten", die das Privateigentum ihrer Poleis schützen mussten und sich daher von zentralen Schlachten gerne wieder zurückzogen. Dieses

Phänomen spielte auch bei der Schlacht bei den Thermophylen eine Rolle. Das Privateigentum der Bürger bedeutet nicht immer einen Vorteil für die Kriegsführung. Was hingegen sicher stimmt: Militärische Ressourcen der Warenwirtschaft waren wertvoller als jene der Staatswirtschaft und die Griechen gingen sorgfältiger, planmäßiger und fokussierter damit um. Der Großkönig auf der anderen Seite konnte bei einer Niederlage seinen Feldherrn bestrafen und in den unzähligen Gebieten seines Reiches alle Verluste ersetzen – Letzteres dauerte nur immer seine Zeit. [151] Wie auch immer: Die sozialen Unterschiede bestimmten die Kriegsführung und die Art der Kriegsführung wiederum bestimmte zu 60 % die Fortune, der Rest geht wohl auf das Konto des Zufalls. Den Ausschlag für die Erfolge Athens zu Beginn des 5. Jahrhunderts wie auch dessen Niederlage im Peloponnesischen Krieg Ende des 5. Jahrhunderts gab wohl letztlich die Differenz in den sozialen Verhältnissen. Mehring zitiert zustimmend Hans Delbrück (1848–1929), der ganz richtig festgestellt hatte:

„Die eigentlich unversöhnlichen Feinde Athens waren die Thebaner und Korinther, nicht die Spartaner.“[152]

Diese Feststellung taugt weit mehr als jene, Sparta und Athen kämpften in dem Dreißigjährigen Krieg der Antike um die Hegemonie Griechenlands. Weshalb müssen gleichstarke Mächte zwangsläufig um eine Hegemonie kämpfen? Der Zweck wird hier zur Ursache gemacht. Es geht auch anders. Und Mehring skizziert, dass gerade die Ähnlichkeit Athens mit Theben und Korinth immer wieder den Krieg befeuerte: Es war die Handelskonkurrenz im Mittelmeer westlich der Ägäis. Diese Handelskonkurrenz lag im Wesen der Warenproduktion für den Export – eine Übung, mit der Sparta recht wenig zu tun hatte. Die Handelskonkurrenz ließ keinen Kompromiss zu und bestimmte so die Praxis, einmal geschlossene Friedensabkommen so lange immer wieder zu brechen, bis eine Partei am Boden lag.[153]

So richtig diese Antwort in der Tradition Franz Mehrings ist, so isoliert ist die ihr zugrunde liegende Frage. Es geht nicht nur darum, zu erklären, welche sozialen Grundlagen ein bestimmter Kriegsverlauf hatte, sondern umgekehrt: Welche Rolle der Krieg für die soziale Lage hatte. Genauer: Welche Rolle der Krieg einerseits für die antike Produktionsweise und andererseits für die asiatische Produktionsweise spielte. Und diese Frage wird so richtig spannend, wenn wir die Antwort nicht nur im 5. Jahrhundert suchen, sondern die Suche auf das 4. und die folgenden Jahrhunderte des Hellenismus und des Römischen Reiches ausweiten. Denn nun sehen wir eine erstaunliche Tatsache:

Nach der Anabasis Alexanders nutzte Griechenland und später Rom den durch die Zerschlagung des Achämenidenreichs freigegebenen Raum zur ökonomischen Nutzung: Sklaven und Gold wurden in den Warenkreislauf der antiken Produktionsweise einbezogen. Oder präziser gesagt: aufgesogen. Wir müssen uns ein genaues Bild von dieser „Zerschlagung“ machen. Im Grunde wurde nur die Staatsspitze der Achämeniden und die bei ihnen endende Befehlskette eliminiert. Die makedonischen Heerlager als staatliche Strukturen blieben eine Episode und Mesopotamien und das iranische Hochland übernahmen nach der Anabasis keineswegs die antike Art der Produktion. Die asiatische Produktionsweise blieb an der Basis bestehen und damit auch jener Teil der Verwaltung, der mit dem Einsammeln des bäuerlichen Mehrprodukts zu tun hatte. Im ptolemäischen und im späteren römischen Ägypten sehen wir, dass dieses Mehrprodukt (vorwiegend in Form von Getreide) in den Warenstrom des Mittelmeeres einfloss. Die nach Alexander im westlichen Teil des ehemaligen Achämenidenreiches gegründeten Städte waren Einsprengsel und Stützpunkte der antiken Produktionsweise. Aber weder wurden sie zu richtigen Poleis, noch änderten sie die sozialen Verhältnisse am Lande, dem Schwerpunkt der asiatischen Produktionsweise. Umso mehr die hellenistischen Könige aktive Wirtschaftspolitik betrieben, umso mehr sie von oben nach unten im Staate wirkten – und die Lagiden in Ägypten erwiesen sich als wahre Meister eben dieser Bemühungen – umso mehr stärkten sie die Funktion staatlicher Strukturen als Element der asiatischen Produktionsweise. Umso mehr sie diese ausbeuteten, um ihr Werte zu entziehen und der antiken Sklavenhaltergesellschaften zuzuführen, umso mehr konservierten sie die alte Produktionsweise vor Ort. Fast von selbst ergibt sich hier die Analogie zur Beziehung der Sowjetökonomie zum Kapitalismus in der Übergangsgesellschaft: Wie geht der Arbeiterstaat etwa mit Bauern mit Privatbesitz um? Welche ökonomischen Interaktionen finden zwischen den Sphären einer geplanten Industrie und der Marktwirtschaft am Dorfe statt? Hier befinden wir uns auf dem Boden und bei der Fragestellung einer *dualen Ökonomie*, die uns noch im 5. Kapitel dieses Buches begegnen wird.

Der Große Krieg, um wieder auf den Ausgangspunkt zurückzukommen, hatte offensichtlich für Griechenland ganz andere ökonomische Konsequenzen als für das Achämenidenreich und dessen Gebiete nach der Vertreibung und Tötung Dareios III. gehabt. Das ist kein zufälliges Resultat. Generell können wir sagen: Die Kriege, die die altorientalischen Staaten führten, erforderten *im Verhältnis zu ihrem ökonomischen Nutzen* einen großen Aufwand an Material, Menschen und Zeit. Für diese Reiche war es keine grundsätzliche Schwierigkeit, diese Ressourcen zu mobilisieren. Aber der Nutzen beschränkte sich auf zusätzliche Tribute oder die Sicherung eines weiteren Handelsweges. Aus diesem Grunde waren sie Ausnahmeerscheinungen, auf die wir nur deswegen blicken, weil Kriege, Schlachten und Herrscher von jeher zum Fokus der traditionellen Geschichtsschreibung gehören. Die Kriege der antiken Staaten hingegen erforderten eine weitaus größere Mobilisierung von inneren Ressourcen – manchmal bis zur Erschöpfung. Aber der Benefit war im Falle eines militärischen Erfolges auch viel größer, da eine Warenwirtschaft weitaus mehr als eine asiatische Produktionsweise verwerten kann.

Aus ökonomischer Sicht waren die Kriegszüge der antiken Staaten offensiv, die der altorientalischen Staaten defensiv. Selbst im Falle von Gebietseroberungen ging es immer nur darum, Randgebiete zu dem Reichskern hinzuzufügen, die ebenfalls Tribute und Steuern zahlen konnten. Diese Kriege hatten auch dann einen ökonomisch defensiven Charakter, wenn sie – wie etwa im Falle Ägyptens gegen das Reich der Hethiter – auswärts ausgetragen wurden. Für die antiken Gesellschaften hatten Kriege eine andere Bedeutung. Diese Kriege berührten nicht nur die Peripherie der Produktionsweise (Metallurgie, Tribute, Zölle), sondern deren inneren Kern: die „Produktion" von Sklaven. Freilich war dies weder die einzige Möglichkeit, Sklaven zu produzieren, noch wurden Kriege nur wegen der Versklavung von Menschen geführt. Die Konflikte zwischen Korinth, Theben und Athen bezogen sich auf die Konkurrenz im Handel mit Sizilien und auf die Kolonisation. Aber all diese Kriege hatten irgendetwas mit der Warenproduktion oder der Sklavenproduktion zu tun. Und deswegen waren alle antiken Staatsgebilde so gut wie permanent mit irgendeiner kriegerischen Angelegenheit beschäftigt. Militärische Gewalt – nach innen wie nach außen – war Aspekt ihrer Produktionsweise. Kurzum: Die antike Welt war an und in sich bellizistisch.

Unter diesem Gesichtspunkt bekommt auch die Schlacht bei den Thermophylen eine andere, bisher verdeckt gebliebene Note.

KAPITEL 2: DAS RESERVAT

Das erste Kapitel dieses Buches steht unter der Perspektive: Worin unterschieden sich „die Griechen“ und „die Perser“? Nun wollen wir einen näheren Blick in das Innere der antiken Gesellschaft wagen.

Zuerst geht es darum, das Rätsel der attischen Demokratie zu lösen. Mit welcher Methode? Wir wollen die politische Struktur in der sozialen Struktur wiederfinden. Hier befinden wir uns auf einer ziemlich abstrakten Ebene, die uns freilich bereits im ersten Kapitel half, das Thema „Griechen versus Perser“ zu verstehen.

Aber im zweiten Schritt geht es darum, von diesem Punkt weg die konkrete historische Entwicklung von der Frühzeit Griechenlands bis zur römischen Republik nachzuzeichnen. Würden wir dies nicht unternehmen, bestünde bloß ein logischer Widerspruch zwischen den Begriffen „Adel“, „Grundbesitzer“, „Bauer“, „Sklave“ und „Bürger“. Es geht somit darum, die historische Dimension dieser Rollen deutlich zu machen. Nur so bekommen die zweidimensionalen Figuren ihren Schatten und somit eine Körperlichkeit. Fangen wir mit einer ziemlich abgesicherten Feststellung an:

„Die für große Teile Griechenlands in archaischer Zeit gültige Staatsform ist somit die Polis, die die Einrichtungen des Stammes übernommen hat und vom Adel regiert wird. (. . .) An der Spitze der Gesellschaftspyramide steht der grundbesitzende Adel und bevormundet die Bauern mit Hilfe der gentilizischen Einrichtungen; am unteren Ende befinden sich die nichtgrundbesitzenden Schichten wie Handwerker und Lohnarbeiter (Theten). Zusätzlich existieren in einigen Staaten größere Gruppen unterworfener Bevölkerung im Sklavenstatus, die in Thessalien als *Penesten* im Besitz der einzelnen Adelsfamilien sind, in Sparta als *Heloten* dem Staat gehören."[154]

Wichtig ist auch hier, dass in dem angeführten Passus „Adel" nicht als Aristokratie im feudalen Sinne verstanden wird. Genau genommen ist damit nur jene Fraktion der Grundeigentümer gemeint, die ihren Boden nicht selbst zu bearbeiten braucht und sich in dieser komfortablen Lage seit einigen Generationen befindet. Manche sagen dazu „gute alte Familien". Auch die Bauern besaßen ja ihren Grund und Boden – aber sie mussten ihn selbst bearbeiten, während „der Adel" dazu Sklaven, Pächter und andere verarmte oder abhänge Personengruppen verwenden konnte. Die Bauerngemeinschaften gehörten dem „Adel" nicht als Eigentum; die Bauern waren nicht Leibeigene oder Hörige des Adels – auch das ist ein relevanter Unterschied zur feudalen Aristokratie.

Wenn man den Autoren Glauben schenken will, begründete sich die Ausschließlichkeit der politischen Macht des „Adels" auf die Herkunft als „gute Familie". Aber unser Begriff „gute Familie" beinhaltet ja real nichts anderes als Grundeigentum. Also Privateigentum, das vererbt werden kann. Dass die politische Macht des Adels aus dessen Ursprung als „gute Famile" stammt, ist somit eine Tautologie.

Der springende Punkt ist einerseits das Privateigentum, denn nur dieses konnte vererbt werden. Und die Warenwirtschaft, die im Laufe der Generationen zur Konzentration des Eigentums führte. Weshalb überhaupt das Privateigentum eher in der Regenbewässerungszone auftreten konnte, haben wir im ersten Kapitel angedeutet. Und dass die Konzentration des Eigentums in wenigen Händen sich auch auf politischer Ebene manifestiert, ist nicht nur plausibel, sondern im Falle Roms auch an Hand des Eigentums der Senatoren ablesbar.

Das zweite Element, das nun als Negation der Polis hinzukommt, ist das Königtum. Das ist schon weniger leicht fassbar. Erstens weil es als Staatsspitze – sehr im Gegensatz zu den Usancen der asiatischen Produktionsweise – keine uns sichtbare ökonomische Funktion hatte. Zweitens, weil seine Geschichte für Griechenland, Rom und Karthago zumindest im Halbdunkel liegt. Wir können nur mit einer Analogie weiterarbeiten, die vielleicht eine tatsächliche historische Entsprechung abbildet: Die germanischen Stämme, mit denen im 2. Jahrhundert die römische Republik Bekanntschaft machte, hatten eine Art Königtum, wobei der Begriff „dux" genauso „Anführer" heißen kann. In dem Stadium einer halbnomadischen Lebensweise ist der Kriegszug logische Konsequenz und der Kriegszug evoziert von selbst eine hierarchische Spitze, wie auch immer diese benannt wird. Hier wirkt das „Königtum" nur in Zeiten des Krieges und es scheint, dass wir diese Art des „Königs" nicht mit den Königen oder Fürsten der altorientalischen oder gar der mittelalterlichen Staaten vergleichen können. Das altgermanische Königtum wird als „Heereskönigtum" bezeichnet und das macht ganz richtig den episodischen und limitierten Charakter der königlichen Gewalt deutlich. Interessanterweise wird für einige (spätere) antike Staaten ein Doppelkönigtum berichtet. Weshalb gab es diese eigenartige Form? Vermutlich um die Macht eines „Königs" auch hier zu limitieren. Dem Typus des „Heereskönigs" stand eine Heeresversammlung als demokratische Gemeinschaft gegenüber. Die Heeresversammlung bestand entweder aus allen kampftauglichen Mitgliedern der Gesellschaft oder aus deren Delegierten. Auch das ist eine Art der „Demokratie" und wir finden diese Sitten mancherorts bis in die hellenistische Zeit hineinreichend – vor allem dort, wo sich in unwegsamen „Randgebieten“ wie Makedonien die alten Verhältnisse noch konserviert haben und noch nicht von der Polis ersetzt wurden. Allerdings ist die Quellenlage zu diesem Thema aus naheliegenden Gründen nicht die beste. Dennoch fällt auf, dass für verschiedene Gebiete, die sich unmöglich gegenseitig beeinflussen konnten, das vergleichsweise schwache Heeres- oder Doppelkönigtum berichtet wird.[155]

Dieses „Königtum“ ist immer kontrolliert, zum Beispiel durch die *Emphoren*, die die *gerousia* (analog zum Senat bzw. *aeropag*) stellen. Joachim Diesner spricht (im Falle Roms) überhaupt von „militärischer Demokratie“ und dieser Begriff scheint uns passend. Nicht zufällig könnten wir hier auch an die germanische Sozialordnung bis zur viel späteren Völkerwanderungszeit denken.

„Während der Königszeit lebte die Bevölkerung in einer aus Geschlechtern, Phratrien (Curiae) und Stämmen bestehenden militärischen Demokratie.“[156]

Neben dem (schwachen) Doppelkönig und seinem Rat bestand eine Heeresversammlung als oberstes beschließendes Staatsorgan und die Erinnerung daran bzw. die Überreste davon begegnen uns noch in den republikanischen Verfassungen bzw. in der *apella* Spartas oder fast bis zur Unkenntlichkeit verkümmert in der *ekklesia* Athens; aber die Makedonen besaßen noch im 4. Jahrhundert eine beschlussfähige Heeresversammlung. Und in den gebirgigen Gebieten Griechenlands konnten sich archaische Verhältnisse bis in die hellenistische Zeit halten. Die Entwicklung spielte sich dann im Zeitraffertempo ab, indem alle Veränderungen des großen Griechenlands im Kleinen noch einmal wiederholt wurden. Das Beispiel, das uns der aitolische Bund zur Zeit des Aufstiegs Roms gibt:

„Politisch war er ein äußerst archaisches Gebilde, das die Bürger Athens, Spartas oder Thebens nur mit Geringschätzung betrachten konnten. Der Bund besaß keine Stadt, keine Hauptstadt, wo sich die *paideia* entwickeln konnte (...). Er hatte nur ein Bundesheiligtum in Thermos und einen Hafen, Naupaktos, der mit Städten wie Korinth nicht zu vergleichen war. Die Aitoler lebten in kleinen Marktflecken oder Gebirgsdörfchen, und dieser gleichsam wilde Charakter ihrer Lebensweise hatte ihnen die Kraft gegeben, gegen die makedonischen Heere zu kämpfen. Nach seinen Erfolgen hatte sich der Bund schließlich Einrichtungen geschaffen, die ein Abklatsch (...)“[157]

– den Begriff „Abklatsch“ würden wir durch den Begriff „Entsprechung“ ersetzen –

„(...) der Institutionen der klassischen Städte waren: Die große Versammlung, die aus allen waffenfähigen Männern gebildet war, trat zweimal im Jahre zusammen und war höchste Instanz, vor allem für Kriegserklärungen und Vertragsabschlüsse. Ein auf ein Jahr bestimmter Beamter, der den Titel Stratege führte, übte alle Gewalt im Namen der Versammlung aus, konnte diese hohe Funktion allerdings nicht zwei Jahre hintereinander bekleiden (...). Ihm zur Seite stand ein ständiger Rat, der eine Vertretung der verschiedenen Gruppen gewährleistete (‚Stämme‘, Flecken, Städte), die zum Bund gehörten. Dann, als der Bund größer wurde, erwies sich der ständige Rat als zu umständlich. Man beschränkte ihn auf einen Ausschuß von ‚Delegierten‘ (...).[158]

Und über den (vermeintlichen) Gegensatz dieses Bundes zum Achaiischen Bund hören wir:

„Der Aitolische Bund, im Grundsatz demokratisch, wurde im Laufe seiner Entwicklung zu einer oligarchischen Organisation. Ebenso gibt es im Achaiischen Bund Elemente, die man als ‚demokratisch‘ bezeichnen kann, wie die ‚Urversammlung‘ in ihrer doppelten Form als *synkletos* und *synodos*, die tatsächlich in allen wichtigen Fragen das letzte Wort hatte.“[159]

Diese Urversammlung hatte noch mehr Ähnlichkeiten mit der bereits genannten Heeresversammlung und wenig Ähnlichkeiten mit einem Senat. Dennoch ging im Großen und Ganzen aus der Urversammlung zuerst das Gremium hervor, das den „König“ beriet, und dann das Gremium, das die Grundeigentümer, respektive die großen Grundeigentümer, politisch zusammenfasste: Der Senat – um hier die römische Entsprechung *pars pro toto* für alle anderen vergleichbaren Formen der antiken Staaten zu verwenden. Hinter dieser stufenförmigen Entwicklung steht die Konzentration des Grundeigentums in einem mehrhundertjährigen Prozess, bis eben diese Konzentration des Grundeigentums die bisherigen politischen Formen wie eine überflüssige Hülle abstreifen konnte.

Die antiken Autoren – die allesamt in späteren Jahrhunderten wirkten – beschrieben diesen Vorgang mehr als Sage denn als abgesicherte Abfolge. Aber das tut nichts zur Sache. Dieser Vorgang stellte sich den Beobachtern als Vertreibung der Könige und als Geburt der Republik dar. Dass diese zuerst die „Herrschaft des Adels“ gewesen sei, ist nach all dem, was wir bisher gesagt haben, am wenigsten erklärungsbedürftig: Nur die Konzentration des Grundeigentums in wenigen Händen war der Hintergrund, weshalb die Könige der Heeresdemokratie abgeschafft werden konnten und mussten. Und das Subjekt dieser Konzentration sind die Grundeigentümer, vulgo: der „Adel“.

Diese Entwicklung ist nicht spezifisch für Rom, Athen oder sonstige einzelne Gemeinwesen, sondern ein universeller Trend, der geradezu die gesamte antike Welt auszeichnet. So finden wir den Übergang von der politischen Herrschaft des „Königtums“ zum Senat auf der iberischen Halbinsel vor der Romanisierung wie auch in vielen anderen Randgebieten der antiken Zentren.[160]

„Die Entwicklung von der Monarchie zur Aristokratie ist, wie immer wieder hervorgehoben wurde, eine überall auftretende Erscheinung in der Welt der Antike. Sie entsprach einer wirklichen politischen Gesetzmäßigkeit (...).“[161]

Wie immer ist die Verwendung von Begriffen wie „Aristokratie“ etwas schlampig. Gemeint sind die großen Grundeigentümer. Die nächste – ebenfalls geradezu mit einer universellen Gesetzmäßigkeit auftretende – Entwicklung ist die Politisierung des Grundeigentums. Im alten Königtum ist das Eigentum hinter der Monarchie „versteckt“. In dem Moment, in dem es offen die politische Macht in die Hand nimmt und die alten Könige vom Thron stößt, wird es sichtbar und Gegenstand diverser Sozialreformen.

„Während des 7. Jh. gerät in vielen Poleis die geltende aristokratische Ordnung in eine Krise. Zum einen verarmen einzelne Adelsfamilien, während andere, ursprünglich nicht dem Adel zugehörende Geschlechter, zu Vermögen kommen, das nicht aus dem bis dahin maßgebenden Grundbesitz, sondern zum Beispiel aus dem Handel (Kolonisation) stammt, und in die dem Adel vorbehaltene politische Stellung drängen. (...) einzelne Familien (...) erlangen ein Übergewicht. (...) Gleichzeitig geraten viele Kleinbauern durch die Knappheit des Ackerbodens bzw. durch Mißernten in zunehmende Abhängigkeit von adeligen Großgrundbesitzern, bei denen sie sich verschuldet haben.“[162]

Hier haben wir es aber nicht mit einer „Abhängigkeit“ eines Bauern gegenüber seinem Feudal-Herren zu tun. Sondern mit der Abhängigkeit eines Pächters. Auf der anderen Seite spielt der „Adel“ in diesem Geschehen keine materielle Rolle, sondern dient bloß als Etikette für den Grundeigentümer, dem neue Eigentümer gegenüberstehen, die ihr Eigentum durch Handel und damit eigentlich zumindest indirekt mittels Warenproduktion erworben haben. Gerne wird dieser Gegensatz als Gegensatz zwischen unbeweglichem Eigentum (Grund und Boden) und beweglichem Eigentum (Geld und Ware) dargestellt. Das ist insofern zutreffend, als die Produktion und die Aneignung von Mehrarbeit in unterschiedlichen Branchen stattfanden. Indes ist die Gegenüberstellung zwischen unbeweglichem Eigentum und beweglichem Eigentum mit Vorsicht zu verwenden. Sie verleitet zur Analogie „Grundeigentum vs. industrielles Kapital", die wir von der Geschichte und von der Ökonomie des Kapitalismus kennen. *Diesen* Gegensatz gab es in der Antike nicht. Die Grundeigentümer waren auch Agrarproduzenten – was nicht bedeutet, dass sie zwangsläufig selbst mitanpacken mussten. Die gesamtgesellschaftliche Arbeitsteilung hatte noch in der Agrarwirtschaft ihren Schwerpunkt. Händler, Handwerker und Gewerbetreibende, die zu Geld kamen, das sie wegen dem Fehlen einer Industrie nicht in dieser anlegen konnten, kauften sich – falls sie nicht einfach das Geld vererbten oder in Form von Konsumgütern verzehrten – gerne irgendwo ein Landgut. Ein Grundeigentümer konnte Teile seines Landes verpachten. Aber hier verpachtet ein (potentieller) Agrarproduzent an einen (realen) Agrarproduzenten, nicht an das Kapital. Der gesamte ökonomische Kreislauf in einer vorindustriellen Gesellschaft startet und endet bei der Scholle. Dem entspricht auch das hohe Ansehen, das Grundeigentümer in der Gesellschaft genießen.

Jedenfalls bedeuteten all die politischen Reformen, in die die frühen Republiken verwickelt waren, nichts anderes als die Korrektur einer kasuellen Schieflage, die sich aus der Neuverlagerung von Privateigentum ergeben hatte. Die „Neubürger" mussten irgendwie politisch berechtigt werden. Was dann ja auch geschah, damit die antike Gleichung ...

$$Grundeigentum = Bürgerrechte + Gewaltmonopol$$

... wieder stimmt. Vorerst zum Gewaltmonopol:

„Ursprünglich liegt die gesamte Last der Kriegsführung bei den Adeligen, die sich die kostspieligen Waffen leisten können und als schwerbewaffnete Einzelkämpfer in den Krieg ziehen. Als nun einerseits nicht dem Adel zugehörige Bürger vermehrt zu wirtschaftlichem Wohlstand gelangen, wozu auch die beginnende Münzwirtschaft beiträgt, andererseits die militärische Ausrüstung aufgrund der verstärkten Einfuhr von Metallen (Kolonisation) verbilligt wird, können weitere Kreise eine bessere Bewaffnung erstehen. Um militärisch Schritt halten zu können, greift man auf diese bewaffneten Bauern (*Hopliten*) zurück, und es entwickelt sich die fortan bestimmende Kampfweise in der *Hoplitenphalanx*. Nun verlangen aber auch die neuen militärischen wichtigen Schichten größeres politisches Mitspracherecht. (...) *Hoplitenpoliteia*."[163]

Auch hier ist Vorsicht angeraten. Das, was hier als Gegensatz zwischen Adeligen, Bürgern und Bauern festgemacht wird, ist nicht der Gegensatz zwischen Adeligen, Bürgern und Bauern des europäischen Mittelalters oder der europäischen Neuzeit. In der Antike standen keine unterschiedlichen Produktionsverhältnisse hinter diesen Klassen. Das bedeutet: Sie gehörten eigentlich zur selben Klasse – außer jene Bauern, die nur für sich selbst arbeiteten, und die waren auch in der griechischen Polis nicht Teil der Bürgerschaft. Und in Wirklichkeit waren die „Adeligen", also die großen Grundeigentümer, antike Bürger. Denn sie lebten in der Stadt und sie waren *deswegen* Bürger, weil sie die Bürgerrechte hatten. Und andere Bürger gab es nicht.

Was sagen uns die Reformen der frühen Republikzeit Athens und Roms? Könnte nicht die politische Reform durch die Notwendigkeit der militärischen Reform angestoßen worden sein statt durch die Eigentumsverschiebungen? War es nicht in der

Antike gelebte Praxis, in der „Stunde der Gefahr“ Frauen und Angehörige subalterner Klassen (Banausen, Theten, Periöken, mitunter sogar freizulassende Sklaven und Heloten) als Hilfssoldaten zu mobilisieren? Und ging damit nicht auch mitunter eine gewisse politische Aufwertung einher? Das kam vor, aber es handelte sich um vorübergehende Maßnahmen, die immer wieder ihren *backslash* erlebten. Nur dort, wo Bevölkerungsschichten zu Eigentum kamen, stiegen diese dauerhaft zu Vollbürgern auf. Oder aber sie kamen als „Belohnung“ für ihr militärisches Engagement zu Eigentum, wie im Falle der Kleruchie in den athenischen Neukolonien des 5. Jahrhunderts. Wie zählebig die alte Gleichung ...

$$Grundeigentum = Bürgerrechte + Gewaltmonopol$$

... in der Antike war, ersehen wir darin, dass das Gewaltmonopol selbst in der Endphase der römischen Republik noch Bürgerrecht war. Sprich: Die Legionäre mussten sich selbst ausrüsten können. Erst Marius brach mit dieser Sitte:

„Anders als die *imperatores* vor ihm, die als Rekruten vor allem Soldaten aus den oberen Klassen (den reichsten) angeworben hatten, nahm Marius in erster Linie Bürger ohne Vermögen in das Heer auf, die sich dort zu bereichern hofften. (...) Alle Soldaten, die nicht über genügend Mittel verfügten, selbst für ihre Ausrüstung aufzukommen, erhielten die gleiche Bewaffnung, nämlich einen langen zylindrischen Schild und das *pilum*.“[164]

Die Krise des 7. Jahrhunderts Athens bzw. die Krise des 6. Jahrhunderts Roms war somit nichts anderes als die Anpassung der Gleichung ...

$$Grundeigentum = Bürgerrechte + Gewaltmonopol$$

... an die Veränderung in der Eigentumsverteilung. Die Reformen werden in Griechenland entweder friedlich, durch einen

Schlichter wie Solon, oder außerhalb der bisherigen Verfassung, durch die (erste Reihe an) Tyrannen, umgesetzt.

Vorerst ging es bei beiden Varianten, Schlichtung wie Tyrannis, darum, verarmte Adelige aus der politischen Mitsprache zu drängen. Nicht, weil es sich um Adelige handelte, sondern weil das entsprechende Eigentum nun fehlte. Und dann um die neu zu Eigentum Gekommenen an der politischen Macht zu beteiligen. Dass in diesem Verfassungsprozess auch gleichzeitig Maßnahmen gegen die Verelendung von Bauern getroffen wurden, wie das Entfernen der Schuldsteine, widerspricht dem allen nicht – denn die Pauperisierten stellten immer die Klientel jeder Veränderung zugunsten des Neueigentums dar. Solons Reformen in Athen entsprechen ganz jenen des sagenhaften Servius Tullius in Rom: Der Aufbau des „Staates“ nach Stammesgliederung wurde konsequent durch die Gliederung nach Steuerklassen ersetzt. Im Grunde spricht das eine deutliche Sprache: Das Grundeigentum sticht die familiäre Herkunft aus.[165]

„Ende des 4. Jahrhunderts zog der Censor Appius Claudius Caecus die Folgen aus dieser Sachlage: Er berücksichtigte in der Steuerliste das bewegliche Vermögen, das heißt, daß der politische Einfluß nicht mehr ausschließlich bei den Grundbesitzern lag, sondern beim gesamten Bürgertum, das durch den Handel reich wurde.“[166]

Deutlich nach der Vertreibung der letzten – vielleicht etruskischen – Könige (angeblich im Jahr 509 v. Chr.) aus Rom und der Bildung der Republik:

„Was in Rom triumphierte und von nun an die Macht in den Händen hielt, war nicht das Volk, sondern die Aristokratie der *patres*, die Großgrundbesitzer, die Häupter der primitiven latinischen *gentes*, die gleichzeitig die ‚Reiter‘ der ersten Klassen (. . .)“

– gemäß der Einteilung des Königs Servius Tullius –

„(...) und ‚Landleute' waren, die in den ländlichen Tribus geführt wurden."[167]

Pierre Grimal sieht in der Revolution von 509 eher einen Gegensatz zwischen Stadt und Land. Vielleicht lässt sich der Vorgang aber auch als Eigentumsverschiebung zu Lasten der Etrusker und zugunsten der Latiner deuten. Auch demnach handelte es sich nicht um eine soziale Revolution. Grimal sieht die Verfassungsänderung Roms nicht als isolierten politischen Akt. Das entspricht den Hinweisen, die wir im Zusammenhang mit dem Begriff der attischen Tyrannis bekommen:

„Der Begriff *Tyrannis* sagt nur etwas über die ‚widerrechtliche' Machtergreifung, nichts aber über die Art der Herrschaftsausübung aus. (...) doch zielt seine Politik meist auf eine wirtschaftliche Stärkung der Kleinbauern und Handwerker (...) haben die Tyrannen grundsätzlich in den Adeligen des Staates ihre unversöhnlichen Gegner (...) bei ihrer Beseitigung spielt in vielen Fällen jedoch auch Sparta eine gewichtige Rolle."[168]

Wir werden später sehen, dass sich in der klassischen „demokratischen" Periode Athens diese Konstellation umdrehen wird und die Tyrannis die Partei der Oligarchen (große Grundeigentümer) wird. Aber im 6. Jahrhundert ist der Tyrann noch auf der anderen Seite zu verorten:

„Peisistratos fördert vor allem die Kleinbauern Attikas sowie Handel und Gewerbe; unter ihm werden auch zum ersten Mal größere Serien von Münzen (...) geprägt, und Erzeugnisse der attischen Keramikproduktion (...) beherrschen die Märkte der griechischen Welt."[169]

Ähnlich wie Peisistratos agierte der Schlichter Solon: Die „Bevölkerung" – eine Bevölkerung als politische oder soziale Einheit gab es eigentlich nicht – wird je nach Besitz in Steuerklassen eingeteilt und die Zeugiten (Bauern mit eigenem

Grundbesitz) erhalten nun alle politischen Rechte und damit auch das Recht bzw. die Pflicht zur Schwerbewaffnung. Damit ist erstmals die Tatsache anerkannt, dass auch das Grundeigentum der Bauern Grundeigentum ist. Vorderhand revolutionär ist die Bestimmung, die Solon zugesprochen wird, dass auch die unterste Steuerklasse, die Theten (Lohnarbeiter, Handwerker), politisch integriert wird. Aber wir könnten auch sagen, dass die *Einschränkung* ihrer Rechte gegenüber den Vollbürgern das Typische ist: Die Theten dürfen *nur aktiv* wählen, sie können sich *nicht* zur Wahl einer Stadtfunktion stellen und sie sind im Krieg *nur* als leichtbewaffnete Plänkler und später Ruderer auf den Trieren zugelassen. Sie brechen damit nicht das Gewaltmonopol des Grundeigentums. Zur Hoplitenphalanx haben sie keinen Zugang.

Wir kommen somit zu dem Schluss: Auch die Reformen Solons brechen nicht mit der Gleichung der Antike …

$$Grundeigentum = Bürgerrechte + Gewaltmonopol$$

An den Reformen Kleisthenes‘ (508, 507) wiederum, rund ein Jahrhundert nach jenen Solons, überrascht die Entsprechung der Reformen des Servius Tullius. Jede Phyle sollte nun aus einem Stückchen Küste, Hinterland und Stadt bestehen. Die Verwaltungseinheit Phyle ersetzte vermutlich die ältere, am traditionellen Großgrundeigentum orientierte Gliederung, in der die „guten Familien“ noch eine Rolle spielten. Vielleicht ging es nebenbei auch darum, das Hinterland – jedes Dorf gehörte irgendwie zu einer Polis – stärker in die wirtschaftliche Arbeitsteilung einzubeziehen. Vielleicht ging es auch um die Nahrungsmittel, die die Stadt benötigte und nicht selbst herstellte. Dass indes die Reformen des Kleisthenes mittels der „Raumordnung“ der Phyle-Zusammensetzung den Faktor des beweglichen Eigentums der Händler gegenüber dem unbeweglichen der

Grundeigentümer aufwerten wollten, ist zwar deutlich, sollte aber nicht überinterpretiert werden. Schließlich blieb während der gesamten Antike Grundeigentum das Eigentliche und Gewerbefleiß nur ein Mittel, um an dem Grundeigentum oder zumindest dessen Status teilzuhaben. Vielleicht lag die eigentliche Bedeutung der Aufwertung des Handels und des Gewerbes darin, dass deren Geld das Grundeigentum Schritt für Schritt zur Ware machte – während gleichzeitig dem Fleiß in Gewerbe und Handel immer etwas „Banausisches" anhaftete. Auch in der römischen Gesellschaft, die weit weniger Verachtung für das manuelle Arbeiten zeigte als die griechische Gesellschaft, war bis zum Schluss die eigene kleine Landparzelle das Sozialideal schlechthin – auch wenn dem am Ende eher der Charakter einer Utopie anhaftete. Jedenfalls ist es vielsagend, wenn zum Beispiel Trajan ...

„(...) anordnete, daß sämtliche Bewerber um ein senatorisches Amt ein Drittel ihres Vermögens in Grundbesitz auf der italischen Halbinsel anlegen müßten."[170]

Dem Kaiser ging es um die italischen Wurzeln des Senats, der gleichzeitig nur noch eine beratende Funktion innehatte. Aber das Bezeichnende ist, dass hier nicht eine gewisse Anzahl von Sesterzen – die sonst übliche Recheneinheit der Römer – herangezogen wurde, sondern ein Grundeigentum. Die antiken Menschen blieben immer „Physiokraten", wobei dieser Begriff auch deswegen aussagekräftig ist, weil seine Assoziation mit dem Frankreich des 17. Jahrhunderts darauf hindeutet, wie zäh die Priorität des Grundeigentums gegenüber dem beweglichen Vermögen in der vorindustriellen Geschichte war. Perikles hingegen nahm dem Grundeigentum ein Stückchen des Machtmonopols:

„Durch die unter Perikles (...) angestrebte Entmachtung des Aeropags (...)"

– ein dem Senat (röm.) bzw. der Gerousia (spart.) vergleichbares Gremium der traditionellen und großen Grundeigentümer – „(...) gehen seine Befugnisse (...) auf den Rat der 500 (*boule*), die Volksversammlung (*ekklesia*) und die Volksgerichtshöfe (*dikasteria*) über. Der Rat erhält die allgemeine Kontrolle über die Verwaltung und leitet somit den Staat (...).“[171]

Diese Konstruktion der Ephialtesreform von 462/61 wird von Historikern – nicht von den antiken Griechen selbst – als „radikale“ oder gar als „extreme“ Demokratie bezeichnet.[172] Aber auch unter Perikles (490?–429) sind – je nach Schätzung der Einwohnerzahl – nur ein Fünftel bis ein Achtel der ständigen Einwohner Athens Vollbürger und somit zu allen öffentlichen Ämtern zugelassen.[173]

„458/57 erhalten neben den beiden obersten Einkommensklassen auch die Zeugiten Zugang zum Archontat.“[174]

– also zu der leitenden Exekutive des Staates. Somit bestand nicht nur das aktive, sondern auch das passive Wahlrecht für die Bauern, die ja immerhin auch Grundeigentümer waren. Das ist ein Ansatz wie unter Kleisthenes und Solon, den Grundeigentümern die politische Macht zu sichern. Hingegen liegt mit der Einrichtung der Institution der *ekklesia* der Fall etwas anders gelagert.

„In der *ekklesia* sind alle volljährigen männlichen Bürger vertreten, die in dieser Institution Rede-, Antrags- und Abstimmungsrecht ausüben.“[175]

In diesem Satz liegt die Bedeutung auf den Begriff „Bürger“, der nicht im heutigen Sinne des Nationalstaates als Einwohneraggregat zu verstehen ist. Zu der Rechtsgruppe der Bürger gehörten jedenfalls nicht Frauen, Sklaven, Perioken, Fremde. Die Theten besaßen zum Zeitpunkt dieser Reform bereits das aktive Wahlrecht und daher vermutlich auch das Recht, in der *ekklesia* über Anträge abzustimmen. In der Praxis war aber die *boule*, der ständig tagende Rat, der aus Delegierten der Phylen bestand, das entscheidende Organ und nicht die *ekklesia*.

„(. . .) jeder in der Ekklesia gestellte Antrag muß vom Rat vorbehandelt werden.“[176]

Deswegen können in der Ekklesia erstmals eingebrachte Anträge erst in der nächsten Sitzung dieser Vollversammlung zur Abstimmung gelangen.

Andere Maßnahmen dieser Jahre zielten darauf ab, die Machtkonzentration in den Händen einiger zu verringern und hier sehen wir wieder die sorgfältigen Bestrebungen der griechischen Eigentümergemeinschaft, bei ihrem „schlanken Staat“ zu bleiben. Allein das war ein gewisses Kunststück. Jede Einbeziehung größerer Kreise in die politische Entscheidungsfindung ging mit der Vervielfältigung der Organisationen einher. Um den Einfluss dieser größeren Kreise wieder zu verringern, wurde „in immer kleinere Schüsseln gesiebt“. Statt einem König mit einer Heeresversammlung gab es nun: Phylen, Ekklesia, Boule, Prytanie, Archontat, Dikasteria, Aeropag und diverse exekutive Ausschüsse. Die Trennung in Legislative, Exekutive, Jurisdiktion und Kultus dürfen wir uns dabei als nicht allzu streng vorstellen. Immerhin konnte Athen – und vermutlich andere Poleis ebenso – die Herausbildung einer eigenen bürokratischen Kaste verhindern. Mit den „Beamten“ wurde recht respektlos umgegangen und das war vielleicht die größte kulturelle Leistung dieses Staates. Der Begriff „Beamte“ ist in diesem Zusammenhang eigentlich nicht gerade passend, denn die Funktionsträger waren ja gerade nicht *beamtet*.

„Die Beamten werden – von einigen Ausnahmen abgesehen – erlost und in der Regel für die Dauer eines Jahres bestellt. Kumulation und Iteration der zivilen Ämter sind – im Gegensatz zum Strategenamt, für welches eine Kandidatur beliebig oft möglich ist – streng verboten.“[177]

Dazu kam, wie weiter oben bereits erwähnt, die bemerkenswerte Institution des *ostrakismos*. Zumindest die Athener Polis ging mit ihren leitenden Beamten ziemlich schroff um: Anklagen, Untersuchungsausschüsse, Dokimasieverfahren, Verbannungen waren an der Tagesordnung ... und das auch gegenüber Bürgern, die die Polis vor dem Untergang gerettet, aber sie andererseits auch mitunter durch waghalsige Unternehmungen an den Rande des Abgrundes geführt hatten. Für diese Gesellschaft galt es als obszön, sich mittels einer staatlichen Funktion zu bereichern. Aber es galt als ganz normal, dass nur Reiche bestimmte staatliche Funktionen ausüben konnten: Die Steuerbeamten wurden aus der obersten Einkommensgruppe, aus der höchsten Steuerklasse, rekrutiert.

„Auf diese Weise wähnt man den Staat sicher vor finanziellem Schaden."[178]

Vielleicht stimmt es, dass diese Einrichtung gewählt wurde, um Motive für eine Veruntreuung staatlicher Mittel hintanzustellen. Vielleicht stimmt es aber auch, dass die reichen Familien der Grundeigentümer den Staat trotz der demokratischen Einrichtungen im Grunde als ihren exklusiven Staat ansahen. Das steht in einem gewissen logischen Widerspruch zu folgender Entwicklung:

„(...) führt Perikles die *Diäten* ein. Diese finanzielle staatliche Zuwendung, die den Verdienstentgang der Richter kompensieren soll, beträgt ursprünglich zwei Obolen, wird unter Kleon auf drei Obolen angehoben und ist somit eine den Lebensunterhalt deckende Summe (...). Die Teilnahme an der Volksversammlung wird erst ab 403 finanziell abgegolten. Von diesen Aufwendungen unterscheidet sich der Zwei-Obolen-Sold (*diobelia*), der ab 410 Bürgern zukommt, die keine anderen Einkünfte (z.B. Soldatenlohn) beziehen."[179]

Es kann bezweifelt werden, dass mit der Obolen-Regelung

tatsächlich ein Lebensunterhalt von Bürgern „finanziert" wurde. Wer „im Zivilberuf" völlig einkommenslos ist, ist wohl auch kein Bürger der Polis. Es ging vielleicht eher um die Frage, ob jemand vom Staat *zwei* Einkommen beziehen könnte, was der Logik des Verbotes der Ämterkumulation widersprechen würde. Ziemlich wahrscheinlich ist aber, dass die Reform des Jahres 403 die rege Teilnahme an der *ekklesia* wiederbeleben sollte. Die Sitzungsgelder erinnern uns sofort am jene für die Sektionsteilnahme ab 1793 in der Französischen Revolution. Aber dann sehen wir gleich den wesentlichen Unterschied: Im 18. Jahrhundert handelte es sich um eine indirekte Sozialhilfe an die Plebs von Paris. Die Sektionen brauchten sich ja nicht über einen zu geringen Besuch ihrer Versammlungen beklagen, ganz im Gegenteil. 1793 waren sie einflussreich genug, zumindest einen Teil ihrer Anliegen gegenüber der bürgerlichen Revolutionsregierung durchzusetzen. Im Athen des 5. vorchristlichen Jahrhunderts war das ganz anders.

„Das 451/50 von Perikles eingebrachte *Bürgerrechtsgesetz* macht die Ausübung bürgerlicher Rechte die Abstammung eines Politen von Eltern athenischer Civität zur Bedingung."[180]

Sabine Schmidt vermutet nun, dass dieses Gesetz die Intention hatte …

„(…) weitgespannte Verwandtschaftsbeziehungen, die seit jeher die Basis aristokratischer Politik bilden, zu diskreditieren."[181]

Das ist möglich. Es ist aber auch möglich, dass das Bürgerrechtsgesetz verhindern sollte, dass *athenische* Theten zu Vollbürgern aufsteigen konnten. Denn die Zugehörigkeit zur „Civität" war sozial, nicht geographisch definiert. Bengtson wiederum hält es für möglich, dass das Bürgerrechtsgesetz die Anzahl der Empfänger von Diäten begrenzen sollte.[182] Andererseits gab es Diäten für die Teilnahme an der *ekklesia* erst ein halbes Jahrhundert später. Und die Zahl der Empfänger von Diäten und sonstiger staatlicher Leistungen, die Aristoteles angab und Bengtson weiterverwendet, nämlich 20.000, scheint uns zu hoch gegriffen.[183] Diese Zahl würde bedeuten, dass fast alle Vollbürger Athens gleichzeitig Empfänger von Diäten waren. Allerdings gab es tatsächlich Phantasien im Athen des 5. Jahrhunderts, die sich vielleicht bis zur Zeit des Aristoteles gehalten hatten, dass ein richtiger Bürger nie mehr zu arbeiten brauchte: Die Produktion in Attika könnte zur Gänze den Sklaven überlassen bleiben und Einkommen durch die Tribute der See-Verbündeten und durch das Silber aus der Laurion-Mine bezogen werden. Es steckt genauso ein Körnchen Wahrheit in dieser Phantasie, wie in jener des 19. Jahrhunderts, dass die Bourgeoisie nur noch Aktien-Kupone schneiden müsse. Eine interessante Analogie. Vor allem, wenn selbst Hermann Bengtson, dem gewiss keine übertriebene kritische Haltung gegenüber Athen nachgesagt werden könnte, zu den Diäten feststellt:

„Dazu kam, daß der Löwenanteil der Gelder von den Seebundsmitgliedern aufgebracht werden mußte.“[184]

Die Mitglieder des Delisch-Attischen Seebundes kamen allerdings nicht in den Genuss der Diabolen von Athen. Die Frage der „attischen Demokratie“ ist somit auch eine Frage der Außenpolitik, der Unterwerfung anderer. Die staatlichen Formen wurden zu einem guten Teil von Erfordernissen außerhalb Athens bestimmt und wir werden darauf noch bei der Behandlung des Unterschiedes zwischen der *dēmos kratós* und der *tyrannis* zurückkommen. Jedenfalls berührte die internationale Arbeitsteilung die staatlichen Formen: Umso stärker für einen Markt produziert wurde – zumindest, wenn nicht Nahrungsmittelkonserven, so doch Silbermünzen – umso stärker wurde Athen (und später Rom) von Getreideimporten abhängig.

„Engpässe in der Getreideversorgung machen gegen Ende des

5. Jahrhunderts die Anstellung von Getreideaufsehern (*sitophylakes*) erforderlich, die vor allem den Höchstpreis für Brotgetreide festsetzen, wodurch dem Spekulantenwesen ein Riegel vorgeschoben werden soll.“[185]

Und ein halbes Jahrtausend später:

„So schrieben im Jahr 93 die Beamten der Kolonie Antiochia in Pisidien an den *legatus* von Kappadokien, schilderten ihren Kornmangel und baten ihn, dagegen Schritte zu unternehmen. Dieser ordnete daraufhin an, daß alle Einwohner sämtliche Kornvorräte, die über ihren Eigenbedarf hinausgingen, zur Verfügung stellen sollten, drohte Strafen gegen Hamsterer an und legte einen Höchstpreis fest.“[186]

Gut zweihundert Jahre später:

„(...) das Höchstpreisedikt (...) Diocletians aus dem Jahr 301, das vor allem aus Rücksicht auf die Bedürfnisse der Armee Höchstpreise für Lebensmittel, Gebrauchsgüter und Dienstleistungen festsetzte.“[187]

Diese Szenerien könnten wiederum direkt der heißen Phase der Französischen Revolution 1789–1794 entnommen worden sein. In dieser sehen wir beide Seiten, die Forderung der Armen nach dem „Maximum“ und die Preispolitik gegenüber den Armeelieferanten.

Aber auch die *annona*, die Gaius Gracchus als Tribun von Rom anvisierte, wiesen in diese Richtung. Oder das Alimenten-Programm Trajans, das die Lebensmittelversorgung italischer Kinder gewährleisten sollte. Indes, der römische Staat war zwar wie der athenische ein Sklavenhalterstaat, aber mit der Besonderheit, die Plebs integrieren zu wollen. Das war in Athen nie der Fall. Dafür regierte die sozial herrschende Klasse in Athen direkt, in Rom spätestens seit dem 1. Jahrhundert vor Christus indirekt: Eine Bürokratie entstand und die militärischen Führer stützten sich dabei auf die plebejischen Institutionen. Freilich dürfen wir uns die Sache nicht so vorstellen, die Getreide- und Sozialpolitik der antiken Staaten hätten die Effizienz moderner westlichen Gesellschaften gehabt, zumindest das Verhungern zu verhindern. Im Falle Roms und Athens waren diese Zentren allerdings völlig von Importen abhängig und in diesen Fällen war der Staat tatsächlich meist erfolgreich, mit dieser Arbeitsteilung umzugehen.

Kommen wir auf die Einrichtung der *sitophylakes* und deren Befugnisse zurück. Wahrscheinlich steht diese für eine Bürgergesellschaft drastische Maßnahme im Zusammenhang mit der Störung der für Athen notwendigen Getreidezufuhr aus der Schwarzmeerregion. Diese Störung war wohl das Ergebnis der spartanischen Erfolge im Peloponnesischen Krieg.[188] In der Endphase dieses für Athen letztlich desaströsen Krieges konnten sich die *großen* Grundeigentümer bzw. „alten Familien“ im Inneren der Polis wieder durchsetzen. Die Konstellation hatte sich nun gegenüber der alten Tyrannis aus der Zeit des Peisistratos gut eineinhalb Jahrhunderte zuvor um hundertachtzig Grad gedreht: Die neue Tyrannis sammelte die „aristokratischen Kräfte“, die die Ausweitung gewisser demokratischer Rechte auf Theten und Banausen zurücknehmen wollten.

„Um die Abschaffung der Demokratie zu kaschieren, stützten sich die 400 (...)“

– wohlhabenden Grundeigentümer –

„auf eine breitere Gruppierung von 5.000 Bürgern des Mittelstandes (...) Alle anderen Bürger wurden politisch entmündigt, die Diäten und Besoldungen (...) abgeschafft.“[189]

Da die Theten aber für die Kriegs- und Handelsflotte in den Trieren als Ruderer unentbehrlich waren, gelang der *backslash* nicht wirklich und nach einem „Matrosenaufstand“ wurde die Tyrannis wieder abgeschafft.

„Als es auf der vor Samos liegenden athenischen Flotte unter dem Eindruck politischer Ereignisse auf der Insel zu einem Linksruck kam (...) die Demokratie war infolge der eindeutigen Einstellung der Truppen und Flottenmannschaften stark genug, um einen erneuten Wechsel zu erzwingen. Die 400 wurden abgesetzt (...).«[190]

Wir müssen die Proportionen im Auge behalten: Auch die *dēmos kratós* des 5. Jahrhunderts basierte wie alle antiken Gesellschaften auf der quasi naturgegebenen Vormachtstellung des Grundeigentums. Das ist eine *soziale* Struktur – aber die neue Tyrannis war auf der Basis dieser Struktur die *politische* Sammlung der großen Grundeigentümer. Auch die *dēmos kratós* des 5. Jahrhunderts schloss die eigentlichen Produzenten (Sklaven bzw. Theten) von Bürgerrechten bzw. von ungeschmälerten Bürgerrechten aus; die neue Tyrannis hingegen wollte selbst das wenig Vorhandene zurücknehmen. Auch im römischen Reich hatten die eigentlichen Produzenten (Sklaven bzw. Handwerker, Bauern) nichts bzw. wenig zu sagen. Aber die politische Formenkultur basierte zumindest auf dem Schein, alle außer die Sklaven zu integrieren. Kommen wir nach dieser Beachtung der Proportionen auf die Ereignisse Ende des 5., Anfang des 4. Jahrhunderts zurück.

Weshalb war der neuen Tyrannis in Athen wenig Erfolg beschieden? Das ist eine interessante Frage, deren Antwort auch ein retrospektives Licht auf die „Demokratie“ des Perikles und Kleisthenes wirft. Die „Tyrannen“ bewahrten den traditionellen und exklusiven Reichtum einiger Familien. Instinktiv nahmen sie an, politische Rechte außerhalb ihres Kreises würde die Exklusivität des Reichtums innerhalb ihres Kreises gefährden. Vielleicht wollten sie eher auf die Theten als Ruderer auf den Trieren verzichten, als diesen politische Rechte zugestehen zu müssen. Mit weniger Trieren ließe sich aber weniger außerhalb der Polis agieren. Folgerichtig unterstützte Sparta, das wegen der Unterjochung „seiner" Heloten an antike Demokratie gar nicht denken konnte, in dieser Periode eher die Tyrannen. Und später, als Athen westlicher Sammelpunkt des Aufstandes gegen die makedonische Herrschaft über Hellas wurde – das war kurz nach dem Bekanntwerden des Todes Alexanders im Jahre 323 vor Christus – und die Diadochen Athen schließlich niederwerfen konnten, installierten sie ganz selbstverständlich eine „oligarchische" Regierung in der Polis und unterdrückten die Wortführer der *dēmos kratós*. Das Spiel sollte sich in den kommenden Jahrhunderten noch oft wiederholen: Die Besatzungsmächte Athens stützten sich so gut wie immer auf die Reichen und misstrauten allen anderen. Aus gutem Grunde. Denn wie von selbst kamen die Befürworter des *dēmos kratós* immer wieder ans Ruder, sobald die äußere Kontrolle nachließ. Es scheint so, als wäre *dēmos kratós* die zu Athen besser passende Konstellation. Und darin liegt insofern ein Körnchen Wahrheit, als diese Konstellation mehr militärische Kräfte mobilisieren konnte: Indem sie die politischen Rechte im Inneren etwas ausweitete, schuf sie in dieser Ausweitung auch Leute, die unter Waffen stehen konnten – und seien es auch nur leicht Bewaffnete. Gerade eine Seemacht wie Athen konnte tüchtige Ruderer für ihre Trieren gebrauchen. Und eine Seemacht war Athen deswegen, weil eine Warenhandelsgesellschaft unter damaligen, vorindustriellen Verhältnissen auf die Nutzung der Seewege und Wasserstraßen angewiesen war. Umso mehr aus einer Subsistenzgesellschaft eine Exportmacht wurde, umso mehr der Warenkreislauf die ökonomische Uhr ticken ließ ... umso mehr benötigte man eine starke Handels- und Kriegsmarine mit Stützpunkten, Kontoren, Niederlassungen und Kolonien am Mittelmeer und vor allem dort, wo große schiffbare Flüsse in das Meer mündeten. Brauchte man aber eine starke Handels- und Kriegsmarine, so auch das Menschenmaterial, um diese zu bedienen.

Brauchte man mehr Menschen, die zur Not auch Kriegsdienste leisten konnten, mussten diese politische Rechte bekommen und sich dem Status des Vollbürgers zumindest annähern. Auf dass unsere bereits gut bekannte Gleichung...

$$Grundeigentum = Bürgerrechte + Gewaltmonopol$$

... wieder annähernd passe! Zu guter Letzt durften einige Theten darauf hoffen, als Kleruchen zu eigenem Grundeigentum zu kommen. Selten passten Ziel und Mittel so gut zueinander.

Athen / Attika produzierte für die Mittelmeerwelt, wickelte den Handel zumindest der von Karthago nicht bedienten Häfen ab und war von Importen abhängig. Ein Zurück zu dem Ideal des *oikos* war nun erst recht utopisch. Zur sich immer weiter vertiefenden Realität der internationalen Arbeitsteilung passte in Athen *dēmos kratós* besser als *tyrannis.*

Es gibt noch einen weiteren Aspekt in dem vermeintlichen Widerspruch zwischen diesen beiden Konstellationen. Das Spezifische der „alten" wie auch der „neuen" *tyrannis* war, abrupt gegen die bestehende politische Ordnung eine Veränderung durchzusetzen. Mitunter machte dies den Einsatz von Gewalt notwendig. Im Gegensatz dazu steht die konsensuale Veränderung der bestehenden Ordnung. Diese Variante reicht von den Schlichtern wie Solon bis zu den Reformern wie Perikles. Im Laufe der Jahrhunderte wurden beide Wege, Loyalität mit der Verfassung und Illoyalität mit der Verfassung, sowohl von dem Kleineigentum als auch von dem großen Grundeigentum beschritten – wobei die Loyalität mit der Verfassung ebenfalls eine Veränderung der Verfassung beinhalten konnte, nur eben auf dem Wege, die bestehenden politischen Institutionen zu nutzen. Das alles mag kompliziert oder wenigstens abstrakt klingen. Aber es hat schon einen Sinn, dies so abstrakt zu formulieren – nur so werden wir die einander entsprechenden Vorgänge in Athen und in Rom verstehen.

Im Grunde geht es in der Antike immer um eine Eigentumskonzentration. Entweder steigen neue Schichten der Bevölkerung in den Rang des Grundeigentums auf oder bisherige Grundeigentümer pauperisieren und steigen in das verarmte Kleinbürgertum bzw. in die Plebs ab. Welche Auswirkungen haben diese sozialen Verschiebungen auf die „Verfassung“? Entweder geht es darum, Neureiche Schritt für Schritt politisch dem alten Grundeigentum gleichzustellen. Oder es geht darum, mittels der Politik die Verelendung ehemaliger Eigentümer aufzuhalten. Hier handelt es sich um einen politischen Kampf unterschiedlicher Klassen miteinander. Und genau für diese Kämpfe hat die Antike zwei Instrumente: Loyalität mit der Verfassung und Illoyalität mit der Verfassung. Wir sehen dieses Geschehen nicht nur im Gegensatz zwischen *dēmos kratós* und *tyrannis* in Athen ab dem 6. Jahrhundert, sondern auch in Rom ab dem 2. Jahrhundert bis zum Prinzipat. Ja, wir können sogar sagen: Gerade das Prinzipat als Aufhebung der antiken Republik des Grundeigentums ist nur durch die Dialektik von Loyalität und Illoyalität mit der Verfassung zustande gekommen. Der Bürgerkrieg als Klassenkampf äußert sich in dieser Dialektik.

Als Verfassungsbruch entsprach die Tyrannis in Athen um die Jahrhundertwende der Aufhebung des Annuitätsprinzips durch Cinna und Sulla in Rom – im Interesse des großen Grundeigentums. Aber auch die Gegenseite setzte je nach Lage auf den Weg des Verfassungsbruchs, etwa eines Marius'. Meist haben diese Erschütterungen auch irgendetwas an der Heeresverfassung geändert, die Kreise des Gewaltmonopols entweder kontrahiert oder extrahiert, neue Waffengattungen ins Leben gerufen oder die Verschiebungen vom Bürgerheer zum Berufsheer beschleunigt.[191] Die Proponenten des römischen Bürgerkrieges ähneln der athenischen Tyrannis – der älteren wie der jüngeren, je nachdem für welche Gesellschaftsklasse sie die Verfassung brachen.

In diesem *framework* betrachtet, waren *tyrannís* und *dēmos kratós* in der klassischen Periode der griechischen Geschichte zwei unterschiedliche Konstellationen. Zugespitzt formuliert: Die *tyrannís* setzte auf die Ausbeutung im Inneren der Gesellschaft, verhielt sich dafür nach außen hin passiv; *dēmos kratós* setzte auf die Ausbeutung äußerer Gebiete, verwischte aber die Gegensätze im Inneren. Wir wären von den wirklichen Verhältnissen gar nicht so weit entfernt, wenn wir die *tyrannís* als „konservative" Partei und die *dēmos kratós* als die „liberale" Partei bezeichnen würden. Unter der *dēmos kratós* wurde der Delisch-Attische Seebund von einem militärischen Defensivbündnis gegen den Griechenzug der Perser zu einem Zwangsbündnis zur finanziellen Auspressung der Bundesgenossen. Benötigte Athen Geld, wurden die Betragssätze einfach erhöht – so von Kleon 425/24 (die sogenannte „Kleonschatzung"). Wenn ein Bündner es wagte, aus dem Bündnis auszutreten, wurden dessen Stadtmauern von Athen geschliffen und ein Strafgericht gehalten. Nach dem Austritt der Insel Lesbos aus dem Seebund:

„Um den Mytilenäern weiter zu schaden, wurden 1.000 der am schwersten belasteten Bürger hingerichtet."[192]

Gewiss, wir befinden uns im Altertum und die Sitten verrohten während des gesamten Peloponnesischen Krieges auf allen Seiten. Dennoch wurde das Vorgehen des „liberalen" Athens vielerorts als so tyrannisch empfunden, dass Sparta leichtes Spiel hatte, immer wieder verschiedene Poleis auf seine und damit auf die „konservative" Seite zu ziehen. Ungefähr so lange, bis Athen 408 endgültig besiegt und daraufhin der Spartaner Lysander seinerseits die schlechtesten Umgangsformen Athens übernahm.

Im Inneren der athenischen Polis spalteten sich „Konservative“ und „Liberale“ auch an der Frage der Stellung der Theten, der Handwerker – während der Ausschluss der Frauen, Periöken und Sklaven von Bürgerrechten nicht einmal wahrgenommen wurde. Ob körperliche Arbeit und politische Rechte sich nicht in einem natürlichen Widerspruch zueinander befänden ... das Elend dieser Philosophie zog sich bis ins 4. Jahrhundert hinein. Als Werftarbeiter und Ruderer waren Theten für die militärische und wirtschaftliche Expansion Athens unentbehrlich und es wurden ihnen nach und nach einige politische Rechte zugestanden. Später versuchten dann die Grundeigentümer den Nicht-Grundeigentümern deren bescheidene politische Mitspracherechte wieder zu nehmen und der Begriff *bánausos*, ursprünglich Keramik-Macher, Handwerker – bekam zu dieser Zeit seinen abwertenden Bedeutungsinhalt.[193] Klar benannt wurde die konservative Verfassungsintention im 4. Jahrhundert durch Aristoteles (384–322):

„Der Volksmenge muss in den gemässigten Oligarchien eine Theilnahme an der Regierung gewährt werden, entweder so, wie ich früher gesagt, dass die, welche das nöthige Vermögen erlangen, diese Theilnahme erhalten, oder dass, wie bei den Thebanern, diejenigen an der Regierung Theil nehmen, welche eine bestimmte Zeit lang des gemeinen Handwerksbetriebs sich enthalten haben (...).“[194]

Somit ist klar, dass Aristoteles hier mit dem Begriff „Volksmenge“ jene Menschen meint, die nicht mit ihren eigenen Händen arbeiten müssen – also eigentlich der Status vor der Zulassung der Theten zur Ekklesia. Interessant ist auch wie Aristoteles über die Demokratie als Gegensatz zur Oligarchie spricht:

„Zunächst will ich hier über die Demokratie sprechen; damit ergiebt sich zugleich auch das Nöthige für ihr Gegentheil, was nach Einigen als die Oligarchie bezeichnet wird. Man muss bei dieser Untersuchung alle Eigenthümlichkeiten der Demokratie, sammt deren Folgen in Betracht nehmen; denn aus deren Verbindung bilden sich die verschiedenen Arten der Demokratie und dass statt *einer* mehrere und verschiedenartige Demokratien bestehen. (...) Indem die Bevölkerung des einen Staates von der des anderen verschieden ist; denn bald besteht diese überwiegend aus Ackerbauern, bald überwiegend aus Handwerkern und Tagelöhnern; wenn nun die erste Klasse zur zweiten hinzutritt und wieder die dritte zu diesen beiden, so wird die Demokratie dadurch nicht blos besser oder schlechter, sondern sie ist dann überhaupt nicht mehr dieselbe.“[195]

Hier sehen wir einen deutlichen Unterschied zu dem bürgerlichen Parlamentarismus, der davon ausgeht, dass gleiches Recht auf ungleiche Klassen angewandt wird und dass sich das Wesen dieser „Demokratie“ durchaus nicht ändert, ob ihre Objekte Arbeiter, Bauern oder sonst eine andere Klasse sind. Wie weiter oben ausgeführt, konnte erst durch Ereignisse wie die Französische Revolution und die Mobilisierung des Dritten Standes eine Nation entstehen. In der Antike bedeutete die sporadische und temporäre Mobilisierung der subalternen Klassen keine Aufhebung der oben erwähnten sozialen Gleichung.

Szenen wie diese blieben Episoden:

„In bürgerkriegsähnlichen Situationen (Korkyra) wurde die militärische Situation noch komplizierter, da sich hier sogar Sklaven und Frauen in die Reihen der Kämpfer eingliederten. Überdies haben vor allem die Spartaner (...) in steigendem Maße ihre Sklaven, also die Heloten, oft unter dem Kommando einzelner Spartiaten, als Kampftruppen verwendet. Natürlich wurde damit auf die Entfremdung der Heloten auf ihre Klasse hingewirkt, die in manchen Fällen formell das spartanische Bürgerrecht erhielten (sogenannte Neodamoden).“[196]

Ähnlich in Italien zur Zeit des für Rom gefährlichen Krieges gegen Pyrrhos (um 280 v. Chr.):

„Man schloß in Eile Frieden mit den etruskischen Städten, mit denen man im Krieg lag, man bewaffnete die ärmsten Bürger (die Proletarier, die nach der Tradition vom Militärdienst ausgenommen waren) (. . .).“[197]

Statt „befreit waren“ würde ein „nicht zugelassen waren“ die Sache eher treffen. Wir könnten somit auch sagen: Eigentlich wurde die soziale Gleichung nur insofern modifiziert, als das Waffentragen nicht mehr an das Grundeigentum gebunden war. Wer aber weder Grundeigentum hatte, noch Kriegsdienst leisten konnte, konnte auch nicht in den Genuss der vollen Bürgerrechte gelangen. Ein Teil der antiken Gleichung blieb immer aufrecht. Der episodische Charakter der Bewaffnung von Nicht-Grundeigentümern wurde im Falle des römischen Reiches sozusagen weniger episodisch. Aber auch hier: Erst Marius bewaffnete auch Mittellose und während der gesamten Dauer des römischen Reiches gab es zwei Bewegungen, die wieder in Richtung der bereits mehrmals erwähnten sozialen Gleichung führten: Einerseits blieb das logische Ende des Geldreichtums immer der Erwerb von Grund und Boden und zweitens blieb das gewünschte Ende jeder Legionärslaufbahn die eigene Parzelle an Grund und Boden, und sei sie auch noch so klein.

Und Athen? Der Krieg schuf die Notwendigkeit, ab 490 die Flotte aufzubauen, die 480 eingesetzt werden konnte. Nach der Seeschlacht bei Salamis musste Athen mit der großen Flotte auch etwas anfangen. Die Antwort bestand wie von selbst in der „Zweiten Kolonialisierungsperiode“. Aber welche soziale Klasse konnte oder musste die Polis verlassen, um zu kolonialisieren? Der Krieg hatte ja die Mobilisierung breiterer Bevölkerungsschichten erfordert. Die Handwerker ohne Grundeigentum stiegen vorübergehend auf und erlangten in diesem Jahrhundert

Stimmrechte. Aber noch besser war es, aus ihnen einfach neue Grundeigentümer zu machen: Auswärts ... als Kleruchen, wie gut tausend Jahre später die *conquistadores* in Lateinamerika und auf den Philippinen. Selten in der Geschichte passt alles so gut zusammen: Mittel und Zweck, und wie die zum Zweck passenden Mittel den Zweck wiederum verstärken! In dieser Dialektik aus sozialer Spannung und der Aufhebung dieser Spannung liegt das Geheimnis des Erfolges Athens.

Analog der Vorgang in Rom, bloß um etwas mehr als einhundert Jahre später:

„Andererseits erlaubte die Eroberung immer zahlreicherer Gebiete eine Verbesserung der Lebensbedingungen der kleinen Leute (...). Von den eroberten Gebieten behielt der Staat nur einen Teil für sich, der *ager publicus* wurde Gemeineigentum des ‚Volkes'. Im Laufe des 4. Jahrhunderts gelang es den Bemühungen der Tribunen und der Führer der Plebs, diese aus der Landverteilung Nutzen ziehen zu lassen (...) woanders niederzulassen als in einem Latium, wo der Grund und Boden in den Händen der großen *gentes* war. Andererseits gründete Rom, um die militärische Besetzung der eroberten Gebiete zu sichern, Kolonien, denen ein *ager* beigegeben wurde (...).“[198]

Auch hier wird recht schön die Dialektik der Entwicklung deutlich: Die Eroberungen hatten ihre eigentliche Ursache in den Klassenwidersprüchen und in der Konzentration des Landeigentums. Aber das Mittel, um die sozialen Spannungen mittels Kolonien zu lösen, zog das ursprüngliche Gemeinwesen immer weiter in die Warenökonomie der Mittelmeerwelt hinein. Und das führte zusammen mit der Sklavenproduktion erst recht zum Ruin der kleinen Selbstständigen, die im Falle Roms schließlich ein Staatsapparat auffangen musste, der damit wieder auf der nächsten Ebene den Widerspruch der Spätantike schuf: Die Steuerlast desintegrierte die Gesellschaft und diese

Desintegration erleichterte zusammen mit anderen Entwicklungen das Aufgehen des römischen Staates in die germanischen Reiche. Im Falle Griechenlands: Auch hier wurde mittels der Kleruchien nur die Ebene dieser dialektischen Entwicklung ausgeweitet und auf eine neue Stufe gestellt. Die Widersprüche zwischen der exklusiven Herrschaft der Grundeigentümer und der Expansion der Polis bekamen eine „globale“ Arena und führten zwangsläufig zum Peloponnesischen Krieg. Korinth und Athen kamen sich auf Sizilien, einem der Hauptanbaugebiete von Getreide, in die Quere. Gewiss, Athen wurde nicht von Korinth, sondern von Sparta niedergerungen, mit dem es sich nicht in einer Handelskonkurrenz befand. Die Lakedämonier hatten das Glück (oder Pech), frühzeitig eine extreme Staats-Sklavenarbeit zu „kultivieren“, da sie dazu fast die gesamte Bevölkerung unterwarfen. Das genügte den Lakedämoniern an Ausbeutung. Sparta war somit weniger auf Kolonien angewiesen und verfolgte bei den griechischen Konflikten ab einem bestimmten Punkt eine Politik, die den jeweiligen Status Quo zu erhalten trachtete. Sparta war gleichzeitig moderner und altmodischer als Athen – eine Position, die ein wenig an jene Großbritanniens von der Mitte des 18. bis zur Mitte des 19. Jahrhunderts erinnert, als England allen industriellen Konkurrenten überlegen war und im Inneren archaische Elemente viel länger konservieren konnte, wie zum Beispiel eine ungeschriebene Verfassung und eine patriotisch gesinnte Arbeiterklasse, die von der Sonderstellung Englands in der Weltwirtschaft auch materiell profitieren konnte. Der konservative, um nicht zu sagen altmodische Duktus der politischen Sitten Englands war das Produkt seiner ökonomischen Sonderstellung. Der Vergleich hinkt ein wenig, denn manche Sitten Spartas waren gerade wegen ihres archaischen Charakters fortschrittlicher als jene in Athen; die spartanischen Frauen hatten noch etwas ihrer ursprünglichen Unabhängigkeit bewahren können. So wie – und hier passt die Entsprechung wieder – die Stellung der Frauen in der archaischen Sozialverfassung der germanischen Reiche weit besser war als jene in Rom, wo die Frauen nicht von Haus aus rechtsfähig und somit nicht selbst Eigentümerinnen, sondern bloß freie Angehörige des Eigentums der Männer waren.

Um diesen Punkt zusammenzufassen: Wie sehen somit, dass die soziale Gleichung der antiken Gesellschaft ...

$$Grundeigentum = Bürgerrechte + Gewaltmonopol$$

... im Wesentlichen auch dann bestand, wenn sie aus bestimmten politischen Gründen im Laufe der Zeit aufgelockert worden war. Wir können unseren Blick auch auf andere Gemeinwesen werfen und müssen nicht immer auf Athen oder Rom blicken. Das punische Karthago bietet sich an:

„Seit Ende des 4. Jahrhunderts gab es einen *proxenos* der Karthager in Theben. Wahrscheinlich importierten die punischen Kaufleute (...) auch Getreide, dessen Einfuhr für Griechenland (...) notwendig war. In jener Zeit beginnt Karthago, die Rolle einer Agrargroßmacht zu spielen.“[199]

Karthago war in die Waren- und Sklavenwirtschaft der Mittelmeerwelt eingebunden.

„Den Adelsfamilien ist es gelungen, große Güter im Landesinneren an sich zu bringen, die sie mit Hilfe der eingeborenen Arbeitskräfte bewirtschafteten.“[200]

Eher umgekehrt: Adelsfamilien wurden sie wegen ihres Grundeigentums. Sklavenarbeit wurde angewandt. Antike Produktionsverhältnisse herrschten vor.

„In Wirklichkeit war das Hinterland regelrecht ‚kolonisiert‘, und es gab dort Wiesen, Weinberge, Getreidefelder und Olivenhaine. (...) Im 2. Jahrhundert vor unserer Zeitrechnung sollte diese intensive gartenbauähnliche Bewirtschaftung des punischen Bodens großen Eindruck auf die Römer machen, die in der karthagischen Landwirtschaft eine gefährliche Rivalin sahen. Einer der berühmtesten antiken Agronomen, dessen Abhandlung von lateinischen und griechischen Autoren am häufigsten benutzt worden ist, war der Karthager Magon. (...) Magon strebte eine Landwirtschaft im wesentlichen ‚kapitalistischer' Art an, bei der der Betrieb dem Eigentümer einen möglichst hohen Profit erbringen soll und nicht, wie das bei der italischen und römischen Landwirtschaft der Fall war, dazu bestimmt ist, den Lebensunterhalt einer bäuerlichen Gesellschaft zu sichern, die mit dem Boden unmittelbar verbunden ist..“[201]

An dieser Stelle verwechselt Grimal die Reflexion der Ökonomie mit der Ökonomie an sich. In der Reflexion sind Magon auf der einen und Tiberius Gracchus auf der anderen Seite Teile eines Widerspruchs. In der wirklichen Ökonomie hingegen gab es keinen grundsätzlichen Unterschied zwischen Rom und Karthago: Ursprünglich war die italische Landwirtschaft Subsistenzwirtschaft, wie auch die nordafrikanische. Umso stärker aber die Gemeinwesen in den Mittelmeerhandel eintraten, um Überschüsse an andere Gemeinden zu verhökern, umso mehr formte diese Praxis die Warenproduktion im Inneren, bis die ursprüngliche Subsistenzwirtschaft nur noch am Rande der Gesellschaft existierte. Im Zuge dieser Veränderung verschoben sich die Klassenverhältnisse: Die kleineren Bauern wurden immer ärmer, die größeren wurden zu richtigen Agrarproduzenten, „Kapitalisten“. Der springende Punkt ist dabei eher, dass Karthago in dieser Entwicklung bereits weiter fortgeschritten war, als Rom es kennenlernen dufte. Die Klassenkämpfe in der späteren römischen Republik, die Ausdruck dieser Entwicklung waren, hatte Karthago wahrscheinlich schon hinter sich gelassen – aber wir wissen es nicht genau, denn unsere historische

Literatur stammt mehrheitlich von den Römern, nicht von den Puniern.

Julius Beloch berichtet, wie die Königswürde in Karthago abgeschafft wurde und in sogenannte „Jahreskönige“ (= Beamte) überging ... eigentlich ganz analog den Vorgängen in Griechenland und Rom.[202] Es handelte sich bei diesen analogen Vorgängen nicht um eine gegenseitige Beeinflussung oder Nachmache, sondern um eine identische, aber unabhängige Entwicklung an unterschiedlichen Orten, in unterschiedlichen Staaten und Jahrhunderten, die aber offensichtlich dieselben Ursachen hatte. Die Tatsache der Entsprechungen ist erstaunlich, nicht die Variabilität in Bezug auf Zeit und Ort. An dieser Stelle müssen wir kurz einen allgemeinen Einschub machen: Hinter der Existenz des alten – sagen wir: archaischen – Königtums stand nicht ein besonderes Privateigentum, sondern das Kollektiveigentum der Heeresversammlung. In dem Maße, wie jedoch das Privateigentum, zuerst an Grund und Boden ... dann an Sklaven, Einzug hielt und die sozialen Unterschiede verfestigte, wurde die dem Privateigentum entsprechende politische Form die antike Demokratie – also die gegenseitige Absprache von individuellen Grundeigentümern. Nur nebenbei erwähnt, waren die archaischen Verhältnisse demokratischer als die klassischen antiken, deren politische Form all jene ausschloss, die nicht Privateigentümer waren. Und ohne den sozialen Aufstieg der Grundeigentümer und ohne die soziale Differenzierung in Eigentum und Nichteigentum hätte es diese Form der Demokratie nicht gegeben. Nicht die Demokratie der Grundeigentümer wurde von den Griechen erfunden und dann von den Puniern oder Römern abgeschaut. Vielmehr potenzierte die „Warenwirtschaft Mittelmeer“ – sozusagen der Weltmarkt der europäischen Antike – die Ungleichverteilung des Eigentums und damit die Dominanz der Grundeigentümer als Sklavenhalter. Überall dort, wo die

Warenwirtschaft nicht hingelangte, in den Bergdörfern und versteckten Buchten, in den Rand- und Grenzgebieten, hielten sich die archaischen Traditionen länger. Da aber Griechen, Punier und Römer „Handelsvölker“ waren, wie es früher etwas altmodisch und apriorisch gerne geheißen hat, transportierte auch der Warenmarkt die ihm zugrunde liegenden Verhältnisse und verdrängten die archaischen an den Rand. Das ist der eine Strang der Entwicklung. Wir nennen diesen Entwicklungsstrang provisorisch den A-Typus. Der B-Typus als gegenläufiger Strang der Entwicklung beinhaltet eine duale Ökonomie von antiken und asiatischen Produktionsverhältnissen und der auf diesen basierenden Beamtenmonarchien im Hellenismus. Die Königreiche der Diadochen und Protagonisten im Osten, also die Territorien, die ursprünglich Alexander III. von Dareios III. übernommen hatte, kannten weder zum alten Heereskönigtum Makedoniens, noch zur orientalischen Despotie eine Entsprechung, sondern waren politisch eine neue Form: eine Art „Bonapartismus“, der sich sowohl auf das Heer, als auch auf das Privateigentum, als auch auf die kollektiven Bauernwirtschaften Mesopotamiens bzw. Ägyptens stützte. Ich gebe zu, die hellenistischen Verhältnisse sind hiermit noch recht verkürzt und schematisch skizziert. In Wirklichkeit war die ökonomische Interaktion zwischen dem antiken Privateigentum und dem orientalischen Kollektiveigentum an der agrarischen Basis kompliziert, vielschichtig und mit zahlreichen Wechselwirkungen zu der politischen Sphäre verbunden. Vorerst soll uns hier folgendes Ergebnis genügen: Rom übernahm im Prinzipat Elemente dieses hellenistischen Beamtenstaates. Es entwickelte sich eine überraschend moderne Konstellation: Das Privateigentum herrschte sozial, aber politisch nur noch indirekt. Auf der politischen Ebene entstand ein Komplex, der die Plebs integrierte – etwas, woran die griechischen Poleis des

5. Jahrhunderts keinen Gedanken verschwendeten, denn hier herrschte das Eigentum auch politisch. Rom war für die neue, moderne, ja geradezu bürgerliche Form der Spaltung in eine ökonomische und politische Herrschaft deswegen prädestiniert, weil es im Vergleich zu Hellas rückständiger war und die Spaltung in Eigentum und Eigentumslosigkeit noch nicht so lange zurück lag. Die kollektive Erinnerung an die selbstständigen Bauern ohne Plebs war noch vorhanden und die beiden Gracchen wie auch römische Autoren wie Cato der Ältere konnten an dieses „Ideal" appellieren. Der moderne Beamtenstaat setzte zwar nicht die Forderung nach einem wirtschaftlich unabhängigen Bauernstand durch – das wäre nach der Einverleibung Siziliens nach dem Zweiten Punischen Krieg auch nicht mehr ökonomisch möglich gewesen –, aber sprach auf der politischen Ebene mit Plebs und Bauern. Eine ziemlich moderne Einrichtung, die nur auf Basis der relativen Rückständigkeit Roms entstehen konnte. Roms Zuspätkommen in der antiken Welt war der Garant seiner Modernität.

Nach diesem kleinen Exkurs, auf den wir uns nun immer wieder beziehen werden, kommen wir zu der Geschichte des punischen Karthagos zurück.

„So wirkten die neuen Wesenszüge des Handels und der in voller Blüte stehenden Landwirtschaft Karthagos zusammen, um die Stadt (...) zu einer hellenistischen ‚Großmacht' zu machen. Edelleute wie Hannibal besaßen auf dem Land wahre Schlösser (...) zu jener Zeit waren sich die reichsten Karthager anscheinend bewußt, eine Aristokratie zu bilden, die ausersehen war, der Stadt ihren Willen aufzuzwingen, und die sich einfach über die Gesetze stellt."[203]

An diesem Passus stimmt fast alles, nicht aber die Charakterisierung als *hellenistisch*. Denn wir befinden uns hier noch im A-Typus der Entwicklung und das, was Grimal über Hannibal sagt, bedeutet nichts anderes, als dass die Grundeigentümer noch sozial *und* politisch die Herrschaft innehatten. Insofern stellten sie sich keineswegs über das Gesetz. Sie waren das Gesetz.

„Merkwürdigerweise ist diese Verfassung denen der griechischen Städte verwandt."[204]

Wir finden dies keineswegs merkwürdig. Unverkennbar entsprach die Verfassung Karthagos völlig dem antiken Muster, das wir zumindest aus Hellas und Italien kennen, die Unterschiede in diversen Details sind zufällig, das Gemeinsame springt ins Auge:

„Sie beruhte auf einem recht verwickelten System von Versammlungen, Räten und Behörden. Wie in Sparta waren die höchsten Beamten zwei ‚Könige', die zweifellos vom 5. Jahrhundert an, zumindest im Inneren der Stadt, ‚Richter' wurden (...) und die man für ein Jahr ernannte. Aber die Macht dieser Beamten wurde in der Praxis sehr stark durch die Tätigkeit eines Tribunals von 140 Mitgliedern (...) eingeschränkt, die durch eine Kommission von fünf Magistraten (...) in den Senat gewählt wurden. Der Senat war, wie in allen antiken Städten, eine im wesentlichen aristokratische Versammlung aus den reichsten und damit bedeutsamsten Familien einer Stadt."[205]

Hier haben wir vom schwachen Doppelkönigtum bis hin zum Senat alles aufgelistet, was wir aus den anderen antiken Zentren kennen. Eigentum bedeutet politische Rechte. Der Senat konzentrierte die politischen Rechte. Deswegen war der Senat eine „im wesentlichen aristokratische Versammlung". „Adel" und „Aristokratie" bedeuten in einer vorfeudalen Gesellschaft aber nichts anderes als (großes) Grundeigentum. Hier sehen wir auch die klassische antike Gleichung:

$$Grundeigentum = Bürgerrechte + Gewaltmonopol$$

Bis zu diesem Punkt erkennen wir eher den A-Typus. Aber der innere Wandel deutet sich bereits an:

„Natürlich gab es auch eine Volksversammlung, aber sie spielte nur eine sehr beschränkte Rolle, denn die eigentliche Verwaltung lag bei den aus dem Adel kommenden Instanzen. Immerhin konnte diese Volksversammlung eingreifen, wenn der ‚Adel' in kritischen Zeiten über eine bestimmte Entscheidung oder die Durchführung einer bestimmten Politik zu keinem Einvernehmen gelangte. Diese karthagische ‚Plebs' scheint (...) sehr aufrührerisch gewesen zu sein (...)."[206]

Letzterer Satz erinnert wiederum mehr an römische als an griechische Verhältnisse. Antike Verhältnisse – erraten: jene des Privateigentums – haben wir in Karthago allemal vor uns. Von dieser Seite her entspricht Karthago Rom und Athen und steht in einem Widerspruch zu Ägypten, Mesopotamien, Persien und Indien. Auch wenn im Falle Karthagos der Widerspruch zwischen den unterschiedlichen Gesellschaftsformationen weniger ausgetragen wurde als der Gegensatz zu den anderen antiken Staaten; Stichwort: punische Kriege.

„Bestimmte Amtspersonen konnten lange im Amte bleiben. Das galt in der Zeit, mit der wir uns befassen, besonders für die militärischen Führer. Wir sehen sie im Verlauf der gegen Sizilien und in Spanien geführten Feldzüge jahrelang als Befehlshaber der Heere und Flotten der Republik. Aber sie müssen stets mit einer Anklage oder einer Abberufung rechnen, wenn ihre persönlichen Gegner im Rat der Hundertvierzig die Oberhand gewinnen. Und eine solche Abberufung bedeutet für sie den Tod, im allgemeinen den Tod am Kreuz."[207]

Auch dies ist grundsätzlich die Lage in der griechischen Polis, respektive im Athen des 5. und 4. Jahrhunderts oder im republikanischen Rom vor Beginn des Bürgerkrieges, auch wenn die „Behandlung" abberufener Beamter anders ausfiel. Aber das ist ein zufälliges Element, kein notwendiges. Vielleicht hielten sich in Karthago bloß einige altertümliche Sitten länger, wie das rituelle Kindsopfer. Falls die Berichte darüber, die auf uns ja aus römischer Quelle gekommen sind, überhaupt stimmen und nicht einfach antipunische Propaganda sind.[208]

Dass die leitenden Beamten einer Republik der Grundeigentümer mitunter Vollmachten hatten, wirkungsvoller als jene der Tyrannis, kennen wir aus den anderen antiken Gemeinschaften. Und auch die Gegenreaktion auf die Vollmachten Einzelner:

„Auf dem ganzen politischen Leben lastet eine Atmosphäre des Argwohns. Sämtliche Senatoren werden von einer Sorge gepeinigt: nicht zu dulden, daß einer von ihnen einen entscheidenden Einfluß ausübt."[209]

In dem A-Typus des Entwicklungsbogens hat das Misstrauen damit zu tun, dass alle Grundeigentümer ihr Privateigentum gegen etwaige Begehrlichkeiten anderer Privateigentümer absichern mussten. Deswegen tendierten die antiken Eigentumsverhältnisse immer zu der Grundeigentums-Demokratie, dem „Senat". Erst mit der Entwicklung der Klassenkämpfe auf der Grundlage der antiken Produktionsweise stimmten die Grundeigentümer ihrer politischen Entmachtung durch den Militärapparat zu – nicht zuletzt, um die Klassenkämpfe in den Griff zu bekommen. Diese Entwicklung bezeichneten wir als B-Typus. Ganz unrecht hat Pierre Grimal, wenn er im Vergleich zwischen Rom und Karthago meint:

„Während in Rom die List an sich schon verdächtig ist und der große Gott Jupiter ist, der Herrscher des leuchtenden Himmels, ist in Karthago alles erlaubt, um die beiden höchsten Güter zu gewinnen: Macht und Geld."[210]

Für einen Professor der Pariser Sorbonne ein schwacher Schluss. Als Rom sich in Italien Richtung Süden ausbreitete und mit Tarent und Sizilien in Konflikt geriet, war Karthago schon voll entwickelt. Die altrömischen Sitten waren vielleicht noch in Resten vorhanden; jedenfalls wurde ihr Mythos als Mimikry verwendet. Wir erkennen dies in der Art und Weise, wie sich der Senat von Rom der Apennin-Halbinsel, der Inseln des Tyrrhenischen Meeres und schließlich Karthagos bemächtigte: in einer perfiden Mischung aus Verschlagenheit, Diplomatie und Gewalt. In dieser Disziplin hätten die Punier bei den Römern in die Schule gehen müssen und nicht umgekehrt.

„Die Stadt lebt von den Tributen in Naturalien, die von den eingeborenen Untertanen im Landesinnern erhoben werden. Diese Tribute nehmen der Bevölkerung, die sie aufbringen muß, die Hälfte der Ernte, oft sogar noch mehr, wie wir von Polybios erfahren. Die phönikischen Kolonien Afrikas zahlten Karthago einen Tribut in Geld."[211]

Einerseits müssen wir in Rechnung stellen, dass die Angaben, die Grimal zur punischen Gesellschaftsordnung anführt, aus griechischer Quelle stammen, die von diesem Autor keiner Quellenkritik unterworfen werden. Andererseits kombinierte auch Athen die Ausbeutung der eigenen Sklaven mit der Unterdrückung anderer Gebiete – die Geschichte des Delisch-Attischen Seebundes gibt beredtes Beispiel. Grimal weiter zum Verwendungszweck der Tribute, die nach Karthago flossen:

„Das alles füllte die Schatzkammern der Republik, die sich für ihre militärischen Unternehmungen lieber auf Söldnerheere stützte (...). In dieser Hinsicht waren die karthagischen Heere die Vorläufer der Heere der hellenistischen Könige (...) Dagegen besteht ein großer Unterschied (...) denen, die ihm die Römer entgegenstellten, Legionen von Bürgern, die für ihr Vaterland kämpften, für ein religiöses und sittliches Ideal (...)."[212]

An dieser Stelle idealisiert Grimal das römische Reich, wie Bengtson das antike Athen idealisiert und dieser Welt die „orientalischen Horden" gegenüberstellt. Dass *ursprünglich* die Bürger-Milizen der griechischen Poleis genauso wie jene Roms zur Zeit der frühen Republik sowohl eine eigene Moral, Bewaffnung als auch Kriegstaktik aufwiesen, die sich von jenen der Staaten mit asiatischer Produktionsweise unterschied, ist ganz richtig. Aber eben nicht als Resultat eines unterschiedlichen Ideals, sondern als Resultat einer unterschiedlichen Ökonomie. Und vor allem: Karthago stand in dieser Hinsicht in keinem Widerspruch zu Rom und Athen, aber zusammen mit diesen zu den „hellenistischen Königen". Denn Letztere übernahmen zumindest im Osten die asiatische Produktionsweise, die per se keine Bürgermiliz kennen konnte. Einfach deswegen, weil es keine Bürger gab. Die orientalischen Reiche hatten daher von Haus aus Berufsheere. Die Berufsheere im Westen hatten einen ganz anderen Ursprung. Aber welchen?

Das Privateigentum an Grund und Boden war in der Antike zuerst einmal die Eingangsvoraussetzung für das Recht, in Waffen zu stehen und Krieg zu führen. Das war wohl auch in Karthago nicht anders, nur kennen wir die Vorgeschichte Karthagos viel weniger als jene Roms oder Athens. Aber in der Zeit, als Rom und Karthago sich in Waffen gegenüberstanden, war in Griechenland längst das Söldnerwesen an die Stelle des Hoplitenwesens getreten. Da das urbane Karthago zu diesem Zeitpunkt weiterentwickelter als das ländliche Rom war, müsste es eher mit Griechenland denn mit Rom verglichen werden, um die geradezu verblüffende Entsprechung zu sehen. Und als Rom ökonomisch nachzog und nach dem Zweiten Punischen Krieg ebenfalls Sklaven in großen Latifundien einsetzte und damit die ökonomische Selbstständigkeit der eigenen Bauern einer Gefahr aussetzte, trat das Söldner-Wesen nach und nach an die Stelle der Bauern-Infanterie. Genauso wie in Karthago führte dieses eine Element der Produktionsverhältnisse zu der Auflösung der Bürger-Miliz: die Sklavenarbeit. Der generelle Einsatz der Sklaven verdrängte die Lohnarbeit immer mehr in jenen Bereich, der für Sklavenarbeit per se nicht taugte: den Kriegsdienst für Lohn. Und das ist nichts anderes als jenes von Grimal verachtete Söldnerwesen. Wir begegnen diesem zuerst im 5. Jahrhundert, als den Zug der Achämeniden gegen Kleinasien und Griechenland einzelne griechische Condottiere begleiteten. Im Tross der Perser fanden sich griechische Berater, Facharbeiter, Spezialisten, Geographen und ähnliche Militärdienstleister. Später, im 4. Jahrhundert, scheint das griechische Söldnerwesen bereits ein etablierter Beruf geworden zu sein und wir begegnen ihm auf beiden Seiten der Heere, die im Alexanderzug aufeinandertrafen. In der Tendenz führte diese Entwicklung umgekehrt zu der Entwöhnung der Polis-Bürger, selbst Krieg zu führen. Hermann Bengtson beschreibt den Krieg zwischen zwei syrischen Städten, Apameia und Larissa, im 2. Jahrhundert, allerdings ohne die antike Überzeichnung zu relativieren:

„Die Bürger, schreibt Poseidonios, trugen Schwerter und Lanzen, die von Schmutz und Rost geradezu starrten, dazu hatten sie sich Hüte von riesigen Dimensionen aufgesetzt, um sich vor den Strahlen der Sonne zu schützen, ohne freilich anderseits verhindern zu können, daß der Hals vom Luftzug getroffen wurde. Dazu führten sie Esel als Lasttiere mit sich, schwer beladen mit Wein und Lebensmitteln, aber auch mit den verschiedensten Arten von Flöten (. . .). Die Bürger hatten es offenbar längst verlernt, selbst Kriege zu führen, die Auseinandersetzungen der hellenistischen Herrscher aber wurden mit Berufssoldaten und mit Söldnern geführt.“[213]

Der Unterschied zwischen Berufssoldaten und Söldnern ist hier nicht ganz klar. Wesentlich ist, dass die Hopliten der alten Poleis keinen Sold für den Kriegsdienst bekamen und das war ihnen auch ganz recht, denn dieses Reglement diente dazu, dass die Nicht-Grundeigentümer und Habenichtse waffenlos blieben. Die griechischen Söldner pflegten im Krieg völlig ungeniert die Seiten zu wechseln, während die römischen Söldner es mit dem einen Brötchengeber aushielten – verständlich, der versprach durch seine Dominanz ein besseres Auskommen. Das scheint der einzige Unterschied zu sein zwischen dem, was der Historiker „Söldner" nennt, und dem, was er „Berufssoldat" nennt.

Nach dem Niedergang der alten antiken Hopliten- und Bauern-Milizen wurden nur in Ausnahmefällen neben Söldnern andere Verteidigungsmodelle verwendet: etwa Soldaten-Ansiedler im Hellenismus, wie wir sie aus späteren byzantinischen Zeiten kennen. Noch seltener wurde die arbeitende Bevölkerung bewaffnet. In den Staaten mit asiatischer Produktionsweise ein Tabubruch. Sosibios:

„Er hatte zu diesem Zweck die militärischen Siedler einberufen, Söldner angeworben und vor allem, was beispiellos war, seit die Ptolemäer in Ägypten regierten, den Eingeborenen Waffen gegeben."[214]

Das Söldnerwesen jedenfalls hatte große Auswirkungen auf die Kriegsführung, da sich einzelne Einheiten am Markt als technische Spezialisten unentbehrlich zu machen suchten. Auch Rom hätte seine Expansion in die gesamte Mittelmeerwelt alleine mit Bürger-und-Bauern-Einheiten nie zustande gebracht. Auch hier dominierte der Sold. Aber im römischen Reich herrschte nach Ende der Republik der *unselbstständige* Söldner vor, während etwa der griechische Söldner ein *selbstständiger* Kleinunternehmer war, der seine Haut teuer verkaufte. Dieses Detail ist nicht uninteressant, denn auch die altorientalischen Staaten kannten eher den Typus des *unselbständigen* Söldners, wenngleich als Ergebnis einer ganz anderen Entwicklung. Hier herrscht eine Identität der historischen Form vor, nicht eine Entsprechung.

Jedenfalls:

„Die Legionäre, die grundsätzlich römische Bürger sein mußten, wurden (...) teils durch zwangsweise Aushebung und teils durch Freiwilligenmeldung gewonnen.“[215]

Vielleicht standen die Freiwilligenmeldungen in einem Zusammenhang mit dem Abstieg der zahlungssäumigen Schuldner in die Sklaverei. Oder deutlicher gesagt: Erstere boten den Ausweg aus Letzterem. Und dann bot der Militärdienst für all jene, die nicht im Krieg oder im Lager umkamen, die Chance, mit Geld oder einer Parzelle wieder als selbstständiger Mann zu beginnen. In jedem Fall waren diese letzten Jahre wohl eher kurz, denn ...

„Anfangs dauerte die Dienstzeit zwanzig Jahre, auf die fünf Jahre ‚unter den Standarten‘ (*sub vexillis*) folgten, in denen der einzelne an das Lager gebunden, aber von den Routinepflichten entbunden war. Vom 2. Jahrhundert an waren fünfundzwanzig Dienstjahre die Regel. Die Bedingungen des Dienstes werden am umfassendsten durch die Beschwerden der Legionäre illustriert, die beim Tod des Augustus in Pannonien meuterten: Die Dienstzeit wurde bis auf dreißig und vierzig Jahre ausgedehnt, und sogar die Entlassung in aller Form folgte auf die gleichen Pflichten *sub vexillis*; die Überlebenden erhielten Sümpfe und unkultivierte Abhänge als Landlose; sie wurden mit bloßen zehn asses pro Tag besoldet, womit sie ihre Kleidung, Waffen und Zelte bezahlen und die Centurionen für Entlastungen vom Dienst bestechen mußten.“[216]

Dazu darf man wissen, dass bis zur großen Inflation ein Sesterz (= 4 Asses) ungefähr der Nahrungsmittelration für einen Tag entsprach. Im 2. und 3. Jahrhundert stieg der Sold, aber wir wissen nicht genau, ob die spätere Veränderung der Inflation Mitte des 3. Jahrhunderts geschuldet war.[217]

„Die Abzüge für Verpflegung wurden vielleicht unter Caracalla abgeschafft, die Belege sind jedoch unklar. Es ist aber erwiesen, daß zumindest die Soldaten der Hilfstruppen am Ende des 3. Jahrhunderts einen Barzuschuß von 200 *denarii* im Jahr für Verpflegung erhielten."[218]

Übrigens entsprachen einem Denar 4 Sesterzen. Nebenbei wird aus diesem Passus deutlich, wie verbreitet die Warenwirtschaft zumindest bis zur Spätantike gewesen sein musste: Wenn alle Soldaten der Hilfstruppen ihre Lebensmittel nur mit Geld kaufen konnten, ergab alleine dieser Tatbestand eine schier gewaltige Zirkulationsmenge an Waren.

„Von Tiberius und Nero wird berichtet, daß sie die Entlassung der Soldaten verschoben, um Zahlungen aus dem Weg zu gehen (...)."[219]

Gab es nämlich keine Parzellen an Veteranen zu vergeben, so als Ersatz eine Abfindung in Geld.

„Den Legionen gehörten eigene ‚Territorien', die die Legionäre offenbar als Weideland verpachten konnten."[220]

Ob es sich bei diesen Territorien, die etwa administrativ zu keiner Stadt gehörten, um die Ursprünge des *saltus* handelte? Nicht unwahrscheinlich.

Nur innerhalb der militärischen Struktur war der Legionär so etwas wie Bürger und durfte sich Sklaven halten.[221]

„Der Soldat konnte ein Haus in der Provinz kaufen, in der er diente, aber keinen Grund und Boden, da er sonst gegebenenfalls durch die Bestellung desselben seine militärischen Pflichten vernachlässigte (...)."[222]

Oder:

„Die schwerwiegendste Rechtsunfähigkeit eines Soldaten bestand darin, daß eine von ihm geschlossene Heirat gesetzlich ungültig war. (...) Hadrian gestattete den Kindern der Soldaten jedoch, um die Übernahme des väterlichen Besitzes zu petitionieren, auf den sie keinerlei gesetzliche Ansprüche hatten."[223]

Das war ein schwerwiegender Eingriff in das Bürgerrecht.

Der unterschiedliche rechtliche Status von Legionären – zuerst einmal Italiker mit Bürgerrecht – und den *auxiliae* verwischte sich im Laufe der Jahrhunderte immer mehr. Folgender Passus bezieht sich auf das 2. nachchristliche Jahrhundert:

„Der Wandel wird durch das Auftauchen von diplomata angezeigt, von Urkunden, die aus zwei aneinandergebundenen beschrifteten Bronzetafeln bestanden, die an Einzelpersonen ausgegeben wurden und angaben, daß diese anläßlich ihrer ehrenhaften Entlassung, nach einer Dienstzeit im Normalfall von 25 Jahren, für sich und ihre Kinder das Bürgerrecht und das Recht zu einer anerkannten römischen Heirat mit ihren Frauen (die Frauen selbst erhielten das Bürgerrecht nicht) erworben hätten. Das war die Formel bis zum Jahr 140; danach erhielten aus unbekannten Gründen nur anschließend geborene Kinder das Bürgerrecht. Die Rechtsunfähigkeit in bezug auf die Heirat betraf die Hilfstruppensoldaten genauso wie die Legionäre; und selbst die Bürgerrechtsverleihung vor 140 an die schon vorhandenen Kinder legitimierte diese nicht. Die Hilfstruppensoldaten scheinen von der Legalisierung der Heiraten durch Severus jedoch auch profitiert zu haben. (...) innerhalb der Auxilien, die sich zunächst aus Nicht-Bürgern zusammensetzten, wurden die Bürgerrekruten im Gefolge der Ausbreitung des Bürgerrechts in den Provinzen immer mehr die Regel. Gegen Ende des 2. Jahrhunderts bestand die große Mehrheit der uns bekannten Auxiliaren aus Bürgern."[224]

Das bedeutet, dass bis kurz vor dem Beginn der Spätantike Soldaten keine Bürgerrechte hatten und nicht heiraten konnten, etwa um Eigentum an Kinder weiterzugeben. Dieser Status kommt uns bekannt vor: Sklaven hatten keine Bürgerrechte und konnten nicht heiraten, etwa um Eigentum, falls sie eines gehabt hätten, an Kinder weiterzugeben. Die Art der Bestrafung bei Desertion bzw. Flucht war ebenfalls so ziemlich dieselbe. Und nur wenige Jahrhunderte nach Severus wurde den Sklaven gestattet, zu heiraten. Die Entsprechung ist erstaunlich. Zumindest liegen wir nicht falsch, wenn wir ganz allgemein sagen: Es gab einen Zusammenhang zwischen der Dominanz der Sklavenarbeit im Zivilleben und der sozialen Struktur des Heeres.

Wie im vorangegangenen Kapitel ausgeführt, verhinderte die Sklavenwirtschaft eine „nationale" Heerführung – nachdem die ursprünglichen sich selbst ausstattenden Bürger-und-Bauern-Milizen (Hopliten) zu klein geworden waren. Das erklärt die erstaunlich weite Verbreitung von Söldnern, deren Menschenmaterial sich aus den fortschrittlichsten Poleis zusammensetzte und ab Mitte des 5. Jahrhunderts vor Christus auf allen Seiten der unzähligen bewaffneten Konflikte anzutreffen war. Es ist ganz klar, dass Sklaven – „Vierfüßler" im unverblümten Sprachduktus der Griechen – nicht als Soldaten zu verwenden waren und überall dort, wo die Not der Stunde eine Polis zwang, eigene Sklaven gegen äußere Feinde zu bewaffnen, mussten diese aus dem Sklavenstatus entlassen werden.

Bereits im 1. vorchristlichen Jahrhundert hatte die Sklavenarbeit den inneren Zusammenhalt des römischen Gemeinwesens korrumpiert. Nach den ersten Erfolgen des großen Sklavenaufstandes gelang es den konsularischen Armeen nur schwer, die Disziplin der Bauernlegionäre (falls es solche überhaupt noch waren) aufrecht zu erhalten. Wir erwähnten bereits, wie der Ex-Prätor Crassus zu drastischen Mitteln griff:

„Anfangs stellten sich jedoch keine Erfolge ein, obwohl Crassus zur besonderen Abschreckung sogar eine Truppe hatte dezimieren lassen (Hinrichtung jedes 10. Soldaten)."[225]

Der Sklavenaufstand währte Jahre und endete erst 71 v. Chr. mit einer militärischen Niederlage des Spartakus. Marcus Licinius Crassus wandte nun offensichtlich das von Pierre Grimal strapazierte „sittliche Ideal" des römischen Gemeinwesens an:

„Die 6.000 gefangenen Sklaven ließ er entlang der Via Appia ans Kreuz schlagen."[226]

Rufen wir uns an dieser Stelle wieder das Urteil Grimals ins Gedächtnis:

„In dieser Hinsicht waren die karthagischen Heere die Vorläufer der Heere der hellenistischen Könige (...) Dagegen besteht ein großer Unterschied (...) denen, die ihm die Römer entgegenstellten, Legionen von Bürgern, die für ihr Vaterland kämpften, für ein religiöses und sittliches Ideal (...)."[227]

Nun wäre und ist Karthago mit niedergeschlagenen Sklaven- und Söldneraufständen nicht grundsätzlich anders verfahren, als der Römer Marcus Licinius Crassus. Weshalb sollte Karthago humaner als Rom gewesen sein? Aber umgedreht stimmt der Satz sicher nicht: Es ist schwer, allen Ernstes zu glauben, Roms Kriegsführung hebe sich von jener Karthagos durch ein „religiöses und sittliches Ideal" ab.

„Wir sehen ferner, wie sich im Laufe des 3. Jahrhunderts unter dem Einfluß einer Familie, der Barkiden, ein karthagisches Reich in Spanien bildet, das den hellenistischen Königreichen, die aus der Zerstückelung des Alexanderreiches hervorgegangen waren, ziemlich ähnlich ist."[228]

Auch das überzeugt nicht. Grimal verwechselt hier die politische Form mit dem sozialen Inhalt. Die Barkiden waren Teil einer Gemeinschaft von Grundeigentümern, die zwar in Spanien weitgehend ungehindert agieren konnten, dafür aber auch im Zweiten Punischen Krieg wenig engagierte Unterstützung von ihrem eigenen Senat in Karthago bekamen ... was letztlich zur militärischen Niederlage Hannibals beitrug.

Das alles erinnert viel mehr an die politischen Usancen einer griechischen Polis als an jene der hellenistischen Staaten. Auch Griechenland hatte Führungspersönlichkeiten, die sich relativ „selbstständig" machen konnten, wie der berühmte Dionysios I. von Syrakus. Ja, dieses „Ausscheren" aus der gegenseitigen Kontrolle der großen Grundeigentümer gehörte zum typologischen Set eben dieser gegenseitigen Kontrolle. Im Reich der Seleukiden oder der Ptolemäer waren die Verhältnisse ganz anders. Die asiatische Produktionsweise, die unter, neben oder über dem antiken Eigentum existierte, zwang geradezu zu einer vertikalen Hierarchie und einer Spitze in Form eines Königs. Das war auch in den altorientalischen Reichen so und daran konnte die makedonische Tradition im 4. Jahrhundert zumindest formal ansetzen. Wieder besteht zwischen diesen beiden historischen Subjekten keine Entsprechung, nur eine Ähnlichkeit.

„Vergebens kämpfte Karthago in Sizilien gegen das Griechentum; auf karthagischem Gebiet selbst gab es eine recht volkreiche Kolonie von Griechen, die dort frei lebten und Handel trieben."[229]

Die Verwunderung, die in dem Passus zum Ausdruck kommt, ist der Anwendung eines nicht passenden Kriteriums auf die Antike, nämlich des bürgerlichen Nationalstaates, geschuldet. In Wirklichkeit unterschied sich Karthago in nichts von dem Typus der griechischen Polis: Grundeigentümer-Demokratie, Sklavenarbeit, Kolonisation, Welthandel. Der eigentliche Gegensatz, der zu einem Widerspruch auswuchs, lag woanders. Nicht zwischen Karthago und Griechenland, nicht einmal zwischen Karthago und Rom; sondern zwischen der antiken und der asiatischen Produktionsweise. Freilich spiegelte sich dieser Gegensatz und Widerspruch nicht immer in der politischen Geschichte wider – dafür weitaus deutlicher in der ökonomischen

Geschichte.

Der Gegensatz zwischen Karthago und Rom war kein Widerspruch, jener zwischen Athen und Persepolis sehr wohl. 1814 vollendete Jacques-Louis David (1748–1825) *Léonidas aux Thermopyles*. Das Datum der Fertigstellung hatte sehr wahrscheinlich nichts damit zu tun, dass 1814 die alten Mächte Europas mit Ludwig XVIII. „im Gepäck" in Paris einmarschierten. Das napoleonische System hatte fünfzehn Jahre lang mitgeholfen, die soziale Umwälzung der Französischen Revolution gegen eine Reaktion der Aristokratie zu verteidigen.[230] Zwischen beiden bestand nicht nur ein Gegensatz, sondern auch ein Widerspruch.

II. Die Antike verstehen

Kapitel 3: Das Fremde

Wenn wir heute – unter bürgerlichen Verhältnissen – alte Zivilisationen untersuchen, so finden wir darin etwas Fremdes, das uns aber gleichzeitig als etwas Allgemeinmenschliches vorkommt, gerade weil es uns fremd ist. Wenn wir aber heute – ebenfalls unter bürgerlichen Verhältnissen – die europäische Antike untersuchen, so finden wir darin viel Vertrautes, das uns aber gleichzeitig verstörend vorkommt, gerade weil es uns irgendwie vertraut ist. Das Rätsel dieser Zusammenhänge ist überhaupt nur durch den dialektischen Materialismus à la Marx lösbar.

Das Vertraute der Antike ist echt, weil es bürgerlich ist. Die antiken Produktionsverhältnisse beruhten auf dem Privateigentum – und damit auf unserer Räson. Hier wurde hauptsächlich für den Markt produziert. Diese Arbeitsteilung spiegelt sich in der Tatsache wider, dass Athen und ganz Attika empfindlich von den Getreideimporten aus der Pontusregion, Sizilien, Ägypten und vielleicht Karthago abhängig waren.[231] Der Handel mit Getreide blieb neben jenem mit Olivenöl und Sklaven während der gesamten Antike eine feste Marktkonstante. Rom war bekanntlich keine Ausnahme und dies hatte Produktionsauswirkungen auf die Provinz *Africa*. Hier ein Beispiel aus dem Ende des 2. nachchristlichen Jahrhunderts:

„In diesem Rahmen scheint ein weiterer Entwicklungsprozeß von großer Bedeutung gewesen zu sein: die Verlagerung des Schwergewichts vom Getreideanbau (im 1. Jahrhundert besorgte Africa zwei Drittel des Kornbedarfs der Stadt Rom) auf die

Kultivierung von Oliven."[232]

Die Mittelmeerwelt war auch Weltmarkt, es pendelte sich immer wieder ein neues Gleichgewicht ein. Und ganz deutlich sehen wir den Warencharakter dieser Ökonomie an Hand der hellenistischen Inflation und jener des 3. Jahrhunderts nach Christus. Oder an Hand der Tatsache, dass die westliche Mittelmeerwelt unter Karthagos Einfluss den Edelmetallgehalt ihrer Münze an jene der Lagiden in Alexandrien koppelte.

Das Vertraute sehen wir in der Tatsache, dass sich Regionen und Städte gerne auf die Produktion bestimmter Waren spezialisierten, mit denen sie einen überregionalen Markt bedienten.[233] Das Vertraute sehen wir im allgemeinen Geldverkehr und zwar auch im Nah- und Detailhandel, in Preisfestlegungen, Zöllen, Versicherungen (die berühmten Seedarlehen oder Schiffkredite), Reedereien, Handelskontoren, Schifffahrtslinien – die übrigens ab dem 2. Jahrhundert vor Christus alle auf Delos hielten. Wir sehen das Vertraute im Inhalt des römischen Gesetzbuches, das zur selben Zeit die Höhe der Strafen an der Höhe des finanziellen Schadens maß und nicht mehr, wie vermutlich in der archaischen Zeit, symbolisch bestrafte.[234]

Das römische Recht scheint uns so vernünftig, dass wir es im bürgerlichen Zeitalter weiterverwenden, während in der dazwischen liegenden Epoche des Feudalsystems Strafen einen ganz anderen, nämlich persönlichen und nicht-monetären Charakter hatten.[235] Im Falle Roms ist es die Herrschaft des Geldes und die Allgegenwart der Waren, die uns so selbstverständlich vorkommt. Das römische Bürgerrecht verlor mit dem Prinzipat seine politische Bedeutung und gewährleistete nicht mehr die Mitgestaltung der Plebejer im Staatswesen. Aber das, was davon übrigblieb, war keineswegs nichts: Erst das Bürgerrecht als Zivilrecht machte den Mann zu einem souveränen Warenbesitzer. Es gab ihm Zugang zu Ehe, Erbschaft, Versicherung, Kredit, Gericht, Polizei und Wiedergutmachung bei Schadensfällen. Nicht nur das Zivilrecht, auch das römische Steuersystem orientierte sich bis auf die Ausnahmen *tributum*, *spolia* und *annona* an der Geschäftstätigkeit der gegenüber den eigenen Waren souveränen Eigentümer.[236] Das alles kommt uns selbstverständlich vor. Aber nur deswegen, weil wir in einer bürgerlichen Gesellschaft leben.

Und gerade, weil das echte bürgerliche Zeitalter ab dem 18. Jahrhundert die Antike für sich wiederfand, ihrer Ästhetik nachspürte, ihren politischen Formenschatz für die eigenen, nun wirklich industriellen und nationalstaatlichen Verhältnisse anzuwenden suchte … gerade deswegen blieb es in einer Art tückischem Irrgarten stecken und konnte die Antike nicht restlos verstehen. Denn wiewohl die Antike bürgerliche Elemente aufwies – Privateigentum, Markt und das darauf aufbauende Individuum – so basierte sie im gleichen Maße auf Sklavenarbeit. Und dies nicht einfach nur so nebenbei, als moralischer Defekt, der durch die restliche Größe der Antike kompensiert worden wäre: Die Sklaven schufen die Mehrarbeit, die die von uns so bewunderte Zivilisation erst möglich machte.

Wie in allen vorindustriellen Gesellschaften ist der eigentliche Unternehmer weniger als Produzent denn als Händler anzusprechen und die Warenpreise wurden bei aller Gelegenheit mit Händlerzuschlägen und Steuern belegt. Das war aber nur möglich, weil die eigentliche Produktion dank Sklavenarbeit so billig und – vom Tauschwert her gesehen – so wertlos war. Einer der prominentesten Wirtschaftshistoriker zur Antike, Moses I. Finley, verweist zurecht auf das Fehlen eines Lohnarbeitsmarktes, der sich über die Höhe der Löhne selbst reguliert. Das ist unserer Ansicht nach ganz offenkundig: „Lohnarbeit“ konnte sich als zentrale ökonomische Kategorie nicht ausbreiten, weil der Hauptteil der Arbeit durch Sklaven erledigt wurde.

„In den großen ‚klassischen' Zeiten, also in Athen und anderen griechischen Stadtstaaten vom 6. Jahrhundert v. Chr. an und in Rom und in Italien vom frühen 3. Jahrhundert v. Chr. bis zum 3. Jahrhundert n. Chr., ersetzte die Sklaverei in wirksamer Weise andere Formen abhängiger Arbeit."[237]

Lohnarbeit blieb in der antiken Ökonomie ein Randphänomen, wie umgekehrt die Sklavenarbeit in der asiatischen Produktionsweise ein Randphänomen blieb. Oder vielmehr: Diese Analogie – es handelt sich nicht um eine Entsprechung – stimmt nur als Querschnitt. Denn Sklavenarbeit in den orientalischen Reichen konnte von Staats wegen konzentriert eingesetzt werden, ohne die eigentliche Basis der Mehrarbeitsproduktion der Fellachen (um pars pro toto auf Ägypten Bezug zu nehmen) zu ersetzen. In den antiken Reichen hingegen lag es in der Natur der Warenproduktion, dass sich Sklavenarbeit an der Basis immer stärker ausbreitete und sowohl die unabhängigen Bauern verdrängte als auch die Ausbreitung von Lohnarbeit behinderte. Die Lohnarbeit, die „an den Rändern der Ökonomie" bestehen blieb, ist nicht immer leicht zu fassen, da die historische Trennung zwischen Kleinbürgertum, Handwerk und klassischer Lohnarbeit noch nicht vollzogen war. Diese Aufspaltung war das Werk der großen Industrie von der frühen Neuzeit bis heute. Zwischen Handwerk und Lohnarbeit schob sich das industrielle Kapital und trennte beide Bereiche, indem das Ausmaß des „Kapitaleinsatzes" für das Handwerk erhöht wurde, sodass alle Mittellosen nur Lohnarbeiter, aber nicht Selbstständige werden konnten. Diese Spaltung war in der Antike noch nicht gegeben. Deswegen begegnen uns die Arbeiter einmal als Handwerker – wie die berühmten Banausen –, dann wieder als Tagelöhner. Vielsagend ist zum Beispiel folgender Bericht:

„(...) die in lateinischen Versen abgefaßte Grabinschrift eines Mannes, der als armer Bauer anfing, zwölf Jahre lang in

Numidia als Schnitter umherzog, der Vorarbeiter einer Gruppe von Schnittern wurde, schließlich ein Haus und Grundbesitz in Mactar erwarb und dort zum Ratsherren und Beamten gemacht wurde."[238]

Das Typische daran ist nicht der (bescheidene) gesellschaftliche Aufstieg, sondern dass Lohnarbeit eine Episode ist und zudem recht nahe beim Handwerk mit eigenen Produktionsmitteln angesiedelt ist. Vermutlich hatte der Schnitter seine eigene Sichel oder Sense mit. Das, was ihn von denen trennte, die nicht lohnarbeiten mussten, war disponibles Geld oder eine Parzelle, um selbst ein paar Agrarprodukte anzubauen. Zugespitzt formuliert: Der Schnitter stand dem Reichtum anderer gegenüber, der Arbeiter im Kapitalismus dem Kapital anderer. Trat im 18. Jahrhundert ein ehemaliger englischer Bauer in eine Fabrik als Arbeiter ein, dann stand er fremden Produktionsmitteln gegenüber, der Schnitter aus der römischen Provinz Africa hatte noch seine eigenen Produktionsmittel. Geld oder Kapital: Das macht den Unterschied. Wiewohl nicht nur der Gegensatz zwischen Kapital und Nicht-Kapital, sondern auch der Gegensatz zwischen Geld und Nicht-Geld bedeutsam sein konnte. Was uns an Berichten über antike Zivilzustände immer ins Auge springt: Wieviel Geld die einen gegenüber der Armut anderer haben können. Diese Ungleichheit konnte sehr groß sein. Wenn man den Quellen Glauben schenken will, war unter den Vermögenden eine Erbschaft von einer Million Sesterzen gut möglich.

„Dadurch wollten sie vermeiden, nochmals 50 000 sesterces an die Bevölkerung austeilen zu müssen (...)."[239]

... heißt es anlässlich einer Hochzeitsfeier Vermögender im 2. Jahrhundert. Nebenbei bemerkt musste der Geldumlauf der Münze erheblich gewesen sein. Ganz typisch für das antike Eigentum: Geldvermögen und nicht Kapitalvermögen wurde reproduziert. Umgekehrt: Armut wurde reproduziert, aber nicht die Trennung zwischen Arbeit und Eigentum an Produktionsmitteln. Letzteres war, wie gesagt, das Ergebnis eines einige Jahrhunderte andauernden politischen Prozesses ab dem Spätmittelalter. An diesem Punkt wird klar, dass der Satz „Sklaverei ersetzte in wirksamer Weise Lohnarbeit" nur ökonomisch stimmt, nicht historisch. Denn für die Herausbildung einer kompakten Klasse an Lohnarbeitern war deren Expropriation von den Produktionsmitteln Voraussetzung. Indirekt stimmt der Satz aber wieder, da in der Antike die Schuldner in die Sklaverei absinken konnten. Sklaverei und später Kolonat waren Endstationen des sozialen Abstiegs – nicht die Lohnarbeit.

Konzentriert war die Sklavenarbeit im Bauwesen, später in der Plantagen-Landwirtschaft und vor allem in den Bergwerken, von denen Historiker freilich auf Basis einer mehr als zweifelhaften Quellenlage annehmen, dass in solchen bis zu 20.000 Sklaven zum Einsatz kommen konnten. Das prominenteste Beispiel ist die Silbermine in Attika. Angeblich entflohen am Ende des Peloponnesischen Krieges („genau diese") 20.000 Sklaven aus Attika – wobei antike Zahlenangaben nie modernen Kriterien entsprechen und von Autoren so oft wiederholt und weiterverwendet werden, bis sie irgendwann als Tatsachen gelten.[240] Aber indirekt kann auf die Dominanz der Sklavenarbeit geschlossen werden, wie Moses I. Finley überzeugend darlegt:

„(...) es genügt zu sehen, dass Xenophon annahm, seine Leser würden diese Zahlen nicht für unmöglich halten (...) Es genügt zu sehen, daß der Metöke Kephalos nahezu 120 Sklaven bei der Produktion von Schilden beschäftigte, eine Zahl, die nicht bestritten wird, oder, um sich Rom zuzuwenden, daß der Stadtpräfekt Lucius Pedanius Secundus, der zur Regierungszeit Neros von einem seiner Sklaven erschlagen wurde, vierhundert Sklaven allein in seinem Stadthaus hielt (...)."[241]

Unter den „Arbeitsmarkt-Verhältnissen" der Sklavenarbeit wurde qualifizierte Arbeit zur Domäne des Kleinbürgertums, aber nicht der Lohnarbeit. Nehmen wir zum Beispiel die antiken Griechen: Das städtische Kleinbürgertum tendierte zum Wissensträger außerhalb der eigentlichen Produktion und verkaufte sein Wissen am Markt als Architekten, Geographen, Mathematiker, Schriftsteller und ... spezialisierte Soldaten (Söldner) oder Militärbeobachter, die zum Beispiel bei der Expedition Ägyptens in den heutigen Sudan eine Rolle spielten.

Es war zumindest in der römischen Antike nicht unmöglich, dass „Sklaven" ökonomisch als selbstständige Kleinbürger auftreten konnten – indem ihnen von ihren Herren ein *peculium* zugestanden wurde. Offensichtlich handelte es sich nicht um ein Eigentum, sondern nur um einen Besitz, der mitunter die Freiheit von der Sklaverei möglich machen konnte. Etwa so, wie einzelne Lohnarbeiter in der modernen Welt durch Glück und Geschick zu Selbstständigen aufsteigen können. Aber diese Tatsache ändert auch heute nichts an dem Befund, dass Lohnarbeit und Kapital dominieren, genauso wenig wie es für die Antike an dem Befund etwas änderte, dass Sklavenarbeit und Grundeigentum dominierten.

Moses I. Finley vertritt 1973 den Ansatz, dass in der Antike Sklaven überall dort zum Einsatz gelangten, wo eine dauerhafte Tätigkeit zu verrichten war, während die Tagelöhner nur für Arbeitsspitzen einzusetzen waren.[242] So gesehen stand Lohnarbeit sogar unterhalb der Sklavenarbeit, die, da als langfristiges wie günstiges Investment angelegt, auch qualifizierte Arbeit bedeuten konnte. Finley führt viele Beispiele an, wie Unfreie ganze Betriebe bzw. zumindest Arbeitsabläufe geleitet hatten, falls sich die Eigentümer oder Besitzer für die Rolle als operative Betriebsleiter zu schade waren. Das klingt plausibel – immerhin galt in der Antike nur Grundeigentum als das Maß der Dinge und immerhin lebten viele Grundeigentümer eher in der Stadt, fern der Agrarbetriebe.

Ob man nun Finley in dessen Ansicht, dass Sklaven auch für qualifiziertere Tätigkeiten in Frage gekommen wären, folgen mag oder nicht, der relevante Punkt ist auch hier: Sklavenarbeit verhinderte die Verallgemeinerung von Lohnarbeit. Und *damit* verhinderte Sklavenarbeit, dass die Arbeitszeit der Stoff der Spaltung der Lohnarbeit in Mehrwert und Profit wurde. In dieser Hinsicht verhinderte Sklavenarbeit die *Qualifikation* von Arbeitskraft, da diese Qualifikation immer von in die Produktivität reinvestiertem Mehrwert abhängig ist. Nicht deswegen, weil Sklaven an sich für qualifizierte Arbeit nicht geeignet gewesen wären; sondern weil Sklavenarbeit in der Antike der Akkumulation von Kapital im Wege stand.

Sklaven sind immer geraubte Produktionsmittel.[243] Aus diesem Grunde ist der Preis der Sklaven für den ökonomischen Kreislauf nicht relevant: Er ist nicht Wert, der verwertet wird. Im Grunde hätte sich nichts geändert, wenn es überhaupt keine Sklavenmärkte gegeben und jeder Sklavenhalter seine Sklaven selbst „eingefangen" hätte. Das klingt eigenartig, aber ein großer Teil der Sklaven wurde tatsächlich nicht gehandelt … sie reproduzierten sich als „Sklavenfamilien".[244] Wurden Sklaven verkauft, wiederverkauft und noch einmal wiederverkauft, stieg das Produktionsmittel Arbeitskraft keineswegs im Wert. Für die politische Ökonomie zählt nur die „Produktion von Sklaven" und es liegt in der Natur der Sklaverei, dass der Sklave entweder ein Mensch ist, der mit Gewalt in die Sklaverei geriet oder der bereits als Sklave geboren wurde. Das heißt: unter Verhältnissen, die diese Gewalt bereits in sich trugen. Die Preise für Sklaven schwankten und bildeten für die Käufer und Anwender gekaufter Sklaven eine relevante, wenngleich nach heutigem Verständnis bescheidene Betriebsausgabe. Ein zum Beispiel hoher Preis bedeutete aber nur, dass ein Eigentümer einen anderen Eigentümer übervorteilen konnte bzw. eine Diskrepanz zwischen Angebot und Nachfrage ausnutzen konnte. Es wurde dabei kein Wert geschaffen und auch kein Wert durch die Zirkulation realisiert. Vorderhand paradoxerweise war gerade die Wohlfeilheit der Sklaven der Grund, weshalb die Sklavenhalter kein Kapital akkumulieren konnten. Es war nicht der einzige relevante Grund, aber es war dennoch eine für die antike Produktionsweise spezifische Barriere, Industrie aufzubauen.

Nebenbei: Werden Sklaven in kapitalistischen Verhältnissen angewendet, steht die Sklavenarbeit einer Kapitalakkumulation nicht im Wege. Denn hier zählt, welche Produktionsweise das *ökonomische Milieu* dominiert. Deswegen ist auch die Analogie der antiken Sklaverei zu jener der amerikanischen Südstaaten vor dem Ende des Sezessionskrieges nur mit Vorsicht zu genießen. Im Falle der *Dixies* war es ganz offensichtlich, dass die ökonomischen Kreisläufe durch den sie umgebenden Kapitalismus bestimmt waren und die auf der ganzen Welt verkaufte Baumwolle der Südstaaten Wertrealisation bedeutete, die in die Kapitalakkumulation einfloss.[245] Wir brauchen nur nachzulesen, wie viele Textil-Fabriken Englands durch den Ausfall der Südstaaten am Weltmarkt zusperren mussten. Der weiteren Verwendung der Sklavenarbeit stand nur der technische Fortschritt im Wege – wenn wir technischen Fortschritt nach den Maßstäben des Kapitalismus messen und nicht nach jenen der Antike.

Andererseits dürfen wir nicht in den Irrtum verfallen, Sklavenarbeit wäre per se „unproduktiv“ oder stellte keinen Fortschritt der Produktivkräfte dar. Weshalb wäre sie dann in dem ganzen Jahrtausend der Antike angewandt worden? Gewiss stellt die Geschichte diese Frage nicht einem einzelnen Individuum, das diese zu beantworten hätte. Aber wir dürfen diese

Frage an die Geschichte stellen: Worin lag nun der Fortschritt der Sklavenarbeit?

Gegenüber der Produktion der italischen Bauern, die nur sich und die eigenen Familienmitglieder „ausbeuteten", sowie gegenüber dem kleinen Handwerk etwa in den griechischen Städten stellte Sklavenarbeit eine neue Form der Rationalität dar: Viele konnten gleichzeitig ähnliche oder aufeinander abgestimmte Handgriffe im Akkord erledigen. Die Arbeitsteilung ist hier bereits in der bloßen Existenz eines Aufsehers und Anleiters sichtbar.

„(...) die Aufhebung der selbstständigen Zersplitterung dieser vielen Arbeiter (...) an einem Ort unter sein Kommando, in einer Manufaktur versammelt (...) eine ihm entsprechende Produktionsweise auf die Beine stellt."[246]

Diese Zusammenfassung – „Assoziation" – vieler Arbeitskräfte unter einem Kommando an einem Ort ist bereits eine Hebung der Produktivkraft:

„Die Assoziation der Arbeiter (...) Produktivkraft des Kapitals."[247]

Marx spricht hier zwar meist vom Kapital, die Assoziation der Arbeiter ist aber nicht auf den Kapitalismus beschränkt:

„Sklaven sind an sich kombiniert, weil unter einem Meister."[248]

Sklavenarbeit ermöglichte größere Betriebe, größere Einheiten an In- und Output, größere Dimensionen ... etwa so wie heute im modernen Kapitalismus der Bankkredit und der Primärhandel an der Börse eine Ausweitung der industriellen Produktion ermöglichen.

Marx zitiert A. Smith bzw. Wakefield:

„Die in Gemeinsamkeit geleistete Arbeit von Sklaven ist produktiver als die Arbeit voneinander getrennter freier Männer. Die Arbeit freier Männer ist nur dann produktiver als Sklavenarbeit, wenn sie verbunden ist mit höheren Bodenpreisen und dem System der Einstellung für Arbeitslohn (...) In Ländern, wo der Boden sehr billig bleibt, leben entweder alle Menschen im Zustand der Barbarei oder einige von ihnen im Zustand der Sklaverei."[249]

Max Weber hingegen sah Sklaven ausschließlich in Manufakturen – oder wie er es auffasste: in Arbeits-Kasernen – zur Anwendung kommen.[250] Das ist sicher eine einseitige Sicht, da es auch Sklaven in privaten Haushalten gab. Aber was sehr wohl stimmt: Sklavenarbeit zog fast zwangsläufig die Arbeitsorganisation einer *Manufaktur* mit sich, eben weil der relevante Faktor die große disponible Menge an Händen, Füßen, Muskeln, Sehnen und Nerven war. Bei Karl Marx wird der Unterschied zwischen der Manufaktur und der Fabrik wie folgt gesehen:

„Das produktive Kapital oder die dem Kapital entsprechende Produktionsweise kann nur eine doppelte sein: Manufaktur oder große Industrie. In der ersten herrscht die Teilung der Arbeit vor; in der zweiten Kombination von Arbeitskräften (mit gleichmäßiger Arbeitsweise) und Anwendung von wissenschaftlicher Power, wo die Kombination und sozusagen der gemeinschaftliche Geist der Arbeit in die Maschine etc. verlegt ist. In dem ersten Zustand muß die Masse der Arbeiter (...) groß sein im Verhältnis zum amount of capital; im zweiten das Capital fixe groß zur Zahl der vielen zusammenwirkenden Arbeiter. (...) Die eigentümliche Entwicklung der Manufaktur ist die Teilung der Arbeit. Diese aber setzt voraus Versammlung (...) vieler Arbeiter unter ein Kommando (...). Gewisse Industriezweige, z.B. Minenarbeit, setzt von vornherein Kooperation voraus. Solange das Kapital daher nicht existiert, findet sie als Zwangsarbeit (Fron- oder Sklavenarbeit) unter einem Aufseher statt. Ebenso Wegebau etc. Um diese Arbeiten zu übernehmen, schafft das Kapital nicht die Akkumulation und Konzentration der Arbeiter, sondern übernimmt sie."[251]

– übernimmt sie von vorkapitalistischen Produktionsweisen, wie eben auch der antiken. Das Kapital übernahm von der Manufaktur-Organisation die „Akkumulation und Konzentration der Arbeiter". Die Fabrik des Kapitalismus hatte die Manufaktur eines „Vorkapitalismus" als Vorläufer. Marx hatte vermutlich die Manufaktur der Neuzeit vor der industriellen Revolution in Sinne. Aber diesen Typus, die Manufaktur, gab es tatsächlich bereits in der Antike. Die feudale Gesellschaft des europäischen Mittelalters mit ihrer Subsistenzproduktion hatte bloß keine Verwendung für sie. Ja, die antike Produktion war auch Manufakturproduktion. Wir müssen uns bloß die Exponate im Museum von Aquileia nördlich von Grado (Friaul-Julisch-Venetien) vor Augen führen, um einen Eindruck von der Massenproduktion ohne Maschinenkraft zu gewinnen. Aber es bedurfte nicht dieser Empirie, was die gedankliche Kraft der Analogie schafft und deswegen spricht Marx im Zusammenhang mit der Manufaktur auch die Sklavenarbeit an, vermutlich ohne die archäologischen Befunde zu kennen.

Im römischen Kaiserreich unterhielt das Militär eigene Werkstätten und ganze „Fabriken" zur Produktion aller Güter, die die Soldaten und ihre Umgebung benötigten. Es handelte sich (meist) nicht um kleinbetriebliche Werkstätten und sicher nicht um maschinengetriebene Fabriken. Sondern, wenn wir Werkstatt und Fabrik ausschließen, zwangsläufig um Manufakturen. Ob in diesen Soldaten oder Sklaven werkten, wissen wir nicht oder nicht immer. Aber der Unterschied war angesichts der Entrechtung der Soldaten während ihrer Dienstzeit nicht sehr groß.[252]

Zwangsarbeit in welcher Form auch immer (der Sklaven, der Ehefrauen, der römischen Soldaten, der spätantiken Kolonen) war in der Antike gang und gäbe und es ist plausibel, dass deswegen in den Manufakturen keine Tagelöhner oder sonstige Lohnarbeiter werkten.

Wenn wir im Folgenden hie und da den Begriff „Produktion von Sklaven“ verwenden, dann ist damit nur gemeint, dass die gesellschaftlichen Verhältnisse der Antike Sklaverei reproduzierten; es ist damit selbstverständlich nicht gemeint, dass Sklaven im ökonomischen Sinne als Waren produziert wurden – ja, das widerspräche der Sklaverei an sich. Sklavenarbeit war so normal, dass sie von antiken Autoren nur selten erwähnt wurde. In einer interessanten Stelle in Strabons *Geographika* zu den Sklavenumschlagplätzen Rhodos und Delos wurden sie nur wegen der Piraterie, die diesen Handel gefährdete, erwähnt, die Strabon deswegen für „schlecht“ hielt.[253] Die römischen Autoren berichteten öfter als die griechischen von der Menge an Sklaven, die die Vernichtung von gegnerischen Gemeinden, wie zum Beispiel Karthago, einbrachte. Diese Zahlen sind beeindruckend hoch, aber all diese Zahlen sind nicht als konkrete Werte zu nehmen. In der Antike war das Elend der Gegner immer Maß der eigenen *virtue*. Wir müssen dies eher so sehen: Jede Gewaltanwendung in der Antike brachte als Nebeneffekt auch Sklaven ein; es handelte sich um einen ständigen Fluss von Zufuhr und Abgang von Sklaven. Letzteres durch Ableben oder, vermutlich seltener, durch Freilassung. Dass Sklaven von ihren Eigentümern auch freigelassen werden konnten, änderte an der ökonomischen Bedeutung der Sklavenarbeit nichts. Sklaven wurden *systematisch* produziert. Durch die nicht abreißende Kette von Kriegen, Kleinkriegen und Bestrafung aufsässiger Städte, durch natürliche Reproduktion (wenn zumindest ein Elternteil beim Zeitpunkt der Geburt Sklave war), durch Schuldknechtschaft einzelner Unglücklicher und durch die List gewerbsmäßiger Versklaver. Laut Strabon waren eben die Kilikier in dieses Geschäft verwickelt. Das alles war aber nichts Unübliches und in der Antike so allgegenwärtig, dass es selten jemandem aufstieß und es erst recht niemandem einfiel, dagegen öffentlich die Stimme zu erheben.

„Es steht außer Zweifel, daß die allgemeine Lage (...) einen Bevölkerungsanstieg begünstigte. Viel entscheidender aber ist, daß infolge der unaufhörlichen Kriege (...) große Massen von Sklaven in die Stadt strömten. (...) Aemilius Paullus soll im Jahr 167 150.000 Sklaven verkauft haben. Nach der Eroberung Karthagos wurden von Scipio Aemilianus 50.000 Sklaven verkauft. Jeder Feldzug, selbst wenn er kaum in unseren Quellen Erwähnung findet, erhöhte die Zahl der in Italien verkauften Sklaven. Natürlich blieb diese große Zahl nicht in Rom allein. Sehr viele Sklaven wurden auf die Municipien verteilt und lebten auf den Landgütern (...).“[254]

Sehr interessant ist, dass zum Beispiel in Rom die Freilassung von Sklaven mit 5 % des Werts der freigelassenen Sklaven besteuert wurde.[255] Bei dieser Steuer handelte es sich neben den Warenzöllen um eine der wenigen fiskalischen Konstanten Roms bis zur Zeit der Kaiser, da der *tributum* (eine Art Einkommenssteuer) bis ins 3. Jahrhundert nur in den Kolonien eingehoben wurde – offensichtlich eine Form, die die Stadt am Tiber den hellenistischen Königreichen abgeschaut hatte, die es ihrerseits von den altorientalischen Reichen übernommen hatten. Dies war ein Element der asiatischen, während die Steuerfreiheit ein Element der antiken Produktionsweise war. Vor *diesem* Hintergrund ist die „Bestrafung“ des Sklaven-Freilassens mit einer Steuer von 5 % umso bemerkenswerter.

Die Sklavenarbeit ging in der Antike mit der Bestimmung einher, dass nur Grundeigentümer echte Vollbürger sein können. Zuerst erscheinen beide Elemente zufällig miteinander kombiniert. Aber vielleicht gibt es einen inneren Zusammenhang? Die Gewalt gegenüber den Unfreien (Sklaven) bedeutete nicht dieselbe Gewalt gegenüber den Freien (Periöken, Zeugiten, Theten, freie Frauen). Aber diese Gruppe der freien Nichtgrundeigentümer blieb rechtlos bzw. zumindest nicht mit denselben Rechten ausgestattet wie die Grundeigentümer. Die Entrechtung der Nichteigentümer bedeutete ebenfalls eine Art von Gewalt ... stille Gewalt. Vielleicht nicht vom historischen Ablauf her, aber „strukturell" gesehen, verbindet die Gewalt die Unfreien mit den rechtlosen Freien. Jeder Apartheidstaat bedeutet nicht nur Unterdrückung der am stärksten ausgebeuteten Klassen, sondern in abgestufter Form auch aller Schichten zwischen diesen und den eigentlichen Herren. Das besondere Ausmaß der Gewalt gegenüber den Produzenten der Mehrarbeit macht die Monopolisierung der Gewalt naheliegend. In dieser Hinsicht verfestigte die Sklavenarbeit die ganz erstaunliche Schlechterstellung der Frauen in der griechischen Antike, selbst jener der „guten gentes". Gewiss waren Frauen auch in den Staaten mit asiatischer Produktionsweise (Uruk, Sumer, Akkad, Assur, Ägypten) von der Verwaltung der den Bauern abgenommenen Mehrproduktion in der Regel ausgeschlossen, aber zumindest in der dörflichen Agrarproduktion den männlichen Bauern gleichgestellt. Und die dörfliche Agrarproduktion war das Herz der asiatischen Produktionsweise.

Die griechische Frau hingegen wurde zur rechtlosen Haussklavin der Männer, aus dem öffentlichen Raum ausgeschlossen und in das „Halbdunkel des *gynaikon* verbannt", wie es ein Historiker einmal treffend formulierte. Es gab regionale und lokale Besonderheiten und sogar Ausnahmen von dieser Regel. Die weiblichen Spartiaten konnten sich etwas mehr Selbstständigkeit erhalten, offensichtlich ein Element des sozialen und ökonomischen Konservativismus Spartas. Aber generell war die Sklavenhaltung ständiges Vorbild der griechischen Männer, in welche Lage andere zum Gedeihen des eigenen Privateigentums gebracht werden können.

In der zeitgenössischen Literatur und in der bürgerlichen Geschichtsschreibung taucht mitunter das „Argument“ auf, den Frauen und den Sklaven wäre es eigentlich je nach Lage der Dinge gar nicht so übel ergangen – es hätte ja auch humane Herren gegeben. Diese Betrachtungsweise kann jede Entrechtung und jede Gewalt ästhetisieren und weist von dem eigentlichen Punkt weg: Gab es eine Wahlmöglichkeit für die Betroffenen? Auch der Hinweis, dass wenigstens im privaten Haushalt die Frauen die Herrinnen gewesen seien, bedeutet eigentlich nichts anderes, als dass sie ihren Männern, Brüdern, Söhnen und Onkeln die Annehmlichkeiten eines Haushaltes selbstständig zu organisieren hatten. Interessanterweise findet diese Stellung als dienende Organisation ihr Entsprechung ... bei den Sklaven, und zwar bei dem *villicus*.

In der gesellschaftlichen Stellung der Frau in der Antike spiegelt sich auch die Brutalisierung der sexuellen Verhältnisse wider. Genauer: Die ständige sexuelle Verfügbarkeit der Frauen für die Männer. Dort, wo freie Frauen das Recht auf Keuschheit behalten konnten, wichen Männer auf den „Gebrauch“ von Sklavinnen aus. Im römischen Reich war die Freilassung von Sklaven üblicher als in Griechenland. Indes erwartete man allgemein, dass Sklavinnen aus Dank für ihre Freilassung ihren ehemaligen Eigentümer in jeder Hinsicht gefällig sein müssten.[256] Wie Dominosteine stützte das eine das andere: Die Lage der Freigelassenen wird durch die Tatsache der Sklaverei geprägt; die Lage der Ehefrauen durch die Leistungen der Freigelassenen. Nicht zufällig entstanden die konservativen „Sittengesetze“ eines Octavians in diesem Kontext.[257] Hier ging es darum, die Ehe als Voraussetzung der Reproduktion des Standes an Grundeigentümern, den Senatoren, zu bewahren. Dass diese Herren Kinder mit Sklavinnen hatten, war gar nicht unüblich. Die Schwierigkeit bestand nur darin, dass Sklavenkindern wohl kaum generell Bürgerrechte zu gewähren sei. Es würde die Institution der Sklaverei gefährden. Diese Gefahr stand jedoch in Widerspruch zu einer anderen: der Zerrüttung der Ehe mit deren Funktion, den Nachkommen Eigentum vererben zu können. Ein unlösbares Dilemma, das selbst der besagte *princeps augustus* in seiner ganzen Herrlichkeit nicht lösen konnte.

Es gab in den gut tausend Jahren der antiken Epoche erhebliche Unterschiede, etwa zu den altorientalischen Reichen. Wir haben bereits den wichtigsten Punkt erwähnt: Hier war die Sklaverei nur am Rande üblich, als Einsprengsel in den ökonomischen Körper der asiatischen Produktionsweise. Die Orientalisten weisen mitunter darauf hin, dass in diesen Kulturen die Tradition der Verehrung der Fruchtbarkeit zumindest noch in Spuren vorhanden gewesen sei. Zumindest war diese Tradition noch nicht durch die Warenproduktion säkularisiert. Aber auch in Griechenland selbst gab es bedeutsame Unterschiede. Sparta erwähnten wir bereits. Aber auch bzw. noch mehr hatten sich die nördlichen Flächenstaaten wie Makedonien eine archaische Sozialstruktur bis in die klassische Periode Mittelgriechenlands bewahrt.

Wie Alexanders Mutter aus dem Schatten trat und selbst Politik machte, alleine dies wäre in Athen, Korinth, Theben und Sparta schlichtweg unmöglich gewesen. Olympias von Epirus, die Witwe Philipps, konnte zeitweise die Rolle einer Neben- und Gegenregierung übernehmen und während der ganzen Diadochenkämpfe treten immer wieder Frauen aus den Schatten, den die Männer sonst auf sie werfen: entweder als Regentinnen, Diplomatinnen oder zumindest als Prinzessinnen, die ihren Gatten zu Legitimität verhelfen sollen (Eurydike, Thessalonike, Arsinoë II.).[258] Der – für damalige Verhältnisse beachtliche – Aufstieg der Frau fand in den hellenistischen Staaten statt. Denn hier kombinierten sich altorientalische Sitten mit makedonischen. Selbst Historiker, die uns nur die politische Geschichte erzählen wollen, können an den Frauen nicht vorbeigehen und erwähnen Stratonike, Olympias von Epirus, die vier Arsinoës, die Berenikes, Thessalonike, Laodike und viele andere. Diese mächtigen Frauen gehörten zur regierenden Kaste; über die Stellung der Frauen in der restlichen hellenistischen Gesellschaft sagt dies nichts aus. Dennoch ist der Kontrast zu den typisch antiken Verhältnissen deutlich:

„Im Jahre 253 hatte Stratonike, die Schwester des Seleukiden, den jungen Demetrios, den Sohn des Antigonos geheiratet. Die Könige hegten die Hoffnung, daß eine seleukidische Prinzessin eines Tages Königin von Makedonien sein und daß die beiden Königreiche, wie sie es gerade getan hatten, eine geschlossene Front gegen die ehrgeizigen Bestrebungen der Lagiden bilden würden."[259]

Oder besuchen wir kurz die Illyrer ungefähr zur selben Zeit:

„Agron starb bald nach seinem Sieg. Auf dem Thron folgte ihm seine Gattin, die Königin Teuta, als Regentin ihres Sohnes (. . .)."[260]

Teuta geriet in Konflikt mit Rom, das seine Hand nach dem neben Illyrien gelegenen Makedonien ausstreckte. Ein Vorwand ist immer rasch gefunden, im nahen Phoinike:

„Die Illyrer haben hier italische Händler, die zu Geschäften in der Stadt weilten, ermordet."[261]

Der Senat von Rom schickte zwei Verhandler zu Teuta. Diese ließ sich nicht beeindrucken:

„(. . .) empfing die römischen Botschafter sehr ungnädig, antwortete, daß es ihren Untertanen freistünde, die Seeräuberei zu betreiben, wie es ihnen beliebe, und daß sie selbst sich wenig um die Römer kümmere."[262]

Hier gibt es ein Muster: Immer dann, wenn die Männer eine schwache politische Performance boten, und das war im Hellenismus mit seinen unzähligen *Antigonoi*, *Antiochoi* und *Ptolemaioi* nicht selten der Fall, nutzten Mütter, Töchter, Gattinnen und Schwestern die Gunst der Stunde. Dass sie dabei grundsätzlich nichts anderes unternahmen als die Männer an ihrer Seite, versteht sich von selbst. Hier bestimmte die ökonomische Basis das Set an politischen Optionen, das den Akteuren zur Verfügung stand.

Übrigens: Während der politische Überbau des Hellenismus mehr mit den Traditionen der asiatischen Produktionsweise als mit der Sklavenhaltergesellschaft der Poleis gemein hatte, verhielt es sich an der Basis spiegelverkehrt: Hier zog die Warenökonomie der Sklavenhalter ökonomische Ressourcen der anderen Produktionsweise an sich. Die große hellenistische Inflation spricht eine klare Sprache: Das Gold des Achämenidenreiches wurde kapitalisiert, ungefähr so, wie die atlantischen Mächte Europas im 16. Jahrhundert das Gold Mittel- und Südamerikas kapitalisierten. Es floss mehr Edelmetall und Münze in den Warenkreislauf der Mittelmeerwelt als neue Warenwerte. Die Folge: eine Inflation, die zur sozialen Umverteilung beitrug und den inneren Zusammenhalt der Gemeinwesen schwächte. Verstärkt wurde der inflationäre Effekt durch diverse Währungsreformen antiker Staaten, etwa indem Karthago und diverse griechische Poleis den Edelmetallgehalt der eigenen Münze jenem des Ptolemäischen Ägyptens anpassten.

Die Geschlechterverhältnisse im römischen Reich wiederum hatten mehr mit der griechischen Gesellschaft zu tun. Indes, ganz so inferior wie unter den Griechen ging es hier nicht mehr. Rom übernahm ja einige politische Elemente des Hellenismus und machte sie endgültig mit der eigenen Sklavenhaltergesellschaft kompatibel. Die Geschlechterverhältnisse dienten hier auch als ein Beispiel, wie – mitunter auf indirekten Wegen – die Sklaverei Verhältnisse außerhalb der Sklaverei prägen musste. Das bedeutet nicht, dass nur die Sklaverei diese „Basisfunktion" hatte, aber immerhin hatte sie diese.

Sklavenarbeit als Produktionsweise – hier im engeren Sinne gemeint als eine spezifische Anwendung von Produktivkraft, nicht als „Gesellschaftsformation" – ist in der Geschichte nicht an das Privateigentum gekoppelt.[263] Sie kann auch als ein Element einer Produktionsweise auftreten, in der die individuellen Besitzer von einem Staatseigentum getrennt sind, wie in der asiatischen Produktionsweise. Das, was die Antike hingegen ausmacht, ist die Kombination mit dem individuellen Grundeigentum. So finden wir im 2. Punischen Krieg folgendes interessante Detail:

„Um der militärischen Situation, die sehr ernst war, Herr zu werden, ernannte man einen Diktator, M. Junius Pera, man kaufte Sklaven frei, die man bewaffnete (. . .)."[264]

Rom kaufte von sich selbst Sklaven frei – ein bemerkenswerter ökonomischer Vorgang! Ein ähnliches Verhalten wäre im Osten (Mesopotamien, Altindien, Persien, ja selbst im lagidischen Ägypten) völlig undenkbar gewesen. Nicht, dass dort nicht Sklaven freikommen konnten, um als Soldaten zu dienen. Das Bemerkenswerte ist, dass der Staat Rom die Sklaven seiner eigenen Bevölkerung abkaufen musste. In den altorientalischen Reichen hätte die Staatsspitze die Bewaffnung der Sklaven einfach angeordnet. Die Könige, Großkönige und hellenistischen Despoten hätten ihren eigenen Untertanen die Sklaven nicht abkaufen müssen. Den Marktverhältnissen hätten sie bloß insofern Tribut gezollt, als sie fremde Söldner entlohnten. Aber das entspringt bloß einem äußeren Verhältnis. Im Inneren der orientalischen Gesellschaft ist der Staat bereits Eigentümer der Produktionsmittel; er braucht sie sich nicht selbst zu verkaufen.

Er könnte dies auch gar nicht, weil es sich bei diesen um ein kollektives, nicht tangibles Eigentum handelt. In der europäischen Antike hingegen besteht der Staat aus einem Club individueller Wareneigentümer – somit ist hier nicht irgendein Eigentum konzentriert, sondern *Privateigentum*. Dieses Eigentum gehört *nicht* dem Staat, sondern den Privatpersonen. Das, was dem Staat gehört (Capitol, Akropolis, „lange Mauer", Hafen), wurde ihm von Privatpersonen übertragen – nicht umgekehrt wie im Osten, wo die Privatpersonen nur Besitzer sind.

Hier ein weiteres Beispiel für das Verhältnis zwischen Staat und Eigentum, wieder aus der Zeit des 2. Punischen Krieges: Mitunter übernimmt der antike Eigentümer sogar staatliche Aufgaben als Privatperson. P. Scipio – der spätere *Africanus* – muss gegen Karthago eine Privatarmee aufstellen, da der Senat von Rom, wohl aus Klassendünkel, Scipio misstraute und ihm das staatliche Militär nicht in die Hand geben wollte:

„Doch wenn er auch das Recht hatte, eine Landung in Afrika vorzubereiten, so durfte er hierfür dennoch keine offizielle Unterstützung in Anspruch nehmen. Alles mußte mit Hilfe von Privatpersonen geschehen."[265]

In den hellenistischen Staaten war es während der Diadochen-Kämpfe ebenfalls nicht unüblich, „Privatarmeen" aufzustellen. Aber in all diesen Fällen von einer Person, die für sich beanspruchte, die legitime Staatsspitze zu sein, auf der das kollektive Eigentum beruht. Diese Ereignisse erinnern weit mehr an das Agieren des Dareios I., gegen dessen Thronkonkurrenten nach dem Tode Kambyses' I. als an das Agieren Scipios. Dieser handelte als Privatperson anstelle des Staates und nicht als alternativer Staat.

Bereits im 1. Punischen Krieg wurden die Privateigentümer aktiv:

„Es war der Patriotismus der Römer, der nun die Situation

rettete. Die Privatleute steuerten großzügig zur Ausrüstung einer neuen Flotte bei (...).“[266]

Und in den griechischen *poleis* war die Selbstverpflichtung der Bürger auch in weniger dramatischen Situationen gang und gäbe. Viele öffentliche Leistungen wurden von Privatpersonen zur Verfügung gestellt: Bankette für den Chor, Errichtung von Statuen und Ähnliches. Nun könnte an dieser Stelle bemerkt werden, dass nur die kleine und überschaubare Welt der Polis für diese Art der „Bürgerbeteiligung“ in Frage kommen konnte. Das ist aber nicht der Punkt. Auch im römischen Reich, selbst in den Jahrhunderten der Ausbreitung, in der das *orbis terrarum* mit dem *orbis romanum* geradezu verschmolz, war es gang und gäbe, dass Bürger aus der Privatbörse der Öffentlichkeit etwas bezahlten. Ein ungeschriebenes, aber umso wirksameres Gesetz: Vermögende verteilen im Zuge der Besetzung einer öffentlichen Position Geschenke und nur Vermögende bewerben sich um eine öffentliche Position. Ob hier ein Zusammenhang besteht? Sollen die hohen Ämter auch über dieses Mittel den Vermögenden vorbehalten werden? Nicht, dass hier Absicht am Werk war – vermutlich entsprach diese Sitte einfach der alten Tradition, dass der Staat nichts anderes als die Vereinigung der Grundeigentümer ist – ausgezeichnet durch ihr Privatvermögen. Hier und da kommen selbst freigelassene Sklaven in der Kaiserzeit zu einem Sitz im Senat – aber nur durch erworbenes Vermögen. Und sie bleiben Ausnahmen, die am Charakter des Senats als Club der Reichen nichts ändern.

Nehmen wir noch ein Beispiel für das Verhältnis zwischen Staat und Eigentum in der Antike. Selbst die Steuereinhebung war in der römischen Republik ein Privatgeschäft, wenngleich diese Praxis nicht auf die Antike beschränkt blieb und zum Beispiel im Frankreich des 18. Jahrhunderts ebenfalls Anwendung fand. Aber in der Antike: Für die Erlangung dieser lukrativen

Konzession musste wiederum aus der Privatbörse eine hohe Gebühr bezahlt werden. Und im Prinzipat war das offiziell staatliche Budget des vom Senat verwalteten Staatsschatzes nebensächlich gegenüber dem *fiscus* des Kaisers. Der *fiscus* setzte sich zuerst zum guten Teil aus dem Privatvermögen des Kaisers zusammen. Der *fiscus* unterlag keiner öffentlichen Kontrolle, er konnte aber auch nicht einfach an die leiblichen Nachkommen vererbt werden, sondern ging in das Eigentum des nächsten Kaisers über. Somit hatte der *fiscus* sowohl eine antike, als auch eine orientalische Seite … so, als würde es sich um das überindividuelle Staatseigentum der Achämeniden handeln.

Aber eben nicht nur. Denn der *fiscus* bedeutete auch, dass ein guter Teil der kaiserlichen Infrastruktur bis zur Wende zur Spätantike unter Diokletian eine Sache des Privateigentums blieb. Das Privateigentum hatte in der gesamten Antike *als Element des Staates* eine viel deutlichere Rolle als heute, obwohl das Privateigentum im industriellen Kapitalismus eindeutig ein Produktionsverhältnis ist. Selbst die realen Unterschiede der Staatsform zum Beispiel zwischen Athen und Rom – und auf den Ursprung dieser Unterschiede werden wir später näher eingehen und ihm eine Rolle bei der finalen Aufhebung des antiken Eigentums zuweisen – verblassen, wenn wir die Antike mit dem modernen Nationalstaat vergleichen. Denn dieser ist ja gerade dadurch entstanden, dass das Kleinbürgertum und die Besitzlosen das bürgerliche Eigentum gegenüber dem feudalen Eigentum aus der Taufe hoben. Die Englische, Holländische, Amerikanische und vor allem Französische Revolution schufen einen Staatstypus mit einem vom Eigentum getrennten Staatsbürger (*citoyen*), der für viele Länder der Erde heute maßgebend ist. Hier bedeutet „Staat“ eine von der privaten Sphäre getrennte Öffentlichkeit und das Eigentum verschiebt sich aus der öffentlichen Sphäre in die der industriellen Produktion. Deswegen verstehen wir, wenn wir auf den antiken Staat blicken, das uns so vertraute Privateigentum der Antike nicht ohne weiteres. Die Voraussetzung für die Verschiebung von Öffentlichkeit und Eigentum im modernen Staat ist auch die industrielle Produktion. Dieses Element fehlte der Antike und deswegen war hier Privateigentum Öffentlichkeit und Nichteigentum Nichtöffentlichkeit. Weshalb aber konnte die antike Gesellschaft keine industrielle Produktion entwickeln? Weshalb konnte sie nicht von der Manufaktur zur Fabrik übergehen? An diesem Punkt kommen wir wieder zu dem Einfluss der Sklavenarbeit zurück. Die Sklavenhaltung vermehrte zwar das Privateigentum, indem es mehr Surplusproduktion als die historisch vorangehende kleinbürgerliche Produktion erlaubte. Aber unter den Verhältnissen der Sklavenhaltung konnte sich das Privateigentum auch nicht zu einer anderen Produktionsweise weiterentwickeln. Es blieb in seiner eigenen Lukrativität gefangen. Reichtum blieb Geldreichtum und wurde nicht zu Kapitalreichtum. Die – eigentlich recht zahlreichen – technischen Erfindungen der Antike konnten nicht Technologie werden und blieben deswegen in den Kinderschuhen stecken. Insofern die Sklavenarbeit Lohnarbeit ersetzte, ersetzte sie auch das der Lohnarbeit eigene Potential der qualifizierten Arbeit. Die Sklaven konnten kein Interesse an der Produktivkraft der Arbeit haben, deren Kraft nicht einmal ihnen gehörte. Die Sklavenarbeit war immer so billig, dass sich die Investition von mehr konstantem Kapital nicht lohnte. Es wurden zwar Betriebe ausgeweitet und Landgüter „akkumuliert“. Aber es handelte sich nicht um echte Akkumulation, um die zur Arbeitskraft *relative* Vermehrung der Produktionsmittel. Es gab keine der Ökonomie eigene Tendenz, die „organische Zusammensetzung von Kapital“ (Karl Marx) zu erhöhen, die selbst wiederum Faktor des Anstiegs der Arbeitsproduktivität, der Verkürzung des

Arbeitstages, der Steigerung der Intensität der Arbeit und der Qualifikation der Arbeitskraft wäre. Ein Wirtschaftshistoriker hatte einmal sehr treffend vermerkt, dass die antike Wirtschaft jede Schwierigkeit dadurch zu lösen suchte, dass sie einfach „more of the same" machte. Es fand keine relative Verschiebung zwischen „Kapital" und „Arbeit" zugunsten des „Kapitals" statt. Keine Lösung durch eine neue Qualität, sondern nur durch mehr an Quantität.

Freilich dürfen wir die Sache nicht so verstehen, dass Europa ohne Sklavenarbeit der Antike früher bei einer Industrialisierung angekommen wäre. Für die industrielle Revolution des 18. Jahrhunderts herrschten spezifische Bedingungen vor und vielleicht hätte eine frühe Industrialisierung ganz andere Eigenschaften gehabt. Vor allem aber: So stellt sich die Frage nicht, denn für die antike Sklavenarbeit gab es keine subjektiven Alternativen. Sie war strukturell in der Gesellschaft verankert. Positiv können wir über die Alternativen nichts sagen. Negativ aber schon: Unter den Verhältnissen der Sklavenarbeit blieben zwei zentrale Sektoren außerhalb der Verwertung im Warenmarkt stecken: der Lohnarbeitsmarkt und der Kapitalmarkt, der von Investitionen in ein konstantes „Kapital" Nutzen gehabt hätte.

„Zum Beispiel waren sowohl Löhne wie Zinssätze in griechischer und römischer Zeit über lange Perioden lokal ziemlich stabil (abgesehen von plötzlichen Schwankungen in Zeiten heftiger politischer Auseinandersetzungen oder bei militärischen Eroberungen), sodaß man die Situation sogleich verfälscht, wenn man von einem ‚Arbeitsmarkt' oder ‚Geldmarkt' spricht."[267]

Die konkrete Begründung Moses I. Finleys – die stabilen Preise – überzeugt zwar nicht ganz, aber die Beobachtung an sich, dass im Vergleich zum echten Kapitalismus der Warenmarkt bezüglich Lohnarbeit und Kapital nicht entwickelt war, ist angesichts der weitverbreiteten Sklavenarbeit ganz plausibel. Das Spannende an der antiken Wirtschaft ist gerade dieser Punkt: Sie schuf Reichtum durch eine extreme Form der Ausbeutung, aber sie konnte diesen Reichtum nicht produktiv konsumieren, sondern nur unproduktiv. Sie konnte sich nicht selbst revolutionieren und die ihr eigenen Widersprüche ermangelten (deswegen) des Potentials, aus sich heraus zu etwas Höheren zu finden. Sie konnte nur an ihrer eigenen geographischen Ausweitung scheitern.

Die Dialektik dieser Entwicklung lässt sich erst aufrollen, indem wir das antike Grundeigentum und die antike Sklaverei nicht losgelöst als zwei Formationen hintereinanderstellen, sondern indem wir das eine (das Grundeigentum) als Ausgangspunkt des anderen (der Sklavenarbeit) sehen. Das Grundeigentum ist aber nicht nur Ausgangspunkt, sondern auch Endpunkt: Gerade wegen der Sklavenarbeit kann in der Produktion erwirtschafteter Reichtum nicht Kapital werden und fließt deswegen zum Grundeigentum zurück. Die fortschreitende Konzentration des Eigentums drückt sich in einer fortschreitenden Konzentration von Grund und Boden aus. Genau das bedeutet der Begriff *antikes Eigentum*.

Nun ist klar:

In der Antike beinhalteten die *Eigentumsverhältnisse* Privateigentum, die *Produktionsweise* beinhaltete Sklavenarbeit – oft, aber nicht notwendigerweise in Manufakturen. Die Existenz des Sklaven ist freilich auch ein Verhältnis, nicht eine Produktionsweise. Eigentumsverhältnisse und Produktionsweise sind etwas Unterschiedliches. Erst wenn unter Privateigentum die Produktionsweise auf die industrielle Anwendung von freier Arbeit trifft, handelt es sich um Kapitalismus. Ist die freie Arbeit selbst kollektiver Eigentümer, handelt es sich um sozialistische Produktionsverhältnisse, die sich somit von den kapitalistischen und den antiken Verhältnissen unterscheiden.

Übrigens: Bei Wikipedia heißt es unter dem Suchbegriff Sklaverei:

„Sklaverei als Gesellschaftsform. In der Gesellschaftstheorie des Marxismus und Leninismus wird unter ‚Sklaverei' eine ökonomische Gesellschaftsform verstanden, die auf dem Eigentum des Sklavenhalters an den Produktionsmitteln (Nutzflächen, Maschinen usw.) und an den unmittelbaren Produzenten (Sklaven) beruht. Karl Marx, der die Sklaverei für die roheste und primitivste Form der Ausbeutung und den Gegensatz zwischen Sklaven und Sklavenhalter für einen archaischen Klassengegensatz hielt, bezog den Begriff Sklavenhaltergesellschaft ausschließlich auf die antiken Gesellschaften. Marx beschrieb jedoch (. . .).“[268]

. . . weshalb „jedoch“? . . .

„(. . .) auch, wie als Überbauphänomen der Sklaverei politische, juristische und philosophische Anschauungen entstanden, die den Sklavenhaltern als Machtinstrument dienten. Nach dem amerikanischen Historiker Ira Berlin, zu dessen Hauptwerk zwei Monografien über die Geschichte der Sklaverei in den Vereinigten Staaten zählen, müssen zwei Formen von Sklaverei unterschieden werden. Die Gesellschaft der amerikanischen Südstaaten vor dem Sezessionskrieg sei eine typische ‚Sklavengesellschaft' (engl. slave society) gewesen. In Sklavengesellschaften beruhen die zentralen Produktionsprozesse – im Fall der Südstaaten der Anbau von Zuckerrohr, Tabak, Reis und Baumwolle in Plantagen – auf der Arbeitskraft von Sklaven. Dagegen spielen in ‚Gesellschaften mit Sklaven' (engl. societies with slaves), wie sie z. B. in der griechischen und römischen Antike bestanden, die Sklaven nur eine marginale Rolle in der Ökonomie. Infolgedessen bilden die Sklavenhalter in Sklavengesellschaften die herrschende Klasse, während sie in Gesellschaften mit Sklaven nur einen Teil der begüterten Elite ausmachen."[269]

Die Unterscheidung zwischen *slave society* und *societies with slaves* ging gründlich schief oder wurde von der Wikipedia-Autorengemeinschaft falsch dargestellt. Wie auch immer, in Wirklichkeit muss zwischen einer Produktionsweise im engeren Sinne und einer Produktionsweise im weiteren Sinne – als eine „Gesellschaftsformation" – unterschieden werden. Mit letzterer ist bei Marx nicht gemeint, dass die ganze Gesellschaft darin als eine Klasse involviert ist. Selbst heute, in einem Kapitalismus mit globalem Ausmaß, gibt es in allen Ländern Bauern und kleine Selbstständige, Dienstleister aller Art, die weder Lohnarbeiter noch Kapitalisten sind. Dennoch bezweifelt (zu Recht) kaum jemand, dass unser Wirtschafts- und Gesellschaftssystem als „Kapitalismus" bezeichnet werden kann. Es geht immer nur darum, welche Produktionsweise einer Gesellschaft dieser ihre eigenen ökonomischen Gesetzte „unterjubeln" kann. Auch die Bauern und das urbane Kleinbürgertum bewegen sich im Meer der industriell hergestellten Waren, des Geldes, der Versicherungen, der Prämien, des Patentschutzes, des Saatgutmonopols, der Liefer- und Abnahmeverträge und so weiter und so fort. Nicht die Uniformität der Klassenzugehörigkeit macht eine Gesellschaftsformation aus, sondern die Dominanz der ökonomischen Spielregeln.

Der Begriff „Gesellschaftsformation" ist als Analogie zu der Formation als Entwicklungsstadium etwa der Arten oder der Erdgeschichte gemeint. Es ist ein historischer Begriff des Materialismus, kein soziologischer. Es ist aber auch ein dialektischer Begriff, zumindest bei Marx. Denn es wird dabei jener Strang des Geschehens in den Vordergrund gerückt, der als Positivum seiner eigenen Negation in die Geschichte eingeht. In diesem Zusammenhang kann von der amerikanischen Sklavenarbeit im 19. Jahrhundert höchstens als eine Produktionsweise im engeren, technischen Sinne gesprochen werden, nicht aber als Gesellschaftsformation. Die Sklavenarbeit in den *Dixies* war komplett eingebettet in das ökonomische Milieu des Weltkapitalismus: Distribution, Kapital, Kredit, Bodenrente, Transport, Versicherungen, Warenverkauf, Wertrealisation. Im Inneren, also in der Produktionsweise im engeren Sinne, war die Lohnarbeit durch die Sklavenarbeit ersetzt. Dieses Faktum mag zuerst einmal Kosten eingespart haben, verhinderte aber auch eine Steigerung der Arbeitsproduktivität durch Technologie und der damit verbundenen Qualifikation des Faktors Arbeit. Das ist auch ein Grund, weshalb Sklavenarbeit nur in besonders primitiven und archaischen Branchen möglich war und auch hier – im Kapitalismus – eigentlich ein Fremdkörper blieb.

Ein Fremdkörper freilich, der seine Umgebung keineswegs gefährdet oder ihr widerspricht. Nicht gleich, aber ähnlich, verhält es sich mit dem organisierten Verbrechen: Die Wirtschaftsstruktur der Mafia beinhaltet Elemente, die mit den ökonomischen Usancen des Kapitalismus nicht konform gehen. Gleichzeitig gefährden sie den Kapitalismus in keiner Weise. Die Sklavenarbeit der Dixies beinhaltete freilich noch mehr Elemente, die mit dem Kapitalismus nicht konform gingen, aber sie gefährdete den Kapitalismus ebenfalls nicht. Es gab indes ökonomische Gründe, die für die Beendigung der Baumwollproduktion mittels Sklaven sprachen und – um bei unserem Vergleich zu bleiben – die Mafia weiter bestehen ließen, was indes eher ein zufälliges Element der Geschichte ist. Einfach formuliert: Selbst die Baumwollproduktion kann mittels mehr Kapitaleinsatz mehr als mittels mehr Sklaven. Und auch wenn Abraham Lincoln im Sezessionskrieg nicht gesiegt hätte bzw. wenn es überhaupt keinen Sezessionskrieg gegeben hätte … die Sklavenarbeit im Süden wäre irgendwann verschwunden;

aufgesogen von der sie umgebenden dynamischeren Organisation: dem industriellen Kapitalismus mit Lohnarbeit.

Sklavenarbeit im Kapitalismus – wir kennen eine Analogie aus dem 20. Jahrhundert zu diesem Thema: Auf dem Boden der Sowjetunion existierten bis zur Zwangskollektivierung um 1930 zwei Produktionsweisen mit den ihnen eigenen Produktionsverhältnissen: die planwirtschaftliche Industrie und die privatwirtschaftliche Agrarproduktion und Distribution mit Bauern und Händlern. Es handelte sich um eine duale Ökonomie – der einzige Punkt, der als Analogie zu den *Dixies* nicht passt, aber sei's drum. Jedenfalls: Die Produktionsverhältnisse der sowjetischen Industrie konnten nur planwirtschaftliche Produkte herstellen, die Produktionsverhältnisse der Bauern konnten nur Waren herstellen. Nun tauschten sich diese beiden Sphären miteinander aus. Wer prägte nun wen? Das ist die Preisfrage. Auf der Ebene der Wirtschaftspolitik ließ der in der zweiten Hälfte der 1920er Jahre maßgebliche Nikolai Bucharin den Bauern und Händlern so viel Platz wie möglich, aber solange dies noch unter dem Dach eines „Arbeiterstaates" stattfand, hatte das planwirtschaftliche Prinzip die Oberhand über das privatwirtschaftliche, auch wenn dieses sich möglichst zurücknahm. Das ökonomische Milieu innerhalb der Sowjetunion passte eher zu der „sozialistischen" Industrie. Selbst die vielen Zugeständnisse an die Bauern und Händler der Bucharin-Periode stellte eine Logik der Planwirtschaft dar: Bewusstes und kollektives Handeln statt unbewusste Interaktion am Markt unzählig vieler Individuen. Am Weltmarkt wiederum waren die Verhältnisse genau seitenverkehrt: Hier dominierte das kapitalistische Milieu und damit dessen Austauschbeziehungen. Hier verwandelte sich das sowjetische Getreide – und zwar auch nach der Zwangskollektivierung – zurück zur Ware.

Soweit die materielle Seite des Verhältnisses. Wir können die

Frage aber auch von seinem Entwicklungsgang aus beurteilen. Die Baumwollproduktion mittels Sklavenarbeit stand sehr wohl im Gegensatz zur Lohnarbeit, aber nicht in einem Widerspruch zu dieser. Die Sklavenarbeit der Antike stand jedoch im Widerspruch zur Lohnarbeit. Ersterer (der Gegensatz) wurde einfach aufgesogen – von dem umgebenden kapitalistischen Milieu. Letzterer (der Widerspruch) wurde nicht aufgesogen, sondern aufgehoben – in einer neuen Form der Mehrwertproduktion, die der Leibeigenschaft und Hörigkeit. Das ist freilich eine Entwicklung aus großer Entfernung betrachtet, sozusagen mittels eines Weitwinkelobjektivs. Aus der Nähe betrachtet ist der Prozess der Aufhebung der antiken Sklaverei ein sehr komplexer und vielschichtiger Vorgang, der wiederum in sich auch Gegensätze beinhaltete. Wir werden dies weiter unten in einem eigenen Kapitel weiterverfolgen.

Ein letztes Argument sei an dieser Stelle noch platziert: Die Sklavenarbeit des 19. Jahrhunderts konnte politisch abgeschafft werden – mit einem Gegensatz wird die Gesellschaft leichter fertig als mit einem Widerspruch –, die der Antike nicht. Im 19. Jahrhundert konnte ein Buch wie „Onkel Toms Hütte“ entstehen; in der reichhaltigen Literatur der Antike gibt es nichts Vergleichbares, obwohl sie dazu gut 1.000 Jahre Zeit gehabt hatte. Die antiken Autoren sahen die Sklavenarbeit nicht als etwas Besonderes an. Sie spürten sie so wenig wie die alles umgebende geruchslose Luft. Die Sklavenarbeit der Antike wurde nie politisch abgeschafft und der Codex Theodosianus (438 n. Chr.) behandelte alle möglichen Probleme, um auf soziale Veränderungen zu reagieren. Hier wäre theoretisch die passende Gelegenheit gewesen, die zu dieser Zeit bereits antiquierte Sklavenarbeit abzuschaffen. Aber dies geschah nicht und ich denke, das war kein Zufall.

KAPITEL 4: DER KULTUS

Die griechische Plastik begegnet uns in der Regel unbemalt und mit einigen Kratzern und Bruchstellen. Oft fehlen Arme, Beine, Kopf oder Rumpf. Dies macht für uns ihren Reiz und ihren Charme aus. Wir müssen uns aber vorstellen, die „Nike von Samothrake", der „Diskobol des Myron" und die „Venus von Milo" wären grellbunt bemalt – genauso wie Architrav, Metopen, Triglyphen, Tympanon und Geison der Tempel. Im kompletten, unbeschädigten und nicht verwitterten Zustand muss dies alles wie eine unerträglich schöne Disney-Welt angemutet haben.

Im Vergleich dazu war die mesopotamische Plastik schlichter sowie die iranische und ägyptische Halbplastik dezenter. Letztere war zwar ebenfalls bunt, aber Teil von großen Repräsentativbauten, die Distanz gebieten bzw. – aus heutiger Sicht – bieten. Die Plastik der asiatischen Produktionsweise war ornamental, so wie wir es von jeder vormodernen Kultur erwarten können. Das Ornamentale geht ins Pseudo-abstrakte über und das Abstrakte darf ja ruhig bunt sein, ohne grell zu wirken. Hier liegt ein großer Gegensatz zumindest zu der klassischen und der hellenistischen Epoche der griechischen Plastik vor. Die archaische Periode hingegen zeigt Analogien zu der etruskischen Kunst und zur minoischen Periode Kretas einige Jahrhunderte zuvor. Humor und Lebensfreude sind noch nicht der formalen Perfektion des in Bewegung begriffenen Abbildes (der klassischen und hellenistischen Periode) gewichen. Und ja: Die hellenistische Plastik macht überhaupt einen bemühten Eindruck. Sie verhält sich zur Klassik wie der Manierismus zur

Renaissance.

„Der zweite große Faktor der Einheit wird der hellenistischen Welt durch die Entwicklung der Kunst gegeben, aller Künste, die, so meinte man, im klassischen Griechenland ihren Höhepunkt erlebt hatten. In Wirklichkeit ist die Herstellung von Kunstwerken ein Gewerbe: Die Bildwerke sind gängige Gebrauchsgegenstände, weil sie entweder kultischen Zwecken dienen oder der Ehrung, die man in den Städten verdienten Bürgern oder Herrschern zuteil werden läßt. Das Kunstwerk ist keineswegs das frei geschaffene Produkt irgendwelcher Künstler, das einer vielleicht launenhaften Inspiration entspringt."[270]

Das freilich ist nicht der Unterschied der hellenistischen Kunst zur klassischen Periode. Eher die schiere Masse an Kunstwerken:

„Die neuen Städte und der wachsende Wohlstand einiger alter lassen einen neuen Markt entstehen, einen größeren, auch weniger anspruchsvollen, so daß die Industrialisierung der hellenistischen Kunst zu einer der Tendenzen dieser Kunst, wenn nicht sogar zu einem ihrer wesentlichen Merkmale wird."[271]

Das ist gut getroffen. Wie auch diese Passage:

„Man darf zum Beispiel nicht vergessen, daß die athenischen Werkstätten Kopien von klassischen Kunstwerken herausbringen oder einen altertümelnden Stil lebendig erhalten (...). Die wirklichen Tendenzen der hellenistischen Kunst sind andere: Sie führen zum Realismus, zum Ausdruck von Ähnlichkeiten und von stürmischen oder innigen Gefühlen."[272]

Beide Aspekte hängen zusammen. Es handelt sich im Falle der hellenistischen Kunst um die vielleicht erste postmoderne Regung der Kulturgeschichte. Das Gefühl für das Gegenwärtige bezieht seine Quellen aus der ständigen Beschäftigung mit dem längst Gewesenen. Die „stürmischen und innigen Gefühle" haben nichts mit der Totalität des Archaischen wie in der etruskischen oder minoischen Kunst zu tun. In diesen Kontext fällt auch der Aufstieg einer Sonderform der bildenden Künste, der Malerei:

„Die Malerei, die lange nur die Dienerin der Architektur gewesen war, erobert sich einen Platz in der ersten Reihe und tritt sogar mit der Bildhauerei in Wettbewerb. (...) Gebirgs- oder Meeresszenerien, um den Flug des Ikaros, die verlassene Ariadne an der Felsenküste von Naxos oder die Liebschaften des Herakles mit irgendeiner Nymphe ‚naturgetreu' darzustellen."[273]

Im Hellenismus bezieht man sich auf das, was in der klassischen Periode Hellas einfach nur da ist. Die hellenistische Kunst kokettiert mit der Klassik, die Kunst des klassischen Griechenlands kokettiert mit niemandem. Der Hellenismus ist mittelbar, die Klassik unmittelbar. Hier die Kurzgeschichte, dort der Mythos. Die Emanzipation der Malerei vom Beiwerk zu einer eigenen Sparte der bildenden Kunst hat die Stimmung der Fiktion zum Inhalt, nicht die Fiktion selbst.

Die römische Plastik setzte die Tradition des Hellenismus fort, gab dieser Tradition aber insofern ein eigenständiges Element, als nun das Zeitgefühl der Stoa eine Spur der Ironie in der Kunst zuließ. Das war neu. Selbstentsagung, Bitternis, ja auch Säuerlichkeit graben sich in die Gesichtszüge der Republik. Damit können wir im bürgerlichen Zeitalter etwas anfangen. Die klassische griechische Kunst hingegen war zwar vielleicht schön, aber ohne jede Selbstreflexion. Zumindest erkennen wir diese nicht. Das ironische Element der römischen Kunst macht es für das zeitgenössische Empfinden leichter, einen Weg in diese alte Welt zu finden. Unser bürgerliches Bewusstsein kann sich zwar nicht dialektisch aufheben, aber zumindest relativieren. Das spricht auch aus der römischen Plastik.

Mit dem Prinzipat und den darauffolgenden spätrömischen

Kulten wurde auch das Ferment der Stoa verdrängt. Jene ironische Grimasse, die wir in der Plastik der republikanischen Periode finden, kam erst wieder in der europäischen Krise des 14. Jahrhunderts auf und dann noch einmal zweihundert Jahre später beim Übergang der Renaissance zum Manierismus, diesmal in der Malerei. Indes machte sich ein neues Element in der römischen Plastik der Spätantike geltend: Die Stirn wird glatt, die Augen größer. Die Menschen sehen nach innen. Die Stoa wurde von östlichen Kulten verdrängt. Aber vielleicht ist das nicht der Punkt. Vielleicht bedeuten die großen Augen etwas anderes: Der pragmatische Landmann ist vom weitgereisten Soldaten, vom weitgeflohenen Schuldner, vom weitblickenden Verwaltungsbeamten ersetzt worden. Sie alle sehen in den Untergang der antiken Welt hinein.

Gehen wir wieder einen zeitlichen Schritt zurück und wechseln von der bildenden Kunst zur Philosophie. Schauen wir nach Kleinasien, eine Region mit Annex zur griechischen Warenproduktion und zum orientalischen Staatseigentum. Die ionische Naturphilosophie des 6. Jahrhunderts – damals waren Naturwissenschaft und Philosophie noch nicht getrennt – konnte an einer Schnittstelle zwischen antiker und asiatischer Produktionsweise entstehen. Das ist vielleicht kein Zufall. Wie müssen uns vor Augen halten, dass der gesamte alte Orient seit mehreren tausend Jahren aus ökonomischen Gründen systematische Naturbeobachtung betrieb. In diesem Kontext gediehen Disziplinen wie Mathematik, Astronomie, Ingenieurswesen, Agrartechnik. Diese Gesellschaften sicherten ihrer Priester- und Beamtenkaste die Verwendung eines Teils des Mehrproduktes für die Pflege eben dieser Disziplinen, deren intellektuelle Ergebnisse allerdings auch innerhalb der Mauern dieser Kaste bewahrt wurden. Der Nutzen für die Gesellschaft in der Bewässerungswirtschaftszone war trotz der

Monopolisierung des Wissens gegeben. Es ging um die Optimierung der Agrarproduktion, der Bevorratung und der Verteilung auf einer großen geographischen Fläche. Vielleicht können wir davon ausgehen, dass die Naturbeobachter in Babylon, Sumer, Akkad und Theben nicht grundsätzlich weniger wussten als die Vorsokratiker.

„Die Genauigkeit der in den Ephemeriden verzeichneten Angaben liegt nicht an den atmosphärischen Verhältnissen der Beobachtungen und an der Sehschärfe der Beobachter, sondern an der mathematischen Methode der babylonischen Astronomen. (...) Von den Verfassern dieser Entdeckungen wissen wir wenig."[274]

Diese Wissensproduktion war pragmatisch:

„Wo die Babylonier nur Zeitpunkt und Position der astronomischen Erscheinungen bestimmen wollten, gaben sie (...)"

– mit „sie" sind hier die Griechen der hellenistischen Periode gemeint –

„(...) eine physikalische und mechanische Erklärung des Universums."[275]

Der entscheidende Unterschied war indes, dass die Wissensproduktion ganz unterschiedlich organisiert war. In der asiatischen Produktionsweise machte das naturwissenschaftliche Wissen die Existenzgrundlage der Priesterkaste aus. Dieses Wissen war keine Ware. Ganz im Gegenteil: Dieses Wissen wurde wie ein Schatz gehütet, es stellte den Zugang zu dieser Kaste dar und sicherte deren exklusiven Bestand. Ägypten war Meister dieser Kunst des Hütens. Hier wurde außerhalb der Priesterkaste sogar Schrift und Inschrift zu einem eigenen, magischen Wesen. Nicht der semantische Inhalt zählte, vielmehr wurde das Geschriebene zu seiner selbst:

„Die Berührung erfüllte das Wasser mit göttlicher Kraft und der apotropäischen Fähigkeit der Inschriften, über die es geflossen war, und so war es vorzüglich geeignet, deren Wirkung auf die Badenden zu übertragen."[276]

Der griechischen *padeia* und dem römischen Pragmatismus ist diese Vorstellung ganz fremd geblieben. Nicht aus kulturellen Gründen an sich – denn was bedeuten diese? – sondern weil das angesprochene Verständnis nur zur Sozialstruktur einer Gesellschaft passte, die vom Grunde auf nicht auf der Warenproduktion und dem Warenhandel basierte. Erst in der antiken Gesellschaft wurden Wissen, Wissenschaft und Kunst zu einer Ware und die Leute, die damit beschäftigt waren, boten ihre intellektuellen „Artefakte" am Markt an. Wir dürfen uns die Sache freilich nicht so vorstellen, dass die Nachfrage für diese allgegenwärtig war. Es waren untereinander konkurrierende *poleis* und deren führende Figuren, die Aufträge verteilten oder als Mäzene fungierten. Das war kein Massenmarkt, sondern eine sehr spezielle Sparte und die Qualität der Artefakte fiel ihrem eigenen Warencharakter nicht zum Opfer. Im Gegenteil: Die Qualität, die sich an der orientalischen Wissenschaft messen musste, wurde zum Faktor des Warenwerts.

In der hellenistischen Periode machte sich eine Verunsicherung der alten Eliten breit: Was sollen sie von der griechischen Kultur übernehmen und was nicht? Ist mehr Wissen besser als die Monopolisierung von Wissen? Sollen Wissen und Wissenschaft Ware werden, wie in der klassischen Antike, oder sollen sie Gegenstand eines Monopols bleiben, wie in den altorientalischen Reichen? Die Verunsicherung zeigt sich in Passagen wie dieser:

„Immer auf der Suche nach Gegensätzen in der ägyptischen Welt, werden wir jetzt zeigen, daß dieser starke Ehrgeiz der gebildeten Geister Ägyptens die fremden Einflüsse nicht daran gehindert hat, sich gerade in den kultivierten Klassen durchzusetzen und sogar bei der Priesterschaft, die sich so zugleich am feindlichsten und am empfänglichsten gegenüber den Neuerungen erweist. (...) Sie übernahmen von den Griechen deren Sprache und Stil, wenn es nötig war, von den Chaldäern die modernsten Methoden der astronomischen Rechnung und eigneten sich deren Verfahren zur Erforschung der Zukunft an (...).“[277]

Und in einer Inschrift:

„Ein Mann aus Herakleopolis ist es, der nach den Fremdländern und den Joniern herrschen wird.“[278]

Die Verunsicherung bezog sich nicht nur auf den Machtverlust der alten Eliten der orientalischen Reiche im Hellenismus, sondern auch auf die Egalisierung der Wissensproduktion. Die Astrologie, eine Kunst, die erst im ptolemäischen Ägypten zu Ansehen kam, war letzte Zuflucht des monopolisierten Wissens.

„(...) und es war z.B. ein Ägypter namens Horus, der Properz sein Schicksal enthüllte.“[279]

In der Warenwelt Griechenlands war hingegen eine möglichst breite Vermittlung der Erkenntnisse naheliegend. Die Verbreitung erhöhte den Marktwert der Wissensproduzenten. Was uns nach der Blüte der ionischen Naturphilosophie von der „Denkschule Sokrates“ erhalten blieb, hat mit einer Methode zu tun, die für die Eliten der asiatischen Produktionsweise gänzlich unbrauchbar gewesen wäre: Diskussion, Rede und Gegenrede, Hinterfragen, Überprüfen, Skepsis, Misstrauen. Es ist die Welt des Messens und Abwägens ... vielleicht in Entsprechung zu der Waren- und Geldwirtschaft, in der immer irgendein Wert geschätzt, an Preisen gemessen und Silber oder Gold gewogen wird. War die ionische Naturphilosophie noch ein Bindeglied zwischen Ost und West, ist mit Sokrates der Spalt zwischen den beiden Kosmen vertieft.

Die Wende durch Sokrates wäre auch ohne Sokrates in Athen irgendwie und irgendwann geschehen – sie lag auf der Tagesordnung. Sie lag aber nicht auf der Tagesordnung in den Gemeinschaften der asiatischen Produktionsweise. Auf einer anderen Ebene – so legt es zumindest Pierre Grimal nahe – bedeutete die Wende durch Sokrates einen Wandel der politischen Moral in der Polis:

„Vor der sokratischen Revolution bedeutete die Tugend nicht jene Unterwerfung oder jene Übereinstimmung mit der Natur, die ‚Weisheit' lag in traditionellen und sozialen Werten. (...) Glücklich leben, das bedeutete, einem blühenden Vaterland (oder einer solchen Stadt) anzugehören, und frei, das bedeutete, seine Bürgerpflichten erfüllen (...). Und die Stadt hatte Sokrates getötet, weil er anderer Meinung war und (...) zu verstehen gab, es existiere eine ‚Idee' der Tugend, unabhängig von den sozialen Zufälligkeiten, und daß ein häßlicher, alter, armer, ja verachteter Mensch in sich selbst eine unerschöpfliche Quelle des Glücks finden könnte. Nach Sokrates braucht man keine Stadt mehr als Mittlerin zwischen den Menschen und ihrem Wohlergehen und ihrer Weisheit."[280]

Das ist interessant und uns scheint, Grimals Stärke liegt in der Kultur- und Kunstgeschichte, nicht in der allgemeinen und politischen Geschichte. Überzeugend zeigt Grimal, dass die Wende mit Sokrates und dessen Wirkung auf den Epikureismus und auf die Stoa der späteren Lebenswirklichkeit der hellenistischen Periode gut entsprach, wobei vielleicht in der Beschreibung des Chaos nach Alexanders Tod eine Spur Beschönigung der davon abgehobenen klassischen griechischen Periode mitschwingt. Dass es aber im Wesen des bürgerlichen Individuums liegt, auch außerhalb der Gemeinschaft (die Polis) Privateigentümer sein zu können, ist wohl auch nicht falsch.

Einige Elemente der alten griechischen Epik und Dramatik entsprachen den Anforderungen des bürgerlichen Eigentums – wenn wir hier den Begriff „bürgerliches Eigentum" ökonomisch ungenau als Privateigentum setzen. Die Epik folgte gerne dem

Plot, dass ein Individuum andauernd zwischen unterschiedlichen Entscheidungen zu wählen hat, die folgenreich sind. Entscheidet sich das Individuum falsch, zieht dies die Hybris mit Verbannung, Verlust der Partner, Tod, den Zorn der Götter oder den Untergang einer ganzen Stadt nach sich. Trotz dieser horrenden Folgen ist die eine Entscheidung aber genauso gut wie die andere. Es liegt keine Moral darin, welcher Weg gewählt wird, nur ein ganzer Rattenschwanz an Folgen. Es ist eben so: Ein Wareneigentümer kann mit seiner Ware machen, was er will, auch wenn er im Tausch den Kürzeren ziehen sollte und Unheil geschieht. Er ist sozusagen souverän, auch Unheil heraufzubeschwören. Dieser Aspekt ist der christlich-feudalen Denkweise ebenso fremd wie der altorientalischen. Das schönste und liebste Thema der griechischen Epik und des griechischen Dramas sind jedenfalls die *falschen* Entscheidungen ihrer Protagonisten. Wir erleben dies bereits in der Odyssee, aber am deutlichsten in der Orestie. Das Schicksal ist auch durch die Launen der Götter bestimmt. Aber das Agieren der Götter gegenüber den Menschen schafft nur den Rahmen, innerhalb dessen sich der eigentliche Plot abspielt. Und dieser beinhaltet die Freiheit der Protagonisten innerhalb eines Sets an Möglichkeiten, eine Entscheidung zu treffen. Am spannendsten sind natürlich *falsche* Entscheidungen und nur ein echt-bürgerliches Individuum hat diese Wahl. Die Personen hingegen, die in der altorientalischen Lyrik vorkommen, können höchstens etwas erleben – und auch dieses Erleben ist im Grunde immer gleich, in unzähligen Variationen. Es sind Personen, keine Individuen. Wir können den Unterschied zwischen Person und Individuum gut erkennen, wenn wir einen Blick auf die Adaption Homers im ptolemäischen Ägypten werfen.

„Nach dem, was der Herausgeber aus den Fragmenten der Erzählung hat rekonstruieren können, scheint sie eine deutliche Ähnlichkeit mit der homerischen Episode des Kampfes zwischen Achilleus und Penthesilea zu besitzen. Doch der ägyptische Geschmack verträgt sich nur schlecht mit dem Tragischen, und so wird der Zweikampf im gegebenen Augenblick auf einen Vorschlag der Königin Serpot hin, dem Petuchons mit Freuden zustimmt, abgebrochen. Nachdem die beiden Streiter Waffenstillstand geschlossen haben, befreunden sie sich und verlieben sich sogar ineinander, während die beiden Heere sich verbünden. Man erfährt, daß Petuchons zu den Amazonen gekommen war, um ihnen den Leichnam des im Kampf gegen sie gefallenen Inaros zu entreißen. Im Verlauf der Episoden, die wir kurz zusammenfassen, gibt Serpot den Leichnam des Inaros heraus und äußert sogar den Wunsch, zu den Bestattungsfeierlichkeiten beizutragen (. . .).“[281]

Alle Konflikte sollen sich im Konsens auflösen, bevor sie überhaupt ausgetragen werden können. Das Individuum verliert an Schärfe. Es kann ja nicht scheitern.

Platons und Aristoteles‘ Gesellschaftsbild sollte hingegen an der Immoralität der Sklavenarbeit nicht scheitern müssen. Es verschleierte die Spannung, die darin liegt, dass ein Teil der Menschen einen anderen zum Ding macht. Für diese Philosophie hatte die Gesellschaft keine Wahl, das Richtige oder das Falsche zu tun. In der Tat bleib die *Gesellschaftsphilosophie* der schwächste Punkt der antiken griechischen Autoren. Das schmälerte nicht ihren Einfluss auf spätere Epochen. Aber allein diese Tatsache ist vielsagend: Das feudale Mittelalter nahm an der Beschönigung der Sklaverei bei Platon und Aristoteles keinen Anstoß, weil es die eigenen Leibeigenen und Fronbauern ebenfalls mittels politischer Gewalt in deren Lage belassen musste. Erst im industriellen Kapitalismus mit dessen freier Lohnarbeit konnte die Rede Platons und Aristoteles‘ über die Sklavenarbeit als zumindest eigenartig empfunden werden.

Der Grund liegt auf der Hand: Die Lohnarbeit wird ja nicht mittels politischer Gewalt zur Mehrarbeit gezwungen. Die Ware Arbeitskraft wird gerecht, nach ihrem Wert, am Arbeitsmarkt entlohnt und getauscht. Kein äußerer Zwang ist für die Mehrwertproduktion notwendig, nur ein „Missverständnis“: Das Kapital kauft die Arbeitskraft, bekommt in der Anwendung dieser Arbeitskraft aber die gesamte Arbeit.

Das, was das bürgerliche Bewusstsein aber positiv an der antiken Philosophie erkennt, ist wiederum nur jener Teil, den es überhaupt erkennen kann: die Dichotomie des Einzelnen und der Gesellschaft. Souverän steht der Eigentümer von Waren der Gesellschaft als Potential von Kauf und Verkauf gegenüber. Und diese Souveränität kannte bereits die griechische und römische Welt. In der antiken Kultur gab es eigene Institutionen, die diese Souveränität vor Gefahren zu bewahren trachteten. Dazu gehörte auch die Religion. Oder besser gesagt: nicht das religiöse Empfinden an sich, sondern der Kultus. Der Unterschied zwischen beiden ist uns vertraut: jener zwischen Glauben und Kirche. Über den Glauben können wir hier nichts sagen. Über die antike „Kirche“ aber sehr wohl.

„Die Opferung der erstgeborenen Kinder, das gräßliche Überbleibsel einer uralten Zauberhandlung, die von den Phönikern, die Karthago gründeten, mitgebracht worden war, wird allmählich weniger bereitwillig vollzogen. (...) So erleben wir auch, daß in Rom nach der Schlacht von Cannae Menschenopfer dargebracht werden, die längst nicht mehr üblich waren.“[282]

Hier interessiert uns nicht, dass antiquierte Vorstellungen, die Natur müsse durch Opfer günstig gestimmt werden, in Krisenzeiten wieder zum Vorschein kamen. Was uns mehr interessiert: dass diese Sitten sowohl in Karthago als auch in Rom verbreitet waren. Selbst das nüchterne Rom opferte in den Krisenzeiten des 4. und wohl noch im 3. Jahrhundert ausgewählte Vertreter bestimmter Gruppen – „einen Griechen, eine Griechin, einen Gallier, eine Gallierin“ – wie es hieß, indem diese bei lebendigem Leibe in der Erde vergraben wurden.

Und auch die Griechen können mit diesem Thema etwas anfangen:

„Die Griechen hatten den großen karthagischen Gott Baal Ammon mit ihrem eigenen Kronos gleichgesetzt, dem Gott, der seine Kinder verschlang.“[283]

Ob Rom, Karthago oder Hellas: Dieser Opfer-Kultus ist ein Beispiel für eine Entsprechung. Die Sitten, die einander entsprachen, mussten nicht identisch sein. Es genügt, dass sie so ähnlich waren, dass sie einer gleichen Motivation folgten. Die Entsprechung hatte *eine* Funktion: eine gemeinsame Wertvorstellung der gesamten, am Mittelmeer handelnden Gemeinden zu ermöglichen. Auch wenn die Sage um Äneas nahelegen möchte, Rom hätte seine Wurzeln im trojanischen Griechenland … so ist dieser Aspekt doch nur eine nachträgliche Propaganda Roms. Entsprechung bedeutet nicht, dass tatsächlich gemeinsame Wurzeln existieren, sozusagen eine Art Kulturstammbaum. Karthago würde in dieser Hinsicht auch nicht in solch einen Stammbaum passen. Als Entsprechung hingegen macht die Ähnlichkeit zwischen Karthago und Rom bzw. Hellas Sinn. Die Ähnlichkeit ist nicht „genetisch“, sondern „kausal“, indem die eine Produktionsweise den nämlichen Zwängen folgt.

Es geht eben nicht einfach um gegenseitige Nachmache, wie dies Pierre Grimal nahelegt:

„(…) waren die Römer immer bereit, neue Riten und fremde Gottheiten zu übernehmen. Diese ‚Toleranz‘ hatte sehr früh begonnen. Vor langer Zeit schon, im 3. Jahrhundert v. Chr., hatten die griechischen Götter das Bürgerrecht in Rom erhalten.“[284]

Selbst wenn dies so gewesen sei. Weshalb bekamen die griechischen Götter in Rom Bürgerrecht? Das Rätsel löst sich erst, wenn wir Namen und „Person" der Göttergestalten ignorieren und in ihnen nur ein Prinzip sehen, das sie verkörpern:

„Wenn ein Kult einem abstrakten Prinzip gilt, so wird dieses gern mit einer großen Gottheit assoziiert, die dann einen besonderen Aspekt verkörpern soll. So erscheint die athenische Nike als eine Hypostase der Athena (...)."[285]

Und dieses Prinzip ist für alle Gemeinden der Mittelmeerwelt relevant, gleich ob römischer, etruskischer, latinischer, syrakusischer, punischer, ionischer oder dorischer Provenienz. Die konkreten Methoden zwischen allgemeinem Prinzip und dem konkreten Gewand der Gottheiten mögen variieren.

„Die Gottheiten sind in einer antiken Stadt ja nicht nur Gegenstand eines ‚internen' Kults, sondern haben auch eine internationale Funktion. An sie wendet man sich, wenn Verträge garantiert werden sollen. Hinter dem Pantheon, das einer Stadt zu eigen ist, bleibt die Existenz eines anderen, allgemeineren Pantheons erkennbar, dessen Ausdeutung die Ortsgötter lediglich sind."[286]

Das ist ganz richtig.

„Damit sie auf diese Weise ‚austauschbar' werden, wirken die Götter und Göttinnen aufeinander, von Land zu Land. Die ersten Assimilationen, die man versucht, sind noch ungenau; dann werden sie, je mehr Aufnahme sie finden, immer beständiger, und die Götterpersönlichkeiten werden verändert. (...) Für diese Erscheinung (...) besitzen wir einige Zeugnisse, die manchmal die Historiker aus dem Konzept gebracht haben. So wundert man sich darüber, daß Baal Ammon manchmal mit Kronos und manchmal mit Zeus gleichgesetzt wird. Aber das ist ganz natürlich, wenn man bedenkt, daß der alte blutrünstige Tyrann des karthagischen Pantheon selbst im Laufe der Jahre sein Wesen gewandelt (...) So mußten die Karthager, ebenso wie sie gezwungen gewesen waren, das Geldsystem der Lagiden zu übernehmen, sich auch damit abfinden, daß ihr antikes Pantheon sich dem näherte, das der neuen geistigen Gemeinschaft vorstand, die im östlichen Mittelmeergebiet herrschte."[287]

Das ist gut beschrieben. Für uns ist es indes ein zufälliges und kein strukturelles Element der Geschichte, wer wen beeinflusst hatte. Interessant genug ist die Tatsache, dass gegenseitige Assimilation der Kulte möglich und – um die Frage auf den Punkt zu bringen – offensichtlich notwendig war. Immerhin sagt Pierre Grimal, dass die internen Kulte durch einen externen überlagert wurden und dass an diese Kulte bei „internationalen Verträgen" appelliert werden konnte und sollte. Das ist der springende Punkt. Die Überschneidungen der Kulte der Mittelmeerwelt waren gleichzeitig Anknüpfungspunkte der internationalen Politik und des Welthandels. Hier drängt sich geradezu der Vergleich zu den griechischen Amphiktyonien auf. Amphiktyonien waren Tempel mit einer eigenen Infrastruktur, die für mehrere Poleis relevant waren, ja auch auf „fremde" Sprachkulturen Eindruck machten. Delphi ist ein prominentes Beispiel. Eine Missachtung oder gar Schändung einer Amphiktyonie zog eine Reaktion mehrerer Staaten nach sich. Und ein wenig muten einige der Amphiktyonien wie internationale Handelsbanken an. Sie beherbergten Edelmetall, das für unterschiedliche Währungen relevant sein konnte.

Die von Grimal skizzierte Offenheit der Kulte und ihre gegenseitige Verschränkung steht jedenfalls im deutlichen Gegensatz zu den Sitten in den Ländern mit asiatischer Produktionsweise. Dort geht es nicht um globalen Warenhandel, sondern um die Organisation der Eintreibung des bäuerlichen Mehrproduktes und dessen weiterer Verwendung. Die Priesterkaste legt auf ihre Monopolstellung Wert und auf den ägyptischen Tempeln der hellenistischen Periode steht an der Außenmauer geschrieben, wer aller nicht eintreten darf:

„Dies ist ein geheimnisvoller und geheimer Ort. Verbiete seinen Zugang den Asiaten. Der Phöniker nähere sich ihm nicht, es betrete ihn weder der Grieche noch der Beduine (...).“[288]

Die Auflistung ist exemplarisch, nicht taxativ. Gemeint ist: Die privilegierte Funktion der Priester soll erhalten bleiben. Genau spiegelverkehrt in der antiken Mittelmeerwelt des Privatbesitzes und des Warenhandels. Die Offenheit des Kultes der Länder mit antiker Produktionsweise führte tendenziell sogar zu einem „Default-Pantheon“. Damit meinen wir, dass das Profil der Götter absichtlich so unscharf blieb, dass jede lokale Tradition, die ihre eignen Haus- und Stadtgötter hatte, dieses lokale Kolorit des Gottseins in einer allgemeinen Gottheit wiedererkennen konnte. Diese allgemeine Gottheit war somit Bezugspunkt für alle miteinander handelnden Gemeinden mit deren lokalen Gottheiten. Umso mehr die Gemeinden miteinander zu tun hatten, umso mehr verblasste das Lokale und umso mehr wurde das Allgemeine Wirklichkeit.

Hier drängt sich eine Analogie auf:

„Die Ware, welche als Wertmaß und daher auch, leiblich oder durch Stellvertreter, als Zirkulationsmittel funktioniert, ist Geld. Gold (resp. Silber) ist daher Geld. Als Geld funktioniert es, einerseits wo es in seiner goldnen (resp. silbernen) Leiblichkeit erscheinen muß, daher als Geldware, also weder bloß ideell, wie im Wertmaß, noch repräsentationsfähig, wie im Zirkulationsmittel; andrerseits wo seine Funktion, ob es selbe nun in eigner Person oder durch Stellvertreter vollziehe, es als alleinige Wertgestalt oder allein adäquates Dasein des Tauschwerts allen andren Waren als bloßen Gebrauchswerten gegenüber fixiert.“[289]

Die lokalen, plastischen Gottheiten der jeweiligen Gemeinden hatten ihre „goldne (resp. silberne) Leiblichkeit“. Als Default-Gottheiten für alle Gemeinden der Mittelmeerwelt existierten sie hingegen nur noch ideell, zweidimensional, als Schablone, um möglichst deckungsgleich mit den „echten“ Gottheiten sein zu können. Sie lässt an die Zivilisation appellieren, nicht mehr nur an die Natur.

Egon Friedell stellte dieses Default-Pantheon in einen anderen, für uns aber nebensächlichen Kontext der Paulus-Mission. Er brachte die Sache aber gut auf den Punkt:

„Der griechische Kunstschriftsteller Pausanias, der zur Zeit der antoninischen Kaiser seine ‚Rundreise‘, eine Art Cicerone durch die hellenischen Sehenswürdigkeiten, verfaßte, berichtet in Übereinstimmung mit anderen Autoren, daß es in Griechenland von alters her Altäre gegeben habe, die ‚dem sogenannten unbekannten Gotte‘ geweiht waren, darunter einen neben der Bildsäule des Zeus von Olympia, dem weltberühmten Goldelfenbeinwerk des Phidias. Und der Kompilator Diogenes Laertius, der etwa ein halbes Jahrhundert später gelebt haben dürfte, erzählt in seinem Buch über ‚Leben, Lehren und Aussprüche der berühmten Denker‘, einem mehr belletristischen als philosophischen, aber in den Angaben sehr zuverlässigen Werk, daß sogar ‚anonyme Altäre‘ vorhanden waren, die überhaupt keine Aufschrift trugen. Man versichert uns zwar, dies seien bloße Äußerungen einer *religio eventualis* gewesen, einer Religion für alle Fälle, die besorgte, man möge vielleicht einen Gott übersehen haben, der in Vergessenheit geraten oder nur im Ausland bekannt geworden sei (...).“[290]

– *religio eventualis*: Wir erinnern uns, dass Rom während des 2. Punischen Krieges vorsorglich auch den etruskischen, griechischen und sizilianischen Gottheiten Ehre erwies. Dies hat indes mit dem Zusammenhang, auf den Friedell hinauswollte, nicht direkt zu tun. Bei ihm geht die Passage wie folgt weiter:

„(...) auch habe es auf jenen Altaraufschriften nur ganz allgemein geheißen: ‚Den unbekannten Göttern‘, und die Berichterstatter hätten sich bloß verlesen, aus den anonymen Opfersteinen aber spreche die Verehrung einer Art von namenlosen ‚Gattungsgöttern' (...).“[291]

Gattungsgötter – gut getroffen! Innerhalb der griechischen Poleis-Welt wurden die Amphiktyonien zu den Plätzen, die für alle verbindlich waren, eben weil die Gottheiten, die hier ihren Platz bekamen, Teil des Default-Pantheon waren. Wer die Amphiktyonie kontrollierte, hatte eine über andere Poleis reichende Reputation:

„Und als die Galater Delphi bedroht hatten, waren es da nicht die Aitoler gewesen, die – mit Hilfe des Gottes – das Heiligtum gerettet hatten? Sie hatten sich überdies in der Stadt Apollons festgesetzt, wo sie die Amphiktyonie fest in der Hand hatten, da sie über die Stimmen verfügten, die traditionsgemäß den Städten zugeteilt waren, die sich ihnen angeschlossen hatten. Der Besitz Delphis gab den Aitolern in den Augen der Griechen und selbst der Fremden, die es nicht verschmähten, Abordnungen zum Heiligtum des Apollon zu entsenden, eine neue Würde.“[292]

Wir haben bereits angedeutet: Die Amphiktyonien ähnelten internationalen Meeres- und Schifffahrtsgesetzgebern, Handelsgerichtshöfen oder Welthandelsorganisationen. Selbst Gemeinden und Partner außerhalb der Poleis-Welt achteten sie. So passten die römischen und punischen Götter-Vorstellungen in das damit zusammenhängende Pantheon. Diese Kulturen basierten ja auch auf der Warenproduktion, die gegenseitige Verbindlichkeiten nach sich zog. Verbindlichkeiten, die im gemeinsamen Kultus definiert werden konnten.

Nicht ganz so ohne weiteres passten die Götter der asiatischen Produktionsweise in das antike Pantheon; wiewohl es im Hellenismus Versuche gab, beide Kulte miteinander zu kombinieren. Das endete für beide Seiten unbefriedigend. Es handelte sich hierbei um einen künstlichen politischen Synkretismus;

nicht um einen natürlichen ökonomischen. Der eigentliche Widerspruch existierte nicht zwischen den Handelspartnern der Mittelmeerwelt, sondern zwischen diesen und der unmittelbar daran angrenzenden Welt der asiatischen Produktionsweise. Grimal wie Bengtson hingegen können sich nie ganz von der „nationalen" Geschichtsauffassung trennen, unbeachtet einzelner richtiger und ganz treffender Ergebnisse. Deshalb bleiben sie auf die politischen *Gegensätze* etwa zwischen Rom und Karthago fixiert und stellen diesen Gegensatz nicht unter den viel mächtigeren *Widerspruch* zwischen der antiken und der asiatischen Produktionsweise. Pierre Grimal, der anspruchsvollere der beiden Genannten, am Ende seines Passus zu Karthago:

„Mochten die Punier auch gewisse technische Verfahren oder sogar gewisse Formen des Glaubens übernehmen, die aus der hellenistischen Welt kamen, sie wurden von den Griechen niemals als ‚Brudervolk' betrachtet – im Gegensatz zu der späteren Entwicklung in Rom."[293]

Zur Blütezeit der griechischen Poleis im 6. bis 4. Jahrhundert stand aber auch nicht Rom als Handelskonkurrent „den Griechen" gegenüber, sondern Karthago – wie am Beispiel des Konfliktpunktes Sizilien nachgelesen werden kann. Als sich Rom Griechenland zuwandte, war Karthago bereits geschlagen und machte den Weg nach Osten und Westen frei. Zu dieser Zeit war indes die griechische Polis längst in den hellenistischen Reichen aufgegangen. Hätten die Barkiden gegen Rom im Zweiten Punischen Krieg gesiegt und die Stadt am Tiber auf den Status von Tarent gedrückt, Karthago wäre von Makedonien und Hellas respektvoll aufgenommen worden, genauso wie es im 2. Jahrhundert mit Rom der Fall war. Nicht immer, aber hie und da schimmert bei Bengtson und Grimal der vermeintliche Gegensatz zwischen den „semitischen" Puniern und den „indogermanischen" Griechen und Römer durch. Ein „Thema", das die zeitgenössische bürgerliche Geschichtsschreibung zum Glück nicht mehr aufgreift, das aber für die Generation der genannten Historiker noch präsent war. Mehr naheliegend bei Hermann Bengtson, der vor 1945 auch als Nationalsozialist aktiv war. Freilich, auch ohne diese Bezugnahme zu „Rasse" und „ethnische Herkunft" bleibt die nationale Geschichtsschreibung nicht weniger inadäquat für die Anwendung auf die Antike.

„Der Grieche (. . .)"[294]

– so schreibt Pierre Grimal –

„(. . .) neigt spontan dazu, angesichts einer fremden Religion das erkennen zu wollen, was ihn darin an seinen eigenen Glauben erinnert."[295]

Nicht nur „der Grieche", so könnte hinzugefügt werden, sondern die gesamte mittels des Warenhandels verbundene Mittelmeerwelt. Dann, also bereinigt von dem Bezug auf „ein Volk", stimmt der Passus wieder. Das Ergebnis ist jedenfalls, dass bereits der Kult einer Gemeinschaft ein Produkt des Synkretismus ist:

„Die klassische griechische Religion ist an sich bereits eine Synthese der verschiedenen örtlichen Kulte, und man weiß zum Beispiel, daß der panhellenische Zeus, der Gott der Olympischen Spiele, ein zusammengesetztem Gott ist, in dem so unterschiedliche göttliche Persönlichkeiten zusammengeflossen sind wie der kretische Zeus, der achaiische Zeus, der arkadische Zeus – von anderen Formen, die weniger klar erkennbar sind und nur durch die Unterschiedlichkeit der Mythen offenbar werden, ganz zu schweigen."[296]

Grimal meint damit, dass der Synkretismus der Kulte bereits in der klassischen Periode angelegt war, im Hellenismus aber eine neue Ebene der Anwendung bekam. Denn nun ging es nicht nur darum, die Kulte der antiken Produktionsweise zueinander kompatibel zu machen, sondern diese mit jenen der asiatischen Produktionsweise – zumindest soweit dies nicht auf Widerstände stieß. Das ist von Grimal ganz richtig erkannt. Freilich ignoriert Grimal die ökonomischen Zusammenhänge für dieses kulturelle Geschehen. Wie Egon Friedell arbeitet er mit der geschichtsphilosophischen Methode des Idealismus. Genauso wie Egon Friedell hindert ihn dieser Mangel aber nicht, zumindest die wesentlichen und eigentlich ganz erstaunlichen Eigenschaften der alten Kulte zu erkennen und diese Puzzlesteine zusammenzusetzen. Nur bei den Gründen oder der Funktion des Synkretismus und der *religio eventualis* tappen sie im Halbdunkel.

Übrigens: Das Default-Pantheon konnte auch wieder auseinanderfallen. Der ersten Entwicklung, dass Unterschiedliches auf den kleinsten gemeinsamen Nenner gebracht wurde, folgte eine gegenläufige Entwicklung, dass der Nenner gegenüber den unterschiedlichen Zählern in den Hintergrund trat:

„(...) das 3. Jahrhundert habe das Heraustreten der keltischen Götter aus ihren griechisch-römischen Verkleidungen erlebt.“[297]

Im 3. nachchristlichen Jahrhundert gab es das Projekt, das gallische Element im Reich zu stärken, was indes nur kurzfristig gelang. Hier kündigte sich bereits die Spätantike an. Für die Spätantike war die Ablösung des Default-Pantheon durch neue Kulte ganz naheliegend. Aber das war eben eine neue Zeit, in der auch andere typische Elemente der Antike, wie zum Beispiel die Sklavenarbeit und die Warenwirtschaft, verblassten. Und auch das klassische Default-Pantheon bedeutete keineswegs, dass es nicht Unterschiede in der Anwendung und Auslegung gab:

„Die Religion bleibt eine der Formen der Rivalität zwischen den Städten, von denen jede ihrer Schutzgottheit mehr Pracht, mehr Glanz und auch mehr Wirkungskraft im Zeitlichen geben möchte."[298]

Im Hellenismus gibt es ein wichtiges Detail: Der Synkretismus bezog sich nicht auf das eine Gleiche, das an verschiedenen Orten unterschiedlich ausgelegt wurde, sondern auf das Unterschiedliche, das an einem gleichen Ort zusammenprallte. War der Synkretismus einfach das Ergebnis, dass weitere Schichten und Teile der alten asiatischen Produktionsweise in den Weltmarkt Mittelmeer hineingezogen wurden? Ja. Und fand damit das Default-Pantheon der antiken Handelsgemeinden verstärkt Nachfrage? Möglicherweise. Freilich kann man es auch umgekehrt wahrnehmen: dass der Synkretismus bloß eine Methode war, die alten Kulte der asiatischen Produktionsweise unter der Oberfläche eines gräzisierten Staates weiterleben zu lassen.

„Die bodenständige Bevölkerung hielt jedoch überall an ihren angestammten Überlieferungen, vor allem aber an ihren Göttern, fest, und über die einheimischen Frauen haben die orientalischen Göttergestalten vielfach Eingang in das Pantheon der Griechen und Makedonen gefunden, nur mit dem Unterschied, daß bei diesen an die Stelle des orientalischen Namens ein griechischer getreten ist."[299]

Vielleicht gab es einen echten Synkretismus, der etwas Neues in Sachen Kulte schuf und einen unechten Synkretismus, der bloß Unterschiedliches neben- bzw. untereinanderstellte. Jedenfalls findet sich im Hellenismus auch eine Abnützung der alten Staatskulte, ein postmodernes Verhältnis zu diesen und die Nachfrage nach einer neuen „Volksreligion". Vorerst aber:

„Die Teilung Griechenlands in Städte hatte diesen synkretischen Prozeß eine Weile aufgehalten, indem sie die Schutzgottheiten der Stadt in den Rahmen der jeweiligen Stadt stellte und für jede ein ganz bestimmtes Bild vorschrieb. Die Vorherrschaft Athens hat zum Beispiel dazu geführt, daß eine ganz bestimmte Athene, die Parthenos ‚Promachos' der Akropolis, Verbreitung fand. Aber der Staatskult kann das religiöse Gefühl, das in jedem Bürger steckt, (...)"

– nun ja, das ist ein wenig unwissenschaftlich –

„(...) nicht erschöpfen. Er ist nur die Gelegenheit zu ‚Festen', in denen die Zusammengehörigkeit der Stadt zum Ausdruck kommt, und den Schutz, den die Stadtgottheit gewährt, gewährt sie der Stadt. Es ist noch Raum für eine andere, demütigere, weniger feierliche, aber dem einzelnen nähere Religion."[300]

Oder handelte es sich um eine Krise des Pantheon und bei dieser Krise um einen ideologischen Ausdruck der Krise der antiken Sklavenhaltergesellschaft? Es entstanden Bausteine neuer Kulte, die dem Christentum vorangingen, aber selbst dieser Kult war eine weit mehr hellenistische als judaistische Erscheinung. Es hätten sich genauso gut auch andere, zum Beispiel gnostische Strömungen verbreiten können, die die stille Opposition gegenüber Sklavenarbeit oder gegenüber der in Geld ausgedrückten Warenwelt verkörperten. Der Gott Mercurius verlor ein Stück weit seine Zuständigkeit, wenn es im Neuen Bund lakonisch heißt: „Gebt dem Kaiser, was des Kaisers ist" und wenn sich in den dreißig Silberlingen Judaslohn auch die Verachtung gegenüber dem Warengeld ausdrückt, die dem eigentlich zuständigen Gott des Handels gänzlich fremd gewesen wäre.

Wie auch immer, zuerst kamen Privatkulte im Hellenismus auf, nicht erst in der Spätantike. Und diese Tatsache führt uns zu der Spur, dass die Opposition gegen das antike Pantheon nicht (nur) ein Element der Auflösung der antiken Gesellschaft war, sondern bereits aus dem alten Widerspruch zwischen dieser und der asiatischen Produktionsweise stammte. Hier eine interessante lokale Episode, den Dionysos-Kult betreffend:

„Aus einer wertvollen Inschrift, die von einem der *Serapeia* in Delos stammt, erfahren wir, wie der Kult des Gottes zu Anfang des 3. Jahrhunderts auf der Insel eingeführt wurde. Ein Ägypter namens Apollonios (...) wanderte nach Delos ein und feierte dort in seiner Privatwohnung den Kult des Gottes. (...) ein gleichnamiger Enkel des Apollonios, hatte einen Traum. Der Gott erschien ihm und trug ihm auf, ein Gelände zu erwerben, um ein Heiligtum zu errichten. Es war ein Grundstück von geringem Wert. Apollonios kaufte es und baute den Tempel. Aber ‚Neider' versuchten, ihm den Besitz des Geländes streitig zu machen, und strengten einen Prozeß gegen ihn an. (...) Apollonios gewann seinen Prozeß (...). Die Gründung des Heiligtums scheint demnach eine Privatangelegenheit gewesen zu sein."[301]

Der Kult verliert hier seine Funktion als möglichst öffentliches und allgemein verbindliches „Sprachsystem" (Codes). Das Private wird gegen den Markt gekehrt, die Person gegenüber dem Individuum aufgewertet.

„Diese Einweihungsreligionen hatten einen besonderen Charakter. Zum Unterschied von den offiziellen Kulten faßten sie ihre Anhänger in Bruderschaften zusammen und feierten, oft in einem an das Heiligtum anstoßenden Saal, ihre Liebesmahle (*agapes*). Die Gläubigen (...) bildeten regelrechte ‚Kirchen', die von Stadt zu Stadt miteinander in Verbindung standen."[302]

Und Pierre Grimal weiter, nun ein wenig pathetisch:

„So wurde im ganzen Mittelmeerraum der Samen einer Brüderlichkeit gesät, die keine Grenzen, keine Rassen und keine Rangstufen kannte."[303]

Auch wenn die hier gewählte Formulierung suspekt ist, so wird hier doch auch der politische Charakter der neuen Kulte deutlich: Sie standen zwar nicht in offener Opposition zu den antiken Produktionsverhältnissen, deckten aber zumindest die Bedürfnisse jener ab, die sich in dieser Gesellschaft ein Leben ohne alles durchdringende Marktverhältnisse, Privateigentum und Sklavenarbeit vorstellen konnten. Es handelte sich nicht um eine „Befreiungsreligion" im Sprachduktus des 20. Jahrhunderts, aber doch auch um eine ideologische Vorarbeit für die späteren feudalen Produktionsverhältnisse. Vorerst musste aber das antike Pantheon an Verbindlichkeit verlieren. Für diesen Job gab es verschiedene Anwärter und Methoden:

„*Ioudaioi* bedeutet an diesen Stellen wahrscheinlich nicht ‚Judäer', sondern ‚Juden' (Anhänger des monolatrischen Jahwe-Kults, die durch ihre Weigerung, andere Gottheiten zu verehren, isoliert und vereint zugleich waren)."[304]

Wir werden aber gleich sehen, dass nicht nur der Monotheismus, sondern auch der altorientalische Polytheismus Opposition gegen die antiken Kulte bilden konnte. Die Opposition gegen die antiken Kulte speiste sich an der Oberfläche aus dem Gegensatz zwischen dem grenzenlosen Hellenismus und den alten, „nationalen" Traditionen. Am Beispiel Ägyptens, Syriens und Palästinas kann indes beobachtet werden, dass diesem Gegensatz auch immer wieder eine Integration des Griechischen und ein religiöser Synkretismus entsprach. Die Opposition musste daher auch andere Wurzeln als einfach nur einheimische Traditionen gehabt haben. Sie entsprach auch dem Bedürfnis der Sklaven, Theten, Fellachen, Söldner nach einer Existenz jenseits des Wertgesetzes – dass Waren nach ihrem Wert getauscht werden:

„In späteren Urkunden aus der Partherzeit sind *Kleroi* (Landlose) bezeugt, ihre Besitzer waren wohl Kleruchen, angesiedelte Soldaten, denen man je ein Landlos übergeben hatte. Über ihren Besitz durften sie anscheinend frei verfügen, erst wenn kein Erbe vorhanden war, fiel das Landlos an den König zurück."[305]

In dieser Passage fällt der Unterschied zu den Kleruchen Athens des 5. Jahrhunderts vor Christus auf: Letztere waren tatsächlich Privateigentümer des Neulandes auf den Kolonien. Die Kleruchen des 2. nachchristlichen Jahrhunderts waren nur Besitzer, keine Eigentümer. Der Staat mit dem König an dessen Spitze war alleiniger Eigentümer. Freilich war Syrien abseits der Küstenstädte, von dem der Historiker hier spricht, im Überschneidungsbereich zur asiatischen Produktionsweise Mesopotamiens gelegen. Nur hier war dieser Vorgang alltäglich:

„(...) erst wenn kein Erbe vorhanden war, fiel das Landlos an den König zurück."[306]

Und das ist bereits die halbe Miete des Feudalismus. Während es eher fraglich ist, ob folgender Passus dieser Miete entspricht:

„Nach der Niederlage Antiochos' I. hatte Magas sich damit abgefunden, die Lehnsherrschaft des Ptolemaios von neuem anzuerkennen."[307]

Das schreibt Pierre Grimal über die Beziehung der Cyrenaike zum Ägypten der Lagiden. Um eine echte Lehnsherrschaft handelte es sich sehr wahrscheinlich nicht. Sondern einfach um Tribute, die die Fellachen zu entrichten hätten. Es ist eine andere (ökonomische) Welt und sie hat andere ideelle Bedürfnisse. Der Polytheismus Babylons:

„(...) die Göttin der Mütterlichkeit und der Liebe (...). Wahrscheinlich hat sich das Volk, zum Verdruß der Theologen, immer an diese Göttin gewandt, was ein Teil des Onomastikons bestätigt und vor allem die hohe Zahl von Göttinnen, die die Einwohner von Uruk weiterhin verehrten (...). Und welche Anstrengungen auch gemacht wurden, um die überreiche Götterwelt des alten Babyloniens wenn nicht zum Monotheismus, so doch wenigstens auf ein vereinfachtes und aufeinander abgestimmtes Pantheon zu bringen (...)."[308]

Die schiere Menge der alten Götter und vor allem Göttinnen im alten Mesopotamien inflationierte die Handelsgötter Griechenlands-Roms-Karthagos, etwa so, wie zu viel an Münze der Warenzirkulation auch wiederum nicht guttut. Und es geht nicht nur um die Frage der schieren Menge an Göttern und Göttinnen, sondern auch um die Frage, wie abstrakt bzw. konkret sie sind. Der asiatischen Produktionsweise entsprach eine abstrakte Gottheit, die jedoch gleichzeitig unvergleichbar war, was der Abstraktion wiederum irgendwie widersprach. Oder vielleicht waren sie gar nicht abstrakt – im richtigen Sinne des Wortes, nämlich dass von konkreten Unterschieden abgesehen wird, um das Allgemeine in dem Unterschiedlichen zu verkörpern. Vermutlich waren sie bloß weniger eine Person als die Gestalten der antiken Gottheiten, die ja wie Menschen mit menschlichen Schwächen auftraten. Mittels Letzterer appellierte man an die Zivilisation, mittels Ersterer an die Natur. An die Natur appellierten die Sumerer mittels der Göttin Inanna. Inannas zivilisatorische Rolle fußte auf ihrer Bedeutung für die Naturbeherrschung, die Fruchtfolge und den Wechsel der Jahreszeiten, die mit den Sternen (in diesem Fall der Venus) angezeigt werden.

Die weitere Entwicklung ist kompliziert, denn in der Epoche des Hellenismus entstand die Nachfrage nach einem persönlichen, dem Menschen nahen Gott. Eigentlich zeugt dies von Inkongruenz sowohl gegenüber der Antike als auch gegenüber den traditionellen Göttern und Göttinnen Mesopotamiens und Ägyptens:

„Das Volk war enttäuscht, es sah die Unordnung, die die andern zu leugnen sich bemühten, indem sie weiter den Göttern in ihren Tempeln der Maat opferten; es erlebte die fremden Besatzungen, die wachsende Steuerlast, die vielfältigen Streitigkeiten. Und obwohl es immer noch an die Nützlichkeit der Tempel und der Riten, die in ihnen vollzogen wurden, glaubte, wünschte es nun, sich unmittelbar an die Götter zu wenden.“[309]

Auch wenn Grimal mit den Begriffen idealistisch umgeht, der

Umbruch vom „Maat-Opfer" zum spätantiken Kult ist hier treffend skizziert. Wir sehen somit: Obwohl insgesamt das ökonomische Milieu, in dem die Sklavenhaltergesellschaft der asiatischen Produktionsweise begegnete, einen Wertetransfer von letzterer zu ersterer mit sich brachte und die Marktwirtschaft der Antike ausgeweitet wurde, fing sie sich damit auch ihre eigenen Widersprüche ein, wie etwa den bürokratischen Flächenstaat und das Ferment einer Umwälzung der Ideologie und der Kulte. Die Grundlagen auch dieses Phänomens sind bereits im Hellenismus präsent.

KAPITEL 5: DIE UMWANDLUNG

„Nach einem alten Biographen (...) soll Alexander der Große nicht der Sohn Philipps von Makedonien gewesen sein, sondern der des Nektanebos, des letzten Pharaos ägyptischer Abstammung. Letzterer, der nach der Eroberung Ägyptens durch die Perser an den Hof zu Pella geflohen war, übte dort magische Künste aus (...) und schickte eines schönen Tages der Königin Olympias einen prophetischen Traum (...). Am nächsten Tag soll Nektanebos mit einem Szepter und bekleidet mit dem Fell eines Widders, um sich das Ansehen des Gottes zu geben, sich der Königin genähert haben (...) und aus ihrer Vereinigung (...). Es handelt sich natürlich um eine Sage, die sich kaum um die Chronologie kümmert. Doch man kann sich fragen, warum sie erfunden wurde.“[310]

Das Zitierte ist nur ein Beispiel einer Propaganda, die das Bedürfnis bediente, in der Durchdringung der asiatischen durch die antike Produktionsweise keinen Akt der Unterwerfung zu sehen: Die Griechen? Das sind wir alle! Und diese Geschichte funktionierte nicht mit Athen, Korinth, Theben oder dem eigenwilligen Sparta, sondern nur mit Pella. Das ist interessant.

Makedonien wies im Gegensatz zu dem eigentlichen Kosmos der griechischen Polis eine noch weitgehend ursprüngliche Sozialverfassung auf. Aigai und Pella waren nichts mehr als Verwaltungssitze, aber keine *poleis* und das Land insgesamt zuerst bloß Holz- und Pechlieferant für die schiffshungrigen mittelgriechischen Staaten.

„Im 4. Jh. werden sogar in einem Vertrag zwischen dem damaligen König Amyntas und dem Bund der Chalkidier die Rahmenbedingungen für den Holzexport aus Makedonien festgelegt (...): ‚Ausfuhr soll erlaubt sein von Pech und Hölzern / zum Bauzweck aller Art, von Schiffbau/(holz) jedoch mit Ausnahme von Fichtenholz , soweit es nicht das / koinon (= Bund) (der Chalkidier) benötigt; dem koinon soll auch hiervon / die Ausfuhr erlaubt sein, falls sie es dem Amyntas mitteilen vor der Ausfuhr und die Zölle zahlen, wie sie schriftlich festgelegt sind. ...‘ Die sich hier andeutenden großen Mengen an Holz, die über See und vor allem über sehr große Entfernungen transportiert wurden (...).“[311]

Und:

„Die in der wissenschaftlichen Literatur als ‚Heereskönige‘ bezeichneten Führer können an der Wende vom 5. zum 4. Jahrhundert mit Erfolg ihre Position stärken. Ein deutlicher Hinweis darauf besteht darin, daß sie nun die Ausfuhr des besonders, aber nicht nur für Athen, wichtigen Rohstoffs Holz kontrollieren.“[312]

Auf den ersten Blick scheint es, als wäre der makedonische König weit mächtiger als ein Beamter Athens, sagen wir, eines Archonten. Die tatsächlichen Verhältnisse sehen wir in den Diadochenkämpfen nach 323 v. Chr. deutlicher. Die Heeresversammlung fungierte als oberstes Organ, die Könige waren bloß *primi inter pares*, die von der Heeresfolge abhängig waren.[313] Unter Philipp und Alexander zeigte sich diese Tatsache nur deswegen nicht deutlich, weil hier die Könige als Heerführer erfolgreich waren – also keinen Anlass zum Einspruch boten. Die Gefolgschaft hatte jedenfalls einen anderen Charakter als das Zweckbündnis, das die eigentlichen Griechen mit Alexanders Anabasis verbanden. So fand das rückständige Makedonien, das noch nicht zur Sklavenhalter-Polis und zur Beherrschung des Welthandels wie Athen gefunden hatte, seinen Platz in der Geschichte als Vorbote der Ablösung ebendieser antiken Sklavenhalter-Gesellschaft durch den Feudalismus.

Wie bereits öfters darauf hingewiesen wurde, sind die Historiker zu locker mit dem Attribut „feudal“ bei der Hand. Deutlich sichtbar bei dem ehemaligen Doyen der deutschen Griechen-Historiographie des 20. Jahrhunderts, Hermann Bengtson, der überhaupt alles, was nicht griechisch oder römisch ist, als feudal auffasst. So auch das Reich der Achämeniden. Diese Forschungstradition verwechselt die archaische Heeresfolge von Stammesverbänden, die bei fast allen Gemeinschaften nördlich der fruchtbaren Ebenen der orientalischen und asiatischen Hochkulturen für irgendeinen Zeitabschnitt anzutreffen sind, mit dem echten Feudalismus des europäischen Mittelalters. Weshalb aber? Weil diese Tradition nur das persönliche *Treueverhältnis* sieht, nicht aber die *Mehrarbeit*, die die dem König Treuen ernährte. Der Unterschied liegt in der Art und Weise, wie diese Mehrarbeit zustande kommt: Somit ist dieses Missverständnis objektiv dem Idealismus als Geschichtsphilosophie geschuldet, denn dieser sieht in der politischen Ökonomie, falls überhaupt, nur ein Spezialfach der Wirtschaftsgeschichte, welches selbst nur ein Spezialfach der eigentlichen, „großen“ Geschichte sei. Wie aber war´s wirklich?

Die Heeresfolge der Makedonen und Griechen beim Alexanderzug hatte keinen feudalen Charakter, obwohl auf den ersten Blick die militärischen Leistungen zumindest der Makedonen weniger durch Sold, als durch Beute und Privilegien „entlohnt“ wurden. Aus diesem Grunde kommt der Eindruck von einem Feudalverhältnis und Lehen auf. Und vor Alexander hatte Phillip ...

„(...) die Gebirgszonen des obermakedonischen Hinterlandes, griechische Küstenstädte und thrakische Stammeslandschaften zu einem Reich zusammengefaßt, das er in engster Verbindung mit dem makedonischen Adel regierte. Das Selbstbewußtsein dieses Adels leitete sich aus der Tradition regionaler Fürstentümer her. Philipp und Alexander versuchten, diesen Adel an ihre Dynastie zu binden, meist mit Erfolg. Die vielen siegreichen Feldzüge boten ihm ein lohnendes militärisches Betätigungsfeld, vor allem in der Reiterei der Hetairoi, d. h. der ‚Gefährten', des Königs. Ihnen winkte nicht nur reiche Beute, sondern sie durften auch auf Landschenkungen in den unterworfenen Gebieten hoffen."[314]

Wir werden in weiterer Folge sehen, dass die Griechen und Makedonen nicht von einem von ihnen im Osten geschaffenen Feudalverhältnis profitierten, sondern von einer Dualökonomie. Das richtige Feudalverhältnis hingegen hat immer zwei Seiten, eine politische, die durch die Gefolgschaft und die persönliche Lehensvergabe gekennzeichnet ist, und eine ökonomische, die durch die Aneignung des Mehrproduktes jener Bauernfamilien gekennzeichnet ist, die auf dem Gebiet des Lehens wohnen. Noch in der klassischen russischen Belletristik des 19. Jahrhunderts wird ein aristokratischer Besitz dadurch gekennzeichnet, wie viele „Seelen" (Bauern, die etwas abliefern) darauf leben.[315] Das war die Recheneinheit des Gutes, wie heute der Jahresumsatz bzw. Jahresgewinn eines Unternehmens. Die Bauern bekamen allerdings keine Gegenleistung von diesem „Geschäft". Der in der populären Literatur angeführte Benefit, dass die Feudalherren den Bauern zumindest militärischen Schutz vor Feinden geboten hätten, war jedenfalls nicht Gegenstand dieses „Handels". Wenn der Herr „seine" Bauern schützte, dann weil er seine Lieferanten von Feudalabgaben nicht einfach verlieren wollte. Etwa so, wie heute ein Unternehmen eine renommierte Kanzlei beauftragt, eine feindliche Übernahme abzuwehren. Weil nun das Feudalverhältnis durchaus kein Geschäft im Sinne von Leistung und Gegenleistung war, benötigten die Herren die politische Herrschaft über „ihre“ Bauernfamilien. Sie entschieden – mit Variationen je nach Landstrich und Sitte – über all das, was heute nach bürgerlichen Rechtsverständnis Sache des Individuums ist: Partnerwahl, Familie, Privatbesitz, Berufswahl und so weiter. Diese politische Herrschaft kumulierte im hohen Gericht. Noch im Tirol des 19. Jahrhunderts wurden die Verwaltungseinheiten zwischen Gemeinde und Land „Gerichte“ genannt. Militärische Auseinandersetzungen im feudalen Mittelalter bezogen sich meist entweder auf den ersten Teil des Feudalverhältnisses: Wer denn nun welchen Landstrich mit wie vielen Seelen nutzen darf – oder auf die Rückseite dieses Verhältnisses: Dass die „Seelen“ selbst zur Räson gebracht werden müssen. Das Königreich Frankreich bot zwischen dem 12. und 15. Jahrhundert reichlich Anschauungsmaterial, was ersteren Konflikt betrifft, die deutschen Lande im 16. und 17. Jahrhundert, was letzteren Konflikt betrifft. Franz Mehring fasste den militärgeschichtlichen Aspekt dieses Zusammenhanges gut, wenngleich etwas polemisch, zusammen.[316]

Nach diesem Exkurs wieder zurück zu Alexander III. und dem Hellenismus. Die im Vergleich zu Athen, Theben und Korinth rückständige makedonische Gesellschaft zeigte nicht nur eine schwächere Staatsspitze und einen schwächeren Staatsapparat, sondern auch eine ganz andere, nämlich stärkere Stellung der Frauen. Zumindest der Oberschicht, wie wir weiter oben etwas mehr im Detail gesehen haben. Freilich gibt es auch in Makedonien und den hellenistischen Staaten keine wirkliche Gleichstellung der Geschlechter. Dennoch fiel gerade in diesen der Vergleich zu den Verhältnissen im klassischen Athen und Rom besonders deutlich aus.

Begriffe können Verwirrung stiften. Ein König von Makedonien war etwas anderes als ein Großkönig des Achämenidenreiches und etwas anderes als ein mittelalterlicher König.

„In diese nördlichen Gebirge drang die Kultur im Altertum erst spät ein. (...) Makedonien war einer der wenigen griechischen Staaten, in denen es noch Könige gab. Aber der König von Makedonien war kein absoluter Herr, sondern über ihm stand die Stammesversammlung, die auch die oberste richterliche Gewalt ausübte. Der Kern des makedonischen Volkes war ein kräftiger Bauernstand; daneben gab es Großgrundbesitzer, die aber keinerlei Herrenrechte über die Bauern ausübten (...) und eine schwache städtische Bevölkerung. Makedonien hatte ungefähr eine halbe Million Einwohner, es konnte also mindestens 40.000 schwerbewaffnete Soldaten aufbringen. Kein anderer griechischer Staat konnte sich im Landkrieg auch nur im entferntesten mit Makedonien messen."[317]

Oder:

„Eine weitere und breite Basis der Staats- und Gesellschaftsordnung Makedoniens bildeten die landbesitzenden Bauern. Als ‚Gefährten zu Fuß' (pezhetairoi) waren sie neben der Hetairenreiterei das Rückgrat des Heeres."[318]

Es wäre vermutlich übertrieben, zu behaupten, Makedonien kannte kein antikes Eigentum, keine Warenproduktion und keine Sklavenarbeit. In den Bergwerken Makedoniens werden vermutlich nicht freie Bauern gearbeitet haben. Und es sind schriftliche Quellen Griechenlands bekannt, die sich auf vertragliche Regelungen des Handels mit Makedonien beziehen. Irgendwelche Waren wird ja Makedonien als Gegenleistung für Holz und Pech bezogen haben. Es scheint aber der grundlegende Unterschied zur griechischen Poliswelt darin bestanden zu haben, dass das Grundeigentum noch in den Händen der eigentlichen Bauern lag. Deswegen hatte auch noch kein „Senat" den Bauernkönig entthront. Demnach war die Eigentumskonzentration noch nicht fortgeschritten und daraus ist wiederum zu schließen, dass die Warenproduktion noch nicht verallgemeinert war. Makedonien war im 4. Jahrhundert vielleicht so wie Attika im 7. oder 6. Jahrhundert – grob geschätzt. Die Soldaten waren noch keine Söldner, sondern Hopliten – was Alexander freilich nicht daran hinderte, griechische Söldner gegen Dareios III. zu verwenden. Wir dürfen uns all diese Charakteristika und Typisierungen nicht absolut vorstellen. Die gesamte antike Wirtschaft kannte Zentren, in denen das antike Eigentum rein ausgebildet war, und Peripherien, die mit diesen Zentren in Verbindung standen, aber dabei gleichzeitig auch noch andere Seiten zeigten. Das Makedonien Phillips II. zum Beispiel hatte sich die Städte der Chalkidike, echte Poleis, im Zweiten Olynthischen Krieg (349 und 348/47) einverleibt und damit deren echt antiken Charakter nicht geändert. Makedonien wurde damit ein Stückchen mehr wie das eigentliche Griechenland.

Summa summarum aber war diese Gesellschaft proto-antik, prä-antik, vor-antik oder welches Adjektiv man auch immer verwenden mag. Sie stand dabei nicht in einem Widerspruch zu Athen, Theben und Korinth, nur in einem Entwicklungs-Gegensatz, den sie schließlich militärisch auflösen konnte. Hingegen vermag die vorderhand „marxistische“ These, dass Makedonien Athen, Theben und Korinth militärisch niederrang, um das Sklavenproblem zu lösen, nicht zu überzeugen. Diese These geht so:

„Während des peloponnesischen Krieges eine neue Erscheinung: Der Klassenkampf der Sklaven beeinflusst entscheidend den Verlauf des Krieges. Einerseits Aufstand der Heloten von Pylos — während sich die athenische Flotte nähert. Andererseits: Als nach dem für Athen unglücklich ausgegangenen sizilianischen Feldzug die Spartaner auf Veranlassung von Alkibiades in Attika einbrechen, nehmen 20.000 Sklaven die Gelegenheit zur Flucht wahr, was dazu führt, dass die Wirtschaft

Athens in völligen Verfall gerät. Die Niederlage Athens ist nicht allein, aber in sehr wesentlichem Maße auf die unlösbaren Widersprüche zwischen Sklaven und Sklavenhaltern in der athenischen Gesellschaft zurückzuführen. So entsteht die Notwendigkeit einer einheitlichen Kriegsmacht der griechischen Sklavenhalter zur koordinierten Niederhaltung der Sklaven — eine Aufgabe, die aber die miteinander rivalisierenden griechischen Stämmen nicht zu Stande bringen und die dann erst in der ersten Hälfte des vierten Jahrhunderts von Philipp von Mazedonien gelöst wird.“[319]

Nicht, dass die Tatsache der Sklavenwirtschaft keine Auswirkungen auf den politischen Handlungsspielraum gehabt hätte. Wir haben dies weiter oben in diesem Buch nachgezeichnet. Aber die Argumentation von Wolfgang Harich ist historisch nicht schlüssig. Denn Sparta wurde ebenfalls durch die Tatsache seiner Staatssklaverei in seinem außenpolitischen und militärischen Handlungsspielraum limitiert – nicht anders als Athen. Bei der Sklavenwirtschaft handelte es sich nicht um einen spezifischen Nachteil Athens. Und dann war gerade Athen auch lange nach dem peloponnesischen Krieg der zäheste Gegner der makedonischen Hegemonie über Griechenland. Noch zur Zeit der Diadochen nutze vor allem die „demokratische Partei“ jeden Anlass, um gegen die Makedonen zu intrigieren. In Wirklichkeit beendete erst Rom hundert Jahre nach Phillip von Makedonien die griechischen Kleinkriege. Die Sklavenwirtschaft der Antike hatte eine enorme Auswirkung auf die ökonomische Entwicklung, die Politik und die Gesellschaftsstruktur. Aber gerade die *Sklavenaufstände* verhinderten die Sklavenwirtschaft nicht – wir werden in den beiden nächsten Kapiteln sehen, weshalb dies so war.

Jedenfalls: Die objektive historische Rolle Makedoniens war nicht, durch die Auflösung der Polis-Struktur die Gefahr der

Sklavenaufstände zu bannen, sondern mittels des Alexanderzuges einen Wertetransfer von der asiatischen Produktionsweise zugunsten der antiken zu initiieren. Und das konnte Makedonien an der Spitze der griechischen Staaten nur deswegen, weil es selbst keine Polis war. Die historische Rolle Makedoniens verwirklichte sich im Hellenismus. Offensichtlich konnte nur diese „vorantike Unreife" die Staatsspitze des Achämenidenreiches übernehmen und umformen, nicht die klassischen griechischen Gemeinden. Die Geschichte des Hellenismus ist ausgesprochen komplex und folgenreich. Der Hellenismus bildete Elemente heraus, die später dem antiken Rom ein von dem antiken Griechenland unterscheidbares Gesicht gaben. Die hellenistischen Staaten waren weder bloß eine griechische Expansion, noch eine Fusion der Polis-Welt mit der altorientalischen Welt. Sie waren mehrschichtig: Die der Polis wesensfremde Reichskaste des Staates war ein Strukturelement der asiatischen Produktionsweise – und wurde nun von Makedonen angeführt, die auf der ökonomischen Ebene die asiatische Produktionsweise zwar nicht auslöschen konnten, diese aber der Ausbeutung durch die antike Produktionsweise aussetzten. Vereinfacht und ungefähr so ähnlich, wie die Briten im 18. und 19. Jahrhundert die Moguldynastien Indiens für die koloniale Ausbeutung Indiens zum Gedeih des europäischen Kapitalismus förderten.

Diese Komplexität ist nur abstrakt auf ein paar Sätze zu bringen. Vielleicht ist es leichter, bei der Ökonomie anzufangen. Weder die asiatische noch die antike Produktionsweise füllten die Gebiete der hellenistischen Reiche voll aus, man muss schon etwas näher hinzoomen, um ein realistisches Bild zu bekommen. Im klassischen Babylonien zum Beispiel war das Antike nie wirklich zu Hause, anders in Teilen von Syrien. Dort, wo kein Privateigentum verbreitet war, konnte es auch kein Privateigentum an Sklaven für Bergwerksarbeit, Bewässerungsanlagen, Felder und Hausarbeiten geben.

Die Welt der Polis konnte nicht immer willkürlich in eine andere Gesellschaft exportiert werden. Manchmal gelang es, oft aber auch nicht. Viele der neuen „Alexandrien" – die Stadtgründungen ihres berühmten Namensgebers – wurden keine richtigen Poleis. Die im äußersten Nordosten des Riesenreichs Alexanders angesiedelten Griechen in Baktrien wollten sofort nach Alexanders Tod nach Hellas zurückkehren. Es wurde ihnen untersagt. Ein Aufstand unter den Griechen brach aus. Er wurde von den Makedonen niedergeschlagen, zehntausende Griechen verloren ihr Leben. Es war ihnen jedenfalls unmöglich geworden, in einer künstlichen Polis in der Isolation zu leben. Das ist nur eine Episode von anderen, die uns demonstriert, dass eine willkürliche Expansion der Antike nicht aufging.

Und wir könnten sagen: nicht aufgehen konnte. Denn es macht einen Unterschied, ob eine Handvoll Griechen auf Geheiß des hellenistischen Königs an irgendeinen Ort auf der Landkarte des Riesenreiches versetzt wird, oder ob die Expansion der antiken Verhältnisse aus sich heraus geschah. Diese Variante haben wir im 5. Jahrhundert kennengelernt, als die Übervölkerung Athens die Kleruchen zu neuen Grundeigentümern machte, vorzugsweise am Mittelmeer und an den großen Flüssen – denn der antike Handel setzte auf den effizienten Wasserwegtransport.

Die hellenistische Gräzisierung Westasiens und Nordafrikas war partiell, selektiv, meist nur an „Brückenköpfen" – aber nie in die große Fläche hinein wirkend. Dort wo die asiatische Produktionsweise äußerst erfolgreich war und viel Output lieferte, also im Überschwemmungsgebiet des Nils und im Zweistromland, konnte diese Art der Agrarproduktion nicht aufgegeben werden. Und mit ihr blieben auch die dazu passenden sozialen

Verhältnisse bestehen: Besitz statt Eigentum; Dorfgemeinschaften statt städtischem Handwerk; Fellachen statt freien Bauern und Sklaven; Steuereintreibung statt Steuerfreiheit.

Somit scheint insgesamt die orientalische Ökonomie nicht der Verlierer des Alexanderzuges und der makedonischen Dynastien gewesen zu sein. Aber das ist nur die eine Seite. Die andere bezieht sich auf die Tatsache, dass erst nach dem Sturz des letzten Achämeniden, Dareios III., die antike Ökonomie Zugriff auf die Ressourcen der asiatischen Produktionsweise bekam. An erster Stelle sind die Edelmetallreserven des Achämeniden-Reiches zu nennen. Dieses Edelmetall floss innerhalb der nächsten hundert Jahre in den Währungskreislauf der antiken Mittelmeerwelt ein. Eine Inflation war die Folge.[320] Wie meistens in der Wirtschaftsgeschichte bewirkt eine Inflation eine Umverteilung von Vermögen und zwar von den unteren Vermögensklassen zu den oberen. Indirekt, über mehrere Ecken und Enden und mit der Verzögerung einiger Jahrzehnte und Jahrhunderte, hatte die Anabasis Alexanders einen destabilisierenden Effekt auf die antike Welt. Freilich ist dieser Effekt im Nachhinein schwer zu quantifizieren. Aber vielleicht ist dieser Effekt mit dem Ruin selbstständiger Bauern Latiums nach der Einverleibung des viel produktiveren Siziliens durch römische Legionäre vergleichbar.

„Es ist nicht das erste Mal in der Geschichte der Gesellschaften, daß eine tiefreichende Verarmung der Volksmassen von der Entwicklung einer oberflächlichen Aktivität begleitet und verschleiert worden ist, da der Umfang des Handels eine regelrechte ›Inflation‹ hervorruft, die die Mittel der Kaufleute vergrößert und die der kleinen Produzenten verringert. So verschafften sich zum Beispiel die Soldaten und die Kaufleute, die das Heer begleiteten, große Mittel, indem sie versklavte Gefangene verkauften oder Gegenstände, die aus Plünderungen stammten.

Die im Laufe der Jahrhunderte vom persischen Reich angesammelten Schätze wurden durch den Bedarf des Krieges oder der Diplomatie in Umlauf gebracht. Die Menge des Geldes wächst; die neuen Hauptstädte schreiten zu massenhafter Geldschöpfung. Das alles schafft keinen echten Reichtum, wohl aber die Illusion des Reichtums und führt vor allem zu einer Neuverteilung des vorhandenen Reichtums. Bankwesen und Geldhandel spielen eine große Rolle, und selbstverständlich sichert sich das Bürgertum der Städte vorweg den besten Teil dieser Zahlungsmittel, die es gegen gewerbliche Erzeugnisse eintauscht, deren Preis rasch steigt. Die hellenistische Periode, die zu Anfang des 3. Jahrhunderts einsetzt, wird zur *belle époque* des Luxus, der Kunst (einer Kunst, die ein bißchen ins Kunstgewerbliche geht, um einer bürgerlichen und ‚kolonialen' Kundschaft zu gefallen (. . .).“[321]

Es ist allerdings fraglich, ob „der Umfang des Handels“ eine Inflation hervorrief oder nicht doch etwa bloß die gestiegene Menge an Geld gegenüber einer weniger angestiegenen Menge an Waren. Dessen ungeachtet wird hier die duale Ökonomie auf Kosten des Ostens immerhin angedeutet.

Schauen wir uns noch ein Beispiel an – Sparta im Zeitalter des Hellenismus:

„Die Entwicklung der wirtschaftlichen Verhältnisse, der Zustrom von Geld als Folge der Eroberung, hatten fast überall die besitzenden Klassen verarmen lassen, aber nirgend so sehr wie in Sparta. Die Erhöhung sämtlicher Preise hatte viele Grundbesitzer gezwungen, ihr Land zu verkaufen, was bewirkte, daß sie ihres Bürgerrechtes verlustig gingen.“[322]

Ein bemerkenswerter Passus, der zwei Verhältnisse verdeutlicht: Erstens war es das „persische Gold“, das die Inflation hervorrief, indem im Vergleich zu den Waren mehr zirkulierendes Geld vorhanden war. Aber nicht alle Waren stiegen im Preis (nicht im Wert). Im hellenistischen Ägypten machte 1 Liter Sesamöl mehr als 1/10 eines Monatseinkommens eines „Arbeiters“ aus.[323] Jene Waren aber, die selten zirkulierten und nicht in den Seehandel eingingen, inflationierten nicht – wie eben Grund und Boden. Diese Differenz war sozial bedeutsam, wie wir uns leicht vorstellen können. Zweitens sehen wir in diesem Passus die alte soziale Gleichung der Antike ...

$$Grundeigentum = Bürgerrechte + Gewaltmonopol$$

... nach wie vor wirksam. Selten wurde dies von den Historikern so unumwunden ausgesprochen. Dieselbe Quelle weiter:

„Anderen war es zwar gelungen, ihr Land zu behalten, aber sie besaßen nicht die nötigen flüssigen Mittel, um es richtig bewirtschaften zu können. Überall Schulden und eine ‚Proletarisierung‘, für die es in einer Stadt, die selbst keinen Handel trieb, keine Abhilfe gab. Als Agis IV. im Jahre 244 König von Sparta wurde, begriff er, daß tiefreichende Reformen unternommen werden mußten, (...) Er schlug die Streichung der Schulden und eine Neuverteilung des Bodens vor. Das entsprach dem (...) was seit der Errichtung militärischer Kolonien durch Alexander den Großen und seine Nachfolger so ziemlich auf der ganzen Welt das üblich gewordene Verfahren war.“[324]

Übrigens motivierte das Vorhaben, Schulden zu streichen, die wenigen Reichen, Intrigen gegen Agis zu spinnen. Aber das ist nicht der für uns springende Punkt. Reichtum an Gold führt in der Warenwirtschaft zur Armut Vieler, wenn nicht gleichzeitig mehr produziert wird. Die Besonderheit der antiken Warenwirtschaft im Vergleich zum industriellen Kapitalismus bestand auch darin, dass das Streichen von Schulden überhaupt als gängiges Instrument im wirtschaftspolitischen Arsenal vorhanden war. Dieser Unterschied erklärt sich nicht ohne weiteres von selbst. Vielleicht liegt der Hintergrund in der viel geringeren Kapitalmasse der Antike. Nicht in einem sinnlosen absoluten Vergleich, sondern relativ zur Produktmenge. Oder anders gesagt: Die „organische Zusammensetzung des Kapitals" war geringer als im industriellen Kapitalismus. Die Vernichtung von Geldkapital – und nichts anderes bedeutet die Streichung von Schulden – zieht weniger weite Kreise und hat geringere Auswirkungen. Eine niedrige „organische Zusammensetzung" entspricht einem geringen Stand an Kapitalzirkulation. So erklärt sich das Paradoxon: Umso mehr Kapital existiert, umso weniger darf von diesem vernichtet werden. Ein Zusammenhang, der sich dem Hausverstand nicht erschließt, der aber durch die Bankenrettungsprogramme nach der Weltwirtschaftskrise 2009 deutlich bestätigt wurde.

Gold und Geld waren eine Sache. Die Produktion von Sklaven eine weitere.

„Als Alexander und seine Nachfolger und später die Römer weite Teile des Alten Orients eroberten, stand ebenfalls diese Überlegung im Mittelpunkt der Entwicklung."[325]

Diese Überlegung ist laut Finley der Sklavenzustrom von Ost nach West. Und weiter:

„Sie fanden dort ein unabhängiges Bauerntum neben einer großen Zahl abhängiger Arbeitskräfte vor in einem Zahlenverhältnis, über das wir noch nicht einmal Vermutungen anstellen können. Als Eroberer, die zur Ausbeutung und wegen des Gewinns gekommen waren, taten sie das Naheliegende: sie ließen das vorgefundene Pachtsystem bestehen und nahmen Veränderungen im Detail nur insofern vor, als sie erforderlich wurden, z.B. durch die Gründung griechischer Städte, deren Landgebiet traditionell der Kontrolle durch den König oder durch die Priesterschaft entzogen war."[326]

Hier haben wir das Wesentliche vor uns: Es gibt zwei unterschiedliche Produktionsformen – Finley verwendet nicht die marxistische Terminologie „antike" vs. „asiatische Produktionsweise", meint aber eben diese. Diese *modi operandi* waren auch vor der Anabasis Alexanders miteinander in Kontakt, aber eben nur so, wie zwei Flächen aneinandergrenzen. Nach Alexander überlappten sich beide Flächen und interagierten miteinander. Aber nach welcher Spielregel? Der asiatischen oder der antiken? Nur eine kann zur Anwendung gelangen. Die eine Seite dominiert die andere, ohne sie nach dem eigenen Ebenbilde umzuformen. Die Unterschiedlichkeit war Voraussetzung dafür, dass die eine die andere ausbeuten konnte. Genau das ist das Thema der dualen Ökonomie.

„Mesopotamien zog Nutzen aus seinem Eintritt in das riesige Wirtschaftsgebiet der hellenistischen Welt. Der Handel über weite Entfernungen wird hier wie anderswo durch die Bedeutung rhodischer Vasen bekundet, deren Henkel wir in Dura, Seleukeia, Nimrud und Uruk gefunden haben."[327]

Das stammte nicht aus der Feder eines Wirtschaftshistorikers. Tatsächlich hatte Mesopotamien vor Eintritt in die duale Ökonomie des Hellenismus ebenfalls einen Fernhandel. Nun aber übernahm dieser – falls man der Interpretation jener Scherben folgen möchte – Rhodos. Tatsächlich war Rhodos der Handelsspezialist der hellenistischen Zeit mit einer eigenen Seepolizei, die gegen die Seeräuberei in der Ägäis vorging ... bis Rom der Insel diese Stellung im 2. Jahrhundert nahm und sie Delos übergab, um den „Transitzoll" zu umschiffen. Woraufhin der karge Felsen Delos durch den Transithandel und den Schiffsverkehr reich wurde. Hier gab es Kontore und Börsen, die hier für die italischen Kaufleute (*negotiatores*) entstanden. Hier sehen wir den Umschlag von internationalen Handelsgütern wie Purpur, Getreide, Öl, Oliven, Baumwolle, Seide, Parfüms und Gewürzen. Vor allem aber Sklaven, wie Strabon in seiner *Geographika* zu berichten weiß:

„Tryphon war zusammen mit den unfähigen Königen, die nacheinander Syrien und Kilikien beherrschten, die Ursache dafür, dass die Kiliker sich zu Piratenflotten zusammenschlossen. (...) Die Ausfuhr der Sklaven veranlasste sie dazu, sich in diesen schlimmen Handel zu engagieren, der außerordentlich hohe Gewinne einbrachte. Die Menschen wurden nämlich nicht nur leicht gefangen genommen, sondern es lag auch ein großer und prosperierender Handelsplatz in unmittelbarer Nähe, Delos, wo es möglich war, an einem Tag zehntausend Sklaven aufzunehmen und wegzuschicken. (...) Ursache hierfür war die Tatsache, dass die Römer, die nach der Zerstörung Karthagos und Korinth reich geworden waren, viele Sklaven benötigten. Die Piraten aber sahen diesen Überfluss und so kam es zur Blüte der Piraterie. Sie waren aber nicht allein im Seeraub engagiert, sondern auch im Sklavenhandel. Sie agierten in Übereinstimmung mit den Königen von Zypern und Ägypten, die Feinde der syrischen Könige waren. Und auch die Rhodier waren nicht Freunde (der Syrer), so dass sie keine Hilfe (gegen die Piraterie) leisteten. Die Piraten übten aber unter dem Vorwand des Sklavenhandels ungehindert ihre schlechte Tätigkeit weiter aus.“[328]

Letzter Satz ist bezeichnend für das antike Bewusstsein: Die Piraterie ist das Schlechte, nicht der Sklavenhandel. Mit „Syrern“ meinte Strabon vermutlich die Seleukiden-Dynastie. Der Passus bei Strabon zeigt aber auch, dass ökonomische Werte (Sklaven in diesem Fall) vom Osten nach dem Westen gelangten. Diese Werte wurden im Osten geraubt und im Westen verkauft. Das qualitativ Neue ist nicht der Fernhandel im Osten, denn diesen gab es bereits unter den Achämeniden, sondern dass sich der Westen im Osten bedienen konnte. Genau das war erst durch die Eroberung des Ostens durch Alexanders möglich geworden.

„Die Ausmünzung war dort reichlicher, und die ausgezeichneten Silbermünzen, die von den Herrschern geprägt wurden, dienten zur Regelung der Geschäfte, deren Rechnungsbetrag in Rechnungsmünzen ausgedrückt wurde. Soundsoviel Silberminen und -schekel, zahlbar in Stater ‚von gutem Gewicht' dieses oder jenes Herrschers nach einem amtlichen Wechselkurs. In dieser Formel verbanden sich uralte Gepflogenheiten mit der Zugehörigkeit zu einem riesigen Tauschgebiet, denn alle Münzen von attischem Gewicht, ob sie nun von den Seleukiden geprägt waren oder nicht, waren von Griechenland bis zum Iran frei im Umlauf. Dasselbe galt für Maße und Gewichte: Babylonien benutzte nebeneinander sein eigenes System und das im Reich übliche attische."[329]

Gab es zwei Währungsverbände im Hellenismus? Einen von Athen bis in den mittleren Osten und einen von Ägypten bis ins punische Spanien? Immerhin wissen wir vom Rom des 3. Jahrhunderts, dass es nach dem Krieg gegen Pyrrhus seine Währung jener des ptolemäischen Ägyptens anpasste, wie es bereits Karthago vormachte:

„(...) ferner waren es Folgen der wirtschaftlichen Art, da Rom sein Geldsystem den Notwendigkeiten des hellenischen Handels, mit dem es sich nun eng verbunden sah, anpassen mußte."[330]

Zumindest aber, und das ist für unser Thema der springende Punkt, werden auch in diesem Passus die Usancen einer dualen Ökonomie auf *einem* geographischen Gebiet angesprochen. Die duale Ökonomie wurde seit Alexanders Anabasis zur treibenden Kraft. Und sie prägte in einem allerdings noch näher zu bestimmenden Ausmaß auch die innere Struktur des römischen Reiches:

„Die Welt, die die Römer zu einem einzigen Reich zusammenfügten, hatte nicht eine gemeinsame lange Geschichte, sondern eine erkleckliche Anzahl geschichtlicher Traditionen, die die Römer weder auslöschen konnten noch wollten. Die außerordentliche Stellung der Stadt Rom selbst und Italiens mit seiner Befreiung von der Grundsteuer ist ein naheliegendes Beispiel. Ein weiteres Beispiel ist, daß in Ägypten und anderen östlichen Provinzen ein bäuerliches System weitergeführt wurde, das die Bewirtschaftung von Gütern durch Sklaven wie in Italien und Sizilien nicht aufkommen ließ."[331]

Man kann es auch so formulieren: Auch in Ägypten wurde die asiatische Produktionsweise nicht durch die antike verdrängt. Und dies, obwohl – oder weil – die ägyptische Getreideproduktion in den Welthandel des römischen Reiches so gut integriert war. Eine erstaunliche Tatsache! Und Michael Rostovtzeff spricht von zwei sozialen Welten in den hellenistischen Reichen. Nämlich dass die eine ...

„(...) auf einem gewissen Maß an Freiheit und Initiative beruhte, während die andere von oben bestimmt und einer weitgehenden Staatskontrolle unterworfen wurde."[332]

Neu ist daran nur die zuerst genannte „Welt", die der „Freiheit und Initiative" der Griechen, Gräzisierten und Römer in Mesopotamien und Ägypten. Soziologisch gesehen stellten diese vermutlich eine „Oberschicht". Aber das besagt wenig, wenn die asiatische Produktionsweise mit ihrer „weitgehenden Staatskontrolle" offensichtlich recht erfolgreich war und deswegen beibehalten werden musste. Die „Oberschicht" musste somit auch die Rolle einer Staatskaste übernehmen. Die hellenistische Oberschicht ist somit nicht vergleichbar mit jener der Ostgoten in Italien des 5. und 6. Jahrhunderts. Denn in deren Gesellschaft bildete die „Oberschicht" keine duale Ökonomie ab: Ostgoten und Römer teilten sich Grund und Boden.

Pierre Grimal über das asiatische Spaltprodukt von Alexanders Reichsgründung, jenes der Seleukiden:

„Doch das Reich des Antiochos leidet noch unter einer viel schlimmeren Krankheit: Die Hauptstadt ist Babylon, aber die Interessen seiner Könige sind nicht auf Mesopotamien gerichtet. Ihr Blick ist nach Westen gewandt, nach den hellenisierten Ländern am Rande des Mittelmeeres. Was geographisch der Mittelpunkt ihres Königreiches ist, erscheint ihnen im Grunde als Hinterland, ein wertvolles Hinterland zwar, aber mitunter allein durch seine ungeheuere Ausdehnung lästig. Der Hellenismus ist in den meisten Satrapien dieses Reiches eine fremde Kultur, die mehr oder weniger freiwillig von der Elite übernommen wurde, die aber keinen wirklichen Einfluß auf das Volk hat..“[333]

Grimal hat hier die politische bzw. die kulturelle Seite eines ökonomischen Verhältnisses skizziert, das übrigens im dritten Spaltprodukt des Alexander-Reiches, nämlich Makedonien-Hellas, nicht auffindbar war. Denn in diesem dominierte ja von Anfang an die antike Produktionsweise. Der Gegensatz zwischen Makedonien und dem eigentlichen Hellas bezog sich nur darauf, dass im (bäuerlichen) Norden der griechischen Halbinsel die vorklassischen Eigenschaften noch existierten, die im eigentlichen Griechenland längst Geschichte geworden waren.

Fassen wir nun zusammen. Die duale Ökonomie des Hellenismus gliedert sich in mehrere unterschiedliche Aspekte, die wir nicht vermengen dürfen, wenn wir zu einer klaren Analyse gelangen wollen:

Erstens gab es nach wie vor die traditionelle Beziehung des Orients zum Okzident. Also in etwa das Modell, nach dem das Achämenidenreich mit der antiken Mittelmeerwelt bereits vor dem Auftreten Alexanders III. ökonomischen Austausch pflegte: Fernhandel von Warenüberschüssen, Edelmetall als Devisenreserve für ebendiesen Fernhandel, Zukauf von Dienstleistungen (Handwerker, Baumeister, Wissenschaftler). Wenn es etwa zu den Bemühungen Alexanders, Babylon neu aufzubauen, heißt ...

„Diese Vorarbeiten belasteten die Finanzen Alexanders mit den Löhnen von mehr als 600.000 Tagwerken."[334]

... dann sind damit keine Löhne für Lohnarbeiter gemeint, sondern der Preis, den Handwerker in Rechnung stellten, ob sie nun als Selbstständige oder als unselbstständige „Staatsangestellte" arbeiteten. Auch wenn hier für die asiatische Produktionsweise atypische Arbeitsverhältnisse zur Anwendung kamen, bedeuteten diese keine Ausbeutung der einen Produktionsweise durch die andere. Die Beschäftigung dieser Arbeitskräfte war noch keine Quelle der Aneignung von „fremd-fremder" Mehrarbeit.[335] Im Gegenteil, es handelte sich um Verausgabung von Revenue, die ihre Quelle ihrerseits woanders hatte. Vermutlich in der Besteuerung der Bauerngemeinschaften Mesopotamiens.

Ein anderes Beispiel für die traditionelle Beziehung beider Welten, diesmal aus dem Ägypten des 7. vorchristlichen Jahrhunderts:

„Psammetich I. ließ Ägypter im Griechischen unterrichten, weil er die Notwendigkeit, Dolmetscher auszubilden, die die Beziehungen zwischen den beiden Völkern erleichtern sollten, erkannt hatte. Die Griechen wurden ermächtigt, Handelskontore am unteren Nil einzurichten, zunächst in sehr großzügiger Weise; dann aber wurden Maßnahmen getroffen, die vor allem das Zoll- und Steuerwesen betrafen, und die schließlich nur noch einen griechischen Hafen, Naukratis, zuließen. Das ägyptische Heer hatte in seinen Reihen viele griechische Söldner, und es war vor allem eine solche Gruppe, die unter Psammetich II. den weitesten uns bekannten Erkundungsvorstoß in den Sudan wagte (...)."[336]

In dieser Passage kommt sehr schön das Verhältnis zwischen beiden Seiten und wie sie sich vorsichtig „ineinanderschoben" zum Ausdruck. Den zweiten Aspekt, der erst mit der Anabasis Alexanders möglich wurde, haben wir oben bereits kennengelernt: die Extraktion ökonomischer Ressourcen aus Mesopotamien und Ägypten für den Warenkreislauf der Antike. Sklaven und Edelmetalle wurden unentgeltlich angeeignet.

Der dritte Aspekt: Der Warenmarkt umfasste nun nicht nur den Überschuss, der in den Fernhandel floss, sondern auch das eigene Hinterland. Ein Indiz hierfür ist das Aufkommen der Kupfermünze in Mesopotamien:

„Überdies wurde durch die Ausgabe von Kupferstücken, die in den örtlichen Werkstätten geschlagen wurden, zum ersten Mal ein überall verbreitetes Geld geschaffen, das dem Handel über kurze Strecken diente.“[337]

Es ist freilich schwer nachweisbar, wie dicht der lokale Handel in hellenistischer Zeit wurde. Oder anders formuliert: Es ist unwahrscheinlich, dass die Agrarproduktion der Bauerngemeinden bereits Warenproduktion wurde. Jedenfalls blieb vermutlich der Staat Hauptabnehmer der Agrarproduktion und das Getreide ging erst vom Staat aus in den Warenfernhandel ein. Dass darüber hinaus im Hinterland mehr Waren als zuvor auch lokal gehandelt wurden, widerspricht dem nicht. Jedenfalls hatte die Stärkung der Ware gegenüber dem bloßen Produkt auch seine spezifischen Auswirkungen in der Kultur: Mit der Warenwirtschaft geht immer die Aufwertung des Privateigentums einher und damit die Aufwertung des Individuums gegenüber persönlichen, aber unindividuellen Bindungen.[338]

„Der Hellenismus verherrlichte in seiner ‚modernen‘ Form, d.h. so wie er sich zu jener Zeit in dem Denken und der Zivilisation der hellenistischen Welt darstellte, den Wert und die Rechte des Individuums.“[339]

Dem Autor dieses Satzes, Pierre Grimal, war die Implikation des Individuums in einer Gesellschaft, deren Ökonomie an sich kein Individuum kannte, nicht bewusst. Die Historiker der politischen Geschichte der Antike und des Hellenismus gehen nicht von einer dualen Ökonomie aus. Und selbst wenn sie den Begriff bezogen auf die hellenistischen Reiche nicht explizit ablehnen, so wenden sie das dahinterstehende theoretische Modell nicht an oder erkennen nicht die Implikationen. So berichten sie von empirischen Sachverhalten wie von unterschiedlichen Teilen eines Mosaiks, das zwar vermengt, aber insgesamt doch alles enthält, was wir nur wieder neu zusammensetzen müssen: Sachverhalte, die auf die antike Produktionsweise schließen lassen, Sachverhalte, die auf die asiatische Produktionsweise schließen lassen, und schließlich Sachverhalte, die auf die Beziehung zwischen beiden zueinander schließen lassen. Letzteres ist selbstverständlich der anspruchsvollste Aspekt, denn dieser beinhaltet die Frage, welche Produktionsweise unter der Annahme der „Unvergleichbarkeit von Verschiedenem“ sich durchsetzt und mit welchen Instrumenten. Selbstverständlich waren diese Fragen auch den historisch Betroffenen so nicht bewusst; sie sahen und erlebten – wenn überhaupt – nur die sozialen Gegensätze, die aus den unsichtbaren Tiefen der Ökonomie an die Oberfläche gelangten. Wie könnte auch eine duale Ökonomie erkannt werden? Selbst den weitaus kenntnisreicheren Beteiligten der sozialistischen Ökonomie war ihre damalige eigene Dualität nicht völlig bewusst und nur wenige wie Evgenij Preobrashenskij (Mitte der 1920er Jahre) operierten mit dem dazu passenden theoretischen Modell. In der Zeit der hellenistischen Reiche äußerte sich die unsichtbare Tatsache einer dualen Ökonomie über gewundene und verwinkelte Wege. Aber dennoch fand auch sie in der Kultur ihren Ausdruck:

„Die Komödie (. . .) brachte die verschiedensten Typen auf die Bühne, wie sie der Dichter in seiner Umgebung fand. Geschildert wird uns so die ‚hellenistische‘ Gesellschaft zum Zeitpunkt ihrer Entstehung (...) den großsprecherischen Söldner, reich und fett, Schürzenjäger und Freund von Saufgelagen, der von Schmarotzern zum Narren gehalten wird (...) reiche Bürger, die ihr Vermögen dem Handel mit fernen Ländern, Bankgeschäften oder der Arbeit der Sklaven verdanken, die ihre Felder bewirtschaften; die Buhlerinnen, mal naiv, solange sie unerfahren und von einer Kupplerin oder einem Sklavenhändler abhängig sind, mal ‚kokett' und geldgierig (...). Es treten auch undeutlich blasse Schattenbilder, die ‚ersten Liebhaberinnen' auf, deren Schicksal es ist, gesetzmäßige Ehefrauen zu werden und auf ewig in der Geborgenheit und dem Halbdunkel des *Gynekaions* eingeschlossen zu sein."[340]

Offensichtlich existierte ein Bedarf, die im Osten neuen griechischen Sitten zu verarbeiten. In dieser Szenerie des Ineinanderschiebens unterschiedlicher Kulturen entsteht eine neue Sehnsucht, die Sentimentalität:

„In den Intrigen, die auf das Schicksal dieser Wesen einwirken, findet man das Abbild des damaligen Lebens wieder; die allgemeine Unsicherheit (...) und vor allem die romanhaften Episoden der Entführungen zu Wasser und zu Lande, das Auftauchen von Seeräubern, die die Kinder (vor allem die Töchter) von ihrem Vater trennen und ein rührendes Wiederfinden fünfzehn Jahre später gestatten."[341]

Andererseits schimmert in der Kultur auch immer wieder die alte Tradition der asiatischen Produktionsweise durch:

„Die Anwesenheit eines Löwen, der an der Seite der Götter gegen die Giganten kämpft, auf dem Fries des großen Altars und die eines Adlers erinnern daran, daß Löwe und Adler in der klassischen Mythologie die heraldischen Tiere der Kybele und des Zeus sind und zum ältesten Bestand sakraler bildlicher Darstellungen der Sumerer (...) gehörten."[342]

In der Religion spiegelten sich Aspekte beider Produktionsweisen wider. Der Historiker spricht hier von „Synkretismus“, an dieser Stelle an Hand des Beispiels des hellenistischen Ägyptens:

„Wir haben bereits kurz erwähnt, daß Dionysos von Ptolemaios Soter (oder Philadelphos) bei der Schöpfung des Gottes Sarapis (Serapis) benutzt worden war, der nicht einfach reine Erfindung war, sondern die Verjüngung einer örtlichen Form des Osiris (...) verkörperten hellenischen Persönlichkeit. (...) Diese synkretische Gottheit, die viel dazu beitrug, Religion und Mysterien der Isis zu verbreiten, hatte eine doppelte Aufgabe: Sie sollte in der griechischen Welt Gläubige für ägyptische Religionsanschauungen gewinnen und andrerseits gewisse ägyptische Religionsanschauungen hellenisieren.“[343]

Diese Passage ist vielsagend. Der Synkretismus war politisch gewollt, er entstand nicht aus der Struktur der Ökonomie, wie wir es im Falle des Default-Pantheon der antiken Gemeinschaften der Mittelmeerwelt beobachten konnten. Der Hellenismus folgte einer anderen Konstellation und einer anderen Logik, denn er bezog sich auch auf das Orientalische mit dessen Staat als Konsumenten des Großteils des „Bruttonationalproduktes“. Im Seleukiden-Reich zum Beispiel wurden orientalischer Staat und antike Stadt miteinander kombiniert:

„Der König ist der ‚Schirmherr‘, der den Städten ihre traditionelle Autonomie gewährleistet, oft ihre demokratische Verfassung, das Recht ihre Beamten zu wählen, selbst den größten Teil der Rechtsstreitigkeiten zu regeln und ihre Einkünfte zu haben (obwohl der König in diesem Punkt ein Wort mitzureden hatte).“[344]

Generell gehen wir ja davon aus, dass im Hellenismus die asiatische Produktionsweise bestehen blieb und nur zusätzlich eine neue Institution antiker Profiteure dieser Produktionsweise geschaffen wurde. In einigen (urbanen) Gebieten war es offensichtlich umgekehrt: Hier blieb die antike Produktionsweise erhalten bzw. wurde vielleicht durch die „Griechen" ausgebaut und nur eine politische Institution wurde über diese gelegt bzw. erhalten: Der orientalische Despot im Gewand eines hellenistischen Königs zweigte etwas von dem erwirtschafteten Mehrprodukt ab.

„Die Städte waren nicht auf ihr bloßes Gebiet beschränkt, sondern besaßen Ländereien, deren Güter im Besitz ihrer ‚Bürger' waren und die zu den Einkünften der Stadt beitrugen."[345]

In dieser Hinsicht nichts Neues zu den traditionellen Verhältnissen der Polis, der römischen *urbs* und der punischen *civitas*. Hellenistische Verhältnisse zeigen sich erst in dem, was Pierre Grimal weiter ausführt:

„Aber nicht das ganze Land war den Städten zugeteilt. Es gab ‚Königsland', und selbst dieses Land bildete die Gesamtheit des den Seleukiden unterworfenen Gebietes, mit Ausnahme des den autonomen Städten zugeteilten Landes. In Asien, wie auch im lagidischen Ägypten, ist der König theoretisch unumschränkter Herr des Bodens. Er kann davon nur Teile gegen einen Grundzins verleihen, könnte seinen Besitz aber nicht veräußern."[346]

Letzterer Aspekt ist ein Erbe der altorientalischen Verhältnisse, in denen die Priesterkaste das Staatseigentum verwaltete. Aber da es kein Privateigentum war, konnte es auch nicht veräußert werden. Es handelte sich um ein „asiatisches" Eigentum. Im Hellenismus haben wir asiatische Produktionsverhältnisse zwischen der Staatsspitze und den Bauerngemeinden vor uns, während die Städte die antiken Produktionsverhältnisse (Privateigentum und Sklavenarbeit) beibehielten bzw. die Neugründungen, so sie in dieser Hinsicht erfolgreich waren, anwenden konnten. Grimal selbst sieht ebenfalls zumindest unterschiedliche Produktionsverhältnisse *in einem Staat*, auch wenn es sich im Sinne des Idealismus ausdrückt:

„Die Anwendung dieses Grundsatzes erlaubte es, so verschiedenartige und elastische Besitzverhältnisse zu schaffen, wie man wünschte – was in Staaten aus sehr unterschiedlichen Völkern, von denen jedes seine eigenen Überlieferungen hat, unvermeidlich war.“[347]

Ein Pool dieser dualen Ökonomie kommt hier zum Ausdruck:

„Das Königsland zahlt Steuern – in Geld (das ist der Tribut) oder Naturalien. Der König beansprucht im voraus einen beträchtlichen Teil der Ernten, ein Drittel, manchmal die Hälfte – wenigstens von den Ländereien, deren unmittelbare Bewirtschaftung er sich vorbehält.“[348]

Soweit beschreibt Grimal nichts anderes als die Usancen der asiatischen Produktionsweise. Dass aber auch noch in hellenistischer Zeit das agrarische Mehrprodukt in Form von Naturalien abzuliefern war, ist ein Indiz, wie lebendig diese Produktionsweise neben der antiken noch war. Denn sie deutet auf eine Produktion jenseits des Warenmarktes hin. Unser Autor weiter:

„Der Grundzins, den er erhebt, ist für die Güter, die er Privatpersonen oder Gemeinschaften überlassen hat, natürlich geringer, da die Nutznießer einen Teil der Einkünfte für sich behalten.“[349]

Hier wirft Grimal zwei ökonomisch unterschiedliche Dinge zusammen. Das eine ist die traditionelle Abschöpfung des Mehrproduktes durch die Staatsspitze in der asiatischen Produktionsweise. Das andere – der Grundzins für die Güter, die Privatpersonen oder Städten überlassen wurden – ist die Besteuerung von Privateigentum. Wie kann aber die hellenistische Staatsspitze sowohl der asiatischen als auch der antiken Produktionsweise dienen? Das ist allerdings erklärungsbedürftig.

Fassen wir zuerst einmal zusammen: Diese Staatsspitze nahm ursprünglich, etwa in sumerischer Zeit, die Form einer Priesterkaste an, dann die Form assyrischer und persischer Großkönige, dann die Form der Diadochen-Könige. Letztere kamen eigentlich gegen ihren Willen in diese Funktion – für sie wäre das alte makedonische Königtum die natürliche Leitlinie. Aber in dem Moment, als Alexander III. die alten Staatsstrukturen Babyloniens, Ägyptens und Persiens übernahm, blieb von dem makedonischen Königtum nur die Heeresfolge und die Heeresversammlung übrig, die bald auf die Offizierskaste beschränkt blieb und sich (mit Ausnahme des makedonischen Kernlandes) immer mehr auflöste. Weshalb war dies der Fall? Die orientalische Produktion schuf mehr Reichtum als die makedonische, vor allem für die makedonische und griechische Oberschicht. Sie musste ökonomische Ressourcen in die antike Warenwelt beisteuern. Objektiv gesehen war dieses Ergebnis der Sinn des Alexanderzuges gegen Dareios III. Die späteren Seleukiden und Lagiden bildeten die Spitze der orientalischen Gesellschaft, aber im Gegensatz zu den Achämeniden etwa in einer Art und Weise, die der antiken Warenökonomie zusätzlich nutzte. Es ist schwer, in der Geschichte ein Beispiel für solch eine Konstellation zu finden.

Jedenfalls agierte die Staatsspitze der asiatischen Produktionsweise *auch* als Agent der antiken Produktionsweise und aus dieser Rolle heraus kann verstanden werden, dass die hellenistischen Könige sowohl das Mehrprodukt der Bauernkollektive verwalteten, als auch Adressat der Grundsteuer antiker Privateigentümer waren. Hingegen, dass sie eine Staatsdomäne direkt bewirtschaften ließen, wie Grimal berichtet, bildete keineswegs eine „dritte Ökonomie". Entweder handelte es sich einfach um Staatseigentum, das „orientalische Steuern" abwarf, oder um Privateigentum der Seleukiden als Personen und nicht als Könige, das verpachtet wurde und Pachtzins abwarf. Die hellenistischen Könige vermischten mitunter beide Aspekte in ihrem

Bewusstsein – wie am Beispiel des berühmten Testaments des letzten Königs von Pergamon (Attalos III., 133 vor Chr.) studiert werden kann.

„Die Lage in Ägypten ähnelte sehr der im Königreich der Seleukiden, aber da es in Ägypten wenig autonome Städte gab, hatte das eine Vergrößerung des Anteils des Königslandes zur Folge. Land wurde im allgemeinen nur Privatpersonen überlassen, selten Gemeinschaften. Die ersten Nutznießer waren zweifellos die griechischen Soldaten, die mit dem Eroberer gekommen waren, und die Konzessionen waren die Gegenleistung – für die dem Siedler auferlegte Verpflichtung, dem König zu dienen. Andrerseits verschafften gewisse empfindliche Kulturen, wie die Pflege von Obstgärten und Weinbergen, die eine sehr sorgfältige Bearbeitung erforderten und beträchtliche Anfangskapitalien voraussetzten, denen, die sie bearbeiteten, ein besser gesichertes Besitzrecht. Diese Güter wurden im allgemeinen hohen Würdenträgern überlassen.“[350]

Diese „naturalistische“ Begründung des neuen Eigentums ist eigentlich eine Rechtfertigung. Denn jemandem musste dieses Land ja weggenommen worden sein. Es ging um eine Umverteilung. Hingegen hat Grimal in Folgendem den Punkt gut getroffen:

„Es wird immer wieder gesagt, die Staatsorganisation Ägyptens habe sich aus der monarchischen Tradition dieses Landes entwickelt und erkläre sich im Grunde aus Verfahren, die auf die Pharaonen zurückgingen. Aber die Ähnlichkeiten dieses Systems mit dem des Seleukidenreiches lassen vermuten, daß es hier weniger um die nationale ägyptische Überlieferung geht, als um das eigentliche Prinzip des ›orientalischen‹ Königtums, sei es nun ägyptisch oder asiatisch, babylonisch oder persisch.“[351]

„Das eigentliche Prinzip“ – das ist ganz richtig und fast hegelianisch formuliert. Und Grimal kommt auf die Ökonomie dieses orientalischen Königtums zu sprechen:

„Die Wirtschaft beruhte auf der landwirtschaftlichen Erzeugung, die bei weitem den Hauptertrag brachte. Diese Produktion war bis in die kleinste Einzelheit reglementiert. Jedes Jahr wurde den Dörfern ein Anbauplan vorgeschrieben, das Saatgut wurde den Landwirten aus den königlichen Kornkammern leihweise gegeben, und die Bedingungen, zu denen die Ernte aufgekauft, gelagert und zum Verkauf gestellt wurde, das alles war Gegenstand genauer Vorschriften."[352]

Das ist nicht nur die Art und Weise, wie im ptolemäischen Ägypten produziert wurde, sondern bereits die halbe Miete der asiatischen Produktionsweise als solche. Und hier taucht geradezu wie von selbst die Analogie auf: Diese Staatsplanung erinnert an die Planwirtschaft, wie die antiken Verhältnisse uns an den Kapitalismus erinnern – mit Abzügen von dieser Analogie, die wir bereits weiter oben abgehandelt haben. Der Punkt ist also einfach der, dass die Ökonomie der hellenistischen Reiche im Osten sowohl Elemente der asiatischen wie auch der antiken Produktionsverhältnisse in sich trug. Einmal betont Grimal mehr die eine, einmal mehr die andere Seite, die indes nicht gleichwertig sind: Das Alte blieb das Elementare an der breiten Basis, das Neue die Einsprengseln, die vom Alten auf ihre Art und Weise profitierten. Manche einzelnen Elemente können indes nicht ganz eindeutig der einen oder der anderen Seite zugeordnet werden: etwa das Pachtwesen. Nutzte hier das antike Privateigentum die asiatischen Ressourcen, indem es die Form des Besitzes über das Eigentum streifte? Oder handelt es sich um eine durch den neuen Markt verformte alte Tradition? Etwa so, wie die Steuerpächter im Frankreich des Ancien Regime den Warenmarkt mit dem Feudalismus verbanden?

„Die wichtigsten Erzeugnisse (mit Ausnahme des Getreides)

waren königliches Monopol (z.B. Öl-, Bier- und Textilpflanzen). Diese Monopole wurden von Pächtern wahrgenommen, die im allgemeinen Zwei-Jahres-Verträge abschlossen."[353]

Freilich gab es die Pacht in antiken wie in asiatischen Verhältnissen. Im ersteren Fall handelt es sich um eine Privatpacht, gewährt von Privateigentümern an nunmehrige Besitzer. Im letzteren Fall handelt es sich um Staatspachten; hier verpachtet der Staat das kollektive Eigentum an Besitzer. Der Ursprung der Privatpacht ist die Eigentumskonzentration nach einer Periode der Marktwirtschaft, in der die nunmehrigen Kleinbauern von der Bodenfläche der Großbauern in Abhängigkeit gerieten. Aus der Pacht wird eine Schuld, wenn die Produktion – wegen noch immer zu kleiner Fläche oder schlechter Böden – zu wenig abwirft, um den Pachtzins zu entrichten. Aus der Schuld wird eine Schuldknechtschaft, die nicht selten direkt in die Selbstversklavung führt. Der Ursprung der Staatspacht ist hingegen die Tatsache, dass der Staat als kollektiver Eigentümer nie selbst Produzent ist. Das sind zwei ganz unterschiedliche Konstellationen. Die erstere ist dynamisch, sozial destabilisierend und politisch polarisierend. Die letztere ist statisch, sozial stabilisierend und politisch konservativ.

„Dieses Pachtsystem ist eine Eigenart des lagidischen Ägyptens und scheint in den anderen Königreichen unbekannt gewesen zu sein. Es handelt sich dabei nicht um Pachten zur Steuererhebung, wie das später in der römischen Welt der Fall ist, sondern um Bewirtschaftungspachten, deren wesentliche Aufgabe darin bestand, dem königlichen Schatz die theoretisch berechneten Einkünfte zu gewährleisten."[354]

In einer anderen Passage zu der römischen Sozialstruktur widerspricht Grimal implizit seiner eigenen Schlussfolgerung, dass Bewirtschaftungspachten nicht römisch gewesen seien:

„Außerdem wurden Forstwirtschaft, Bergbau, Fischfang und

Salzgewinnung systematisch im Auftrag des Staates betrieben. Ihr Ertrag wurde an *publicani* (Steuerpächter) verpachtet, und zwar nach einem System, das im Osten Anwendung fand und in Sizilien schon seit dem Ende des Ersten Punischen Krieges gang und gäbe war. Spätestens seit dem Beginn des 2. Jahrhunderts wurden Zölle für den Warenverkehr (*portoria*) erhoben. Vielleicht handelte es sich dabei zunächst um städtische Eingangszölle (. . .). Durch die Zensur des Jahres 179 wurden sie um ein Vielfaches heraufgesetzt."[355]

Und, indem Pierre Grimal eine Passage bei Polybios interpretiert, explizit:

„Man sieht, daß das System der Steuerpächter sich nicht nur auf die Einziehung von Steuern erstreckte, sondern in mancherlei Hinsicht an die für den lagidischen Staat typischen Bewirtschaftungspachten erinnert."[356]

Bewirtschaftungspachten gab es neben den Steuerpachten allerdings auch in der römischen Welt. Der Unterschied bestand nur darin, dass in der römischen Welt, auch wenn der Staat Vergeber der Pachtrechte war, die Mehrung des Privateigentums im Zentrum stand. Die römischen Pachten waren entweder Steuerpachten oder Pachten einer „Bondgesellschaft", die sogenannte *societas publicanorum*, die sich eine Konzession ersteigerte. Uns begegnen diese Bewirtschaftungspachten ab dem 2. Jahrhundert in den spanischen Bergwerken, die weder vom römischen Staat noch von römischen Eigentümern alleine ausgebeutet wurden. Stattdessen: Die operativen Betreiber sammelten privates „Kapital" ein, um die Konzession zu erwerben und um die betrieblichen Ausgaben zu decken. Die Gewinne wurden zwischen Betreibern und Eigentümern aufgeteilt. Hier fand bereits eine soziale Trennung zwischen Unternehmer und Eigentümer statt, der Unternehmer schlüpfte in die Rolle des Besitzers.

Grimal zu diesem generellen Trend, der mit der Etablierung von römischen Kolonien und der Eroberung von neuen *agri publici* einherging:

„Zum Beispiel (und dies scheint die älteste Form der Bewirtschaftung gewesen zu sein) wurde an einzelne das Weiderecht (*scriptura*) vergeben. Wurde das Land bewirtschaftet, mußte der Pächter den Zehnten entrichten.“[357]

Auch an dieser Stelle dürfen wir uns von dem feudal anmutenden Begriff „Zehnten“ nicht verwirren lassen: Wenn Pächter (Besitzer) dem Eigentümer eine Abgabe leisten – die in der Landwirtschaft immer am Gesamtertrag bemessen wurde – hat dies einen anderen ökonomischen Charakter, als wenn Leibeigene oder sonst wie abhängige Bauern ihren Grundherren den Zehnten abliefern müssen. Die erste Variante ist mit der Dominanz der Warenwirtschaft kompatibel, ja wie der Zins ein Ergebnis einer entwickelten Warenwirtschaft. Die Feudalzehnten hingegen stammten nicht aus den Usancen der Warenwirtschaft, sondern aus der Naturalwirtschaft einer Subsistenzproduktion, die erst im Laufe des Mittelalters eine monetäre Form annehmen konnte. Das eine ist Zins, dass andere ist Mehrprodukt. Also, zusammengefasst, verbergen sich hinter dem Begriff „Zehnten“ ganz unterschiedliche Verhältnisse.

Wie auch immer, auch der *ager publicus* und seine Nutzung ist nicht mit der Nutzung des Staatslandes durch Bauerngemeinschaften identisch. In dem einen Fall handelt es sich um Privatpersonen, die auf eigene Rechnung in einer Warenwirtschaft agieren. In dem anderen handelt es sich um Bauernkollektive, die gar keine andere Option haben, als einen Teil der Feldfrucht an den Staat abzugeben. In der asiatischen Produktionsweise hatte die Pacht einen staatlichen Charakter, in der antiken Produktionsweise einen privaten. Der Staat stellte hier bloß die Rahmenbedingungen her. Gaius Gracchus sorgte sich, dass die Steuerpachten nur an römische Ritter (equites) vergeben werden konnten. Nur in einer Gesellschaft der Privateigentümer konnten die Pächter – die *publicani* – zu einer eigenen Gesellschaftsschicht werden, die sich gegenüber den Grundeigentümern einerseits und gegenüber der Plebs (hier sozial, nicht gentil gemeint) absetzten. Einige Autoren schlossen daraus, dass sie als *equites* eine bestimmende Rolle im römischen Bürgerkrieg spielten. Vermutlich aber war der Bürgerkrieg weniger ein Verteilungskrieg zwischen den Klassen und Ständen um den großen Kuchen, den die Eroberungen des Jahrhunderts zuvor einbrachten, als vielmehr ein zuerst offener, dann versteckter Klassenkampf, der von der Verelendung der Bauern wegen der Marktdominanz der Sklavenplantagen angetrieben wurde. Nach dem einen Erklärungsmodell ist der Bürgerkrieg eine Folge des Reichtums der „Unternehmer", nach dem anderen eine Folge des Elends der Produzenten. In diesem Punkt folgen wir lieber dem alten Theodor Mommsen. Aber damit greifen wir der Geschichte etwas vor; unser Ausgangspunkt war der strukturelle Unterschied aller Pachten (Steuer- *und* Bewirtschaftungspachten) je nach Produktionsweise.

„Dieses System ist nicht ägyptischen Ursprungs, sondern wahrscheinlich von Athen entlehnt. (...) Es war (...) unerläßlich für die Modernisierung einer Wirtschaft, die bis dahin immer noch auf dem Tausch gegründet war."[358]

Mit „Tausch" meint Grimal offensichtlich und nicht ganz präzise die Naturalwirtschaft, nicht den Warentausch. In Grimals Tauschwirtschaft werden Gebrauchswerte verteilt, nicht Tauschwerte. Und deswegen ist hier das Geld noch nicht allgemeines Medium der Zirkulation. Und die Zirkulation selbst noch nicht fortgeschritten. Genau genommen wurde die Monetarisierung der Pacht „von Athen entlehnt".

„Die plötzliche Einführung des Geldes bei einer Bevölkerung, die daran nicht gewöhnt war, ließ sich mit einem Regime der unmittelbaren Bewirtschaftung nicht vereinbaren."[359]

Mit dem etwas rätselhaften Passus „unmittelbare Bewirtschaftung" meint Grimal wohl die Subsistenzwirtschaft, nicht die Tatsache, dass die Produzenten in der asiatischen Produktionsweise nur Besitzer, nicht Eigentümer waren. Denn insofern – also aus der Perspektive der Eigentumsverhältnisse – war hier die Bewirtschaftung von Haus aus mittelbar. Der Knackpunkt der Gräzisierung des Orients ist die Verallgemeinerung des Geldes auch für den Nahhandel und den lokalen Markt, denn Geld für den Fernhandel und für die Entlohnung von Spezialisten war ja auch in den altorientalischen Reichen bereits nicht unüblich. Etwa ganz ähnlich, wie eine Planwirtschaft à la Sowjetrussland Geld und Banken für den Handel mit den kapitalistischen Ländern benötigte. Der Knackpunkt der „Modernisierung", die Grimal im Falle des ptolemäischen Ägyptens anspricht, ist somit der Detailhandel und die Scheidemünze, nicht die Goldmünze.

„Aber die Staatsmonopole und die Verallgemeinerung des Pachtwesens zogen Folgen nach sich, die für die Entwicklung der ägyptischen Wirtschaft nicht in jedem Falle günstig waren. Der größte Teil der Werte wurde in die königlichen Speicher geleitet, der eventuelle Mehrwert ging natürlich an die Pächter, während die Einkünfte der Produzenten gering blieben."[360]

Man fragt sich übrigens, weshalb der Teil, der nicht an die Pächter und nicht an die Produzenten ging, kein „Mehrwert" – gemeint ist eigentlich Mehrarbeit – gewesen sei. Qua Logik ist alles Mehrarbeit, was die unmittelbaren Produzenten nicht selbst konsumieren und nicht selbst verkaufen, sondern abliefern müssen. Sei es an den Staat, sei es an die Pächter.

„Das System bedingte ferner strenge Überwachungsmaßnahmen mit Durchsuchungen und Verfolgungen gegen alle, die sich der Reglementierung zu entziehen versuchten. Die Geräte zum Beispiel, die zur Ölgewinnung dienten, waren gezählt und außerhalb der Arbeitszeiten versiegelt, sogar in den Tempeln. Die Versuchung, einen ‚Schwarzen Markt' zu schaffen, war groß. Um diese beinahe verhängnisvolle Konsequenz zu verhüten, vermehrte man die Zahl der Kontrollbeamten und diktierte immer strengere Strafen."[361]

Es ist geradezu mit den Händen zu greifen, dass diese rigiden Zustände einem Staatseigentum und nicht einem Privateigentum eigen sind. Und es ist deswegen nicht ganz klar, weshalb dieses System nicht einfach das Fortbestehen der alten asiatischen Produktionsweise kennzeichnen soll.

„Hellenistisch" war auch die Wirtschaft der Seleukiden, jenes anderen Spaltproduktes des Alexanderreiches, das neben Ägypten dieser Epoche seinen Charakter gab.

„Der internationale Handel spielte eine wesentliche Rolle, und man begreift, daß die Seleukiden sich bemühten, die aus dem fernsten Asien kommenden Ströme des Handels zu ihrem Vorteil in die Städte und Häfen zu lenken, die in ihrem Besitz waren, so wie die Lagiden Handelswege zwischen Arabien und Ägypten einrichteten, indem sie dem Orient zugewandte Häfen schufen (...) Das Königreich der Seleukiden stand so in ständiger Verbindung mit Indien, selbst nach dem Abfall der östlichsten Satrapien. (...) Dieser Handel verschaffte der königlichen Kammer große Einkünfte. Die Waren mußten jedesmal, wenn eine Provinzgrenze überschritten wurde, oder bei der Einfuhr in ein Stadtgebiet verzollt werden. Die Sätze dieser nacheinander erhobenen Wertzölle kennen wir nicht, sie scheinen aber verhältnismäßig hoch gewesen zu sein und um so drückender, als dazu noch andere Sondersteuern kamen, mit denen die Transportmittel belastet wurden, und schließlich Umsatzsteuern, die fällig wurden, sobald die Ware den Besitzer wechselte.“[362]

Auch diese Usancen sprechen eher für eine klassische asiatische Produktionsweise. Denn hier wird nur der klassische Fernhandel erwähnt, sowie Binnenzölle, von denen wir übrigens nicht wissen, wann sie eingeführt wurden. Im Gegensatz dazu: Einer klassischen antiken Produktionsweise hätte ein geringer Steuersatz mehr entsprochen, da der Warenstrom der Privateigentümer möglichst ungehindert fließen sollte. Dass aber makedonische und griechische Städtegründungen im Kernland der Achämeniden, in Mesopotamien, Persien oder in Baktrien, am Pontus oder in Syrien auch ihren Beitrag für die Staatskaste dieser Produktionsweise leisten mussten, wäre hingegen tatsächlich ein Element einer dualen Ökonomie.

„Von der gleichsam lehnsherrlichen Vergangenheit Kleinasiens oder Nordsyriens zur Zeit, als die persischen Großgrundbesitzer auf ihren Gütern lebten, blieben manche Spuren zurück. Und der König war der größte Grundbesitzer des Reiches.“[363]

Dieses Thema kennen wir bereits: Die Begriffe, die das feudale Eigentum des Mittelalters umfassen, sind für die gegenständlichen Gesellschaften irreführend. Und wir wissen nicht, ob mit dem Satz, dass der König größter Grundbesitzer des Reiches gewesen sei, nicht etwa das ganz normale Staatseigentum an Grund und Boden umrissen wird. Ein Staatseigentum, von dem nur die Polis und deren Umland ausgenommen war. Jedenfalls würde diese Annahme zu folgendem Bericht passen:

„Diese Güter, ob königliche oder private, wurden von einer bäuerlichen Bevölkerung bewirtschaftet, die in Dörfern lebte und in gewissem Umfange (genau können wir das nicht sagen) an den Boden gebunden war. Diese Bauern waren ganz offensichtlich Eingeborene, die griechischen Siedler traten höchstens als Besitzer von Grundstücken auf, die ihnen verliehen worden waren. Der Stand der Lebenshaltung dieser Bauern ist wahrscheinlich nicht sehr hoch gewesen. Wir besitzen darüber keine so genauen Dokumente wie für Ägypten, man muß aber bedenken, daß das ländliche Leben auf einer sehr einfachen Wirtschaft beruhte und daß dort nur wenig Geld im Umlauf war.“[364]

Das wiederum passt ganz gut in unser Bild. Und, auf der Ebene des politischen Überbaus:

„Die gegenseitige Durchdringung der beiden Gemeinschaften war stets zu eng begrenzt, als daß es zu einer Verschmelzung der Rechtssysteme gekommen wäre.“[365]

Insofern aber die Rechtssysteme das Eigentum regeln, ist eine Verschmelzung der Rechtssysteme gar nicht möglich, nur ein eklektisches Zusammenfügen: Manche Bestimmungen gelten für die asiatische Produktionsweise, manche für die antike. Manche beziehen sich auf die Pflichten der Besitzer des Ackerlandes und auf die Dörfer, manche beziehen sich auf die Rechte der Eigentümer und der Städte. Es kann auch zu keiner Verschmelzung beider Produktionsweisen kommen, nur zu einer Verzahnung – genau das umfasst der Begriff *duale Ökonomie*. Eine Frage bleibt freilich: Während sich die antike Produktionsweise im Westen, Südwesten und Nordwesten des späteren römischen Reiches ausbreiten konnte, ohne Teil einer dualen Ökonomie zu werden, war dies im Osten nicht der Fall. Anders gefragt: Weshalb konnte die antike Produktionsweise die asiatische nicht einfach verdrängen? Die Antwort kann nur darin bestehen, dass die asiatische Produktionsweise auf ihrem geographischen Gebiet gute Agrar-Erträge lieferte und sich alle sozialen Klassen in dieser Gesellschaftsordnung reproduzieren konnten. Jedenfalls ist die Umwälzung der asiatischen Produktionsweise – vielleicht nach der Periode der Parther und Sassaniden, vielleicht nach der Periode der arabischen Eroberungen – nicht mehr Gegenstand dieses Buches.

Die duale Ökonomie, die sich im Hellenismus entwickelte,

prägte die staatliche und gesellschaftliche Entwicklung des römischen Reiches, sozusagen im Westen der hellenistischen Welt, auf vielerlei Wege mit. Fangen wir mit einer kuriosen Episode an. Denn es ist eigenartig, was wir über das berühmte Testament Attalos' III. von Pergamon lesen, der sein kleines Königreich Rom vermachte:

„Juristisch gesehen war dieses Testament gültig und entsprach der Auffassung vom hellenistischen Königtum. Der König war danach der größte *private* Grundbesitzer im Königreich und konnte als solcher über sein Eigentum verfügen. Attalos vermachte dem römischen Volk das, was ihm gehörte."[366]

Gut möglich, dass Attalos abgesehen von seiner Funktion als Eigentümervertreter des Staates nebenbei auch privater Grundbesitzer war. Aber in diesem Fall konnte er als Privatmann nicht den Staat verschenken, sondern nur seinen eigenen Boden – in letzterem Fall wäre er aber Eigentümer und nicht Grundbesitzer und wir hätten es mit antiken und nicht mit asiatischen Eigentumsverhältnissen zu tun. Oder aber er war nur Besitzer und der Staat Eigentümer, wie es den asiatischen Eigentumsverhältnissen entsprechen würde. In diesem Fall wäre er auch als Privatmann nicht in der Lage gewesen, das Eigentum des Staates zu verschenken.[367] Kurzum: Ökonomisch ist die Begründung Grimals in jedem Fall unsinnig und in Wirklichkeit handelte es sich bei dem Testament Attalos' einfach um eine politische Intrige Roms bzw. zugunsten Roms. Nicht alles, was wir über Roms Aufstieg lesen können und über die dramatische innere Wandlung, die Rom durch seinen äußeren Aufstieg nahm, hatte mit dem Ferment des Hellenismus zu tun. Was die innere Wandlung betrifft, bewiesen sich die antiken Autoren als ziemlich offen, ehrlich und unverblümt. Was hingegen die Außenpolitik der römischen Republik betrifft, muss an den antiken und vor allem an den römischen Autoren eine mehrfache Quellenkritik ansetzen. Denn die Diplomatie war eine der stärksten außenpolitischen Waffen der Stadt am Tiber in der Phase der ersten Expansion. Für unser Thema ist diese Ausgangslage deswegen relevant, weil nur die äußere Expansion Roms und die „Infizierung“ des römischen Staates mit hellenistischen und altorientalischen Sitten erklärbar macht, wie sich Rom von der alten griechischen Welt so strukturell unterscheiden konnte, ohne aber gleichzeitig von der antiken Produktionsweise abzugehen.

Die Umwandlung der Antike ist nicht identisch mit dem Thema der dualen Ökonomie. Aber Letztere hatte ihren eigenen Einfluss auf die Umwandlung der Antike. Im Hellenismus und im römischen Reich wurde der Warenverkehr verallgemeinert, das warenbesitzende Individuum wurde zum Allgemeingut. Dieser Satz ist weniger wirtschaftsgeschichtlich gemeint denn kulturhistorisch. Denn die Fellachen und die Staatskaste blieben im Osten ja bestehen. Und erst nach der Ablieferung des Getreides der Fellachen an den Staat wurde dieses zur Ware, insofern es in den ökonomischen Kreislauf der Mittelmeerwelt einging. Und auch diese Verwendung des ägyptischen Getreides im römischen Reich geschah vermutlich nicht zu Warenpreisen, sondern zu politischen Preisen: Die Provinzen des Ostens gaben mehr, als sie als Gegenleistung bekamen. Aber lassen wir diesen Aspekt einmal so pauschal auf sich beruhen. Noch einmal Pierre Grimal zur Kommerzialisierung im Hellenismus:

„Die hellenistische Periode, die zu Anfang des 3. Jahrhunderts einsetzt, wird zur *belle époque* des Luxus, der Kunst (einer Kunst, die ein bißchen ins Kunstgewerbliche geht, um einer bürgerlichen und ‚kolonialen‘ Kundschaft zu gefallen) (. . .).“[368]

Es gibt mehr Geld, nachdem der Osten mit der Ökonomie des Westens verbunden wurde. Das bedeutet nicht das Ende der asiatischen Produktionsweise, aber es bedeutet selbst ungeachtet des inflationären Effekts auch mehr Ware und nicht nur mehr Geld. Es wurden mehr Produkte zur Ware gemacht. Nun verlassen wir die wirtschaftshistorische Ebene und kommen zur kulturgeschichtlichen, die zwangsläufig einiges Ökonomisches pauschal und nicht konkret miteinbezieht. Kommen wir zu dem Satz zurück, der, vielleicht mit einer anderen Terminologie, aus Grimals Analyse des Hellenismus stammen könnte: In dieser Epoche wurde der Warenverkehr verallgemeinert, das warenbesitzende Individuum wurde zum Allgemeingut. Es war nun nicht mehr auf den Grundeigentümer der griechischen Klassik beschränkt. So hörten wir bereits weiter oben:

„Der Hellenismus verherrlichte in seiner ‚modernen' Form, d.h. so wie er sich zu jener Zeit in dem Denken und der Zivilisation der hellenistischen Welt darstellte, den Wert und die Rechte des Individuums."[369]

Wenn aber die Menschen Individuen werden, so lockern sich gleichzeitig ihre persönlichen Bindungen. Die Soziologen des 19. Jahrhunderts sprachen einen vergleichbaren Punkt mit ihrer Unterscheidung zwischen Gemeinschaft und Gesellschaft an. Wir könnten die Gegenüberstellung bei Ferdinand Tönnies weiterführen und sie an die Dialektik anpassen: Gemeinschaft ist unvermittelt, Gesellschaft vermittelt. Die *Gemeinschaft* sei definiert durch die persönlichen Verpflichtungen der Mitglieder untereinander. Diese Verpflichtungen beziehen sich auf gleichzeitig „unpersönliche" Eigenschaften, da die Bindungen der Personen untereinander nicht willkürlich kündbar sind. Die *Gesellschaft* hingegen setze sich aus Individuen zusammen, die ihre Position zueinander erst am Markt herstellen müssen. Also mit Geld und Waren, mittels Produktion und Konsum. In Wirklichkeit idealisiert auch solch eine soziologische Gegenüberstellung die Gemeinschaft und verengt und dämonisiert den Begriff *Gesellschaft*. Auf der ökonomischen Ebene übt die marktferne Gemeinschaft genauso ihre Zwänge und Restriktionen auf die Menschen aus wie die Warengesellschaft – nur eben anders. Auf der kulturellen Ebene, zu der auch das Bewusstsein über die eigene Lage sowie die politische Struktur gehören, ist der Unterschied jedoch tatsächlich spürbar. Das Individuum ist nicht mehr eingebettet in eine Kultur der lebendigen Überlieferung, sondern benötigt zu seiner Historizität eine künstliche, politisch gewollte Überlieferung. Die Vergangenheit des Kollektivs ist nicht mehr für sich wirksam, an die Vergangenheit muss appelliert werden.

Die Personen der alten Gemeinschaft kennen noch kein Bedürfnis an einer Postmoderne, sie reagieren noch nicht auf ein „Augenzwinkern". In der Polis Athen war alles so, wie es eben war – nicht mehr. Der Staat war identisch mit der Zusammenkunft der Grundeigentümer. So scheint es, dass der Staatsapparat sich noch nicht über das Individuum erhoben hatte. Dieser „Schein" ist ziemlich nahe an der Realität, wenn wir als Individuum den Grundeigentümer nehmen. Die Absenz eines eigenen Staatsapparates ist Athens Markenzeichen. Staat ist hier nichts anderes als das Monopol auf volle politische Rechte und auf Waffen (Gewalt). In Wirklichkeit freilich ist auch *das* Staatsapparat, nur sehen wir ihn nicht als eigenen bürokratischen Apparat.

Wie verhält es sich aber mit dem oben erwähnten „Augenzwinkern"? Die alten Gemeinschaften – wenn wir hier den von den Soziologen strapazierten Gegensatz zwischen Gemeinschaft und Gesellschaft einmal weiterspinnen wollen – haben nicht den Humor der modernen Gesellschaft. Es gibt noch nicht die Figur des „negativen Helden", nur tragische oder komische. Der britische Romancier Ranke-Graves, ein Nachfahre des berühmten Leopold von Ranke, beschreibt in seinem utopischen Roman „Sieben Tage Milch und Honig" eine neukretische Gesellschaft der Zukunft, die ohne Ironie und Spott auskommt und in der jeder glauben soll, dass von der Allgemeinheit das Gute sowohl gewollt als auch möglich sei.[370] Als Romancier des 20. Jahrhunderts lässt Ranke-Graves „Neukreta" folgerichtig scheitern. Etwa so, wie in der wirklichen Geschichte der Nichtstaat Athens zu dem bürokratischen Staat Rom führte – über den notwendigen Umweg des Hellenismus.

Wir haben oben gesehen, dass die hellenistische Inflation eine Eigentumskonzentration mit sich brachte und gleichzeitig der Warenverkehr ausgeweitet wurde. Nun wurde auch der Warenkonsument zum Individuum, selbst wenn dieser kein Grundeigentum sein eigen nannte. Das hatte Auswirkungen auf den Kernbereich der antiken Welt. Den Individuen musste die Unmittelbarkeit des Staates wieder genommen werden, sonst wäre das Grundeigentum nicht mehr ein sicheres Reservat. Was die Ökonomie auf der einen Seite gibt, nimmt die Politik auf der anderen. Aber nicht irgendeine Wirtschaftspolitik, obwohl es in Rom auch diesen Aspekt gab, sondern die Politik generell, als Sphäre. Ein eigener, bürokratischer Staatsapparat schob sich zwischen den Konsumenten und das Privateigentum an Produktionsmitteln. Und vermittelte zwischen den Individuen generell. Das ist ein modernes Ferment des Hellenismus, wirksam bis in den heutigen Kapitalismus hinein.

Bringen wir das auf den Punkt: Die antike Gesellschaft übernahm Elemente des Staatsapparates des von Alexander zerschlagenen Achämenidenreiches. Aber ist das nicht gleich in mehrfacher Hinsicht kurios? Gerade eine Ausweitung des Warenmarktes im Hellenismus ging mit der Verwendung einer Staatsform einher, die eben nicht auf der Warenproduktion basierte. Und gerade das archaische Makedonien hatte diesen Prozess angestoßen. Und obwohl die Antike nach dem Alexanderzug den Orient ökonomisch ausbeuten konnte, wurde sie politisch von diesem mehr verändert, als ihr selbst bewusst werden konnte.

Und doch konnte es nicht anders sein. Menschen erfinden eigentlich so gut wie nie etwas gänzlich Neues. Sie sind aber immer kreativ, das bereits Vorhandene für neue Zwecke zu adaptieren. Da die alte Antike keinen äußerlichen Staatsapparat kannte, wurde jener der Nicht-Antike für die neuere Antike adaptiert. Das ist vergleichbar mit der ebenfalls vorderhand kuriosen Tatsache, dass die bürgerlichen Revolutionen des 19. Jahrhunderts, als sie die Aristokratie von dem Zugriff auf den Staat vertrieben, deren bürokratischen Staatsapparat nicht gänzlich zerschlugen, sondern für die eigenen Zwecke adaptierten.

Da sich das Individuum im Hellenismus vervielfältigte, konnte es nicht mehr mit dem Staatsapparat identisch sein. Die Vervielfachung bedeutet Atomisierung. Die einzelnen Teile werden nun durch einen „asiatischen" Staatsapparat zueinander *vermittelt*. Eine neue, fast schon postmoderne Sinnproduktion ist gefragt – während im Gegensatz dazu die griechische Polis des 6. und 5. Jahrhundert einfach selbst Staat war. Mehr war nicht notwendig. Moses I. Finley über die Geschichte der Stände in Griechenland im Vergleich zum republikanischen Rom:

„Die Geschichte der Stände in Griechenland ist weniger kompliziert, wenn auch in wichtigen Punkten vergleichbar. Die Unterschiede kann man meiner Meinung nach erstens daraus erklären, daß in Griechenland eine großangelegte Expansion fehlte, wie sie die Verhältnisse in Rom in erster Linie komplizierte; zweitens aus der Entstehung der Demokratie in Griechenland, wie sie in Rom nie erreicht wurde."[371]

Wenn wir aber Demokratie daran messen, wie viel Mitsprache die Handwerker, Bauern, Kleinbesitzer und besitzlosen Tagelöhner hatten, so war Rom weitaus demokratischer als Athen.

Als Plebejer der römischen Republik hatte jeder politisch mitzureden, jedenfalls mehr als in Athen. Hingegen: Als Individuum wurde jeder entmachtet, indem nun ein Staatsapparat zu einem äußerlichen Verhältnis wurde. Für alle Belange der Individuen gab es nun Rechtsformen, Spruchpraxen, Abläufe, die nicht irgendeiner Tradition entsprachen, sondern geschaffen wurden. Der außerordentliche Erfindungsreichtum des römischen Rechtes, für jede Schattierung der sozialen Lage und jeden noch so kleinen Konflikt eine meist aus mehreren Wörtern bestehende Formel zu schaffen – erklärt sich aus dem eben beschriebenen historischen Prozess.

„Die europäische Rechtskultur (…) wurde entscheidend durch das römische Privatrecht geprägt.“[372]

Allein die Begriffe …

… „Geschäftsfähigkeit“, „cura minorum“, „sponsalia“, „Heiratsgut“, „Hindernis beim Erbgang“, „bonorum possessio“, „Erbenlose Verlassenschaft“, „Fideikommisse“, „Der Schenkung von Todes wegen“, „Sicherungseigentum und Pfandrecht“, „depositum“, „Pfandrealkontrakt“, „Gewährleistung bei Sachmängel“, „Nebenabreden beim Kaufvertrag“, „mandatum“, „negotiorum gestio“, „pacta praetoria“, „cauponum et stabularium“, „actio de peulio vel de in rem verso“, „condictio pretii“, „furtum“, „rapina“, „Noxalhaftung“, „obligatio“, „Vertragsabschluss und Willensmängel“, „Verträge zugunsten Dritter“, „Schadensersatzpflicht“, Konventionalstrafe“, „Gefahrtragung“, „Leistungsstörung“, „Gläubigervollzug“, „Kompensation“, „Erlassgeschäft“ …

… sprechen für sich.[373]

Diese Begriffe haben mehr mit dem Zivilrecht im modernen Kapitalismus gemein als mit alten Gesellschaften. Nicht deswegen, weil „die Römer“ so genial waren, unsere Welt zu antizipieren. Sondern deswegen, weil diese Begriffe allesamt Anwendungsfälle des *Privateigentums einzelner Individuen* definieren. Auch das Recht des antiken Griechenlands basierte auf dem Privateigentum, aber die Kodifizierung für einzelne Individuen war für „die Griechen" überflüssig. Selbstverständlich gab es auch in Athen ein öffentliches Recht, ein Straf- und ein Zivilrecht. Aber erstens lag der Schwerpunkt auf einer diskursiven Prozesskultur unter Gleichen (Eigentümern) und nicht auf einem Codex und zweitens wurden gerade Eigentumskonflikte nicht durch den Staat taxativ erschöpfend formuliert:

„Eine dogmatisch durchdrungene Rechtsgeschäftslehre hat das griechische Recht anders als das römische nicht entwickelt. Vereinbarungen, wie sie im Geschäftsleben gängig waren, wurden als einseitige ‚Zweckverfügung', nicht als Konsensualvertrag verstanden."[374]

Zwischen den Einzelnen wirkte das Eigentumsverhältnis noch ganz unmittelbar. Die Appellation an einen Staatsapparat musste nicht taxativ und erschöpfend vorformuliert werden.

Und der Kleine Pauly weiß von der Auswirkung der Kunst der Rhetorik auf das Rechtswesen zu berichten:

„Darüber hinaus besticht die griech. Rechtskultur durch eine praktische Geschmeidigkeit (...), die in einem System nicht denkbar ist, das auf Grundlagen beruht, die von professionellen Juristen erarbeitet worden sind. Aber gerade dieser Umstand hat in Verbindung mit der fehlenden Festlegung in einem Gesetzbuch dazu geführt, daß das g. R. im Kampf um die Vorherrschaft dem röm. Recht unterlegen ist."[375]

Rhetorik statt Systematik und Kodifizierung ... hier liegt schon ein unmittelbares Verhältnis der gleichen Eigentümer zueinander begründet, die nicht erst über den Staat vermittelt werden müssen. Andererseits bedeutet „Vermittlung" auch, dass die kleinen Leute – in Rom etwa bis zur Spätantike – auch Zugang zum Rechtssystem haben und Rechtschutz als

Bürgerrecht genießen können. Jedenfalls mussten im Zuge der römischen Expansion auch die Griechen umlernen:

„Unter den Claudiern beschleunigt sich der Anpassungsprozeß des griechischen an das römische Recht, der seinen Höhepunkt in der Zeit der Flavier erreicht. Nun wird ‚das Appellationsrecht (...) für die Griechen die erste Schule des römischen Rechts.'."[376]

Selbstverständlich hatte das römische Privatrecht erst recht keine Entsprechung im Recht Altägyptens und Mesopotamiens. Der Privateigentümer und seine Eigentumsbelange waren hier nicht erstrangiger Gegenstand, weil die Eigentumsverhältnisse ganz anderer Art waren. Nicht dem Inhalt nach, nur der Form nach war das Taxative des römischen Rechtes Abklatsch der altorientalischen Staatskultur – insofern es für jeden Fall eine Formel gab. Bloß die Fälle waren auf beiden Seiten ganz unterschiedlicher Natur. Selbst wenn wir nur ganz flüchtig und oberflächlich in die Materie des „Keilschriftrechtes" eintauchen, begegnet uns eine zur Antike fremde Welt: Die volle Rechtsfähigkeit der Frauen etwa und das Scheidungsrecht der Frauen; Nutzungsverträge die so relativ gehalten sind, dass sie nicht für Privateigentum, sondern für Besitz sprechen; wir lesen aber auch von Kaufleuten, deren ökonomische Aktivitäten nicht identisch mit der Tempelwirtschaft gewesen sein dürften; das Strafrecht kannte neben Geld-(Silber-)Bußen auch zahlreiche und fein abgestufte körperliche Strafen; wir lesen von Sklaven, aber es sind seltsame Sklaven, die anders als in der Antike auch Zugang zu Recht, Ehe und Besitz haben … der Unterschied könnte sich daraus erklären, das sie selbst nicht Privateigentum eines Dritten waren.

„In den Tontafeln (…) kommen gleichfalls Zeichen für den Herrn (en), Boten (sukkal), Inspektor (nu-bànda) und Aufseher (ugala) vor. (…) gab es (…) einen grossen Wirtschaftsbetrieb, dessen Mittelpunkt ein Tempel oder der Palast des Herrschers war; sein Bestand wird durch die Verteilungslisten ausser Zweifel gestellt. Daneben gab es jedoch kleinere Wirtschaftseinheiten, von deren Tätigkeit die erhaltenen Kaufurkunden Zeugnis ablegen. Als Zahlungsmittel diente meist Kupfer, selten Silber.“[377]

Oder:

„Als der eigentliche Herr in jeder Stadt galt ihr Stadtgott (...) dieser war auch Eigentümer des grossen Tempelvermögens. Die Tempel verfügten nämlich über ausgedehnten Grundbesitz, dessen Erträgnisse dem gemeinsamen Tempelmagazin zufliessen sollten; von dort wurden auch Lebensmittel (Gerste, Milch, Datteln, Öl) an den im Tempeldienst stehenden Teil der Bevölkerung zugewiesen. Von dem dem Tempel gehörigen Grund und Boden war ein Teil das eigentliche Tempelland, dessen Erträgnisse dem Kult und dem Tempel gewidmet waren (gána - nì - en - na), während das übrige Land der im Dienst des Tempels und seiner Grosswirtschaft tätigen Bevölkerung zum Bebauen zugewiesen (gána - kur - ra) oder an Interessenten als Pachtland (gána - apin - lal) verpachtet wurde.“[378]

Gewiss ließe sich an dieser Stelle zurecht einwenden, dass hier die Zeit von Ur mit jener Roms verglichen wird. Zu den Unterschieden des Eigentumsrechts je nach Produktionsweise kommen noch jene der ganz unterschiedlichen Epochen hinzu. Andererseits kann auch für das Kernland Mesopotamiens eine erstaunliche Kontinuität bestimmter Elemente herausgestellt werden:

„Entwicklungen in der Rechtspraxis Babyloniens in der hellenistischen Periode sind — wie bereits angedeutet — kaum von jenen zu trennen, die sich bereits in der davorliegenden chaldäischen und in der achämenidischen Zeit in den Quellen präsentieren und selbst dann sogar noch älteres Recht vergangener

Jahrtausende in seiner Wirksamkeit zeigen. Dies darf gewiß etwa auch für den Bereich des Prozeß- und Strafrechts angenommen werden."[379]

Nach diesem ganz kurzen Ausflug in die Rechtsgeschichte bekommen wir aber zumindest einen ersten Eindruck: Der Inhalt des Rechts spiegelte unterschiedliche Eigentumskonflikte Roms und des alten Orients wider, die auf unterschiedliche Produktionsweisen schließen lassen. Aber immerhin ist die Form vergleichbar im Gegensatz zu der Formlosigkeit der griechischen Rechtstradition. Aber auch der Vergleich zwischen Rom und dem Osten hinkt ein wenig, da der Staat ebendort nur einen Teil der Ökonomie vermittelte. Die ökonomischen Beziehungen zum Beispiel der Fellachen *untereinander* fand ohne Vermittlung des Staates statt. Dafür trat der Staat dann um so vehementer auf, wenn es um die Ablieferung der Staatsquote an Getreide und um die Produktionsplanung ging. Für die Dorfgemeinschaften musste der Staat wie ein religiös abgehobener Selbstzweck erscheinen. Und auch im römischen Staat: Die Vermittlung wurde zum Subjekt, das die Individuen zu ihrem Objekt machte. Zuerst auf politischer Ebene, im Übergang zum Prinzipat. Dann wiederum auf ökonomischer Ebene, im Übergang zur Spätantike gut 300 Jahre später: Der Besitz löste das Privateigentum als vorherrschendes Verhältnis ab. Dann wieder auf politischer Ebene: Der *Citoyen* wird zum Untertan der spätrömischen Kaiser. In dieser Hinsicht zeigte die Spätantike erst recht Ähnlichkeiten zu der altorientalischen Gesellschaft. Dass ihr Ergebnis – der Feudalismus – aber etwas anderes wurde, liegt an der Dialektik des Prozesses.

Übrigens wurden im Prinzipat nicht nur die Plebejer politisch entmachtet, sondern auch die Gegenseite, die Senatoren. Einige *augusti* bezeichneten sich als Amtsträger ... der tribunischen wie auch gleichzeitig der konsularischen Gewalt. Titus zum Beispiel trug unter anderem den offiziellen Titel „*consul VIII*“: Acht Jahre lang war der Kaiser gleichzeitig Konsul, was vice versa bedeutet, dass dieses Amt gänzlich bedeutungslos geworden sein musste.[380] Der Kaiser vereinigte in sich die Ausdrücke des traditionellen Klassengegensatzes zwischen Grundeigentümern und Nicht-Grundeigentümern – während die Wirtschaft nach wie vor auf der Sklavenarbeit und der Warenproduktion basierte. Das Eigentum an Grund und Boden blieb der absolute Nullpunkt der Gesellschaft, an dem sich alles maß und sowohl Eigentum als auch Besitz wurden von dem Staatsapparat der *augusti* geschützt. Vor allem, könnte hinzugefügt werden, das Eigentum der großen Grundeigentümer. Die plebejischen Institutionen wurden substanzlos. Aber im Gegenzug stiegen die materiellen Leistungen, mit denen die Plebejer zumindest in Rom und in den größeren Städten rechnen durften. Leistungen, die von anderen (Kaiser, Senatoren, Amtswerber) bezahlt und von wiederum anderen erwirtschaftet wurden, etwa in den eroberten Gebieten ohne Bürgerrecht und von den Sklaven im gesamten Reich.[381] Auf diese Art und Weise entkräftete und verschleierte das Prinzipat den Klassenkampf zwischen Plebejern und Senatoren, der noch dem römischen Bürgerkrieg sein Gesicht gegeben hatte. Dieses Phänomen eines Bonapartismus, der sich auf ganz unterschiedliche Klassen stützt, um das Eigentum zu beschützen, gibt es in den altorientalischen Reichen überhaupt nicht. Die römische Geschichte ist eben doch eine *antike* Geschichte, auch wenn der römische Staat in dieser Geschichte Elemente des altorientalischen Staates adaptierte. Zu diesen Elementen gehörte nicht nur die Institution des Kaisers, sondern auch die Auflösung der Poleis in ein großes Reichsgebiet. Aus einem Netz von Städten wurde eine Fläche. Aber es dauerte „ewig lang“, bis dieser Prozess mit dem Übergang zur Spätantike abgeschlossen war. Zuerst war auch das römische

Reich kein Territorium, sondern ein Geflecht von (zugunsten Rom asymmetrischen) Beziehungen, das durch Verträge zwischen Städten, nicht zwischen Gebieten gewoben wurde:

„Es ist klar, daß der Provinzstatus nie als ein Rechtsstatus im eigentlichen Sinn angesehen wurde. Der Rechtsstatus des einzelnen war nicht an ein Gebiet, sondern an eine Stadt gebunden, und das römische Recht kannte nur Verträge mit Städten oder Personengruppen, die in Städte eingegliedert waren. Der Vertrag oder *foedus* einer eroberten Stadt und die Gründungsurkunde einer Bürgerkolonie konnten modifiziert werden, schlimmstenfalls als Bestrafung für eine Rebellion (wie im Falle Capuas). Meist handelte es sich aber um eine Besserstellung, indem der Rechtsstatus einer Stadt zur Belohnung oder als Bestätigung ihrer völligen Assimilierung demjenigen eines Bürgers *pleno iure* angeglichen wurde.“[382]

Das volle Bürgerrecht anderer Städte hätte sich auch in der Gleichstellung von Tributen und Abgaben geäußert – wie es ja dann auch später mit Kaiser Diokletian kam: Italien zahlte Steuern wie die Provinzen und im Gegenzug wurden Legionäre, freilich bereits lange vor den diokletianischen Reformen, auch außerhalb Italiens rekrutiert.[383]

Vor dieser Entwicklung sehen wir hier aber noch lange die Tradition der Polis-Welt wirken und für das 2. vorchristliche Jahrhundert waren die Städte die natürlichen Brückenköpfe Roms bei dessen Expansion. Wir können ein „Städtehüpfen“, zuerst nach Norden und Süden, dann nach Ost und West beobachten. In der Bedeutung der Stadt spiegelte sich die Bedeutung der individuellen Grundeigentümer für die Gesellschaft wider. Aber im Laufe der Zeit wurde der exklusive Grundeigentümer gegenüber der Masse der individuellen Wareneigentümer abgewertet; die Stadt verlor ihren Polis-Charakter und wurde das, was sie heute ist: urbanes Zentrum, Agglomerat.

Formal gesehen zollten die römischen Kaiser des Prinzipats, also bis Diokletian, der Vergangenheit Tribut, indem sie die Städte – zumindest des Ostens – als eigene Rechtspersönlichkeiten behandelten, mit denen Rom Staatsverträge abschloss. Aber diese Sitte hatte eine ähnliche Rolle wie jene des Octavian und des Tiberius, die republikanische Verkleidung der Militärmonarchie möglichst intakt zu lassen.

Von der Auflösung der Polis-Welt, mit ihrer Einheit aus Eigentum und politischer Macht müssen wir die Ebene der Raumordnung unterscheiden. Oder besser gesagt: Letztere sagt uns etwas über Erstere. In der Logik der Raumordnung gehörte jedes Stück Land administrativ zu irgendeiner Stadt, außer es handelte sich um ein Land, das dem Kaiser oder einem Militärstützpunkt eigen war (*saltus*). Wenn man so will: Der Sitz einer Gemeinde war – außer im Falle der beiden genannten Ausnahmen – zwangsläufig eine Stadt. Ja, wir könnten es eigentlich verkehrt herum sehen: Eine Stadt war, wo der Sitz einer Gemeindeverwaltung (eine Art Rat) angesiedelt war, nicht unbedingt ein urbanes Agglomerat. Auch die Grenzen der Provinzen und Diözesen waren eher Grenzen von administrativen Zuständigkeiten, die aber episodisch immer wieder durch die Zuständigkeit kaiserlicher Sonderbeamter aufgehoben werden konnten. Ja selbst die „Staatsgrenzen“ waren keine im heutigen Sinne eines Nationalstaates. Hadrianswall und Limes fungierten als eine Art Membran zum Zwecke des Austausches von Waren und Sklaven. Und wenn wir den Blick vom Norden in den Süden gleiten lassen, was sehen wir in *Africa*?

„Dieses schon recht komplexe kulturelle Gefüge wurde dann (...) durch eine starke römische und vielmehr italische Einwanderung in Form von regulären Kolonien und Gruppen von Privatpersonen, wie den italischen Kaufleuten, die Julius Caesar 46 v. Chr. in Hadrumetum vorfand, weiter kompliziert. In Africa bestanden somit nebeneinander römische *coloniae*, latinische *municipia*, punische *civitates* – von denen einige von Tributzahlungen befreit waren, weil sie Julius Caesar geholfen hatten –, Eingeborenendörfer und nomadisierende Stämme.“[384]

Oder, nun in Mauretanien, über die punische Stadt Mactar:

„Die Stadt wurde bald zum *municipium* und unter Marcus Aurelius (161 bis 180) zur *colonia* erhoben.“[385]

Wir sehen hier noch, wie durch ein buntes Kaleidoskop, einen Variationsreichtum von administrativen, rechtlichen und politischen Raumeinheiten, die in ihrem lokalen Kolorit doch immer einer logischen Grundeinheit folgten: der Stadt. Die Stadt machte sich eine Peripherie zunutze und beutete diese aus. Umgekehrt konnte die Peripherie die Stadt als Infrastruktur der Verwaltung und zum Zwecke der Rechtssicherheit und des Schutzes des Eigentums nutzen.

Erst die Spätantike verwirklichte zu 100 % das, was Rom als Erbe des Hellenismus und damit indirekt als Erbe der altorientalischen Reiche in sich trug: die Kompetenz, Flächen zentral zu verwalten. Die „Infektion“ mit dem „Virus“ des Hellenismus brach erst nach einer längeren „Inkubationszeit“ voll aus. Die Struktur der spätrömischen Diözese entstammte vermutlich dem Formenschatz der asiatischen Produktionsweise, vielleicht der Satrapie. Das ist freilich nur eine Adaption der Form, nicht des sozialen Inhaltes. Aber dennoch! Es gibt in dieser Geschichte einen langen Bogen, der von dem Makedonien Phillips II. über die hellenistischen Reiche mit ihrer dualen Ökonomie über Roms Kultur bis in die Spätantike zu der Periode Diokletians und Konstantin des Großen führt. Dieser Bogen bildete die Gegenantike oder „Anti-Antike“, wie es wohl nach der Sprachlogik des Altgriechischen heißen müsste. Diese „Anti-Antike“ umfasste die eigentliche Antike vorne, an der Seite und hinten – bildlich gesprochen. So gesehen, indirekt, über den Umweg des Hellenismus, befruchtete gerade das altertümliche Makedonien die spätrömische Geschichte – wie ironisch muss demnach erscheinen, mit welcher Infamie die römische Republik die Eigenständigkeit des Königreichs Makedonien beendet hatte!

Wir haben oben gesehen: Ausgerechnet das gegenüber Athen, Korinth, Theben und sogar gegenüber dem eigenwilligen Sparta so archaische Makedonien konnte die Reiche der asiatischen Produktionsweise militärisch unterwerfen und damit zur Beute der antiken Produktionsweise (Athens, Korinths, Thebens und Spartas) machen. Und ausgerechnet das gegenüber der griechischen Polis so ländliche und archaische Rom des 4. und 3. Jahrhunderts übernahm über den Hellenismus die Adaptierung jener Staatsformen, die eigentlich zur asiatischen Produktionsweise passten.

Freilich, wir dürfen auch wiederum nicht zu sehr vereinfachen. In der Polis-Welt sahen wir Eigentümer mit exklusiven politischen Rechten; in Rom hingegen Plebejer mit inklusiven politischen Rechten, die im Prinzipat zu dem einen Recht zusammenschrumpften, jederzeit an die kaiserliche Instanz appellieren zu können. Aus einem *Bourgeois* wurde ein *Citoyen* – sozusagen. Das bedeutete weniger Besitz an Rechten als in der Polis-Welt, aber auch wiederum mehr Wareneigentümer-Rechte als in den altorientalischen Reichen, wo der Fellache erst gar nicht in die Position eines *Citoyen* kam. Die eher passende Analogie zu den staatsbürgerlichen Rechten im römischen Reich – den sogenannten Bürgerrechten – wäre das bürgerliche Recht heutiger Verhältnisse. Die gemeinsame Klammer heutiger Verhältnisse mit dem römischen Reich und der griechischen Polis-Welt ist der Schutz des Privateigentums.

In Athen zum Beispiel war der Eigentümer *Bourgeois* und zur Gänze identisch mit dem *Citoyen*, dem Staatsbürger – wenn wir unsere Analogie weiter strapazieren wollen. Es bedurfte hier keines gesonderten Staatsapparates als historisches Subjekt. Bloß regelmäßiger Eigentümer-Versammlungen, um sich abzusprechen. Sowie des Waffenmonopols, um sich gegenüber der Mehrheit an politisch und sozial Ausgeschlossenen durchsetzen zu können. Dieser Typus eines „Anti-Staats" entspricht eigentlich dem Primat des Privateigentums am reinsten. Bis heute glaubt man gerne, dass dieser „Anti-Staat" nur in der vergleichsweise kleinen, überschaubaren Welt der Stadtstaaten möglich gewesen sei. Aber diese Annahme bedeutet, den historischen Prozess auf den Kopf zu stellen. Denn die kleinräumige Polis-Welt gab es nicht deswegen, damit alles überschaubar blieb und die Eigentümer alles unter sich ausmachen konnten. Sondern, genau umgekehrt, damit die Eigentümer alles untereinander ausmachen konnten, mussten sie die große Mehrheit politisch oder sozial ausschließen können. Und dazu genügte ihnen als politische Einheit der Stadtstaat, der zudem mit zahlreichen Bündnissen und Kolonien seinen geographischen Einfluss vervielfältigen konnte. Erst die politische (aber nicht soziale) Verdrängung der Eigentümer von ihrer exklusiven Stellung ermöglichte die Auflösung der Poleis-Struktur in einem römischen „Flächenstaat". Langfristig wurde der Eigentümer auch sozial verdrängt: In der Spätantike wurden das Eigentum und die Sklavenarbeit durch den Besitz, die Pacht, das Kolonat und ähnliche Eigentumsformen ersetzt. Langer Rede kurzer Sinn: Es gibt einen Zusammenhang zwischen dem Wandel des Polis-Kosmos in eine größere Fläche und dem Wandel der antiken Eigentumsverhältnisse.

„In der Kaiserzeit verlor das Volk alle wirksamen verfassungsmäßigen Rechte – sowohl bei der Gesetzgebung als auch bei den Wahlen – und gewann statt dessen immer stärker wachsende wirtschaftliche Privilegien."[386]

Mit Letzteren sind öffentliche Infrastruktur, Getreide- und Geldgeschenke von Seiten der Kaiser, die eine Art Parallelverwaltung zu den republikanischen Institutionen aufbauten, gemeint und mit dem Begriff „Volk" die Plebejer. Bürgerkrieg und Prinzipat brachten eine gegenüber der klassischen Republik neue Erscheinung mit sich: den Populismus der Führer. Diese setzten seit Pompeius und Caesar bewusst auf die Sympathie der Plebs und ließen sich hie und da von deren Versammlungen, nun im Circus, Forderungen diktieren. Hier ging es etwa um Lebensmittelhöchstpreise oder Getreide-Requirierungen. Mit diesem plebejischen Rückhalt gelang den Führern die *politische* Entmachtung des Senats umso besser, um dessen *soziale* Interessen wiederum gegen die Plebejer zu verteidigen.

Zwischen den nun machtlosen Individuen mit Bürgerrechten trat der Staatsapparat als Vermittlung. Das Haupt dieses neuen Staatsapparates war nicht der Senat oder das Konsulat, sondern Personen mit dem Titel Augustus bzw. Caesar. Und haben nicht auch die heutigen Staatsbürger nur passive Rechte und können die soziale Ungleichheit als Quelle ihrer Machtlosigkeit nicht beseitigen? Das stimmt, aber dennoch ist hier nur die Idee identisch, nicht der Inhalt, der Bauplan, nicht das Gebäude. Wenn wir das Mittelalter und die frühe Neuzeit – gewiss sträflich – ignorieren, dann steht zwischen dem römischen und dem modernen Staat die Entwicklung des industriellen Kapitalismus und vor allem die englische, amerikanische und französische Revolution. Am deutlichsten ist der Effekt der Revolution im Falle Frankreichs sichtbar, da hier der „Schutt" der alten Zustände größer war und somit die Aufräumarbeiten der Revolution umso tiefgreifender ausfielen.

Im *Ancien Régime* waren die Bauern, die Handwerker und die städtische Plebs nicht in den Staat integriert. Es war so, als wären die eigentlichen Produzenten Fremdkörper. *Das* hatte Ähnlichkeit mit den Verhältnissen in der gesamten Antike. Die Produzenten der Mehrarbeit – in der römischen Kaiserzeit etwa Sklaven, *humiliores* generell und *coloni* – konnten nicht Personen mit vollen Rechten werden. Als Personen mit Rechten hätten sie ihre eigene soziale Unfreiheit in Frage stellen können. Dass die *humiliores* oft einem rechtlich freien Stand angehörten, ändert nichts daran, dass sie jederzeit zu Zwangsarbeiten gezwungen werden konnten. Die staatlich verordneten Zwangsarbeiten – etwa im Wegebau und in der Erhaltung der Poststationen – werden uns im übernächsten Kapitel zur Frage der Auflösung der Antike begegnen.

Der Punkt ist somit: Auch wenn der römische Staat seit dem Prinzipat immer mehr einen Staatsapparat zwischen die formell freien Individuen schob und damit aus Bauern, Bürgern und den Plebejern bloße *Citoyens* machte, eine Nation wurde das antike Rom so wenig wie das antike Athen. Und ja: Selbstverständlich ist der Begriff *Citoyens* für die Antike auch nicht positiv anwendbar, denn dieser Begriff umfasst bereits die Integration in die Nation. Wir haben ihn nur deswegen hier als Analogie verwendet, weil er sehr schön den Unterschied zum *Bourgeois* deutlich macht, den es in der Antike ja ebenfalls nicht gegeben hatte und nicht geben konnte. Aber die Differenz zwischen *Bourgeois* und *Citoyen* entspricht der Differenz zwischen der Stellung des Grundeigentümers in Griechenland und dem Plebejer in Rom.

Was alles zur Integration der Arbeit in eine Nation fehlte, hatten erst die neuzeitlichen Revolutionen und vor allem die Französische Revolution in einer reinen Form zuwege gebracht: *Alle* Produzenten zu *Citoyens* zu machen, die jene politischen Rechte bekamen, die der sozialen Herrschaft einer kleinen Gruppe von *Bourgeois* gegenübergestellt waren. Erst jetzt konnte die spätere Arbeiterklasse völlig in die bürgerliche Gesellschaft integriert werden und erst damit wurde die Nation zur Wirklichkeit. Der Staat wandelte sich von einer direkt politischen zu einer indirekt politischen Institution. Er konnte sich politische Neutralität und Äquidistanz zwischen der Arbeiterklasse und der Bourgeoisie leisten, solange die soziale Vormachtstellung Letzterer als Alleineigentümerin der Produktionsmittel gesichert blieb.[387]

Der industrielle Kapitalismus schuf die Illusion des neutralen Staates nicht deswegen, weil dies eine geniale Idee war, sondern weil der Kauf der Lohn-Arbeitskraft tatsächlich keine besondere Ausbeutung darstellt: Die Lohn-Arbeitskraft kann zu ihrem tatsächlichen Wert gekauft werden ... dennoch kann der Lohn-Arbeiter länger und mehr arbeiten, als seine eigene Reproduktion mittels des Lohns kostet. Die Differenz zwischen beiden Größen ist der Mehrwert. Und dieser bildet, nach einigen Abzügen, den Profit. Der Profit bildet das Kapital. Trotzdem es der Lohnarbeiter ist, der letztlich sein Gegenüber, das Kapital, vermehrt, kann er gerecht – also zum Wert seiner Arbeitskraft – entlohnt werden. Damit scheint auch der Profit „gerecht“ entstanden zu sein. Kein staatlicher Zwang ist dafür notwendig. Der Staat kann den plebejischen Klassen gleiche politische Rechte gewähren und sie „integrieren“. Das sind zumindest Voraussetzungen für eine Nation.

Nun ist auch klar, dass diese neutrale Rolle des Staates im Altertum – und übrigens auch im Feudalismus – nie möglich war. Freilich müssen wir alle historischen Formationen und Typen realistisch sehen. Nichts ist für immer und erst recht nicht in der jeweiligen klassischen Form. Auch der moderne bürgerliche Staat ist letztlich ein Staat, der das Privateigentum gegen dessen eigene Krisen verteidigt und dabei seine Maske der Äquidistanz zwischen den Klassen ablegt. Gewiss ist der Faschismus ein Extrem, aber immerhin ein in diesem Zusammenhang gültiges Beispiel. Aber auch auf einem weniger dramatischen Niveau tritt der bürgerliche Staat politisch auf, in der Entrechtung der Frauen in Saudi-Arabien, der Apartheid, im Kastenwesen Indiens, in Arbeitsbedingungen nahe der Sklaverei, etwa in den *sweat shops* Bangladeschs, oder in der Gleichgültigkeit gegenüber den Interessen indigener Bevölkerungsgruppen in den beiden Amerikas oder in manchen Teilen Asiens. Allgemein formuliert: Die politische Integration, die die Nation erst möglich machte, ist als Potential zu verstehen; sie ist eher labil statt bloß nur bedroht. Und sie ist auch nicht einfach das Produkt der Vorherrschaft der bürgerlichen Klassen. In der Französischen Revolution war sie Resultat der Tatsache, dass nur die Mobilisierungskraft der plebejischen Klassen der Bourgeoisie den Sieg über die feudalen Verhältnisse ermöglichte. Im napoleonischen Europa war sie Resultat der erfolgreichen militärischen Verteidigung der Errungenschaften Frankreichs gegenüber dem kontinentaleuropäischen *Ancien Régime*.

Eine interessante Episode ist zum Beispiel die Situation der Juden im Venedig der Neuzeit: Sie fanden hier, wie etwa auch in Amsterdam, Zuflucht nach der Vertreibung aus Spanien durch Isabella von Kastilien und Ferdinand von Aragón 1492. Doch während sie in Amsterdam offen auftreten und ihre „Portugiesische Synagoge", die *Esnoga*, auf einer Insel bauen konnten, durften sie sich in Venedig nur in dem bisherigen Altmetallwiederverwertungszentrum (Ghetto) ansiedeln. Die Zugänge dieses Viertels wurden von der Stadtverwaltung abends verschlossen und bewacht und die Juden mussten eine für alle erkennbare Kleidung tragen. Jedenfalls, als Venedig 1796 in den Einflussbereich der französischen Truppen fiel, schaffte Bonaparte die Ghettobestimmungen sofort ab und die Juden konnten sich bürgerlich emanzipieren. Bonaparte verhielt sich nicht aus abstrakt humanistischen Motiven solcherart, sondern weil er sehr genau fühlte, dass nur das Prinzip der Nation seine Aktionsbasis sein konnte. Kurzum: Nicht die Tatsache, dass das Bürgertum an der Macht ist, gewährleistet ungeschmälerte bürgerlich-demokratische Rechte – Venedig zum Beispiel war ja bereits eine bürgerliche Republik mit langer Tradition –, sondern die Tatsache, dass die plebejischen Klassen sich in der historischen Auseinandersetzung zwischen Feudalismus und Kapitalismus mit dem Einsatz des nackten Lebens beteiligten und daraufhin als Staatsbürger – eben *Citoyen* – der Bourgeoisie gleichgestellt wurden. Solch einen Weg hatten, freilich unter den Voraussetzungen des 16. und 17. Jahrhunderts, auch die Vereinigten Niederlande genommen und vielleicht erklärt diese Tatsache die bürgerliche Emanzipation der Juden in diesem Lande. Selbst im 20. Jahrhundert war noch etwas dieser Logik wirksam, in Spurenelementen und auf gewundenen Wegen sozusagen. Bürgerlich-demokratische Rechte waren in Mitteleuropa nach 1918 das Resultat der proletarischen Revolutionen – auch dort, wo sie wie in Deutschland und Österreich gescheitert waren. Diese gescheiterten Revolutionen entrümpelten aber immerhin zumindest für einige Jahre die Beschränkungen, die zuerst die Monarchien der Nation auferlegt hatten.

Wir können unsere Schlussfolgerung auch umdrehen: Wenn ein Staat die politische Integration weiter Teile der Bevölkerung auf Dauer aussetzt, verliert sich dieser Staat als Nation und schwächt damit die eigene politische Kohäsion, während allerdings gleichzeitig die dominanten Klassen dieses Staates auf diesem Wege in den Genuss einer höheren Ausbeutungsrate gelangen können. Letzteres war in Deutschland 1933 bis 1945 der Fall: Freie Lohnverhandlungen gab es nicht, die Mehrwertrate stieg und mit dem Krieg wurde auch Zwangsarbeit in den Fabriken genutzt. Der ökonomische Effekt dieser hohen Mehrwertrate etwa für den Nachkriegsboom des deutschen Kapitalismus wäre vermutlich irgendwie nachzurechnen oder zumindest abzuschätzen. Aber politische Desintegration hat meist auch ihre spezifischen Nebenkosten, weshalb sich in den kapitalreichen Ländern der Typus der Nation zumindest als Trendmarke gegenüber dem Typus des Staates der nackten Gewalt durchsetzen konnte. Mittels politischer Integration wird das Innere der Gesellschaft nicht gleicher ... aber es macht natürlich einen Unterschied, ob die Plebejer Parteien bilden und wählen dürfen sowie ganz allgemein bürgerlich-demokratische Rechte für sich nutzen können oder ob dies alles nicht der Fall ist. Der Unterschied der bürgerlichen Nation gegenüber dem römischen Reich ist somit größer als der Unterschied des römischen Staatsapparates zum griechischen „Anti-Staat" der Antike.

Der zivile Staatsapparat des römischen Reiches kann mit dem heutigen nicht verglichen werden. Vor Diokletian gab es vielleicht gerade einmal zwei Dutzend unterschiedliche Ränge von Staatsbeamten. Die Kaiser besaßen nichts, was auch nur in etwa mit einem Staatssekretariat vergleichbar wäre. Ja selbst die Korrespondenz pflegten sie selbst oder ihre nahen Verwandten zu lesen und zu beantworten. Laut dem britischen Historiker Fergus Millar ist nicht einmal klar, was die Aufgabe der Sekretäre für römische und für griechische Korrespondenz eigentlich gewesen sei.[388]

Kapitel 6: Die Verwandlung

Der Hellenismus und dessen Wirkung auf das römische Reich erklären die Umwandlung der Antike nicht restlos. Vielleicht finden wir eine weitere Spur. Gehen wir zu diesem Zwecke noch einmal zurück, in die graue Vorzeit der Republik.

„Aber Rom mußte bald nach der Gründung der Republik eine Reihe weiterer fast autonomer Magistraturen einrichten, die einem besonderen Bedürfnis Rechnung tragen sollten, der Wahrung der Rechte der Plebs. Kaum war nämlich Rom befreit, da entstand ein furchtbares Problem, die Koexistenz von zwei Hälften der Stadt, der Patrizier und der Plebejer. Die Patrizier waren die Vertreter der großen latinischen *gentes* und der ihnen gleichgestellten kleineren *gentes*, unter denen sich sabinische Familien befanden. Die Plebejer schienen vor allem aus städtischen Elementen bestanden zu haben, denen es in der etruskischen Stadt gut gegangen war. Alles in allen dürfte die Revolution von 509 sich ohne sie und in gewissem Sinne gegen sie vollzogen haben. Die Patrizier schienen die Macht nicht sofort alleine besessen zu haben, wenn es stimmt, dass einige der ersten Konsuln Plebejer gewesen sind. Aber bald weisen die uns erhaltenen Namenslisten nur noch patrizische Konsuln auf. In diesen Zeitraum fällt der Überlieferung nach der Bericht über die Absonderung der Plebs, die sich auf den Aventin (...) zurückgezogen hatte und eine selbstständige Stadt zu gründen drohte."[389]

Die Drohung wirkte, wenn wir der antiken Geschichtserzählung späterer Jahre, auf der Pierre Grimals Interpretation basiert, überhaupt glauben wollen. Die Plebejer bzw. die Plebs des 6. und 5. Jahrhunderts können unmöglich dem sozialen Typus der Plebejer und der Plebs der Bürgerkriegsjahre oder gar des Prinzipats entsprochen haben. Die Plebs der späteren Jahre stammte aus deklassierten *agricolae*. Die Plebs, die in den frühen Jahren auf den Aventin zog, kann noch nicht aus Deklassierten bestanden haben, denn der ökonomische Einfluss der mit Sklaven betriebenen Plantagenwirtschaft auf die selbstständigen Kleinbauern stammte erst aus den Jahren nach dem Zweiten Punischen Krieg. Wir dürfen uns von den Begriffen *gentes*, Patrizier und Plebejer der ersten Phase der Republik nicht zu viel Aussagekraft erwarten und vor allem müssen wir uns dabei von den Begriffsinhalten der zweiten Phase der Republik lösen.

Jedenfalls steht in dem zitierten Passus bei Pierre Grimal bereits einiges zwischen den Zeilen. Zuerst ist es nicht verständlich, weshalb Rom in zwei Hälften zerfiel, in das Lager der Patrizier und in das Lager der Plebejer. Der Hinweis Grimals, es handelte sich bei den Patriziern um große *gentes*, erklärt ja nichts. Woher kamen die *gentes*? Was machte ihren Unterschied zu „Nicht-gentes“ aus? Immer wenn von so etwas wie „guten Familien“ die Rede ist, handelt es sich um eine Umschreibung von etwas Nichtfamiliärem; schließlich stammt jede Familie von irgendjemandem ab. Weshalb sind die einen gut und die anderen nicht? Es gibt keine vernünftige Erklärung außer genau die, die nicht explizit in diesem Passus genannt wird: Die einen hatten Eigentum, Grundeigentum, großes Grundeigentum und die anderen nicht. Diese Eigenschaft dürfen wir uns andererseits auch wiederum nicht als absolut vorstellen: Irgendein Eigentum hatten wohl auch die Plebejer und sie waren weder Sklaven noch Lohnarbeiter. Hier ist Eigentum im Sinne von ererbtem Reichtum angesprochen, der sich in der Antike in der Regel in

Grundeigentum äußert. Plebs bzw. Plebejer ist keine Berufsbezeichnung und auch kein positiv gesetzter Begriff einer Klasse, aber negativ gesetzt eigentlich schon: Die Plebs ist nicht Grundeigentümer und wenn Plebejer tatsächlich Grundeigentümer wurden, bedeutet dies nur, dass eine Familie aufgestiegen ist.

Die Vermutung, dass unterschiedliche „ethnische Herkünfte" der eigentliche Grund der Unterscheidung zwischen den Patriziern und den Plebejern gewesen seien, verfolgt auch Pierre Grimal nicht weiter. Wenn aber doch, dann nur in dem Sinne, dass ethnische Unterschiede auf beiden Seiten existiert haben. Das ist auch plausibel – wobei wir dem Begriff „ethnisch" nicht viel aufhalsen dürfen, es handelt sich bei den Sabinern im Gegensatz zu den Römern nur um Leute aus unterschiedlichen Dörfern und Städten. Selbst der Gegensatz zu den Etruskern lässt wegen deren langjähriger Durchdringung weiter Teile der Halbinsel Trennschärfe missen. Wir folgern daraus: Die Spekulation auf ethnische Wurzeln der Spaltung Roms gibt nicht viel her und der eigentliche Unterschied liegt auf der Hand – der Zugang zu Eigentum, das allerdings, ein Spezifikum gerade des Privateigentums, über familiäre Bande weitergegeben wurde und auf diese Art und Weise akkumulierte. Nur in diesem Sinne macht der Begriff „alte Familien" oder „gute Familien" Sinn ... in diesen sammelte sich über Generationen hinweg Reichtum an. Umgekehrt: Plebs und Plebejer waren zuerst einfach nur jene Familien, die weniger Grundeigentum hatten als die sogenannten Patrizier. Der springende Punkt ist die Vererbung. Und umgekehrt: Immer dort, wo Plebejer zu erheblichem Eigentum gelangten, wurden diese Familien nach und nach mit den Rechten der Patrizier versehen und ihre Zwitterstellung als „Neureiche" währte nicht lange. Alles kreiste um die Frage: Wer ist anerkannter Eigentümer und wer nicht?

Nun wird auch die politische Geschichte verständlich: Die Abschaffung des Königtums in Rom, vermutlich des etruskischen Königtums, ist Folge der Tatsache, dass die latinischen *gentes* im Laufe der Zeit Eigentum ansammeln konnten; sie verstanden sich als eigene Stadt und das bedeutet nach heutigem Verständnis als eigener Staat. Die Republikgründung und die Vertreibung des letzten Königs waren das Werk der nun großen Grundeigentümer. Ihr Einfluss wurde gestärkt. Aber sie waren nicht alleine …

„Seit den *leges Liciniae Sextiae* von 367 mußte einer der Konsuln Patrizier sein, der andere Plebejer, und die beiden Stände teilten sich die Beamten- und Priesterstellen. Daraus ergab sich die Bildung eines neuen Adels, der der ehemaligen Beamten (Nobilität), der an die Stelle des Geburtsadels trat. Ende des 4. Jahrhunderts zog der Censor Appius Claudius Caecus die Folgen aus dieser Sachlage: Er berücksichtigte in der Steuerliste das bewegliche Vermögen, das heißt, daß der politische Einfluß nicht mehr ausschließlich bei den Grundbesitzern lag, sondern beim gesamten Bürgertum, das durch den Handel reich wurde.“[390]

Das erinnert verblüffend an die griechischen Verfassungsreformen ein bis zwei Jahrhunderte zuvor, die im Falle Athens seit Solon so gut dokumentiert sind. Im Grunde ging es immer darum, eine bereits manifeste *soziale* Veränderung in der Verfassung nachzuziehen, so als würde Hegels Weltgeist immer wieder mittels der antiken Gleichung …

$$Grundeigentum = Bürgerrechte + Gewaltmonopol$$

… werken. Freilich, in Rom wie auch in Athen wurde das bewegliche Eigentum aus der ursprünglichen Subordination unter dem Grundeigentum geholt. Aber eben nur, weil dies die expandierende Warenwirtschaft zwangsläufig nach sich zog.

Im Grunde blieb das Grundeigentum während der gesamten Antike das „normale Eigentum" – sozusagen der Bezugspunkt des Eigentums schlechthin und der Grund und Boden wurde in der Spätantike der Anknüpfungspunkt für die Feudalökonomie; nun aber ohne Waren.

„Ein Kollegium aus zehn ‚verfassungsgebenden' Magistraten (*decemviri*) wurde 451 beauftragt, die Grundrechte zu formulieren. (...) Die Gesetzessammlung (...) war aber dennoch wichtig, weil sie das Monopol eines auf die Gewohnheiten der *patres* abgestellten Rechtes aufhob und diesem Recht eine im Prinzip demokratischere Objektivität gab."[391]

Der letzte Halbsatz weist eher auf ein idealistisches Verständnis des Historikers hin, denn eine „demokratische Objektivität" als abstraktes Prinzip gibt und gab es nicht. Hingegen hat Grimal ganz recht, wenn er damit eine konkrete Taktik meint, denn der Ersatz des Gewohnheitsrechtes durch geschriebenes Recht stärkte die Position der Plebejer. Die „patres" ließen sich wohl darauf ein, um einen Ausgleich zu finden, mit dem sie leben konnten, ohne dass die Gegenseite wieder „aus der Stadt ausziehen" müsse. Dass aber einzelne Mitglieder der Gemeinde beauftragt wurden, über den Weg einer Verfassungsreform einen Ausgleich zu finden, sahen wir auch in Griechenland einige Zeit zuvor. Dort wurden Mediatoren eingesetzt; vielleicht auch, um eine *tyrannis* zu vermeiden.

Etwas später:

„(...) man gestattete nicht nur die Ehen zwischen den beiden Ständen, sondern ersetzte den Konsulat durch ein neues Amt, den Militärtribunat mit Konsulargewalt, der den Konsulat ‚entsakralisierte' und folglich den Plebejern zugänglich machte. Weniger als ein Jahrhundert später verschwand dieses Bastardamt (...) und die Plebejer wurden durch die *leges Liciniae Sextiae* von 367 endgültig zum Konsulat zugelassen."[392]

Und mehr als hundert Jahre später, 241:

„(...) wurden die *comitia centuriata* reformiert, um den Wert der Stimmen zwischen den Klassen etwas besser auszugleichen. Auch hier ist unsere Information lückenhaft, doch es scheint, dass die Einteilung in Tribus damals eine Rolle in der Organisation der Comitien zu spielen begonnen hatte und die Centurien in den Hintergrund drängte.“[393]

In diesen Reformen steckte noch der Wandel von der alten Heeresverfassung, den Zenturien-Versammlungen, zu einer Wohnsitzverfassung, die zumindest den Neureichen unter den Plebejern etwas mehr Gewicht gab. Denn die Zenturien waren ursprünglich Versammlungen all jener Hundertschaften, die für den Heerdienst tauglich, aber gleichzeitig keine Söldner waren. Tauglich war, wer sich selbst ausrüsten konnte. Auch darin spiegelte sich die klassische Formel der Antike (siehe oben) wider.

Zu Beginn der römischen Bürgerkriege erfahren wir die erstaunliche Tatsache, dass erst Marius den Mittellosen (Plebejern) den Zugang zum Heer ermöglichte, indem der Staat Rundschild und Pilum bereitstellte.[394] Ansonsten kamen Mittellose, die sich nicht als Söldner verdingten, nur in Notzeiten zu Waffen – also immer dann, wenn sogar Sklaven zum Zwecke der Verteidigung freigelassen wurden. Traditionen sind zählebig. Vielleicht spielten bloß Traditionen bei der Intention der berühmten *lex Claudia* aus dem Jahre 218 eine Rolle:

„Bekanntlich durfte das Vermögen der Senatoren nur aus Landbesitz bestehen. Dem Senatorenstand war jegliches geschäftliches Unternehmertum untersagt (...). Die Händler, Bankiers und Kaufleute, die Geschäfte mit Übersee trieben, sowie alle möglichen Geldverleiher waren, selbst wenn sie ein dem *census* der Senatoren vergleichbares Vermögen hatten, jedoch nicht zu staatlichen Ämtern zugelassen. Sie bildeten die

Klasse der Ritter.“[395]

Das ist auf der konkret historischen Ebene wahrscheinlich nicht ganz richtig und der Wirtschaftshistoriker Moses I. Finley führt überzeugend aus, dass diese strikte soziale Trennung der Senatoren von den Rittern nicht den Tatsachen entsprach.[396] Aber was in der *lex Claudia* sehr wohl noch zum Ausdruck kam, auch wenn es den sozialen Gegebenheiten nicht mehr ganz entsprach: Grundeigentum stand politisch zumindest über dem beweglichen Vermögen – auch wenn sich beide nicht gegenseitig ausschlossen und die formelle Voraussetzung für einen Sitz im Senat ein Vermögen von einer Million Sesterzen ausmachte und nicht etwa so und so viel Hektar Land. Wahrscheinlich wurde hier die Größe des Grundeigentums monetär gemessen. [397]

Dieses Thema spielt noch in die *lex Aurelia* des Jahres 70 v. Chr. hinein, die das bewegliche Vermögen, auch von plebejischen Familien, gegenüber dem Grundeigentum juristisch aufwertete.[398] Dass den Senatoren, also den klassischen Grundeigentümern, „jegliches geschäftliches Unternehmertum“ gewesen sein soll, steht übrigens in einem gewissen Widerspruch zu einer anderen Passage bei Grimal, in der das Eigentum einer bestimmten Anzahl an Amphoren – also die Container-Einheiten der Antike – als Kennwert des Senatoren-Standes angeführt wird. Das claudische Plebiszit aus dem Jahre 218 sah vor:

„Den Senatoren wurde nach den Bestimmungen dieses Textes verboten, ein Schiff zu besitzen, dessen Ladefähigkeit 300 Amphoren überstieg.“[399]

Dass indes die Senatoren de facto Handel betrieben bzw. über einen *actor* betreiben ließen, ergibt sich nicht nur aus der Intention des claudischen Plebiszits, sondern bereits aus der Eigenschaft der Senatoren als Grundeigentümer. Denn Grundeigentum war ja in der Regel nicht einfach Brachland, sondern wurde als Bauland verwertet oder – weit häufiger – landwirtschaftlich bewirtschaftet. Der Verkauf der Agrarprodukte war Quell eines Mehrproduktes in den Händen der Grundeigentümer. Kurzum: Grundeigentum war Grundlage der Agrarproduktion und somit die Senatoren in „geschäftliche Unternehmen" involviert.

All die Gruppen wie *equites*, Senatoren, Patrizier, Plebejer mit Amt, Plebejer ohne Amt können trotz ihrer rechtlichen und kulturellen Sonderstellungen auf ihren Bezug zum Grundeigentum charakterisiert werden. Trotz zahlreicher Zwischenstufen und Fragen der Etikette und des Status dieser Zwischengruppen läuft in der Antike wie in einer Perspektive mit zwei Fluchtpunkten alles darauf hinaus. Die Verfassungsgeschichte der antiken Gemeinwesen ist immer auch Sozialgeschichte. Soziale Verschiebungen wollen irgendwann politisch anerkannt werden. Und andererseits: Der Kampf um die Verfassung ist immer auch Ausdruck des Kampfes unterschiedlicher Klassen um spezifische Interessen. Ausdruck bedeutet freilich nicht Identität. Wenn Leute aus dem Kreis der Plebejer zu Ämtern kamen und kommen konnten, waren sie für Anliegen der Plebejer empfänglicher als die patrizischen Konsuln oder Quästoren – um nur einige Beispiele zu nennen. Es ging um Zugang und Verteilung des *ager publicus*, vor allem des militärisch neuerworbenen, um Schuldenstreichung, die Höhe der Kreditzinsen, die Schwere der Strafen, um die kostenlose Verteilung von Getreide, um Währungsreformen, öffentliche Infrastruktur und den Zugang zum Heer. Insofern war es selbstverständlich nicht gleichgültig, wer welche Ämter besetzen konnte. Das war das Thema der Verfassungsreformen. Dieser Klassenkampf war trotz der Rolle der Plebs in der Stadt Rom keiner zwischen Kapital und Arbeit, sondern zwischen Großeigentum und Kleineigentum. Die Sklaven nahmen an *diesem* Klassenkampf nicht teil. Die späteren Sklavenaufstände berührten die Verfassungsänderungen nicht, zumindest nicht direkt. Bis zur Endphase des römischen Bürgerkrieges agierten alle Parteien im Verfassungskrieg ziemlich offen und unverblümt. Der römische Bürgerkrieg bedeutete in dieser Hinsicht eine Zäsur. Die Verfassung wurde zur Camouflage der *augusti*. In der Spätantike war die Verfassungsgeschichte einfach Verwaltungsgeschichte, die die Bevölkerungsklassen nur noch indirekt affizierte.

Wie viele andere Historiker auch bewertet Grimal die römischen Verfassungsänderungen der ersten Phase der Republik – also etwa bis zum Auftreten der beiden Gracchen – zugunsten der Plebejer als vorbildlich. Wir sehen in dieser Geschichte zwei Elemente bzw. zwei unterschiedliche, ja sogar gegenläufige Entwicklungen. Die eine Entwicklung nach dem „A-Typus" – vgl. das Kapitel „Das Reservat" – berücksichtigt, dass Familien, die ehemals nicht zu den Grundeigentümern gehörten, zu Vermögen gelangten. Vielleicht als Ergebnis der Expansion der Warenwirtschaft. Dieses *Neueigentum* wurde genauso wie in Griechenland irgendwann dem alten Grundeigentum politisch gleichgestellt. Damit wurden auch die personellen Träger dieses Eigentums aufgewertet. Bloß bestimmte religiöse Riten blieben in den Händen der alten Grundeigentümerfamilien. Wenn wir etwa hören, dass selbst Plebejer Konsuln werden konnten, dann bedeutet dies nicht, alle Plebejer wurden Konsuln, sondern nur, dass die bisherige familiäre Herkunft kein Hindernis mehr war, dieses Amt zu bekleiden. Vielleicht – oder vielmehr: vermutlich – rückten nur jene „guten Plebejer" auf, also solche, die es zu Eigentum gebracht hatten. Gab es auf der Liste der Plebejer, die Konsuln wurden, auch Eigentumslose bzw. Arme? Das wäre die relevante Frage. Leider stammen die bis heute erhaltenen Chroniken der Annalisten frühestens aus dem Jahre um 200 v. Chr. und auch diese hatten vermutlich keine Unterlagen aus der Zeit vor dem Gallier-Einfall in Rom zur Hand. Nachträglich könnte einiges uminterpretiert und plebejische Familien zu patrizischen gemacht worden sein. Dennoch spricht mehr dafür als dagegen, dass in Wirklichkeit die plebejische Ämterlaufbahn von ihrem Ausmaß und ihrer Wirkung her bescheidener ausfiel, als die früheren Historiker annahmen. Am Beispiel des Amts der Konsulartribunen, der Vorstufe des plebejischen Konsulats, ergäbe sich bei einer kritischen Auswertung Livius':

„Im Hinblick darauf, daß ein Teil der Überlieferung nichts von einem Antrag auf Öffnung des Oberamtes für die Plebejer wußte, im Hinblick darauf, daß nur 4,56 % der Konsulartribunen Plebejer gewesen sein sollen und dazu noch in nur 6 von insgesamt 77 Jahren und im Hinblick darauf, daß es in den Konsulfasten nach ausdrücklicher Bezeugung Fälschungen gegeben hat, möchte man mit Beloch dafür plädieren, daß die Einführung der Konsulartribunats mit keinerlei Änderung hinsichtlich der Amtsqualifikation verbunden gewesen ist, daß also bis 366 nicht nur die Konsuln, sondern auch die Konsulartribunen Patrizier zu sein hatten. Doch sei dem, wie es will: Die ganzen inneren Auseinandersetzungen um das Oberamt bei Livius sind als Erfindung aus der Überlieferung zu streichen."[400]

Oder, aus der Feder eines anderen Autors:

„Zusammen mit der gleichzeitigen, sicher historischen *lex Valeria militaris*, die die Zwangsrekrutierung der Plebejer verbot (Liv. 7, 41, 4), ist der Hinweis gegeben, dass in diesen Jahren mit erheblichen innenpolitischen *gravamina* zu rechnen ist, die sich an der materiellen und finanziellen Überforderung der Plebejer bei den Kriegszurüstungen gegen die Latiner und Samniten entzündet hatten. Aus plebejischer Sicht wurde nur durch die endgültige Sicherung einer Konsulstelle die Behebung dieser Missstände vorstellbar. Offenbar blieb auch trotz des *exemplum* von 366 die Führung der *res publica* in den Händen einiger Patrizier, die, wie die Fabier, Manlier und Valerier, durch Iteration und Kontinuation ein fast oligarchisches Regiment führen konnten, auch wenn das eine oder andere Mal ein Plebejer das Oberamt erreicht hat."[401]

Das sind nur zwei Beispiele der Relativierung der Integration der Plebejer *als Plebejer* in den Staatsapparat der römischen Republik. Die Literatur zu diesem Thema überblicken wir hier nicht. Aber die Grundtendenz der neueren Literatur ist sicher verhaltener als jene Grimals. Es lässt sich zwar nicht beweisen, aber es ist noch immer gegenüber diesem neuen Paradigma plausibel: Plebejer, die es in die Ämterlaufbahn brachten, waren Plebejer aus guten Familien, daher selten. Gute plebejische Familien waren solche, die es zu Neueigentum brachten. Neueigentum unterschied sich per definitionem von jahrhundertealtem, und *daher* patrizischem, Reichtum.

Etwas anders war der Fall in Krisenzeiten der Republik gelagert, wenn auch echte Plebejer – also Eigentumslose – aufgewertet werden mussten, um sie ins Feld ziehen zu können. Davon hörten wir bereits anlässlich der Geschehnisse im 4. und 3. Jahrhundert. Erst recht ist dieses Phänomen für die Periode des Bürgerkrieges erkennbar. Aber, und das wird sich als der springende Punkt herausstellen, hier bekommt es eine andere Färbung. Denn nun war nicht mehr das antike Gemeinwesen an sich in Gefahr, sondern bloß eine der unterschiedlichen Fraktionen. Es machte sich eine Störung der antiken Verhältnisse bemerkbar. Wir haben diese Entwicklung als „B-Typus" kennengelernt. In diesem Zusammenhang bedeutet das: Auch Nicht-Eigentümer konnten politisch aufgewertet werden. Hier denken wir an Marius' Heeresreform, die auf die Integration von eigentumslosen Soldaten abzielte. Und ein Teil der Proponenten des Bürgerkrieges, wie etwa Gaius Julius Caesar, stützte sich bei seinen politischen Abenteuern auf die passive, aber doch nicht irrelevante Masse der Plebejer. Solch ein Verhalten ist uns aus der klassischen griechischen Antike kaum bekannt. Aber dieser „Manövrismus" erinnert ein wenig an Agathokles von Syrakus, Pyrrhos I. und Hieron – jeweils mit einigen Abstrichen dieser Analogie. Dennoch scheint es plausibel, dass die Führer der römischen Republik das Beispiel der hellenistischen Abenteurer, die so gar nicht in die übersichtliche Sozialordnung der klassischen Polis passten, erst auf dem Boden Siziliens hautnah miterleben konnten. Der Kontakt mit und später die Einverleibung von Sizilien veränderte Rom nachhaltig.

Wir begannen dieses Kapitel mit dem Satz: Der Hellenismus und dessen Wirkung auf das römische Reich erklären die Umwandlung der Antike nicht restlos. Allein, wir fanden, zumindest in der Verfassungsgeschichte, keine weitere Spur: Die Stellung der römischen Plebs lässt sich für die erste Phase der Republik tatsächlich restlos mit antiken Verhältnissen erklären, sie stellte gegenüber dem klassischen Hellas nur ein Lokalkolorit dar, keine systematisch andere Gesellschaftsform. Und in der zweiten Phase der Republik, wahrscheinlich ab der Inkorporation Siziliens, wurde die Stellung der Plebs durch die Logik des Hellenismus verändert: Die Plebejer werden machtlose Staatsbürger (Citoyens), aber immerhin Staatsbürger. Somit finden wir in der Verfassungsgeschichte sowohl den „A-Typus" als auch den „B-Typus". Eine denkbare Variante für einen dritten Entwicklungsweg der Plebs wäre immerhin, dass sich deren politische Stellung auch aus der Tradition der unabhängigen latinischen Bauern abgeleitet haben könnte. Aber eigentlich gab es nie eine Periode, in der die Bauern wirklich sozial und politisch unabhängig waren und wir sitzen im Nachhinein einer Verklärung der *agricolae* auf, der vielleicht einige der antiken Autoren selbst die Spur bahnten. Der ältere Cato mit seiner „De agri cultura" vielleicht nicht mehr so sehr, denn dieser beschrieb auch die Mindestbetriebsgrößen, die sich vielleicht bereits durch die sizilianische Konkurrenz zu den latinischen Bauern ergeben hatte. Wie auch immer: Die Bauern der Antike standen immer den Grundeigentümern gegenüber. Gewiss hatten die Bauern einen eigenen Flecken Land, der ein Leben ermöglichte und diese Tatsache war in der römischen Geschichte sehr wirkmächtig als Ideologie, an der sich Veteranen orientierten. Insofern war der Bauer auch Grundeigentümer und der Pächter auch Grundbesitzer, aber er war es als Bauer bzw. Pächter, nicht als Eigentümer. Die „richtigen" Grundeigentümer betrieben auch Agrarproduktion, aber nicht als Bauern, sondern als Eigentümer. Sie machten dies nicht selbst, sie lebten in der Stadt und die Produktion diente neben der Selbstversorgung der *villae* auch dem Warenhandel. Die Bauern, die am Lande lebten und arbeiteten, hatten gar keine eigene politische Form (außer vielleicht im Neolithikum). Das Land gehörte immer zu einer Stadt und wurde von dieser politisch dominiert. Die Stellung des Bauern kann somit keine Vorbildwirkung auf die politische Stellung der Plebs gehabt haben. Außer wenn man die Sache so zusammenfassen würde: Die Plebs hatte keine Macht und Plebejer, die in die Ämterlaufbahn einstiegen, kamen aus anderen Gründen in diese Rolle: Neueigentum oder militärische Notlage für das Gemeinwesen der Senatoren. Eine andere Option gab es bis zum Beginn des „B-Typus" der Entwicklung nicht.

In der Antike und auch in der Zeit der römischen Republik Bauer zu sein, war keine sozial abgesicherte Angelegenheit. Erst recht nicht, umso mehr die Warenwirtschaft der Mittelmeerwelt Rom und Latium miteinbezog. Wenn überhaupt, dann wirkte das Prekäre der Bauern und Pächter auf die Lage der Plebs.

„Man bemühte sich auch, so gut es ging, das furchtbare Problem der Schulden zu lösen, die vorher so viele Tragödien verursacht hatten. Immer seltener kam es vor, daß ein Schuldner, wie das in den früheren Jahrhunderten oft der Fall gewesen war, zur Entschädigung seines Gläubigers als Sklave verkauft wurde. Aber die Erleichterung der Schuldenlast ergab sich vor allem aus der Geldvermehrung. Im letzten Teil des 4. Jahrhunderts beginnt (zu einem ungewissen Zeitpunkt, vielleicht im Jahre 310?) die Prägung römischer Bronzemünzen, als der Staat, dessen Autorität die des etruskischen Bundes ablöst, eine Handelsgroßmacht wird.“[402]

Grimal bedauert in diesem Passus die Tatsache der Schuldsklaverei, so als handle es sich um eine „schlechte Sitte“. In Wirklichkeit gehörte diese untrennbar zu den antiken Produktionsverhältnissen. Sie ist das Ergebnis der Tatsache, dass Privateigentum ohne verallgemeinerte Lohnarbeit existiert. Ohne Warenwirtschaft und ohne das damit zusammenhängende Privateigentum gäbe es keine Schuld, die einkassiert werden müsste. Mit Lohnarbeit statt Sklavenarbeit wäre die Schuld auf andere Art und Weise zu tilgen. Der zweite Teil des Zitats ist fast noch interessanter. Wenn der Zusammenhang mit der „Geldvermehrung“ stimmt, handelt es sich mit den Folgen der römischen Währungsreform um eine der ersten Beispiele einer Inflation, die entschuldet. Logischerweise müsste dies aber auch bedeutet haben, dass im Gegenzug bestehendes Vermögen entwertet wurde. Aber wir hörten bereits im vorangegangenen Kapitel, dass eine der nächsten Inflationen in der hellenistischen Welt eine Umverteilung von unten nach oben bewirkt haben soll. Das wäre aber der gegenteilige Effekt. Oder handelt es sich doch um ein und denselben Prozess? Vielleicht spielten die Edelmetallvorräte des Perserreiches, die nun sukzessive zu Geld in der Warenwirtschaft des Mittelmeers „gestanzt“ wurden, ihr Spiel bereits bis nach Rom?

„Man kann die Rolle, die das Meer und die weltweiten Handelsbeziehungen in der Geschichte der hellenistischen Welt spielten, kaum hoch genug veranschlagen."[403]

Dem kann nicht widersprochen werden. Hingegen hatte die Inflation zu Beginn des 1. Jahrhunderts vermutlich andere Ursachen. Vielleicht war sie das bewusste Werk der Geldentwertung, nicht der Geldvermehrung. Das Silber der Münzen wurde zum Teil durch Kupfer ersetzt. Die Maßnahme wurde von den Schuldnern begrüßt und von den Gläubigern, meist aus dem Stand der sogenannten *equites*, verdammt. Freilich handelte es sich bei all diesen Maßnahmen in der Periode des Bürgerkrieges zwischen den Gracchen und dem Augustus um Wirtschaftspolitik, die ein Entgegenkommen der Nobilitas gegenüber den Bauern, den Veteranen und der Plebs signalisieren sollte. In diese Kategorie gehören auch Landverteilung, Gründung neuer Kolonien (etwa in Süd-Gallien) und Ansätze einer Agrarreform.[404] Die Wirksamkeit dieser Wirtschaftspolitik war gering, konnte sie doch den generellen Trend der Verdrängung der kleinen selbstständigen Wirtschaften durch die rationellere Bewirtschaftung großer und agronomisch gut gemanagter Flächen mit dem Einsatz von Sklaven nicht ändern und somit auch nicht die sozialen Auswirkungen dieses Trends: die Proletarisierung des bäuerlichen Kleineigentums.

Den ersten spürbaren Anstoß gab die Einverleibung Siziliens. In Sizilien wurden mittels der antiken Produktionsweise vergleichbare Ergebnisse erzielt wie in Ägypten mittels der asiatischen Produktionsweise.

„Korn, Wein und Öl, die klassischen Anbauprodukte Siziliens, gaben der Landschaft schon zur Griechenzeit das Gepräge. Der Getreidebau deckte in zweijährigem Wechsel von Frucht und Brache nicht nur den Eigenbedarf der Bevölkerung, sondern lieferte namhafte Überschüsse. Im karthagischen Westsizilien herrschten marktwirtschaftlich orientierte Latifundien, im Osten Kleinstruktur und Selbstversorgungswirtschaft vor. Die Großgüter fielen nach der Schlacht von Himera 480 v. Chr. an das siegreiche Agrigent, später an römische Senatoren. Als ‚cella rei publicae et nutrix plebis Romanae' spielte die Insel in der römischen Politik bis in die Zeit der späten Republik eine bedeutende Rolle als Versorgungszentrum der Hauptstadt. Die jährliche Getreideproduktion betrug nach neueren Berechnungen rund 250.000 t (38 Mio modii zu 8,7 t bei einem speziellen Raumgewicht von 0,75)."[405]

Demnach vermutlich etwas mehr als Ägypten an Rom lieferte, da der gesamte jährliche Getreidezufluss nach Rom aus den Regionen *Sicilia*, *Africa* und *Aegyptus* bei rund 400.000 Tonnen gelegen haben soll.[406]

„Ein Siebentel davon diente der Versorgung des römischen Plebs, ein weiteres Siebentel wurde in den Orient verkauft. Wenn wir dem Zeugnis Ciceros glauben dürfen, betrug die Produktivität 12 q/ha (48 modii/ iugerum) und lag damit höher als im 19. und beginnenden 20. Jahrhundert. Die Weide entsprach in ihrer Ausdehnung ungefähr dem Ackerland. Das Vieh spielte auch für den Getreidebau eine wichtige Rolle als Zugkraft und Düngerlieferant. Ausgedehnte Wälder bedeckten die hügeligen Regionen des Landesinnern, wie Homer, Plinius, Diodor und Strabo berichten."[407]

Man hatte die sozialen Folgen der Inkorporation der sizilianischen Agrarproduktion als Danaergeschenk des von Rom besiegten Karthago bezeichnet und diese Pointe liegt auf der Hand. Indes, auch ohne den bekannten Ausgang des Punischen Krieges hätte sich die Plantagenwirtschaft gegenüber der bäuerlichen Kleinproduktion irgendwann durchgesetzt. Hier wirkten der Markt und die Warenproduktion als Lokomotive der Geschichte, nicht der Krieg. Theodor Mommsen hatte den Einfluss des Letzteren auf den Wandel der Sozialstruktur in seiner Römischen Geschichte präzise nachgezeichnet, aber doch auch die alten Sitten vor der agrarischen Wende idealisiert und dem Krieg zu viel und dem Markt zu wenig Wirkung auf diese zugesprochen. Faktum ist aber:

„Der Erfolg stellte sich sofort ein: große Mengen Getreide, zu niedrigen Preisen gekauft, begannen nach Latium zu fließen. (...) so sollten nun die Äcker Siziliens die Römer fast zwei Jahrhunderte lang ernähren."[408]

Der Ruin der Bauern ist hier noch nicht sichtbar, aber der Strukturwandel bahnt sich bereits an:

„Dies wirft jedoch einige Probleme auf. Warum haben zum Beispiel die Senatoren, denen in der Hauptsache das Land in Latium gehörte, diesen Zustrom von Getreide geduldet, der sicher die Preise zum Sinken brachte. Müssen wir (...) annehmen, daß die Landwirtschaft in dieser Epoche das Aussehen annahm, das wir später an ihr beobachten, daß auf den bisherigen Getreidefeldern Wein und Oliven angepflanzt und Weiden angelegt wurden? Man kann auch annehmen, daß die Landwirtschaft noch keinen rein ‚kapitalistischen' Charakter hatte. (...) Man verkaufte damals nur den Überschuß (...). Während des Krieges gegen Pyrrhos war die Wirtschaft noch wesentlich bäuerlich; bewegliche Werte waren selten und man mißtraute ihnen. (...) Die durch den Überfluß des sizilischen Getreides verursachten unheilbaren Folgen begannen sich erst bemerkbar zu machen, als sich die Tendenz zum *latifundium* verstärkte, also nach dem Zweiten Punischen Krieg."[409]

Möglichweise folgte hier Grimal einfach der Spur, die bereits Mommsen im 19. Jahrhundert gelegt hatte, der ja die Begriffe „kapitalistisch" und „Kapitalismus" für die produktivere Plantagenwirtschaft verwendet hatte und diese Begriffe klingen bei Mommsen mit abwertenden Obertönen.[410] Möglicherweise folgte Mommsen einfach der Spur, die der ältere Cato (234–

149) in seiner „*De agri cultura*“ gelegt hatte. Möglicherweise ist dieses Buch wiederum eher weniger ein ökonomisches, sondern ein ideologisches Buch. Er behandelte die Wirtschaft, meinte aber die Kultur. Es ist nicht ganz leicht, nachträglich das Ideelle beiseite zu schieben, um auf die nüchterne Ökonomie zu stoßen.

Die römische Verfassungsgeschichte ist auch eine der gescheiterten Reformen, deren folgenreichste die der beiden Gracchen war. Tiberius Gracchus wollte den Großgrundbesitz mit Sklavenarbeit durch klassische Parzellenbewirtschaftung durch Bauern ersetzen. Das Bemerkenswerte an dieser Agrarreform war:

„Die Empfänger (...)

– der Landverteilung –

„(...) sollten kein Wiederverkaufsrecht erhalten.“[411]

Das bedeutet nichts anderes, als dem Grund und Boden jeden Warencharakter zu nehmen. Es bedeutet, das Rad der Geschichte zurückzudrehen. Der Inhalt der Reformvorhaben war in den Tributskomitien populär:

„Scharen von Bauern, die ihr Land durch die Übergriffe der Nobilität verloren hatten, strömten nach Rom um das Gesetz zu unterstützen.“[412]

Tiberius Gracchus musste zur Durchsetzung ein zweites Tribunat anstreben – was es noch nie gegeben hatte. Er scheiterte letztlich tragisch am Widerstand der Senatoren. Genau hier hob eine neue Entwicklung an, die Verfassung im Interesse des Klassenkampfes ziemlich „frei“ und einseitig zu interpretieren. Eine Sitte, die über Marius, Sulla, Pompeius und viele andere Akteure bis hin zu Octavian führte.

Wie alle fortschrittlichen Agrar- und Eigentumsreformen in einer Marktwirtschaft halten diese nur eine Zeitlang die ursprüngliche Intention aufrecht. Die Marktgegebenheiten machen nach und nach die Großen größer und die Kleinen kleiner. Aus diesem Grunde blieben die Themen der Gracchen über Jahrhunderte bestehen – ungeachtet der Frage, wieviel zur Lebenszeit des Tiberius und Gaius tatsächlich gegen die großen Senatoren und Sklavenbesitzer durchgesetzt werden konnte. So nimmt es nicht wunder, wenn etwa Catilina (108–62) dieselben Themen wie die Gracchen auf seine Agenda setzte. Hören wir Pierre Grimal, der sich auf die Seite des reichen Cicero stellt und dessen Propaganda gegen Catilina übernimmt. Aber selbst Grimal kann nicht umhin, den Rückhalt Catilinas im Volk wie folgt zu schildern:

„Catilina versprach eine Schuldenstreichung, ein neues Ackergesetz, kurz eine soziale und zugleich politische Revolution."[413]

Letzteres ist sicherlich auch kein souveränes Urteil. Hier übertreibt Grimal wiederum in der anderen Richtung. Eine Revolution ist mehr, als Catilina anstreben konnte. Aber immerhin das schon:

„Andere wiederum, Ritter und Bürger aus den kleinen italischen Städten, steckten tief in finanziellen Schwierigkeiten. Die wirtschaftliche Lage, ganz besonders aber die Lage der Landwirtschaft, hatte die Zahl der zahlungsunfähigen Schuldner um ein Vielfaches ansteigen lassen. Infolge der Konkurrenz der Sklavenarbeit und der Konzentration der Produktion in den Händen einiger weniger hatte sich die Lage der Kleinbauern erheblich verschlechtert."[414]

In der zweiten Phase des römischen Bürgerkriegs wurde das Problem des Gegensatzes zwischen Grundeigentum und Grundeigentumslosigkeit anders gelöst. Nicht mehr eine Verfassung sollte zur Umverteilung, zur Agrarreform führen, sondern ein *princeps* sollte Land verteilen, ein Führer, der dank militärischer Erfolge und populärer Gefolgschaft vom Senat der alten Grundeigentümer unabhängig geworden war. Adressaten der materiellen Leistungen waren mitunter Soldaten, die so lange gedient hatten, dass ihre Bauernstellen in der Zwischenzeit verödet waren. Oder Familien, denen durch die *alimenta* eines Kaiser Trajan geholfen werden sollte. Freilich dürfen wir diese Art der Umverteilung von Eigentum nicht aus der Sicht eines modernen Sozialstaates oder gar aus der Sicht des Sozialismus bewerten. Einen antiken Sozialstaat hat es nie gegeben und während der gesamten Antike blieb die Sitte bestehen, im Falle nicht bezahlbarer Schulden die eigenen Kinder oder sich selbst zu verkaufen. Es ist immer wichtig, die richtigen Proportionen im Auge zu behalten.

Immerhin aber wurde mit dem Weg zum Prinzipat auch der Weg zu einem großen Staatssektor der Wirtschaft eingeschlagen – ein Phänomen, das mehr Ähnlichkeiten mit der Rolle des Staates in der asiatischen als in der antiken Produktionsweise hatte. Ähnlichkeit bedeutet aber noch nicht Entsprechung und tatsächlich reihen wir diese Entwicklung in den B-Typus ein ... sie ist aber alles andere als leicht zu fassen. Denn einerseits bedeutet der Sold in Geldform bis in die Spätantike hinein ein starkes Element der Warenökonomie. Andererseits hatte das Militär- und Postwesen auch die Logik, gegen den Strich der Warenökonomie zu wirken. Etwa indem Anrainer der römischen Straßen zu unentgeltlichen Diensten, wie die Versorgung der reisenden Beamten, jederzeit gezwungen werden konnten.

Der Staatssektor in der spätantiken Welt:

„In der späteren römischen Kaiserzeit schließlich, als die Unterschiede zwischen Sklaverei und anderen Formen unfreiwilliger Arbeit geradezu verschwindend gering geworden waren, als die kaiserlichen Fabriken und die Münze in einer Zeit, da der Staat unter anderem die von den Armeen benötigten Uniformen und Waffen selbst produzierte, die größten Industrieunternehmen waren, da waren die Arbeiter dort meist Sklaven im weiteren, aber oft auch noch im engeren Sinne.“[415]

Hier ist interessant, dass sich die unselbstständige Arbeit im Staatssektor konzentrierte. Dieser musste finanziert werden:

„In der Folgezeit stiegen die Ausgaben des Reiches ständig, wenn auch langsam und schrittweise. Vespasian soll (...) die Grundsteuer in manchen Provinzen erhöht, ja sogar verdoppelt haben, doch im großen und ganzen wurde der Bedarf während zweier Jahrhunderte gedeckt durch neue indirekte Steuern, durch Maßnahmen verschiedenster Art mit dem Ziel, Randgebiete und Brachland der Nutzung zuzuführen, durch Konfiskationen und Zwangsverpflichtungen, z.B. zum Straßenbau und für die Reichspost. Dass diese Dinge eine beachtliche zusätzliche Belastung bedeuteten, kann nicht bezweifelt werden. Dazu kam noch vom 3. Jahrhundert an die Bürde der ständig steigenden Grundsteuer. Eine Schätzung, die vielleicht übertrieben ist, besagt, daß zur Regierungszeit Justinians der Staat zwischen einem Viertel und einem Drittel des Bruttoertrages des Bodens im Reich beanspruchte. Dazu muß man die erheblichen Beiträge hinzufügen, die die Staatskasse nie erreichten, sondern von einer Horde von Steuereinnehmern und Verwaltungsbeamten teils als legaler Nebenverdienst (...), teils als illegale Abgaben abgezweigt wurden.“[416]

Das Steuer- und Abgabensystem der späteren Kaiserzeit soll hier nicht systematisch aufgerollt werden. Nur folgenden Passus wollen wir uns noch vor Augen führen:

„(...) neben der Grundkopfsteuer standen die verhasste Gewerbesteuer (*collatio lustralis*) und ein ganzes System von Naturalabgaben und von Dienstleistungen (*munera*), insbesondere für die Versorgung der Armee. Zahllose bestechliche, habgierige und rücksichtslose Steuerbeamte setzten die Abgaben fest und forderten Rückstände ein. Zeitgenossen (...) schildern schreckliche Szenen: die Bevölkerung wird auf dem Marktplatz versammelt, durch Folter und durch die Verwendung von Aussagen von Kindern gegen ihre Eltern wurden erhöhte Steuersätze festgesetzt. Kinder müssen in die Sklaverei oder zur Prostitution verkauft werden, um die Steuersummen aufzubringen. Die Bestechlichkeit und die Selbstbereicherung der Steuereinnehmer (...) war sprichwörtlich.“[417]

Maier folgt hier der These, dass der Steuer- und Abgabendruck die Produktion behinderte und damit langfristig zu geringeren Staatseinnahmen führte. Und zu ...

„(...) einer unerträglichen Verschuldung der Bauern durch Darlehen, für die bis zu 50 % Zinsen gefordert wurde.“[418]

Gegen diese These ist nichts einzuwenden, außer vielleicht, dass eine produktivere Produktionsweise eine höhere Abgabenquote ausgehalten hätte. Das Problem war nicht die Höhe der Abgabenquote an den Staat an sich, sondern dass keine (technologische) Weiterentwicklung der antiken Produktionsweise möglich war. Sie ließ sich nicht *ad infinitum* strapazieren. Womit wir bei dem Thema der Auflösung der Antike angelangt sind.

Kapitel 7: Die Auflösung

Woran konnte nun die antike Welt zugrunde gehen? Oder: Woran konnte sie *nur* zugrunde gehen? Die populäre bürgerliche Lesart ist vorderhand überzeugend: Rom brach wegen des Ansturms der „Barbaren“ aus dem Nordosten zusammen. Die Antwort missversteht die Frage. Denn sie identifiziert das Staatsgebilde des römischen Reiches mit der antiken Welt schlechthin. Übrigens verfingen sich mitunter auch marxistische Autoren in dieser Falle.[419] Autoren anderer Provenienz, wie etwa Max Weber, sahen die Ursache des Untergangs Westroms nicht im Ansturm der „Barbaren“, sondern in der Degeneration der antiken Kultur, die wiederum als Ergebnis einer bestimmten ökonomischen Konstellation angesehen wurde, die wiederum als Ergebnis von bestimmten sozialen Verhältnissen angesehen wurde.

„Das Römische Reich wurde nicht von außen her zerstört, etwa infolge zahlenmäßiger Überlegenheit seiner Gegner oder der Unfähigkeit seiner politischen Leiter. (...) Das Reich war längst nicht mehr es selbst; als es zerfiel, brach es nicht plötzlich unter einem gewaltigen Stoße zusammen. Die Völkerwanderung zog vielmehr nur das Fazit einer längst im Fluß befindlichen Entwicklung. Vor allem aber: die *Kultur* des römischen Altertums ist nicht erst durch den Zerfall des *Reiches* zum Versinken gebracht worden. Ihre Blüte hat das römische Reich als politischer Verband um Jahrhunderte überdauert. Sie war längst dahin. (...) Als anderthalb Jahrhunderte später mit dem Erlöschen der weströmischen Kaiserwürde der äußere Abschluß erfolgt, hat man den Eindruck, daß die Barbarei längst von innen heraus gesiegt hatte. (...) Und die Frage, die sich für uns erhebt, ist also: Woher jene *Kulturdämmerung* in der antiken Welt?“[420]

Max Webers Analyse „Die sozialen Gründe des Untergangs der antiken Kultur“ hat trotz einer kulturkonservativen Dünkelhaftigkeit ökonomische Vorzüge. Aber auch hier ist dem vielversprechenden Titel zum Trotz die Fragestellung mitunter so: „Woran ging Westrom zugrunde?“. Und nicht immer so: „Wie wurde die antike Produktionsweise durch eine andere abgelöst?“. Die antiken Produktionsverhältnisse – Sklavenarbeit als vorherrschende Produktionsweise, Privateigentum und Warenwirtschaft – waren indes mit einer Reihe ganz unterschiedlicher Staaten „kompatibel“: mit dem delisch-attischen Seebund, mit Sparta, Korinth, Makedonien, Karthago – um nur die prominentesten zu nennen. Ein Beispiel: Hätten im 2. Punisch-Römischen Krieg die Barkiden über die Senatoren am Tiber den Sieg davongetragen, und das war keineswegs unmöglich, die antike Produktionsweise hätte auch ohne Rom weiterbestanden.

Nun könnte eingewendet werden: Ja, die antiken Produktionsverhältnisse waren mit vielen Staatsgebilden kompatibel, aber final aufgelöst hatte sie sich auf dem Körper des römischen Reiches und nicht eines anderen Staates. Hatte die Auflösung somit auch spezifisch *römische* Gründe? Eine interessante Frage. Und tatsächlich, wie wir weiter unten noch sehen werden, bedingten es die Eigenheiten des antiken Eigentums, dass die *technologische Stagnation* nicht innerhalb der ökonomischen Sphäre gelöst werden konnte und somit zwangsläufig auf die politische Sphäre zurückfiel. Musste somit die antike Produktionsweise auch an einem Staat zugrunde gehen, der sein politisches Potential nach mehr als einem halben Jahrtausend ausgereizt hatte?

Diese Argumentation hat ihren eigenen Charme. Aber wir werden bei der Besprechung der Argumentation Hans-Joachim Diesners sehen, dass sich mit diesem Modell erst recht Ungereimtheiten auftun. Somit bleiben wir lieber bei unserer Arbeits-Hypothese: Die antike Produktionsweise löste sich bereits *vor* dem Ende Westroms auf und dieser Prozess setzte bereits mit Beginn der Spätantike ab Diokletian an. Folglich ist auch der Begriff „Spätantike" nicht gerade treffend. Ökonomisch gesehen müsste es eigentlich „Nachantike" oder „Postantike" heißen, die noch in die Lebensphase des Römischen Reiches hineinreichte.

Gehen wir vorerst einen Schritt zurück und wiederholen:

Die antiken Produktionsverhältnisse waren mit ganz unterschiedlichen Staatsgebilden kompatibel: mit dem delisch-attischen Seebund, mit Sparta, Korinth, Makedonien, Karthago – um nur die prominentesten zu nennen. Nur ein Beispiel: Hätten im Zweiten Römisch-Punischen Krieg die Barkiden über die Senatoren am Tiber den Sieg davongetragen, und das war keineswegs unmöglich, die antike Produktionsweise hätte auch ohne Rom weiterbestanden.

So weit, so gut. Nun könnte man aber einwenden: Die Germanen waren dafür nicht geeignet, die Punier schon. Aber selbstverständlich hält diese Behauptung keinem historischen Test stand, denn Germanen wie Kelten wurden in den Jahrhunderten vor dem eigentlichen Ende der antiken Welt immer wieder erfolgreich in das System der antiken Produktion integriert – so wie generell in der Antike die Frage der „ethnischen Herkunft" in Wirklichkeit reichlich unbedeutend war. Ja, selbst der Begriff des „Barbarentums" ist bei den antiken Autoren immer kulturell gemeint, nicht völkisch. Gruppen der Peripherie – aus der Perspektive der antiken Zentren gesehen – konnten ohne weiteres eine antike Kultur übernehmen und somit Teil dieses Kosmos werden. Beispiele reichen vom Süden der arabischen Halbinsel bis in den Norden nach Pannonien, wie das Ergebnis der Kriege im 2. Jahrhundert gegen Markomannen, Quaden und Jazygen zeigt.[421] Diese germanischen Verbände machten nach dem Krieg mit Rom nämlich Folgendes:

„Entsprechend den Friedensbestimmungen gaben sie Zentausende von Kriegsgefangenen und Deserteuren zurück, siedelte sich eine große Anzahl ihrer eigenen Völker in den Provinzen und in Italien an und stellten sie eigene Truppenverbände."[422]

Nach den heutigen Usancen des bürgerlichen Nationalstaates ist dieser Vorgang schon erstaunlich. Und es ist wahrscheinlich, dass diese Germanen die Sozialstruktur des antiken Eigentums übernahmen und nicht ihr germanisches Eigentum beibehalten konnten. Damit waren sie auch keine Germanen mehr. Was bedeutet aber der Begriff „germanisches Eigentum"? Wie reproduzierte sich die Gesellschaft? Wir wissen davon eigentlich nicht viel Sicheres. Auch die Historiker folgern mehr als sie beweisen können:

„Der Ackerbau, der [sic!] hauptsächlich die Frauen und die für Jagd und Krieg Untauglicheren versahen, war sehr dürftig. Um frischen, ertragreichen Boden bestellen zu können, wurde der Platz der Ansiedelung innerhalb des Gaues öfter verlegt."[423]

Hans Delbrück, den wir hier zitieren, meint auch, dass die Gaue eine geringe Größe hatten, um in einem Tagesmarsch von der unbewohnten Grenze ins Zentrum, zum Versammlungsplatz, zu gelangen. Es handelte sich demnach um eine sehr mobile Gesellschaft, deren Zusammenhalt nicht durch die Waren und die ortsgebundenen Produktionsstätten der Waren gebildet wurde. Welche Heeresverfassung hatte solch eine Gesellschaft?

„Die (...) Dorfgenossen (...) stehen im Kriege in einer Schar zusammen. Daher heißt noch heute im Nordischen ein Truppenkorps ‚thorp', und in der Schweiz braucht man ‚Dorf' für ‚Hause', ‚dorfen' für ‚Versammlung halten'."[424]

Zusammengefasst:

„Die altgermanische Gemeinde ist also ein Dorf nach der Art der Ansiedlung, ein Gau nach ihrem Gebiet, eine Hundertschaft nach ihrer Größe, ein Geschlecht nach ihrem Zusammenhang. Grund und Boden ist nicht Privateigentum, sondern gehört der Gesamtheit dieser festgeschlossenen Gemeinschaft; sie bildet, nach einem späteren Ausdruck, eine Markgenossenschaft."[425]

Es handelt sich – wegen des geringen Standes der Produktivkräfte – um genossenschaftliche Eigentumsverhältnisse. Der Einzelne konnte nur Besitzer, nicht Privateigentümer werden. Die Siedlungen kannten keine Städte:

„Der römische *vicus* war klein und stadtähnlich geschlossen gebaut; um von den loseren und ausgedehnteren germanischen Ansiedlungen mit ihrem weiten Gebiet eine Vorstellung zu geben, sagt Tacitus ‚vici pagique'."[426]

Die vertikale Gliederung der Gesellschaft ist fast nicht vorhanden; ausgebeutet wurden fallweise Sklaven, die aber im Eigentum des Dorfkollektivs waren und nicht zur Ware wurden. Das ist zumindest zu vermuten.

„An der Spitze jeder Gemeinde steht ein gewählter Beamter (...). Die Altermänner oder Hunni sind die Vorsteher und Leiter der Gemeinden im Frieden und Anführer der Männer im Kriege. Aber sie leben in und mit dem Volke; sie sind sozial Gemeinfreie, wie alle anderen. (...) Aus ihnen wählte die allgemeine Volksversammlung einige ‚Fürsten', ‚Vorderste', ‚principes' die durch die Gaue reisten (per pagos vicosque), um Gericht zu halten, die mit fremden Mächten verhandelten, die öffentlichen Angelegenheiten zusammen erwogen, auch wohl unter Zuziehung der Hunni, um der Volksversammlung ihre Vorschläge zu machen, und von denen einer im Kriege als Herzog den Oberbefehl führte."[427]

Hans Delbrück (1848–1929) zog seine Schlüsse aus den Texten antiker Autoren, weniger aus der archäologischen Forschung, die zudem erst im Laufe des 20. Jahrhunderts zu jenen Ergebnissen kam, die ihre Position neben der Textinterpretation festigte. Einiges aus dem Buche Delbrücks genügt wohl nicht den Standards moderner Textkritik. Anderes, wie die Siedlungs- und Wirtschaftsweise, ist durch die Archäologie zumindest nicht widerlegt worden. Für unsere Zwecke reicht hier diese ganz dürftige Skizze, um Folgendes deutlich zu machen: Einerseits fehlten für ein antikes Privateigentum Voraussetzungen, andererseits spielte der Besitz eine ganz andere Rolle als der Besitz in den altorientalischen Reichen. Dort war er Ausdruck der Mehrarbeit, die für die kollektive Infrastruktur des Bewässerungsfeldbaus notwendig war. Hier war er Ausdruck des Fehlens von Mehrarbeit und von Infrastrukturbauten. In ihrer Gegensätzlichkeit standen beide im Widerspruch zum antiken Eigentum.

Der Begriff „germanisches Eigentum" ist genauso unglücklich wie der Begriff „asiatisches Eigentum" und wurde zudem im 20. Jahrhundert vom deutschen Faschismus mystifiziert.[428] Aber irgendwelche Eigentumsverhältnisse haben die germanischen Stämme zwangsläufig gehabt und somit können wir sie beschreiben, um die Differenz zu dem antiken, asiatischen und zum späteren feudalen Eigentum zu ermessen. Das, was hier – dem bürgerlichen Delbrück und dem marxistischen Mehring folgend – mit diesem Begriff umrissen wird, trifft wohl genauso gut für slawische und einige afrikanische Gemeinschaften vor deren Urbanisierung zu; etwa analog der Tatsache, dass „asiatisches" und „antikes" Eigentum wohl auch in einigen präkolumbianischen Kulturen Mittel- und Südwestamerikas anzutreffen sind.[429] Ungeachtet der terminologischen Schwierigkeiten ist nun aber auch eine Sache evident: Wie groß der Unterschied des „altgermanischen Staates" (Delbrück) zu den späteren feudalen Verhältnissen sein musste! Hier geographische Mobilität und geringe soziale wie politische Gliederung, dort absolute Ortsgebundenheit, extreme Ausbeutung und somit weitgehende Ungleichheit.

Kurzum: Sowohl jene germanischen Verbände, die sich im 2. Jahrhundert in das römische Reich eingliedern ließen, gaben ihre Eigenheiten auf, als auch jene, die im Zuge der eigentlichen Völkerwanderung Nachfolgestaaten auf weströmischem Boden bildeten. Letztere übernahmen zumindest die Ortsgebundenheit und die Ausbeutungspraktiken der spätrömischen Produktionsweise. In beiden Fällen erwies sich die antike bzw. die spätantike Produktion ertragreicher. Dies sehr im Gegensatz zu Ägypten und Mesopotamien, wo sich die antike Produktionsweise trotz politischer Integration dieser Territorien in die antike Welt nicht durchsetzen konnte. Im Großen und Ganzen geht es bei einer „Systemkonkurrenz" immer darum, welches System die größere Arbeitsproduktivität sicherstellt.

Kommen wir zu dem Ergebnis der „Germanenkriege" des 2. Jahrhunderts zurück: Als der Friedensschluss mit den Markomannen, Quaden und Jazygen umgesetzt war, konnte man sie kaum noch als Barbaren bezeichnen. Waren sie noch Peripherie? Eher nicht. Peripherie – ein ebenso genialer wie typisch griechischer Begriff! Die Peripherie unterschied sich vom von der Antike unberührten Raum durch ihre Funktion: Sie stand in ständigem Austausch mit dem Zentrum, ohne bereits alle Merkmale der Antike in sich zu haben. Wir haben weiter oben bereits erwähnt, dass Grenzen wie der Limes eher als „Membranen" zu verstehen sind: Membranen, um Materie auszutauschen. Freilich wollen wir wiederum nicht über Gebühr simplifizieren. Es machte selbstverständlich einen Unterschied, ob die Gesellschaften der Peripherie einer funktionierenden Sklavenhaltergesellschaft gegenüberstehen, oder einer in Auflösung begriffenen. Im ersten Fall – vom 1. vorchristlichen bis zum 3. nachchristlichen Jahrhundert – machte sich das „germanischen Eigentum" nicht als Widerspruch zu dem antiken Eigentum bemerkbar, nur als Gegensatz. Das produktivere Eigentum gewann das Spiel, der Gegensatz war gelöst. Im 4. und 5. Jahrhundert machte sich das „germanische Eigentum" nicht als Gegensatz zum antiken bemerkbar – aber nur deswegen nicht, weil die antike Sklavenproduktion bereits weitgehend durch das Kolonat ersetzt war, der städtische Handel den Produktionsstandort der *villa rustica* nicht mehr erreichte und der Besitz das Eigentum ersetzt hatte. Kurzum: Bereits bevor die ersten germanischen Königreiche auf ehemals römischem Boden entstanden, trug dieser bereits Eigentumsverhältnisse, die mit den altgermanischen in keinem Gegensatz mehr standen. Sie waren mit diesen dennoch nicht identisch. Ja, sie standen sogar in einem (schwachen) Widerspruch zueinander. Und nur aus der dialektischen Auflösung des Widerspruchs konnte sich eine Synthese formen: der Feudalismus.

Der uns hier interessierende Vorgang – die Auflösung des antiken Eigentums – war bereits Faktum, als Odoaker, Theoderich, Alarich und Geiserich auf den Plan traten. Auch in dieser Phase brachten die Germanen (nun Goten, Vandalen, Burgunder, Franken) nicht einfach ihre Produktionsweise mit und wandten sie weiterhin auf römischem Boden an. Auch hier übernahmen sie „Römisches": die Eigentumsform des Kolonats und des *fundus*. Aber sie mussten dabei weniger Fremdes übernehmen und konnten mehr beibehalten. Die Welt war ihnen ähnlicher geworden. Das spätere feudale Eigentum ist wiederum nicht einfach altgermanisches Eigentum, sondern das Produkt einer Synthese des Widerspruchs. Im politischen Überbau ergänzte die Heeresfolge gegenüber dem König die bürokratische Verwaltung der römischen Antike und im Rechtswesen wurde das römische Recht, das ja immer im Privateigentum seinen absoluten Nullpunkt hatte, durch das germanische zwar vielleicht nicht gänzlich ersetzt, aber doch vom Podest als Primus gestoßen. Auf der materiellen Ebene bildete indes die spätantike Ökonomie das Fundament der germanischen Königreiche. Die Reduktion der Warenwirtschaft, die die spätantike *villa rustica / fundus* bzw. der kaiserliche *saltus* als sozialer Ort ermöglichte, war für die Germanen, die ihre Städte gerne weg von den an sich verkehrsgünstigen Küsten in das Hinterland verlegten, einfach passend.

Was war da bereits vor der eigentlichen Völkerwanderung geschehen?

„(...) ist es ein wohlbegründeter Eindruck, daß mit dem 4. und 5. Jahrhundert unserer Zeitrechnung die Besitzsklaverei ihre Schlüsselstellung selbst auf dem ehemals klassischen Hauptgebiet verloren hatte, in den städtischen Produktionsbetrieben an freie (meistenteils unabhängige) Arbeitskräfte, auf dem Lande an schollengebundene Bauern, die sogenannten *coloni*."[430]

Die Ersetzung der Sklavenarbeit durch andere Formen der Arbeit, die das Mehrprodukt der Gesellschaft schafft, ist der Schlüssel zu der Antwort. Die Frage ist somit eher, weshalb ersetzen die Kolonen die Sklaven? Bevor wir uns dies ein wenig mehr im Detail ansehen wollen, machen wir einen kurzen Abstecher zu der Antwort Hans-Joachim Diesners auf die Frage, weshalb die Antike „unterging". Diesner ignoriert sowohl den Fokus der traditionellen bürgerlichen Geschichtsschreibung auf allein äußere Faktoren wie auch den Schematismus der Stalinisten, die alleine eine klassische Revolution à la 1789 oder 1917 am Werken sahen. Diesner bietet als Erklärung eine Kombination von äußeren und inneren Faktoren an und integriert sogar Aspekte der Wirtschaftsgeschichtsschreibung der Linie Weber-Finley. Es handelt sich sozusagen um eine „große Synthese", die allerdings – vielleicht gerade deswegen – auch ihre Bruchstellen hat.

Zuerst bemüht Diesner den Wandel von der strategischen Offensive zur strategischen Defensive Roms. Der Misserfolg des Augustus, einen zweiten „Gallischen Krieg Caesars" (ab 12 vor Christus) in Germanien durchzuführen, mag zur strategischen Wende beigetragen haben. Hans-Joachim Diesner über Augustus:

„Die Erhaltung des Bestehenden genügte ihm vollauf. In weiser Beschränkung sah er, daß das Reich außenpolitisch und territorial saturiert war (. . .)."[431]

Dass alle weiteren späteren Eroberungen bzw. territoriale Integrationen in das Reich (Britannien, Dakien, Armenien, Oberrhein, Mesopotamien) eher den Charakter einer taktischen Offensive im Rahmen einer strategischen Defensive gehabt hatten, ist freilich überzeugend. Es könnte, nebenbei bemerkt, auch bedeuten, dass weniger ökonomische Ressourcen von anderen Produktionsweisen in die Antike einflossen. Die duale Ökonomie – zwischen antiker und asiatischer bzw. zwischen antiker und vorantiker – war vielleicht ausgereizt. Da diese duale Ökonomie immer zugunsten der antiken ablief, ging das Versiegen dieser Quelle auf Kosten letzterer. Weniger an der Peripherie generierte Werte bedeutete: weniger Reichtum und somit mehr Ausbeutung im Inneren. Es bedeutete mehr „Landflucht", das heißt, genau genommen: *Stadtflucht*. Andererseits können wir weder das Quantum des Ressourcenzuflusses durch die duale Ökonomie bestimmen, noch deren Ende. Jedenfalls waren Gold und Sklaven des Ostens bereits im 1. Jahrhundert nach Christus in den Warenkreislauf der antiken Wirtschaft eingebracht. Einen direkten Zusammenhang mit der Krise des 3., 4. und 5. Jahrhunderts ist eigentlich wenig plausibel. Sklaven könnten immer wieder durch Grenzkriege gemacht werden; erst recht, wenn die Bekriegten nicht Teil des römischen Reiches und somit Bürger werden würden. Die These der strategischen Defensive erklärt keineswegs den Austausch der Sklaven durch die *coloni*.

Man muss bei Begriffen wie „Saturiertheit" (Diesner) immer vorsichtig sein. Denn allein erklären sie nichts und man müsste weiter fragen: „Saturiert in Bezug auf was?" Ähnlich verhält es sich mit dem Begriff der „geographischen Überspannung". Rom sei zu groß geworden, um weiterhin gut Bestand zu haben. *Overstretched* in Bezug auf die Ressourcen, lange Grenzen zu verteidigen. Dann wäre aber die „Lösung" naheliegend, das Reich auf einen Kern zu verkleinern, in dem die antike Produktionsweise weiterhin Bestand hätte. Nur so genommen überzeugt diese These nicht. Die geographische Länge und der Raum, den die Länge eingrenzt, haben keine absolute Bedeutung. Marx meint etwa zu der Frage des Verhältnisses von Raum und Bevölkerung – hier gegen seinen Zeitgenossen Malthus gerichtet:

„In der Geschichte findet er vor, daß die Population in sehr verschiednen Verhältnissen vor sich geht und die Überpopulation ebensosehr ein geschichtlich bestimmtes Verhältnis ist, keineswegs durch Zahlen bestimmt oder durch die absolute Grenze der Produktivität von Lebensmitteln (. . .)."[432]

Ebenfalls metaphysisch wäre, anzunehmen: Es gebe ein optimales Verhältnis zwischen Fläche und Länge, zwischen Staatsfläche und Länge der Grenzen. Bei jeder Vergrößerung nimmt die Fläche stärker zu als die Grenze. Vielleicht kann ab einer bestimmten Größe die Grenze die Fläche nicht mehr optimal versorgen – in unserem Fall zum Beispiel mit Sklaven und anderen Ressourcen, die die Antike der Außer-Antike entzog. Bei dem Begriff „optimale Größe" drängt sich die Analogie zu Fauna und Flora auf. Vor allem Tiere haben eine optimale Größe, vielleicht auch, da das Organ Haut nur ein bestimmtes Quantum an Körpermaßen versorgen kann. Nicht nur in ihrer Lebenszeit, sondern auch in ihrer Evolutionsgeschichte hören Arten irgendwann zu wachsen auf. Konnte das römische Reich irgendwann nur noch in eine strategische Defensive übergehen, da die Grenze nicht zu lang, sondern im Gegenteil zu kurz wurde – im Verhältnis zur Fläche? Eine nette These. Tatsächlich diente die Grenze oft als „Terminal für neue Container" an Sklaven. Es gibt ja Berichte von Beschwerden, dass militärische Einheiten Roms an der Grenze lieber mit den „Barbaren" um Sklaven feilschten, als sie zu bekämpfen.

„In der zweiten Hälfte des 4. Jahrhunderts waren römische Offiziere, die die Grenze in Thrakien gegen die Goten verteidigten, so emsig dabei, Sklavenhandel mit dem Feinde zu treiben, daß die Verteidigung des Reiches vernachlässigt wurde."[433]

Aber man muss die Relationen im Auge behalten. Bereits hier lässt sich einwenden, dass die Sklavenarbeit nicht nur durch Kriegszüge reproduziert wurde. Zwischen der Länge der Grenze und der Menge an Sklaven bestand kein direktes Verhältnis – in der antiken Gesellschaft gab es nie ein Zuviel an Sklaven.

Wie auch immer, Diesner, um auf diesen wieder zurückzukommen, meinte:

„Der Versuch, die äußeren Feinde aufzuhalten, verschlang ungeheure Mittel, so daß den ausgebeuteten Klassen ständig neue Lasten aufgebürdet werden mussten."[434]

Die Folge könnte als *soziale Desintegration* bezeichnet werden: Steuerflucht – hier flieht nicht das Geld der Reichen vor der Besteuerung, sondern die Person des Armen –, Revolte und

Verweigerung von Militärdienst und Zwangsarbeit. Nun stellt Diesner zwei komplementäre Vorgänge dar: Einerseits wurden Einheiten der „Barbaren“ nicht nur als *auxilia*, sondern nun auch als reguläre Verbände integriert, andererseits schlossen sich römische Sklaven und Bauern den Germanen an.[435] Oder, was der bessere Ausdruck wäre: Stellen sich unter den Schutz derselben. Die antiken Grenzen waren – wir erwähnten es bereits zweimal – durchaus durchlässig. Diesner:

„Nach einigen Vorverhandlungen wurden die (...) Westgoten unter Fritigern über die Donau gesetzt und auf der Grundlage eines Ansiedlungsvertrages, mit dem ihnen der Lebensunterhalt (beziehungsweise Landbesitz) gegen die Verpflichtung zur Grenzverteidigung garantiert wurde, aufgenommen.“[436]

Eine Variante, die den Typus des bewaffneten Grenzbauern des mittelalterlichen Byzanz anklingen lässt.

„Zunächst sammelte Fritigern seine Landsleute, denen sich bald Andersstämmige sowie Sklaven, Kolonen und Arbeiter aus den Bergwerken anschlossen (...). Nicht nur aus Beutelust und Rachedurst schlossen sich dem westgotischen Heer immer größere Scharen von Sklaven, Kolonen, Schuldnern und anderen Ausgebeuteten an.“[437]

Diesner verknüpft die soziale Desintegration und die Revolte mit dem äußeren Krieg der Völkerwanderung. Vielleicht sind diese auch nicht voneinander zu trennen.

„Kennzeichnenderweise wurde dann nach der Konsolidierung der Völkerwanderungsstaaten (etwa ab 440) der Steuerdruck geringer, als er es zur Zeit der römischen Herrschaft gewesen war.“[438]

An diesen Passagen ist an sich nicht viel auszusetzen. Wir haben die Intention Diesners bereits erraten: Er wollte das Ende Westroms in die Nähe einer Revolution der unteren Klassen bringen. Die Probleme fangen an, wenn Diesner die politische

Form des römischen Staates als Garant einer bestimmten Produktionsweise nimmt. Es ist so, als würde die Politik eine bestimmte Produktionsweise frei wählen können und das Gewählte bis zum Ende verteidigen. Letzterer Aspekt ist vielleicht eine Analogie zu den kapitalistischen Staaten der Neuzeit.

„Erwähnenswert ist jedoch, daß diese neuen Kriege in eine Übergangszeit fallen, in der das Sklavenhaltersystem, an dem vom Imperium bis zuletzt zäh festgehalten worden war (...), mehr und mehr zerfiel.“[439]

Die Analogie ist nicht überzeugend. An dem Sklavenhaltersystem wurde vom Imperium nicht bis zuletzt zäh festgehalten; es zerfiel von selbst. Der Bruch mit der antiken Produktionsweise erfolgte nicht durch den Bruch der staatlichen Kontinuität, sondern bereits zuvor – *im Inneren* des Staates. Und es war eigentlich weniger ein Bruch, als vielmehr ein schleichender Wandel. In dieser Hinsicht ist Max Weber näher dran. Für Diesner muss indes die – freilich tatsächlich erkennbare – *politische Unruhe* der ausgebeuteten Klassen irgendetwas mit dem Ende der Antike oder zumindest mit dem Ende Roms zu tun gehabt haben. Übrigens begab sich Diesner hier in einen inneren Widerspruch. Denn an anderer Stelle heißt es bei ihm über die Folgen des Sklavenaufstandes Spartakus‘ vierhundert Jahre vor der Völkerwanderung:

„Der Aufstand hatte gezeigt, wie scharf und unüberbrückbar die Klassenwidersprüche innerhalb der Gesellschaft Roms und Italiens geworden waren. (...) Die herrschenden Kreise Roms zogen daraus dann ihre eigenen Schlußfolgerungen. Sie verschärften und systematisierten die Sklavengesetzgebung, aber sie begannen auch, an Stelle der Sklaven allmählich den freien Pächter, den Kolonen, anzusetzen.“[440]

Demnach hatte „das Imperium“ nicht „bis zuletzt zäh“ an dem Sklavenhaltersystem „festgehalten.“ Beide Extreme überzeugen nicht. Das eine Extrem ist, dass der Staat bis zu seinem Ende an der Sklavenarbeit festhielt, das andere Extrem ist, dass der Staat frühzeitig eine Alternative zur Sklavenarbeit elaborierte. Beide Extreme billigen dem Staat eine politische Entscheidung über die Wahl der Produktionsverhältnisse zu. Hier schwingt eine leichte Abkehr vom Materialismus mit. Vielleicht erklären sich diese „Schlenker" daraus, dass Diesner in der DDR arbeitete und auf die ideologischen Bedürfnisse von deren Führung Rücksicht nehmen musste. In anderen Passagen wird jedenfalls deutlich, dass Diesner sehr wohl den Kern des Problems verstand:

„Die Sklaverei des klassischen Typs hatte sich als Produktionsweise überholt, und allenthalben traten Kolonen, sonstige Pächter oder durch irgendwelche Patrozinien abhängige, persönlich jedoch freie Bauern an die Stelle der versklavten Agrarproduzenten. Im Allgemeinen hatten die Bauern eigene Arbeitsinstrumente, und sie waren auch vom Besitz an Grund und Boden nicht in der schroffen Weise getrennt wie die Sklaven. Die neuentstandenen Staaten stützten diesen Entwicklungsprozeß (...) der Ostgotenkönig Totila (...) gewann (...) Männer in erster Linie durch eine Agrarreform, die zahlreiche Sklaven und Kolonen befreite oder zumindest ökonomisch besserstellte."[441]

Aber indem Diesner die Folgen des Spartakusaufstandes mit dem Ersatz der Sklavenarbeit durch Kolonenarbeit verknüpfte, ließ er sich eine Brücke zu der offiziellen Lehrmeinung der Stalinisten das Ende der Antike betreffend offen. Die Wissenschaftler in der DDR mussten ihre eigenen Ergebnisse immer so „duktil" formulieren. Für diese Diplomatie ist Diesner nachträglich und posthum nicht zu tadeln, es handelte sich um Zugeständnisse an die Umstände des Jobs. Inhaltlich gesehen muss die Sache aber nüchtern und ohne falsche Rücksichtnahme betrachtet werden. Inhaltlich ...

Es ist nicht so einfach. Freilich spielte die Politik des Staates eine Rolle, aber indirekt und strukturell und nicht direkt und kasuell. Der Staat reagierte auf Schwierigkeiten nur mit den Methoden, die die Produktionsverhältnisse bereithielten. Der Kaiser konnte niemals sagen: „Sklaverei ist verboten!" oder: „Eigentum wird durch Besitz ersetzt!" – auch Theodosius II. (408–450) konnte dies nicht und der hätte bei der Erstellung des nach ihm benannten Codex die passende Gelegenheit dazu gehabt. Dennoch lief die Entwicklung der Verhältnisse auf ein Ende der Sklaverei und auf die Umformung der Eigentums- in Besitzverhältnisse hinaus und der Staat hatte seinen indirekten Anteil an dieser Entwicklung. Einerseits, indem das römische Reich atypisch entstanden war: als hellenistische Verformung der alten Polis-Welt. Dann, indem die Grundeigentümer in der Folge des Bürgerkriegs politisch durch das Prinzipat entmachtet wurden. Weiters, indem der Staat die Belastung der Produzenten mit Abgaben und Steuern erhöhte. Dem stand kein Masterplan zugrunde, ja überhaupt kein Plan. Es wurden vom Staat die Instrumente angewandt, die vorhanden waren und diese Instrumente hatten Nebenwirkungen, die die Absicht der Verteidigung der antiken Produktionsweise zwangsläufig konterkarierten.

Einige Autoren sehen wie Diesner den Grund für die die Tatsache, dass die Sklaven durch die Kolonen als „Core Prozessor" der Mehrarbeit ersetzt wurden, in dem Versiegen des Angebots an Sklaven. Diesem Argument sind wir bereits am Rande begegnet, als wir die Frage der Saturiertheit und das Verhältnis von Staatsfläche zur Staatsgrenze besprachen. Weniger akademisch formuliert: Es wären durch die Kriege und den Grenzverkehr zu wenige Sklaven gemacht worden. Das Problem dieser Argumentation: Sklaven wurden ja nicht nur durch Feldzüge,

Menschenhandel und Piraterie in die antike Ökonomie eingebracht. Und so widerspricht Moses I. Finley Autoren wie Max Weber: Sklaven vermehrten sich auch durch Fortpflanzung innerhalb von Sklavenfamilien bzw. Sklavengemeinschaften. Nebenbei erwähnt: Auch Sparta hatte seine Staatssklaven nicht durch *fortwährende* Kriegszüge, sondern nur durch eine *einmalige* Unterwerfung „produziert". Die Heloten haben sich daraufhin als Staatssklaven selbst reproduziert.

Anders formuliert: Hätten alle anderen Faktoren für eine Zukunft der Sklavenarbeit gesprochen, es hätte die Sklavenarbeit trotz dem Ende der militärischen Expansion Roms weiter bestanden. Es ging um die Nachfrage, nicht um das Angebot an Sklaven. Deswegen dreht Finley die Frage um und erklärt, nicht die Sklaven können uns Aufschluss über ihren Ersatz geben, sondern jene Gesellschaftsklasse, die die Sklaven schließlich verdrängte. Das ist intelligent gefolgert und wir folgen dieser Spur gerne. Eindeutig empirisch beweisen lässt sich aber weder die eine noch die andere Argumentation, dazu ist die Quellenlage zu dürftig. Der Vorteil der Linie Finleys besteht aber darin, die Aufmerksamkeit darauf zu lenken, wie das neue Angebot an Mehrarbeitsproduzenten (die Kolonen) inmitten der römischen Gesellschaft entstehen konnte.

Max Webers Argumentation liegt irgendwie in der Mitte zwischen Diesner und Finley. Weber geht zwar zuerst von einem Versiegen des *Angebots* an Sklaven aus, erklärt aber daraus das Aufkommen der *coloni* und anderer real Abhängiger, die die Mehrarbeit leisteten. Das neue Angebot ließ auch die Nachfrage an Sklaven versiegen. Die Differenz zwischen Finley und Weber liegt aber auch in dem nicht ganz unwichtigen Punkt begründet, dass sie Sklaven unterschiedlich definieren. Wie ist das möglich? Genau genommen geht es um Zwischengruppen: Weber rechnete nur jene Sklaven ohne *peculium* und ohne

Eheerlaubnis zu den Sklaven. Finley nicht, denn dieser geht von dem *Sklavenstand* aus, nicht von der *Sklavenexistenz*. Streng genommen müsste hier Weber recht gegeben werden, der einen scharfumrissenen Klassenbegriff verwendet, auch wenn sein Bild der Sklaverei durch die Moralvorstellung des bürgerlichen 19. Jahrhunderts geprägt war. Finley rechnet jedenfalls eine weitaus größere Menge an Menschen zu den Sklaven, z.B. auch deren Aufseher mit Eheberechtigung sowie jene Betriebsleiter, die dem Sklaven-Milieu entstammten. Für Finley war das Angebot an Sklaven im römischen Reich immer größer als für Weber.

In einem Punkt treffen sich beide Autoren, freilich mit unterschiedlichen Akzenten: Die klassische Sklavenarbeit wurde durch andere Formen der Arbeit ersetzt. Max Weber:

„Überdies eignet sich Sklavenarbeit nicht für den Getreidebau, zumal in der römischen Art der Reihenkultur, die viele und sorgfältige Arbeit, also Eigeninteresse des Arbeiters, erfordert. Daher ist der Getreidebau meist mindestens zum Teil verpachtet an ‚coloni' – Parzellenbauern, die Nachfahren der freien, aus dem Besitz gedrängten Bauernschaft."[442]

Diese Begründung übernimmt Finley nicht und in diesem Punkt folgen wir wieder lieber Finley als Weber, wenngleich Finley wiederum den Bogen in die andere Richtung überspannt … es geht dabei um die Frage, woran sich das technologischen Potential der Sklavenarbeit messen soll – an der Antike oder am Kapitalismus. Nun aber wieder zu der Passage bei Max Weber:

„Ein solcher colonus ist nun von Anfang an *nicht* etwa ein freiwirtschaftender, selbständiger Pächter und landwirtschaftlicher Unternehmer. Der Herr stellt das Inventar, der villicus kontrolliert den Betrieb. Von Anfang an ist es ferner offenbar häufig gewesen, daß ihm *Arbeits*leistungen, insbesondere wohl

Erntehilfe, auferlegt wurden. Die Vergebung des Ackers an coloni gilt als eine Form der Bewirtschaftung seitens des *Herrn* ‚vermittels' der Parzellisten (‚per' colonos)."[443]

Das war die eine Quelle einer neuen, unselbstständigen Arbeit. Die andere laut Weber: Der Sklave ...

„(...) ist der *Familie zurückgegeben,* und mit der Familie hat sich auch der *Eigenbesitz* eingestellt. – Diese *Abschichtung des Sklaven aus dem ‚Oikos'* hat sich in der spätrömischen Zeit vollzogen, und in der Tat: *sie* mußte ja die Folge der mangelnden Selbstergänzung der Sklavenkasernen sein. (...) Während so der Sklave sozial zum unfreien Fronbauern emporsteigt, steigt gleichzeitig der Kolonus zum hörigen Bauern hinab."[444]

Nach Finley hingegen war es immer schon so, dass Sklaven ein *peculium* und eine Ehe nicht grundsätzlich verwehrt wurden, sie blieben mit beidem dennoch Sklaven. Diese Quelle scheidet bei ihm als neue Produzenten des Mehrproduktes aus. Finley meint stattdessen:

„Der Schlüssel zur Antwort sind nicht die Sklaven, sondern die armen Freien (...) Ausgangspunkt ist der Trend, zu einer mehr ‚archaischen' Struktur zurückzukehren, in der Stände wieder von ihrer Funktion her Bedeutung erlangten und ein breites Spektrum von Statusmöglichkeiten nach und nach die Gruppierung der klassischen Zeit in Freie und Sklaven ersetzte."[445]

Hier ist Finley auf einer brauchbaren Spur. Indes ist es sehr unwahrscheinlich, dass der Staat, der Kaiser und der politische Überbau generell die Uhren um einige Jahrhunderte zurückdrehen konnten. Getreu der idealistischen Methode in der Philosophie sieht Finley den Überbau als Antrieb für die sozioökonomischen Veränderungen. Konsequenterweise wird bei ihm auf das Konzept des „Status" zurückgegriffen, um die neuen Klassengegensätze der Spätantike zu erklären. Das überzeugt nicht. Aber dass sich der Staat seit dem Prinzipat so geändert hatte, dass er mit einer anderen sozioökonomischen Konstellation kompatibel wurde, ist eine ganz richtige und wichtige Beobachtung. Dies entspricht der Ablösung des Eigentums durch den Besitz und dem entspricht wiederum ein Beamtenstaat, der die ursprünglichen direkten Beziehungen der Antike ...

$$Grundeigentum = Bürgerrechte + Gewaltmonopol$$

... ersetzte. Finley dazu:

„Dieser Trend ist vom Beginn der monarchischen Regierung in Rom an sichtbar, also mit anderen Worten seit Augustus. Es fand in der Tat eine Umkehrung des Prozesses statt, der die archaische in die klassische Welt verwandelt hatte. Wesentlich trug dazu bei, daß die stadtstaatliche Form der Regierung mit ihrem intensiven politischen Leben durch eine bürokratische, autoritäre Monarchie ersetzt wurde. Indem die große Mehrheit der Bürger ihre Rolle bei der Besetzung von Ämtern verlor sowie ihrem Platz im Heer, das jetzt ein Berufsheer war und sich zunehmend aus Rekruten aus bestimmten ‚entlegenen' Provinzen zusammensetzte, verlor sie auch auf anderen Gebieten an Einfluß."[446]

Wie kam es nun zu der Herausbildung der Klasse der *coloni*?

„Diese Veränderung ist gekennzeichnet durch das Auftauchen zweier Kategorien innerhalb der Bevölkerung, der sogenannten *honestiores* und *humiliores*. (...) Diese Kategorien bildeten sich nicht später als im frühen 2. Jahrhundert heraus und waren nach dem Gesetz in den Kriminalgerichten verschieden zu behandeln. Die humiliores z.B. waren einer Reihe grausamer Strafen unterworfen, die man ohne weiteres ‚sklavisch' nennen kann."[447]

Das ist überaus interessant, aber weshalb kam es zu dieser

Spaltung in *honestiores* und *humiliores*? Dass der „Status" ökonomisch relevant war, erklärt ja noch nicht, weshalb er sich in diese Richtung änderte. Wie auch immer, zumindest zeigt Finley auf den relevanten Punkt. Und hier ebenfalls:

„So gesehen war es eine unvermeidliche natürliche Folge, daß Moralisten darauf aufmerksam machten, daß Sklaven auch Menschen seien. Es wird gelegentlich behauptet, Stoiker und Christen hätten auf diese Weise zum Niedergang der Sklaverei beigetragen, obwohl dabei die Tatsache stört, daß sie niemals für deren Abschaffung plädiert haben."[448]

Finley bemerkt völlig zu Recht, dass es auch unter den Kaisern seit Konstantin keine Gesetzgebung gab, die die Sklaverei abzuschaffen oder einzugrenzen vorsah.[449] Es gab keine politische Aktion, die die Sklaverei als vorherrschende Produktionsweise (im engeren Sinne) beendete. Der Wandel musste andere Gründe haben. Finley meint, dass die Freien der Unterschicht in den Status von Sklaven herabgesunken waren und führt als Beispiel an, dass in Gallien die Bewegung der *Bacaudae* aus beiden Teilen bestand.[450] Das ist sicher ein wichtiges Symptom.

Aus unserer Sicht ist es ganz unbestritten, dass die Sklaverei der Antike nicht abgeschafft werden konnte. Anders ist der Fall gelagert, wenn die Sklaverei als Produktionsweise (im engeren Sinne) in einer anderen Produktionsweise (im weiteren Sinne) integriert, oder besser gesagt eingebettet ist, wie etwa die Sklaverei im Süden der USA im 19. Jahrhundert. Die Austauschbeziehungen zwischen beiden wurden durch den Kapitalismus dominiert. In dieser Konstellation konnte die Sklaverei abgeschafft werden, *aber der Kapitalismus nicht*. In diesem Fall war die Sklaverei nur eine technische Produktionsanordnung, aber keine Gesellschaftsformation. In der Antike war sie Gesellschaftsformation. Deshalb folgen wir in diesem Punkt Finley nicht, der immer wieder Vergleiche zwischen der Sklaverei im Kapitalismus und jener der Antike aufnimmt – etwa, wenn es um die Frage des technologischen Potentials der Sklavenarbeit geht.

Nun wissen wir aber noch immer nicht, wie die *humiliores* die Sklaverei verdrängen konnten. Finley fängt damit an:

„(...) der Druck der Kosten, den die landwirtschaftlichen Produzenten zu tragen hatten, hatte vor dem Ende des 2. Jahrhunderts für viele von ihnen das erträgliche Maß überschritten. In den folgenden Jahrhunderten spitzte sich diese Frage immer mehr zu und übte entscheidenden Einfluß auf den Verlauf der Geschichte und die Wandlung des Kaisertums aus."[451]

Freie arme Menschen, *humiliores*, flohen vor dem Zugriff des Staates. Dieser äußerte sich ...

„(...) durch Konfiskationen und Zwangsverpflichtungen, z.B. zum Straßenbau und für die Reichspost. Dass diese Dinge eine beachtliche zusätzliche Belastung bedeuteten, kann nicht bezweifelt werden."[452]

Reichsstraßen waren immer Zonen öffentlicher Arbeiten, nicht nur anlässlich deren Bau und Instandsetzung, sondern auch während deren Nutzung durch Beamte und Soldaten, denen die privaten Haushalte Quartier und Versorgung gewähren mussten. Das ging auf Lasten der eigentlichen Arbeit, etwa der Bauern auf deren Feldern. Und es ...

„(...) zeigte sich erstmals in der Regierungszeit des Kaiser Hadrians (...) Zwangsausübung."[453]

Soweit Moses Finley. Und Fergus Millar:

„Da sind zunächst die Beschwerden Cassius Dios, der 214 bei Caracalla in Nikomedeia in Bithynien weilte, über die für den Kaiser erzwungenen Dienstleistungen und die Belastungen beim Bau von Halteplätzen für den Kaiser an allen Straßen. (...) die Kosten der Vorratsbewirtschaftung für Severus, Caracalla und dessen Armeen auf den Weg nach den Osten (...).

Diese Quellen sind nur ein Beispiel für den allgemeinen Druck auf die Bevölkerung, dessen Ursache die staatlichen Transportanforderungen waren. (...)“[454]

Der Inhalt einer Beschwerde von Dorfbewohnern an den Kaiser im 3. Jahrhundert:

„Sie beklagten sich darüber, daß Soldaten, vornehme Stadtbewohner und kaiserliche Sklaven und Freigelassene sie belästigt, sie von ihrer Arbeit weggeholt, ihre Pflugochsen beschlagnahmt und sie geschlagen hatten. Eine frühere Beschwerde beim Kaiser und dessen Anweisungen an den Prokonsul waren erfolglos geblieben.“[455]

Andere Beschwerden bezogen sich auf...

„(...) extravaganten Gebrauch des *cursus publicus* durch Beamte und Mitglieder der höheren Klassen, woraus sich die Lasten erklären lassen, unter denen die Bauern zu leiden hatten.“[456]

Wiederum andere:

„Die Dorfbewohner beschweren sich darin über die Lasten und Dienstleistungen, die man ihnen abverlange, weil sie in der Nähe einer Straße wohnen, und drohen ihr Dorf zu verlassen, wenn man ihnen keine Erleichterungen verschaffe.“[457]

Max Weber fasst es treffsicher zusammen :

„Die Nachbarschaft der Landstraßen der römischen Zeit galt im Altertum im allgemeinen nicht als *Vorteil,* sondern als *Plage*.“[458]

Das sind sehr bezeichnende Passagen. In der Antike wurden Staatsleistungen nur zum Teil durch Steuereintreibung – die im klassischen Athen sehr vorsichtig gehandhabt wurde – finanziert, sondern durch *Verpflichtungen* von Privatpersonen. „Der Ehre halber“ wie in Athen (unser Wort Liturgie stammt von diesem Sachverhalt ab), mit Zwang wie im römischen Reich:

„Sobald die Nachfolger Alexanders ihre autokratischen, bürokratischen Monarchien errichtet hatten, gediehen die Liturgien, ihr Wirkungsbereich wurde erweitert und sie wurden mehr und mehr zur Last. Die römischen Kaiser schließlich übernahmen das hellenistische Verfahren, machten es allgemein verbindlich und systematisierten es allmählich. Die obersten Schichten (...) waren ausgenommen. Die Besitzlosen leisteten ihren Beitrag in Form von unbezahlter Arbeit. Somit war die landbesitzende Aristokratie (...) mit der Hauptlast alleine gelassen (...).“[459]

Letzteres ist etwas unverständlich, da ja die Besitzlosen unbezahlte Arbeit leisteten. Aber das soll hier nicht der Punkt sein, sondern ein Detail, das Finley anschließend erwähnt:

„(...) sofern sie nicht in der Lage war, sie an die *coloni* weiterzugeben. Eine Gruppe wichtiger Liturgien wurde in der Tat dann als ‚patrimonial‘ bezeichnet: Sie war nicht an Personen gebunden, sondern als dauernde Verpflichtung an bestimmte Landgüter und wurde bei einem Wechsel des Eigentümers mit übertragen.“[460]

Hier mischt sich in die Szenerie der Geruch des langsam aufkommenden Feudalismus. Das von Finley berichtete Detail ist überaus interessant, denn es veranschaulicht einen strukturellen Umstand, den wir bereits angesprochen haben. Dass nämlich am Rande der Antike, sozusagen um diese herum, eine Art Gegenantike angesiedelt war. Eine Negation des Positiven, die von Makedonien über die hellenistischen Reiche bis endlich nach Rom führte und hier zu einer Synthese (der Feudalismus) beiträgt.

Wir sehen diesen Formenwandel auch an Hand des Verhältnisses des Individuums zur Person.[461] Die für das bürgerlich industrielle Zeitalter bezeichnende Spaltung der Menschen in ein öffentliches und ein privates Individuum ist das Resultat der Lohnarbeit. Indes, in der Antike war das Potential des Individuums weitaus schwächer verwirklicht. Es basierte nur auf der Warenwirtschaft und dem Grundeigentum; eine verallgemeinerte Lohnarbeit fehlte. Demgegenüber war der Zugriff des Staates auf jede Person – tatsächlich: auf die Person, nicht auf das Individuum – gang und gäbe. Die antike Waren- und Geldwirtschaft stärkte zwar das Individuum im Vergleich zu den altorientalischen Reichen, aber die Gewaltbereitschaft einer Sklavenhaltergesellschaft schwächte es im Gegenzug wieder ab und näherte es seinem logischen Gegenteil: der Person. Dem Gegensatz zwischen Person und Individuum entspricht der Gegensatz zwischen Besitz und Privateigentum. Im antiken Griechenland war die *liturgia* noch ein Element des Individuums, das frei wählen konnte. Im Hellenismus und in der Spätantike war die *liturgia* bereits Arbeitszwang und von Wahlfreiheit konnte keine Rede mehr sein. Im Gegenzug nahm der Gutsherr der *villa rustica* die *coloni* als ganze und unteilbare Personen, die es vor dem Staat zu schützen galt.

Wie auch immer, im römischen Kaiserreich ist die aus den Liturgien abgeleitete Zwangsleistung für den Staat aller, also nicht nur der Sklaven, Ausgangspunkt für die – für Athen völlig unvorstellbare – Tendenz, sich vor diesen Zwangsleistungen möglichst zu drücken, sich zu verstecken oder kleine „Autonomien“ innerhalb des Staates zu bilden. Dieser Satz ist nur als Tendenz zu verstehen, bezeichnend ist aber dennoch, dass in einigen Provinzen auch in militärischen Belangen nicht mehr dem Staat vertraut wurde und große Gutshöfe römischen Typs, die Zentren der spätantiken Agrarproduktion, befestigt wurden.[462]

Das Gebäude eines Gutshofes wurde von den Römern als *villa* bezeichnet, im Gegensatz zu *aedes*, dem Gebäude in der Stadt. Viele Historiker verwenden den Begriff *villa rustica* als selbstständige und größere Wirtschaftseinheit und das ist ganz treffend. Franz Georg Maier verwendet den Begriff *fundus* als Gutshof inklusive der agrarischen Nutzfläche um die *villa rustica* herum, die ebenfalls zum Gutshof gehörte.[463] Genau genommen war also die *villa* das Gebäude, *fundus* der gesamte Hof. Wir verwenden hier den Begriff *villa* synonym für den *fundus*. Jedenfalls handelte es sich dabei nicht um einen Bauernhof oder um ein Bauerndorf, sondern um eine nach heutigen Maßstäben große Farm der Agrarproduktion mit zum Beispiel 50 Arbeitskräften. Die Größe variierte nach Zeit und Ort, aber ein typisches Charakteristikum war, dass es sich um einen sozialen Ort der unselbstständigen Arbeit handelte – Eigentum und Arbeit fielen hier auseinander. Der Eigentümer produzierte nicht selbst und die, die arbeiteten, waren nicht die Eigentümer der *villa rustica*. Die *villa rustica* war ursprünglich mit dem Einsatz der Sklaven und der Warenproduktion kompatibel, nahm in der Spätantike jedenfalls ein anderes Verhältnis zur Stadt an und unterschied sich zumindest im Westen des römischen Reiches deutlich von den *vici*, den eigentlichen Dörfern. Die Siedlungsformen sagen einiges über die sozialen Verhältnisse aus. In der Antike gab es vier Grundformen: Städte, Militärlager (*castra*), *vici* und *villae*. Das römische *castrum* war eine Zwischenform: Sobald die Zivilisten das *castrum* von dem Militär übernahmen, wurde es Schritt für Schritt durch die Einrichtungen einer Stadt ergänzt, bekam ein Theater und ähnliche Einrichtungen. Wurde es von Veteranen und Neusiedlern bewohnt, wiesen diese den Status von Stadtbürgern und somit von Vollbürgern auf. Der Unterschied zu einer alten Stadt ist zwar archäologisch auffällig, sozial aber unbedeutend. Anders beim Gegensatz zwischen *vici* und *villae*. Das eine drückte das Grundeigentum formal unabhängiger Bauern aus, das andere die *Konzentration* des Grundeigentums in den Händen großer Grundherren. Die politische Raumordnung ist deutlich erkennbar: Ursprünglich, in den klassisch antiken Verhältnissen, war alles Territorium zwischen Städten aufgeteilt, die Dörfer (*vici*) gehörten immer zu dem Hoheitsgebiet einer Stadt. Auch die Veteranen- und Pionier-Kolonien waren Teile von Städten, die wiederum unterschiedliche *stati* haben konnten, als *municipium*, *civitas* usw. Dann schoben sich aber *castrum* und *saltus* als kaiserliche Raumordnungseinheiten dazwischen. Nun war nicht mehr das gesamte Territorium eine Funktion einer Polis. Die *villa rustica* dürfen wir uns als großen, in sich arbeitsteilig organisierten Agrarbetrieb mit eigenen Werkstätten vorstellen. Sie ersetzte tendenziell die Stadt, vor allem in jenen nördlichen Provinzen, die keine mediterranen Städte aufwiesen. Der *fundus* bzw. die *villa rustica* bildeten autonome Raumordnungselementen. Das lesen wir zum Beispiel aus dieser Passage:

„Der adelige Grundbesitz lag innerhalb seiner eigenen Grenzsteine, ausgeklammert aus dem administrativen Bezirk der Stadt.“[464]

Maier spricht von Steuerprivilegien und Abgabenimmunitäten der *fundi*. Und sogar:

„Auf den Gütern entstanden allmählich Privatmilizen (...), eine eigene Gerichtsbarkeit und eigene Gefängnisse.“[465]

Und somit der Schluss, auf der Hand liegend:

„Die große Grundherrschaft (...) zeigt bestimmte Vorformen der Feudalität (...).“[466]

Das ist ganz richtig. Der spätantike Staat hatte sich selbst auf die Spitze getrieben und schlug in sein Gegenteil um: Die Produzenten flohen vor dem Zentralstaat in die steuerfreie Scheinselbstständigkeit der großen Grundeigentümer. Als *coloni* waren sie formell noch Pächter, in Wirklichkeit aber wurden sie damit abhängige Arbeitskräfte, nun unter dem Plan (*colonus* bedeutete ursprünglich: Auflistung) und unter dem Kommando der *villa rustica*. Die Grundeigentümer schützten sie vor dem

Staat, aber nur, indem sie selbst Elemente der Staatsgewalt für sich übernahmen. Der Partikularismus der Territorien, der Justiz, der Polizei, des Zolls, des Geldes und der Maße ... diese ganze buntscheckige Welt des Feudalismus hatte hier zumindest *eine* Wurzel. Freilich musste erst in den Jahrhunderten bis zur Jahrtausendwende 1.000 n. Chr. die *villa rustica* als Produktionsweise auseinanderfallen, Dörfer entstehen und das Arbeits-Kommando wurde durch eine Arbeits- und später Abgabenpflicht ersetzt, um das feudale Eigentum herauszubilden. Aber damit greifen wir Jahrhunderte vor, die außerhalb des Fokus unserer Darstellung liegen. Kommen wir zur Spätantike zurück.

Die Frage ist nun, wohin konnten deklassierte Freie – *humiliores* – vor den Arbeits- und Steuerverpflichtungen des Militärstaates fliehen? Gab es nicht Alternativen zur *villa rustica*? Das *castrum* war der Ort der sozialen Aufsteiger – Soldaten, die es zu selbstständigen Kleinbauern und Handwerkern brachten. Dazu wurden sie offiziell, sozusagen von Staats wegen. Aus diesem Grunde war das Militärlager, auch das ehemalige Militärlager, keine gute Option für Flüchtlinge. Nirgends zeigte sich der Staat präsenter. Die Stadt wäre eine Option gewesen, aber nur um die Reihen der namenlosen Tagelöhner und der Plebs zu vergrößern, die es auch in der Spätantike unvermindert gab. Die *vici* fielen als Option schon alleine deswegen weg, da die unabhängigen Kleinbauern ja keine zusätzlichen Arbeitskräfte benötigten und schon Schwierigkeiten hatten, ihre Familienmitglieder zu ernähren. Ja, die Flüchtlinge entstammten zum größten Teil dieser Gruppe.

Die sowjetische Althistorikerin Elena M. Staerman fügte an dieser Stelle noch eine Variante ein: das *saltus* – eine noch größere landwirtschaftliche Einheit, die zum *fundus* der Kaiser gehörte und formal freie Agrararbeiter beschäftigte.[467] Nach diesem Modell bliebe im Gegensatz dazu die *villa rustica* ein Ort der Sklavenarbeit. Wenn wir dies in die Argumentation Finleys einbauen würden, stießen wir auf die Schwierigkeit, dass die Bauern, die vor der Last der Staatsabgaben flohen, ausgerechnet in den Produktionsstätten der Kaiser, also des Hauptes des Staates, Zuflucht fanden. Vielleicht war das so bzw. auch so, aber dann müsste noch erklärt werden, wie sie bei ihrem Häscher Schutz vor ihrem Häscher fanden. Es bliebe auch erklärungsbedürftig, weshalb sich etwa Kaiser Theodosius II. genötigt sah, ein Gesetzeskonvolut über den richtigen Umgang mit *coloni* zu veröffentlichen, wenn diese nur auf den *salti* des Kaisers gearbeitet hätten.

Wie auch immer, Elena M. Staerman war wie Finley hier insofern auf der richtigen Spur, die Auflösung der Antike in dem Ersatz der Sklavenarbeit durch neue Quellen der unselbstständigen Arbeit zu suchen. Wir können an dieser Stelle die Streitfrage *saltus* vs. *villa* nicht entscheiden und nehmen erst einmal an, unsere *villa rustica* hatte sich seit dem 2. nachchristlichen Jahrhundert immer mehr von mittelgroßen Betrieben der Guts- und Sklaveneigentümern, die selbst in der Stadt lebten, zu etwas anderem gewandelt: Die Stadt verlor, das Land gewann an Bedeutung, auch für die Grundeigentümer. Ziemlich sicher nahmen Konzentration und Zentralisation des Grundeigentums zu: Aus vielen Eigentümern wurden wenige mit größeren Flächen. In diesem Punkt folgen wir wieder Finley:

„Die Tatsache, daß Großgrundbesitzer im wesentlichen gegen Krisenzustände immun waren, war eher eine Folge der Größe ihrer Besitztümer und ihrer Reserven sowie zu manchen Zeiten, wenn auch nicht immer, des ständigen Zuflusses an Reichtum aus ihren politischen Vorrechten (...).“[468]

Möglicherweise war im Hof dieser Großgrundbesitzer genug Bedarf an unselbstständiger Arbeit und die vom Staat und der

Armee auferlegten Zwangslagen machten die ehemaligen freien Bauern zu gefügigen Arbeitskräften.

„Die Unterstellung unter die Schutzmacht von hohen Militärs und Zivilbeamten (...) scheint anfänglich vor allem im Osten eine Rolle gespielt zu haben, dehnte sich aber im späteren 4. Jahrhundert schnell auf die anderen Reichsteile auf. Da die hohen Funktionäre häufig zugleich Großgrundbesitzer waren, wurde das bleibende Element dieser Bewegung die Ausdehnung der Schutzmacht des Gutes über das freie Bauerntum der Umgebung.“[469]

Bekannt sind die Fluchtbewegungen in die Wüsten.[470] Aber es ist auch sehr wahrscheinlich, dass sich *humiliores* dem Schutz von Gutsherren anvertrauten bzw. sich einfach als Binnenflüchtlinge in den großen Landgütern versteckten und als Gegenleistung für den Schutz der Gutsherren bei diesen mitarbeiteten. Die Gutshöfe waren sozial durchlässige Einheiten, für den Zugriff des Staates waren sie jedoch undurchlässig. Insofern die Gutshöfe immer mehr Handwerker und Fertigkeiten auf sich vereinigten, machten sie sich mehr und mehr vom Markt unabhängig und produzierten selbst auch kaum noch für diesen. Mit dem Versiegen der Märkte kontrahierte sich auch der Sklavenmarkt der Städte. Das Land konnte sich selbst versorgen und bezog Arbeitskräfte von Deklassierten und Flüchtlingen. Die antike Produktion mit einer geographischen Arbeitsteilung – Städte spezialisierten sich auf ein Produkt und trieben deswegen miteinander Handel sowie landwirtschaftliche Plantagenwirtschaft mit Sklavenarbeit – wandelte sich zu einem „Fleckerlteppich“ von spätantiken *villae rusticae*. Hier entstand vor Ort eine primitive Arbeitsteilung zwischen Handwerk und Agrarproduktion, die vielleicht ohne Geldzirkulation auskam. Gut möglich, dass das Geld hier als Geldschatz für Notfälle und eventuell für den Fernhandel gehortet wurde. Das ist der Prozess, der zwischen Sklavenhaltung, Privateigentum und Warenwirtschaft auf der einen Seite und den *coloni* als Vorform der leibeigenen und hörigen Bauern des Mittelalters auf der anderen Seite steht. Die politische Auflösung des römischen Staates im Westen ist in diesem Kontext nur ein Detail, nicht der eigentliche *plot*.

Über einen jahrhundertelangen Prozess fand ein Austausch des sozialen Ensembles statt. Das soziale Ensemble umfasst somit mehrere Ebenen: die des Wandels der Arbeitsteilung, der geographischen Schwerpunktverlagerung und der Instrumente, um Mehrarbeit zu erpressen. Es ging nicht „nur" um einen Austausch der Menschengruppen und den Wandel des Status – die beiden Aspekte, die für Finley im Fokus stehen. Es handelte sich um einen Wandel der Produktionsweise im engeren wie im weiteren Sinne, also der Eigentumsverhältnisse.

Einige interessante Hinweise finden wir bei Maier:

„Zwar wurden die einträglicheren Wirtschaftszweige – Pferde- und Viehzucht, Öl-, Wein- und Obstbau – im nahen Umkreis des Hauptgutes zentral betrieben. Aber die Colonen behielten die traditionellen Formen des Getreideanbaus bei; das Landgut (*fundus*) war ein riesenhaftes Agglomerat bäuerlicher Kleinbetriebe. Doch auch wenn sich die Betriebsformen nicht änderten, brachte die große *villa rustica* in ihrer allgemeinen Ausbreitung erhebliche wirtschaftliche und soziale Veränderungen. Das Gut wurde zu einer wirtschaftlichen Einheit, die langsam auch ursprünglich städtische Produktionsformen an sich zog (. . .). Die großen Güter produzierten nicht nur für den Eigenverbrauch, sondern auch für einen regionalen Bedarf. Das Marktrecht des Gutes galt nicht allein für landwirtschaftliche Güter, sondern auch für die Erzeugnisse von Töpferei, Weberei, Schmiede, Bäckerei und Metzgerei. Der *fundus* – der nach Palladius den Bauern den Weg in die Stadt ersparte – war eine wirtschaftlich autarke Einheit; die Gutsindustrie sollte zusätzlich Profit bringen."[471]

Maier hat vielleicht besser als Finley den Ort des sozialen Wandels in der *villa rustica* bzw. im *fundus* charakterisiert, vor allem in der Funktionsumkehr von Stadt und Land. Andererseits: Maier war zwar für die Fischer Weltgeschichte mit der Herausgeberschaft des Bandes über die Spätantike betraut, erwähnte darin den Begriff Sklave oder Sklaverei aber kaum. Interessanterweise war der letzte Halbsatz der einzige, in dem Maier den Wandel zum Kolonat irgendwie mit der Ablöse der Sklaverei in Verbindung brachte. Sein Kapitel „b) Ein neues Gesellschaftsgefüge" folgt folgerichtig dem Kapitel „a) Wandlung der Wirtschaftsformen".[472] Doch in ersterem findet sich keine Idee davon, wie und weshalb die Sklaverei der Antike in der Spätantike verschwand. Deutlich ist dieser Passus:

„Die Gesellschaft der Kaiserzeit, wie sie aus dem Untergang der alten sozialen Ordnung am Ende der Republik hervorgegangen war, gliederte sich traditionell in Senatoren, Ritter und Plebs."[473]

In dem gesamten Kapitel werden die Begriffe „Sklaven" oder „Sklaverei" nur zweimal erwähnt. Einmal so:

„Die Unterschiede zwischen verarmten Freien, Colonen und Sklaven vermischten sich zwar rechtlich und wirtschaftlich zusehends, dafür bestimmten nun Beruf und Tätigkeit den sozialen Ort und Rang."[474]

Und das andermal, indem einfach der Rückgang der Sklaven in der Produktion und die Zunahme der Kolonen konstatiert wurde, aber ohne einen Zusammenhang zwischen beiden Entwicklungen herzustellen.[475]

Dabei war diese Klassenumschichtung der eigentlichen Produzenten der Gesellschaft der wichtigste Aspekt des Wandels von der Antike zur Spätantike. Finley wiederum erkannte einige Aspekte dieses Wandels und stellte vor allem die richtige Fragestellung, was denn die Sklavenarbeit ersetzt habe und wie es dazu kommen konnte:

„Die Grundsteuer traf direkt oder indirekt am stärksten diejenigen, die das Land wirklich bearbeiteten, also die Bauern und Pächter. (...) Die Auswirkungen (...) – der steigenden Besteuerung, der Plünderungen und Verwüstungen, der Abwertung im Status, wie sie durch die gesetzliche Einrichtung einer Kategorie der *humiliores* symbolisiert wird – mußte zusammengenommen den Bauern entweder in den Zustand der Gesetzlosigkeit treiben oder in die Arme des nächsten mächtigen Grundherren (oder seines Mittelmannes).“[476]

Letztere Variante ist der für uns interessante Prozess.

„(...) der *colonus* der späten Kaiserzeit mag vielfach unterdrückt gewesen sein, aber er war durch seinen Herrn auch vor Enteignung geschützt, vor dem harten Schuldrecht und vor allem vor dem Militärdienst (der so oft zur unvermeidlichen Vernachlässigung des Hofes und am Ende zur Enteignung führte). Der vollständig freie Bauer genoß keinen Schutz vor einer Serie von Missernten, vor dem Zwang zum Militärdienst, vor den endlosen Plünderungen in Kriegen und Bürgerkriegen.“[477]

Ein wenig verharmlost der Autor hier die Unfreiheit, die angeblich immer auch ihre guten Seiten gehabt haben sollte. Aber dass die Tendenz über Generationen hinweg bestand, selbstständige Agrarproduktion aufgeben zu müssen und auf einem großen Landgut als *colonus* weiterzumachen, ist plausibel. Vor allem aber sehen wir hier den Widerspruch der Antike, nämlich Privateigentum mit roher Gewalt zu kombinieren. Das ist das Paradoxon der antiken Welt: Die Brutalisierung der gesamten Gesellschaft war ein Ergebnis der Sklavenarbeit, dieser Essenz der Gewalt. Die Brutalisierung störte aber an allen Ecken und Enden bei der Prosperität des Privateigentums. Die Gewalt konnte nicht weichen, also wich das Privateigentum und machte dem Besitz Platz, dem indirekten, verdeckten und geschützten Eigentumsverhältnis. So wurde durch die neue abhängige Arbeit, nämlich die der politisch Freien, die Sklavenarbeit nach und nach überflüssig. Bald zog die kaiserliche Gesetzgebung nach und bezog sich auf den Pächter, nicht auf den Sklaven. Finley dazu:

„(...) bestätigen das die gesetzlichen Bestimmungen, daß seit Diokletian, also dem Ende des 3. Jahrhunderts, Pächter gebunden waren, nicht frei. Das Interesse des Kaisers war die Besteuerung, nicht der Status des Pächters, doch der Erfolg war nichtsdestoweniger, daß zum Gesetz wurde, was in der Praxis Schritt für Schritt geschehen war. Und mit dem Verschwinden des freien Pächters verschwand der klassische römische Pachtvertrag (...).“[478]

Real gesehen:

„(...) Verlagerung der vorherrschenden Arbeitsweise von Sklaven auf Pächter (...), deren gefährdeter Status als völlig freie Menschen allmählich und wohl entscheidend im 3. Jahrhundert ausgehöhlt wurde. Wir bezeichnen sie mit dem allgemeinen Begriff *coloni*, doch die griechischen wie römischen Quellen gebrauchen oft sehr ungenau eine Vielzahl von Ausdrücken.“[479]

Und zusammengefasst bei Finley:

„Im Osten hätte die Entwicklung der späteren Kaiserzeit hauptsächlich eine Intensivierung und Konsolidierung des bereits bestehenden Status der Abhängigkeit des Bauerntums bewirkt.“[480]

An dieser Stelle könnte man anfügen: im Osten, als ein indirektes Erbe der asiatischen Produktionsweise ... Finley weiter:

„In Italien und im übrigen Westen, wo es einige Jahrhunderte lang Sklavenhaltergesellschaften gab, war der Effekt drastischer: Aus der Sklaverei wurde das Kolonat. Der Niedergang der Sklaverei war mit anderen Worten die Umkehr des Vorgangs, durch den die Sklaverei aufgekommen war. Einstmals importierten die Arbeitgeber in diesen Gegenden Sklaven, um ihren Bedarf zu decken. Jetzt standen die eigenen Unterklassen zur Verfügung, was vorher nicht der Fall gewesen war, und zwar zwangsweise, nicht aus freier Entscheidung. Es gab daher keine Notwendigkeit mehr, weitere Anstrengungen zu unternehmen, um den Nachschub an Sklaven aufrechtzuerhalten, und ebensowenig um Lohnarbeit einzuführen."[481]

Letzteres wäre auch nicht möglich gewesen. Finley kann indes die anderen Aspekte dieses Wandels in der Arbeitsorganisation, der Arbeitsteilung und dem Verhältnis von Stadt zu Land nicht als einen in sich greifenden Prozess darstellen. Vermutlich, weil Finley, wie wir in dem nächsten Kapitel sehen werden, die Vorherrschaft der Warenwirtschaft und des Fernhandels in der Antike als zu gering bewertet und daher in dieser Hinsicht den Übergang zur Spätantike weniger scharf wahrnimmt. Beiläufig erwähnt er den Übergang zur Naturalwirtschaft:

„(...) in den Gegenden, die am heftigsten von den Barbaren angegriffen wurden, neigten die Reichen dazu, sich vorsorglich auf ihre Landgüter zurückzuziehen und die Produktion von Manufakturwaren dort zu verstärken; der Staat bezahlte das Militär und die Zivilverwaltung weiterhin mit Naturalien, indem er die Armeen mit beschlagnahmten Lebensmitteln und mit Produkten der eigenen mit Sklaven betriebenen Werkstätten versorgte. Das folgerichtige Verschwinden größerer privater Manufakturbetriebe war von entscheidender Wirkung auf die Arbeitsverhältnisse im städtischen Gewerbe."[482]

Das ist umso bemerkenswerter, als das Militär in der Antike ja bislang den Sold in Geld und nicht in Naturalien bezogen hatte. Die ökonomischen Auswirkungen des Übergangs zum Sachgüter-Sold mussten enorm gewesen sein. Freilich gab es nach wie vor Geld und Gold in dieser Ökonomie, aber deren Bedeutung hatte sich verschoben. Maier zu der Einführung des Goldsolidus in Ostrom durch Constantin:

„Allerdings profitierte einseitig die Oberschicht von der stabilen Goldwährung – weite Teile der Bevölkerung blieben durch die fortdauernde Erhebung von Abgaben und Auszahlung von Löhnen in Naturalien davon ausgeschlossen.“[483]

Dazu kommt die Stadtflucht. Bekanntlich sind im Codex Theodosianus Strafen für all jene „Bürger“ fixiert, die sich einer Dienstpflicht dem Staat gegenüber entziehen; Strafen, die es in der klassischen Antike der Privateigentümer selbstverständlich nicht gegeben hatte und nicht geben konnte. Maier:

„Der Übergang in das *patrocinium*, der den Bauern zum Colonen machte, war im Grunde genommen nur der Austausch einer Dienstverpflichtung gegen die andere.“[484]

Und:

„Darum erfasste die Guts-Patrocinienbewegung nicht nur Kleinbauern, sondern auch Handwerker und sogar Curialen. Die Anziehungskraft und Protektion der großen Güter führte seit dem späten 4. Jahrhundert zu einer Flucht aus den Städten aufs Land.“[485]

Hier haben wir die Umkehrung des Stadt-Land-Verhältnisses und unserer Ansicht nach ist das auch der Schlüssel für den Wandel von einer monetären Ökonomie zu einer Naturalwirtschaft, von einer Warengesellschaft zu einer Subsistenzproduktion. Zumindest im Großen und Ganzen, Ausnahmen und sogar gegenläufige Trends gab es natürlich immer. [486] Auch und gerade der Fernhandel wäre kein Gegenargument für die angesprochene Entwicklung, dass ein solcher in so gut wie allen Produktionsweisen vorkommt, so auch in der asiatischen, die neben der antiken weiterbestand.

Kurzum: Das Kolonat konnte die Sklaverei als Produktionsweise ablösen, indem die *coloni* die Sklaven ersetzten. Gleichzeitig wurde nicht nur anders produziert, in einem anderen Rahmen, mit einem anderen sozialen Ensemble und Austauschbeziehrungen. Auch das Verhältnis der Produzenten zu den Eigentümern änderte sich mit dem Verblassen der Sklaverei. Neue Produktionsverhältnisse entstanden und wir können all dies nicht mehr auf den Begriff „antikes Eigentum" bringen. Aber wenn ein neues Produktionsverhältnis durch eine Sukzession und nicht durch eine Revolution in die Geschichte trat, widerspricht dies nicht der Marxschen Theorie? Und wie lautet diese überhaupt?

„Auf einer gewissen Stufe ihrer Entwicklung geraten die materiellen Produktivkräfte der Gesellschaft in Widerspruch mit den vorhandenen Produktionsverhältnissen oder, was nur ein juristischer Ausdruck dafür ist, mit den Eigentumsverhältnissen, innerhalb deren sie sich bisher bewegt hatten. Aus Entwicklungsformen der Produktivkräfte schlagen diese Verhältnisse in Fesseln derselben um. Es tritt dann eine Epoche sozialer Revolution ein. Mit der Veränderung der ökonomischen Grundlage wälzt sich der ganze ungeheure Überbau langsamer oder rascher um."[487]

Diese „Formel" passt ausgezeichnet auf den Übergang des Feudalismus zum Kapitalismus und vom Kapitalismus zum Sozialismus – hier spielt die Revolution die Rolle der Lokomotive der Geschichte; bei allen Unterschieden, die sich notwendig daraus ergeben, um welchen der beiden Übergänge es sich handelt.[488] Aber wie passt diese Formel zu dem Übergang der Antike zum Feudalismus? Hier beginnen einige Schwierigkeiten. Zuerst einmal kann von einer Revolution – zumindest im Vergleich zu einer bürgerlichen oder gar proletarischen – keine Rede sein und „marxistische" Literatur, die im 20. Jahrhundert versuchte, eine solche politische Revolution der Spätantike nachzuweisen, kann nicht ernst genommen werden. Freilich verstehen auch bürgerliche Autoren die Pointe des Zitates bei Marx nicht immer, indem sie das Fehlen einer solchen Revolution (zu Recht) konstatieren. Denn Marx spricht in der bekannten Stelle von einer „Epoche der sozialen Revolution". Es handelt sich um eine ganze *Epoche* und um eine *soziale* Revolution. Das schließt eine politische Revolution, die zugleich eine soziale antreibt – wie 1789 – zwar nicht aus, reduziert sich aber nicht darauf. Wir kommen dem Verständnis der „Epoche der sozialen Revolution" näher, wenn wir davon ausgehen, was der Erfahrungshorizont von Karl Marx selbst war: nämlich jener der bürgerlichen Revolutionen, etwa 1789, 1830 und 1848. Wenn wir die englischen Revolutionen des 17. Jahrhunderts sowie den Unabhängigkeitskrieg der Vereinigten Niederlanden und jenen Neu-Englands, die ebenfalls die bürgerliche Produktionsweise antrieben, auch noch in diese Reihe stellen, so ergibt sich ein langer Prozess, der mehrere Jahrhunderte andauerte und sowohl wissenschaftliche, ideologische, ökonomische, militärische und politische Umwälzungen sah, die diese Revolution antrieben.

Ja, die klassischen Revolutionen wie jene von 1789, auf die meist die Blicke gerichtet sind, waren überhaupt nur möglich, indem sich zuvor die bürgerliche innerhalb der feudalen Produktionsweise organisch entwickelt hatte: kleine Inseln der Urbanität, des Handwerks und des Handels, des Geldverleihs und der Manufaktur, die sich wie eine Flechte nach und nach auf dem alten Körper des feudalen Europas ausbreiteten. Dieser Prozess begann im späten Hochmittelalter. Nur dort, wo die bereits neuen Produktionsweisen auf erstarrte alte Verhältnisse stießen, bedurfte es irgendwann einmal der politischen Revolution. Es handelt sich also vorerst um einen evolutionären Prozess, der sich bis zu einem Punkt entwickelt, ab dem eine politische Revolution aufs Tapet kommt. Und selbst Revolutionen können vorderhand scheitern, wie es die bürgerlichen Revolutionen in Deutschland und Mitteleuropa des 19. Jahrhunderts gezeigt haben.

Zwischen der eigentlichen, politischen Revolution und dem Entstehen der dazu passenden Gesellschaftsklasse besteht eine Wechselwirkung, die sich nicht auf die Frage, ob zuerst die Henne oder das Ei auf der Welt waren, simplifizieren lässt. Nehmen wir Frankreich in der Neuzeit. Die Plantagenproduktion von Zucker und Kaffee auf Saint-Domingue machte im 18. Jahrhundert die Produzenten, Schiffsbauer, -betreiber und Händler der atlantischen Küstenstädte sagenhaft reich und damit auch die Geldhäuser. Diese „Gironde“ emanzipierte sich ökonomisch vom alten Adel, bevor sie am 4. August 1789 die Feudalabgaben (weitgehend) aufhob. Aber erst dadurch wurden Schritt für Schritt Grund und Boden am Lande zur Ware und die bürgerlichen Eigentumsverhältnisse nach der Phase der napoleonischen Kriege unumkehrbar. Der für uns springende Punkt ist: Die Gesellschaftsklassen, die für die bürgerliche Produktionsweise ins Spiel kamen, waren *nicht* durch eine politische Revolution ins Leben gerufen worden, sondern durch eine evolutionäre, langfristige, ökonomische Entwicklung, die durch politische Entwicklungen allerdings beschleunigt und verfestigt wurde. Und in der Spätantike?

Wenn etwa Kaiser Konstantin verlautbaren ließ …

„(…) an die Provinzialen: Bei wem auch immer ein Kolone fremden Rechts angetroffen wird, muss nicht nur selbigen an seinen Ursprungsort zurückversetzen, sondern darüber hinaus seine Kopfsteuer für diese Zeit übernehmen.“[489]

… dann bedeutet dies, dass die Politik auf den Wandel von Sklavenarbeit zur Kolonen-Arbeit bloß reagierte. Dieser Wandel existierte bereits, weder wurde er von oben her dekretiert, noch war er das Ergebnis einer politischen Revolution.

Andererseits wirkte die Politik des Staates indirekt auf die Formierung der neuen Klassen. Zumindest war die Flucht der Verschuldeten, der Pächter und der *humiliores* generell vor den Steuern, Abgaben und Arbeitsdiensten ein Resultat der Politik der spätantiken Kaiser, für die es freilich unter den gegebenen Verhältnissen auch keine Alternativen gab. Immerhin: Politik hat Auswirkungen. Mitunter auch auf die Herausbildung neuer Gesellschaftsklassen, die zu einer – gegenüber dem Bisherigen revolutionären – Produktionsweise passen. In dieser Hinsicht ging es in der Spätantike nicht anders zu, als zum Beispiel in der Neuzeit. Die westeuropäischen Monarchien vertrieben Bauern von der Allmende, die Schafherden englischer Grundherren verdrängten Landvolk aus dem Dorf, in vielen Ländern wurden vom Staat neue Arbeitshäuser (also eigentlich Manufakturen) mit landlosem „Gesindel" gefüllt und langfristig eine proletarische Arbeitsdisziplin der Eigentumslosen erzwungen. Hier liegt die eine Quelle der späteren Arbeiterklasse. Die andere Quelle speiste sich aus den städtischen Gesellen und Handwerkern – auf diesem Terrain spielte der Staat ebenfalls eine Rolle, indem er den Zunftzwang entweder ver- oder entschärfte. Aber auch die bürgerliche Klasse entstand nicht über Nacht und politische Entscheidungen beschleunigten die Formierung der späteren Bourgeoisie. Wir denken da an die Vergabe von Monopolen an die Bergwerksbetreiber des späten Mittelalters, die Gewährung von Privilegien für die Münzer und frühen Geldhäuser, die Eroberung der Neuen Welt generell, die Gründung der Ostindien-Handelskompanien, die Lizenz Kaiser Karls V., nach Hispaniola afrikanische Sklaven zu transportieren und in Plantagen einzusetzen (1519), die Freibeuter-Unternehmungen der englischen und französischen Krone gegenüber Spaniens Kolonien, die Freigabe des Getreidehandels in Frankreich durch Turgot in den 1770er Jahren ... und so weiter und so fort. Schließlich desertierten auch Fraktionen der alten Klassen zu den neuen oder wurden in deren Welt hineingezogen, etwa so wie die preußischen Grundherren ihre Agrarprodukte nach London verschiffen und dort ganz bürgerlich verkaufen ließen, obwohl sie sich gleichzeitig gegenüber „ihren" Bauern, die diese Produkte hergestellt hatten, ganz unbürgerlich und „junkerisch" verhielten. Der Handel und die Politik, die diesen Handel regelte, wirkten langfristig revolutionärer als die Reformen von Stein und Hardenberg 1807. Insgesamt hatten all diese und unzählige andere politische Entscheidungen eine gegenüber der Auflösung der feudalen Welt umwälzende Wirkung. Diese unzähligen politischen Entscheidungen basierten selbstverständlich nicht auf der Intention, die ihrer Wirkung entsprach, und sie wurden von unzähligen politischen Entscheidungen begleitet, die in eine gegenläufige, zum Beispiel das Bestehende bewahrende Richtung wirkten. Im Endeffekt aber sind immer jene Entscheidungen wirkungsvoller, die sich in den Windschatten einer zur damaligen Zeit progressiven ökonomischen Entwicklung einordnen.

Neue Produktionsweisen entstehen nicht überall und jederzeit. Einige Voraussetzungen müssen zumindest im Keim vorhanden sein. Oft fangen sie zuerst einmal sozusagen als Retorte an, unter geschützten Bedingungen. „Geschützt" bedeutet hier das Gegenteil wie in der Alltagssprache, nämlich frei von den sozialen Zwängen der bestehenden Welt.

Die freie mittelalterliche Stadt hatte Potential für die Entfaltung von handwerklicher Produktion, Handel und Kreditwesen zu bieten. Und so steuerte die Stadt einiges zur bürgerlichen Welt bei. Aber sie blieb als Antithese zur feudalen These bei deren räumlicher Beschränktheit und geringen Dimensionen. Im Endeffekt gab etwas den Ausschlag, was ich gerne den „dritten Raum" nennen würde: etwas abseits der mittelalterlichen Stadt und abseits des feudalen Dorfes mit deren strengen Reglements. Denn auch die Stadt pflegte ein außerordentlich strenges Reglement, gerade weil sie sich von feudalen Zwängen freihalten musste. Das Neue schob sich als dritte Raumordnung zwischen Stadt und Land. Wo finden wir diese? In den fürstlichen Gefängnissen und Arbeitshäusern, wo die Manufaktur erprobt wurde; im vorerst geradezu unsichtbaren Netzwerk der merkantilen Verlagsproduktion; an den Küsten, vor allem auf den Inseln: Bereits vor der „Entdeckung" Amerikas hatten die Portugiesen auf den Azoren Erfahrungen mit der Zuckerproduktion in Plantagen und mit dem Einsatz von Sklaven gemacht. Die Übersee bot sich an, diese Erfahrungen zu verallgemeinern und hier entstand der unermessliche Reichtum, der auf Europa zurückwirkte: als Nachfrage an Konsumartikeln; und dann auch als Kapitalüberschuss, der in der industriellen Revolution Verwendung fand. Auch die ersten eigentlichen Fabriken mit neuen Energiequellen und neuen Verarbeitungsmaschinen im 17. und 18. Jahrhundert waren zuerst kleine Hallen außerhalb der alten Dörfer und Städte, meist an einem Flusslauf, aber jedenfalls außerhalb des Zunft- bzw. Feudalzwanges. Diese englischen Fabriken waren zuerst einmal viel kleiner als die Textil-Manufakturen im Piemont:

„Ausgehend von Bologna bildeten sich in Oberitalien im 17. und 18. Jh. mehrere Konzentrationen von solchen Seidenzwirnereien. In Piemont gab es 1752 schon 55.264 Betriebe, in denen um die 20.000 Arbeitskräfte (zum größten Teil Frauen) arbeiteten. Mit räumlichen Schwerpunkten in und um Turin, Racconigi und im Departement Saluzzo war dies zweifellos der größte (...) Komplex des vorindustriellen Europa, dessen Umfang vom nordwestengl. Lancashire erst in den drei Jahrzehnten nach

1815 allmählich übertroffen wurde."[490]

Auch in der französischen Handschuh-Manufaktur des 18. Jahrhunderts wurden vorwiegend Frauen beschäftigt, die wie im Verlagssystem – in diesem für einige Stunden – von Pflichten gegenüber anderen freigestellt waren. „Frei“ waren Frauen (vergleichbar den Kindern in der Phase der Industrialisierung), weil sie von einigen Zünften ausgeschlossen blieben bzw. in den Jahrhunderten zuvor aus den Zünften ausgeschlossen wurden.

An diesen Orten des „dritten Raums“ fand der Austausch des sozialen Ensembles zuerst statt, ganz analog dem Austausch des antiken sozialen Ensembles in der *villa rustica*. An diese wurden nach und nach alle jene Elemente angezogen, die später das feudale Eigentum konstituierten. Übrigens gehörte dazu nicht nur die Sukzession der Sklaven durch die Kolonen, sondern auch die Sukzession der Grundeigentümer durch die Feudalherren. Letztere entwickelten sich aus Ersteren, soweit Grundeigentum und Grundbesitz überhaupt für beide die relevante Basis darstellten. Aber wie umfassend gestaltete sich dieser Wandel, über den wir übrigens im Detail gar nicht so gut unterrichtet sind? Die antiken Grundeigentümer konnten ihr Land kaufen und verkaufen — unzählige schriftliche Quellen berichten von dieser Freiheit des Kaufens und Verkaufens. Die Feudalherren konnten dies nicht mehr. Genauso wie die Bauern ihrer Dörfer grundsätzlich an die Scholle gebunden waren, genauso war der Herr an die Bauern und deren Dörfer gebunden. Die Herren konnten nur noch belehnt werden oder selbst belehnen ... in einer sorgfältig abgestuften, genauso endlosen wie sinnlosen Hierarchie. Wir sehen hier: Ohne Warenwirtschaft konnte sich das Privateigentum nicht halten; es wurde zu etwas ganz Anderem.

Die Melodie der Umwälzung der Spätantike ist mit der Melodie der Umwälzung der Neuzeit grundsätzlich vergleichbar.

Viele Unterschiede ergeben sich daraus, dass in dem einen Fall die Warenwirtschaft versiegte und in dem anderen Fall die Warenwirtschaft obsiegte. Ein offensichtlicher Unterschied besteht darin, dass die Formierung des Feudalismus zwar wie jene des Kapitalismus von einer „Epoche der revolutionären Umwälzungen“ begleitet wurde, aber keine politische Revolution im engeren Sinne des Wortes sah. Der Typus der Revolution als konzentrierte Aktion der plebejischen Klassen um die Erlangung der Staatsmacht konnte es in der Antike nicht geben – wir werden gleich sehen, weshalb. Aber auch der Typus der proletarischen Revolution unterscheidet sich von dem der bürgerlichen von Grund auf: Hier sind nur die *Voraussetzungen* einer sozialistischen Produktionsweise bereits in der bürgerlichen Epoche entstanden, aber nicht die sozialistische Produktion selbst und erst mit der Verwirklichung der Revolution werden Lohnarbeit und Kapital aufgehoben und zu etwas neuem, anderem umgeformt. Die Ablöse der feudalen durch bürgerliche Verhältnisse hätte vielleicht auch ohne 1789 vollendet werden können – nur eben weitaus langsamer und mühsamer. Die Ablöse der bürgerlichen durch sozialistische Verhältnisse ist hingegen ohne Revolution und ohne die nur durch diese erreichbare Vergesellschaftung des Eigentums überhaupt nicht denkbar. Hier ist nur die Voraussetzung (z.B. verallgemeinerte Lohnarbeit, große Industrie, globale Arbeitsteilung, Kapitalakkumulation und Konzentration), aber nicht die Verwirklichung des Neuen (z.B. assoziierte Kollektivarbeiter, Planwirtschaft) im Alten gegeben. Wir sehen somit, dass je nach Gesellschaftsformation die Revolution im engeren Sinne eine jeweils ganz unterschiedliche, nämlich *spezifische* Rolle einnimmt und so nimmt es nicht wunder, dass sie bei der Etablierung einiger der vorbürgerlichen Formationen erst gar nicht anzutreffen ist.

Dennoch stimmt: Als *Epoche* der sozialen Umwälzungen und

Revolutionen im weiteren Sinne, also als Umschichtung aller wesentlichen Verhältnisse, können wir die Spätantike auf alle Fälle ansprechen. Die antike Stadt verliert ihre Bestimmung, das Grundeigentum wird von dem Feudalbesitz ersetzt, das Zentrum der antiken Mehrarbeit – die Sklaverei – wird durch das Kolonat abgelöst, der Gutshof wird autarkes Produktionszentrum, der Geldverkehr versiegt, die Warenproduktion wird durch die Naturalproduktion abgelöst, die Küsten verlieren gegenüber dem Binnenland an Bedeutung, Staatsgewalt und Gesetzgebung gehen auf die Gutsherrn über; aber ohne dass sie untereinander eine Polis bilden, wie in der Frühzeit Hellas'. Es ist schwer, etwas in der Spätantike zu finden, das wir aus der Antike kennen und das sich nun nicht verwandelt hatte. Im Detail sind diese Veränderungen komplex und sie müssten sorgfältig durch die Geschichtsschreibung ausdifferenziert werden. Aber insgesamt, als kompaktes Paket genommen, wird der qualitative Unterschied zur Antike evident. Es handelt sich nicht um einen Unterschied der Variation wie zwischen der römischen Republik und Karthago, oder einen Unterschied des Jahrhunderts, wie jener zwischen Athen und Rom, sondern um einen Unterschied, der ein anderes Dasein darstellt.

Kommen wir nun zu der Passage bei Marx zurück. Der erste Teil lautet:

„Auf einer gewissen Stufe ihrer Entwicklung geraten die materiellen Produktivkräfte der Gesellschaft in Widerspruch mit den vorhandenen Produktionsverhältnissen oder, was nur ein juristischer Ausdruck dafür ist, mit den Eigentumsverhältnissen, innerhalb deren sie sich bisher bewegt hatten."[491]

Die Frage ist somit, inwiefern die materiellen Produktivkräfte der Spätantike in Widerspruch zu den Eigentumsverhältnissen der Antike standen.

Und der zweite Teil in der Passage lautet:

„Aus Entwicklungsformen der Produktivkräfte schlagen diese Verhältnisse in Fesseln derselben um. Es tritt dann eine Epoche sozialer Revolution ein. Mit der Veränderung der ökonomischen Grundlage wälzt sich der ganze ungeheure Überbau langsamer oder rascher um.“[492]

Hier kann die Frage gestellt werden, wie die Epoche der sozialen Revolution ohne einen Agenten dieser Umwälzung auskam. Welche Rolle spielten die plebejischen Klassen – außer jene passive, die wir bereits skizziert haben: die Sukzession?

Gerade die Klasse, die am ehesten Mehrproduktion erwirtschaftete und das Material der gesamten römischen Zivilisation schuf, konnte nur revoltieren, aber nicht die gesamte Gesellschaft umformen: die Sklaven. Alle Sklavenaufstände waren militärische Kriegszüge, die – falls erfolgreich – aus den beteiligten Sklaven Freie machen konnten. Sie konnten keine Verhältnisse etablieren, die der nächsten Generation die Sklaverei überhaupt erspart hätten. Nicht weil es an Einsicht fehlte, sondern weil dafür keine neue Produktionsweise parat war. Zum Vergleich: Die Sklavenaufstände entsprechen somit eher einem Streik der Arbeiterklasse im Kapitalismus. Bloß dass der Streik der Sklaven nur als militärischer Aufstand möglich war, weil sie ja mit Gewalt in dem Zustand der Sklaverei gehalten wurden. Ihr „Streik“ war immer eine höchst empfindliche und schmerzhafte Störung des antiken Gleichgewichtes und die Sklavenhalter investierten in richtige Kriege, um die Aufstände niederzuringen. Aber kein Sklavenstreik konnte die Gesellschaft an sich umformen. Auch nicht, soweit sie militärisch erfolgreich waren.

Was erfahren wir zum Beispiel über Sizilien am Vorabend des 1. Punischen Krieges, also nach dem Krieg Roms gegen den hellenistischen König Pyrrhos?

„(...) und im Norden war das blühende Messana (Messina) in den Händen von früheren Soldaten des Agathokles, Italikern, die gemeutert, die griechischen Kolonisten aus der Stadt vertrieben und sich hier an ihrer Stelle niedergelassen hatten. Während des Krieges gegen Pyrrhos hatten für Rom angeworbene kampanische Soldaten das Beispiel der früheren Söldner des Agathokles, ihrer Stammesbrüder, nachgeahmt und Rhegion besetzt – vielleicht mit Beihilfe des Senats, der es für opportun gehalten hatte, so die Stadt gegen einen Handstreich des Königs zu schützen, ohne sich selbst bemühen zu müssen. Doch als der Krieg beendet war, glaubten die Römer es ihrer Ehre schuldig zu sein, die Rebellen von Rhegion zu bestrafen. Die Stadt wurde belagert und eingenommen, die Schuldigen wurden bestraft. Die ‚Mamertiner' (so nannte man die Meuterer von Messana) hatten jedoch eine Zeitlang die besten Beziehungen zu ihren Kameraden in Rhegion unterhalten. Von 270 an, dem Jahre, in dem Rhegion den Griechen, den legitimen Besitzern, zurückgegeben wurde, waren die Mamertiner vollkommen isoliert (. . .).“[493]

Bekanntlich votierte die Mehrheit der Mamertiner für ein Hilfegesuch an Karthago, womit zwar nicht der eigentliche Grund, aber doch zumindest der Vorwand für den Punischen Krieg auf den Tisch lag.

„So stellte sich durch die Initiative einer Handvoll aufständischer Söldlinge, die (. . .) ihre üblichen Raubzüge gegen die griechischen Städte Siziliens nicht mehr fortsetzen konnten, plötzlich ein akutes Problem (. . .).“[494]

An dieser Passage braucht uns hier nicht weiter zu kümmern, dass sich der moderne Historiker auf den antiken Standpunkt Roms stellt, dessen Raubzüge und Finten mit „der Ehre“ legitimiert werden und in den Aufständischen die Schuldigen an deren eigenem Untergang wahrnimmt. Im besten Falle bewies der römische Senat klares Klassenbewusstsein. Die Mamertiner wandten sich ja nicht nur an Karthago, sondern auch nach

Rom. Dort stießen sie auf die Sympathie der Plebs, aber auf das Misstrauen des Senats.

„Die Abgesandten der Mamertiner begegneten in Rom zunächst nur geringer Begeisterung. Der Senat war nicht geneigt, die Sache von Leuten zu unterstützen, deren Fall starke Ähnlichkeit mit dem der Meuterer von Rhegion hatte, die einige Jahre zuvor mit dem Beil hingerichtet worden waren.“[495]

Das war das übliche Finale aller Aufstände in der Antike: das Beil oder die Kreuzigung. Ähnlich anlässlich des unglücklichen Ausganges des großen Söldneraufstandes gegen Karthago am Ende des 1. Punischen Krieges. Die Aufständischen hatten sich in einem Engpass verschanzt und wurden belagert:

„(...) alle, die nicht an Hunger gestorben waren, wurden niedergemetzelt.“[496]

Der römische Senat hatte bei diesem Unterfangen seinen „Erbfeind“, den Senat von Karthago, unterstützt. Vielleicht zeigt dieser Umstand, dass zwischen Rom und Karthago kein Widerspruch, sondern nur ein Gegensatz bestand.

Für uns ist hier aber relevant, dass die Aufständischen – in diesem Falle Söldner, zweihundert Jahre später Sklaven – keine Alternativen hatten, als ihr Handeln *innerhalb* der Usancen der Sklavenhaltergesellschaft auszurichten. Oft waren Aufstände gleichzeitig Druckmittel einer alternativen Fraktion der herrschenden Kreise.

„Nach dem Tod Attalos‘ III. weigerte sich ein Sohn des Eumenes (...) das Testament hinzunehmen, das das Königreich dem römischen Volk vermachte, und er beanspruchte die Thronfolge. Dieser Prätendent (...) stützte sich auf die breite Volksmasse und besonders auf die Sklaven. Eine beträchtliche Zahl von Söldnern und ein Teil der Flotte stellten sich auf seine Seite. So war er für Rom ein durchaus ernstzunehmender Feind, und zwar umso mehr, als die Bewegung (...) eine Antwort auf die

Sklavenrevolte von Henna und verschiedene anderer Aufstände zu sein schien, die in dieser Zeit überall aufflammten."[497]

Diese „Bewegung" plünderte verschiedene Städte, um eigene Söldner zu bezahlen. Dabei ist ganz typisch, dass die Aufstände der Sklaven oder der Söldner nicht mit der Umschichtung der alten Produktionsmittel einhergingen, sondern mit einer Art geographischen Absonderung: Es wurden sozusagen befreite Gebiete geschaffen, die neben der alten Gesellschaft einige Zeit lang existieren konnten, ohne eine andere Sozialstruktur zu entwickeln. Es waren Klone. Die Freiheit war nur als eigene Kolonie von neuen Grundeigentümern denkbar, so als würde es sich dabei um eine Art athenische Kleruchie handeln. Die neuen Dependenzen des antiken Eigentums wurden bloß aus Rache der ursprünglichen Sklavenhalter vernichtet, nicht weil eine neue Produktionsweise die bisherige bedroht hätte. Der einzige „systemische" Grund für die Rache und die in der ganzen Antike äußerst brutale Form der Rache war die Abschreckung: Der Terror sollte den verbliebenen Sklaven als Exempel dienen.

Der Aufstand des Spartacus war vielleicht der größte und längste der Antike. Die Kampfhandlungen dauerten drei Jahre und der Zug der aufständischen Sklaven umfasste die gesamte italienische Halbinsel inklusive Sizilien. Laut Hans-Joachim Diesner war die Gladiatorenschule zugleich eine Schule des Aufstandes.

„Das Heer der Aufständischen wuchs tatsächlich stark an. Die antiken Quellen (...) beziffern die Anhängerschaft des Spartakus auf 60.000, vereinzelt sogar auf 120.000 Bewaffnete."[498]

Finley wiederum bezweifelt die Faktizität der antiken Zahlangaben, meint aber lapidar zu den niedrigeren Varianten: Sie ...

„(...) sind nicht zuverlässiger, nur weil sie kleiner sind."[499]

Das ist jedenfalls für unsere Fragestellung nebensächlich. Angefangen hatte der Aufstand mit wenigen Hunderten, die am Vesuv eine erste Strafexpedition des Senats abwehren konnten.

„Dieser erste Sieg stellte zugleich ein Signal für viele Sklaven, vor allem Landsklaven, und ebenfalls für verarmte Bauern dar. Massenhaft schlossen sie sich der Bewegung an, mit der sie schon vorher sympathisiert hatten.“[500]

Etwas später:

„Dieser zweite Sieg der Sklavenarmee offenbarte bereits in starkem Maße die Widersprüche und Schwächen der spätrepublikanischen Gesellschaft Roms. Nicht nur die noch unter ihren Herren stehenden Sklaven und zum Teil auch die Freigelassenen und Klienten wurden unruhig, sondern die Bauernschaft tendierte eher zu Spartakus, als zu Rom, das die freien Klein- und Mittelbauern nicht gegen die Konkurrenz des rationeller – meist mit Hilfe großer Sklavenscharen – wirtschaftenden Großgrundbesitzes zu schützen gewusst hatte. (...) Es war ja nicht notwendig, daß sich die Bauernschaft Süditaliens großteils Spartakus direkt anschloss, vielmehr genügte es, wenn sie mit ihm sympathisierten und ihn zumindest insgeheim unterstützten.“[501]

Das ist ein interessanter Punkt. Die vom Ruin betroffenen Bauern unterstützten den Aufstand direkt oder indirekt, obwohl die Sklaven selbst Mittel ihrer wirtschaftlichen Konkurrenz geworden waren. Die Bewegung setzte sich von diesem Moment an aus zwei Teilen zusammen, den Sklaven und den kleinen Selbstständigen. Dies ermöglichte eine große Masse und dem Aufstand, einige Jahre allen Strafexpeditionen des Senats zu trotzen und als Heerhaufen zweimal durch ganz Italien zu ziehen. Aber es beinhaltete auch den Moment der Spaltung und der Niederlage. Denn die Sklaven konnten nur das Ziel haben, einen neuen Siedlungsplatz, vielleicht eine befreite oder unabhängige Stadt zu bekommen. Die Bauern wollten andererseits ihr Land nicht verlassen bzw. aufgeben. Letztere wollten nach Rom ziehen und ähnlich den Protesten der Plebejer in grauer Vorzeit eine Mitsprache in Staatsangelegenheiten durchsetzen. Das sind unterschiedliche Wege. Die Bewegung musste sich spalten. Spartakus repräsentierte die meist nicht italischen Sklaven und Krixos die italischen Bauern. Sie marschierten getrennt und verschiedenen römischen Armeen gelang es – letztlich auch mit einer guten Portion Glück – sie getrennt zu schlagen, zu vernichten und zu bestrafen.

Man kann hier die Frage stellen, wie erfolgversprechend die Sache mit mehr Fortune und Geschick ausgehen hätte können. Dass die Einen in Rom eine Agrarreform durchsetzen hätten können? Nicht unmöglich, aber die großflächige Konkurrenz und ganz allgemein die Warenwirtschaft waren bereits zu weit fortgeschritten, um das Rad der Zeit zurückzudrehen. Das hatten nicht einmal die Gracchen zu Wege gebracht. Und was wäre geschehen, wenn Spartakus, wie geplant, über die Alpen nach Gallien ziehen hätte können oder, wie später geplant, mit Schiffen von Brundisium aus nach Griechenland oder nach dem Orient übersetzen hätte können? Vielleicht hätten sie als Söldner am Rande des römischen Reiches weiter existiert. Aber die Sklaverei an sich abzuschaffen, war unmöglich und daher stellte auch niemand diese Forderung auf. Auch die aufständischen Sklaven hätten, wenn sie sich irgendwo eine eigene Stadt angeeignet hätten, selbst andere Sklaven verwendet.

Moses I. Finley unterschätzt zwar die revolutionäre Intention der Aufstände, erkennt aber den springenden Punkt, dass sie selbst keine Alternative zur Sklaverei boten:

„Als die eigentlichen Sklaven tatsächlich am Ende in drei Aufständen in der Zeit von 140 bis 70 v. Chr. In Italien und Sizilien massiv aufbegehrten, ging es ihnen um ihre eigene Gruppe und deren Stellung, nicht um die Institution der Sklaverei oder einfach darum, die Sklaverei abzuschaffen."[502]

Oder, in Bezug auf spätere Zeiten im Kaiserreich:

„Es war übrigens in der Zeit des Commodus, daß in Gallien der erste Aufstand stattfand, von dessen Art es in den westlichen Provinzen bis weit in das 5. Jahrhundert hinein immer weitere geben sollte. Die Aufständischen, die aus uns unbekannten Gründen *Bacaudae* genannt wurden, hatten offenbar kein anderes soziales Anliegen, als ihre Rolle mit der der Grundeigentümer zu vertauschen."[503]

Finley anerkennt, dass die Sklaverei weniger Anlass der sozialen Unruhe der Sklaven selbst bot, sondern jener Menschen, deren ökonomische Existenz durch die Sklavenarbeit – vor allem in der Landwirtschaft – bedroht war. Das war auch das Ferment des römischen Bürgerkrieges.

„(...) stellt fest, daß in der hinsichtlich der Landverteilung außerordentlich bewegten Periode der Bürgerkriege im letzten Jahrhundert der römischen Republik allein von Sulla, Caesar, den Triumvirn und Augustus eine Viertelmillion Veteranenfamilien Land zugeteilt bekamen."[504]

Offensichtlich konnten die am meisten ausgebeuteten Klassen in der Antike nicht die sie knechtenden Eigentumsverhältnisse zu etwas Neuem umwandeln, sondern sie nur für sich selbst „klonen". Aber das ist nicht der einzige Punkt. Ein weiterer: Sklavenaufstände blieben die Ausnahme. Die Antike ist voller Klassenkämpfe – aber nur sporadisch kämpfen die Sklaven. Ist das nicht eigenartig? Aber vielleicht ist dies auch nicht eigenartig: Gerade, weil die Sklavenarbeit die Entwicklung der Lohnarbeit verhinderte, gab es auch keinen Klassenkampf um Lohn und Arbeitsbedingungen. Sie sind zumindest sehr selten. Über die römischen Münzer der Kaiserzeit erfahren wir:

„(...) die alle kaiserliche Freigelassene waren und denen kaiserliche Sklaven zur Seite standen. Unter Aurelian (270–275) gab es so viele Arbeiter in der Münzstätte in Rom, daß sie einen gefährlichen Aufstand inszenieren konnten, zu dessen Unterdrückung Tausende von Soldaten notwendig waren."[505]

Laut Niebuhr ging es dabei aber nicht um Arbeitsbedingungen, sondern um Fragen der Qualität der Münze und der Aufstand der *monetarii* war weder ein typischer Lohnkampf noch selbst für die Antike bezeichnend.[506]

Ein in der Antike durchgehender Zug: Gerade die Sklavenarbeit hält die Klassenkämpfe frei von proletarischen Zügen. Weshalb? Zumindest die große Plantagenwirtschaft konnte mehr Ertrag und billigere Ware liefern als die noch bestehenden unabhängigen Bauern. Ob real oder nicht, die Bauern fühlten die Konkurrenz als Bedrohung. So nimmt es nicht wunder, dass der Ruf nach mehr Land, nach mehr Acker oder aber nach weniger Steuern zu vernehmen war. Der Klassenkampf verlagerte sich – indirekt dank Sklavenarbeit – auf den Standpunkt des Kleinbürgertums, das seinen sozialen Abstieg in die Reihen der Plebs abzuwenden trachtete.

Obwohl die Sklaven zwar immer wieder revoltieren mussten, um ihrer Lage zu entkommen, konnten sie keine in Bezug auf die gesamte Gesellschaft revolutionäre Klasse werden. Sie standen für keine alternative Produktion. Aber indirekt versetzte ihre pure Existenz andere Klassen unter Zugzwang, nicht alles zu verlieren. Und so stimmt es auch wieder, dass selbst die Antike nicht frei von dem „Ferment der Revolution" war.

„Im Jahr 138 stimmte der römische Senat dafür, daß jener zweimal im Monat auf seinem Gut einen Markt abhalten durfte, vorausgesetzt, daß dadurch kein Schaden und kein Aufruhr verursacht wurden. Die Furcht vor Volksansammlungen ist ein Thema, das die gesamte Kaisergeschichte beschäftigte."[507]

Offensichtlich behinderten die politischen Spannungen sogar

den freien Warenverkehr. Der Wandel in der Spätantike von einer Geld- zu einer Naturalwirtschaft wird hier auch politisch „vorbereitet". Dieser Wandel ist für unsere Fragestellung wiederum deswegen nicht ganz unwichtig, weil er mit einem anderen Wandel einhergeht: Die Dominanz des Eigentums weicht der Dominanz des Besitzes. Die bürgerliche ökonomische Literatur sieht in dem Unterschied zwischen Eigentum und Besitz ein juristisches Detail, das aber gleichzeitig den Besitz dem Eigentum gleichstellt. Dennoch herrscht im Kapitalismus Privateigentum an Produktionsmitteln und somit die bürgerliche Kontrolle über die Produktion vor. Der Besitz ist hier Nebensache, ein Fall der Justiz, nicht der Produktionsverhältnisse. Andererseits unterschätzt die marxistische Literatur (Marx ausgenommen) immer wieder den historischen Unterschied zwischen Eigentum und Besitz. Das ist, aus genannten Gründen, für die Analyse des Kapitalismus auch naheliegend, in den vorkapitalistischen Produktionsweisen war der Unterschied zwischen Eigentum und Besitz ökonomisch relevant. Ja, dieser Unterschied bestimmte, wie sich Gesellschaftsklassen eines gegebenen Gemeinwesens nur reproduzieren konnten. Und genau diese Relevanz umfasst der Eigentumsbegriff bei Karl Marx.[508] Das antike Eigentum basierte auf dem Privateigentum an Sklaven. Das Privateigentum generell wurde in der römischen Kaiserzeit immer mehr missachtet. Zuerst nur bei den *humiliores*, nicht bei den Großgrundeigentümern. Die Übung, in das Eigentumsrecht immer wieder von Staats wegen einzugreifen, nahm bei jeder ökonomischen oder fiskalischen Problemlage des Reiches zu. Zuerst de facto, irgendwann zog die Gesetzeslage nach. Dennoch ist nicht der Staat als Akteur der Politik der Wille dieser Veränderung. Es handelte sich um eine strukturelle Veränderung: Die Bauern wurden zu Pächtern, die Pächter wurden zu Kolonen. Sie hatten ihre eigenen Arbeitsgeräte, konnten dieser aber nur noch in der großen Manufaktur des *fundus* eines Gutsherrn anwenden. Die echten Eigentümer konzentrierten sich auf wenige, die echten Besitzer – vorerst Kolonen, später Bauern im Feudalismus – breiteten sich aus; die Sklaven verschwanden als produzierende Klasse, damit auch das Privateigentum an Sklaven.

In dieser Hinsicht war Webers bzw. Finleys Fragestellung, wie die Sklaverei der Antike verschwinden konnte, zwar richtig, aber unvollständig. Es geht nicht alleine darum, dass Bauern, Pächter und Handwerker vor dem Druck der Staatsabgaben in die Scheinpacht des Kolonats eines großen Gutshofs flohen, sondern es geht auch darum, dass sich die Eigentumsverhältnisse verschoben. Der Unterschied zwischen per se unbeschränktem Privateigentum und per se limitierten Rechten des Besitzes wird sehr schön in folgendem Passus sichtbar:

„(...) die Pflanzung von Olivenbäumen scheint sich aber auch in solche Gebiete vorgeschoben zu haben, in denen man zuvor nur Getreide angebaut hatte, wodurch ein gemischtes System entstand. Bei dieser Entwicklung hat vielleicht das durch das *lex Manciana* eingeführte Pachtsystem eine wichtige Rolle gespielt; sie legte die Ernteanteile von gewöhnlich einem Drittel fest, die die Pächter an die *conductores* (Männer, die durch Vertrag zur Einziehung der Pachtgelder verpflichtet waren) oder die Besitzer selbst zu entrichten hatten, enthielt aber auch Bestimmungen über eine fünfjährige Zahlungsfreiheit für den Fall, daß neue Feigenbäume oder Weinstöcke gepflanzt wurden, und über eine zehnjährige Befreiung für den Fall, daß auf zuvor unkultiviertem Land Olivenhaine angelegt wurden. Sie gab auch jedem Pächter, der auf seinem Gut Land kultivierte, das bei der ursprünglichen Aufteilung nicht zugewiesen worden war, den einstweiligen Besitzanspruch und sah vor, daß die *conductores* unbebaut belassenes Land zurückfordern durften.“[509]

Nun könnte man davon ausgehen, dass die *conductores* und die *lex Manciana* nur auf dem Grund und Boden des Kaisers Anwendung fanden, den „Privatsektor" aber unberührt ließen und in der Provinz *Africa* eben große Domänen des Kaisers existierten, die irgendjemand bewirtschaften musste. Dafür gab es weder selbstständige Bauern, die Eigentümer ihres Bodens waren, noch Sklaven und schon gar nicht Lohnarbeiter. Somit konnten nur eigentumslose Pächter die kaiserlichen Landstriche auf eigene Rechnung (d.h. als Besitz) bebauen.

„Rostowzew aber sieht in der lex (...)"

– die Rede ist an dieser Stelle von der *lex metallis dicta* –

„(...) eine höchst merkwürdige Parallele zum ius colendi der lex Manciana und lex Hadriana."[510]

Beim Bergbaurecht geht es eher um die Eingriffe des *fiscus* in das Eigentumsrecht der Bergwerksbetreiber. Womit dieses „Eigentum" ebenfalls aufgeweicht wurde und sich dem Besitz annäherte.

„Mispoulet führte im einzelnen aus, daß sich der Fiskus nur die Hälfte jeder Grube vorbehalte, diese aber Privaten zum Abbau überlasse. Diese Unternehmer wurden bald coloni, bald occupatores genannt (...)."[511]

Rostowzew wiederum zu den *conductores*:

„Für diese Schicht waren die Bauern eine Exploitationsmasse unter den hellenistischen Königen wie unter den römischen Kaisern, und diesen Exploitationstendenzen wirkliche Schranken zu setzen, war für die bestgewillten Herrscher nicht möglich. (...) Es fehlt in der Kaiserzeit nicht an Ansätzen, diese Mittelmänner zu umgehen."[512]

Zwischen die eigentlichen Produzenten – und wir sprechen hier nicht von den Sklaven – und die Verwendung von deren Mehrarbeit schoben sich immer mehr Schichten. Die Stadträte (*curia*) bekamen neue Aufgaben:

„(...) Haftpflicht der Curialen (oder Decurionen) für Steuern und Abgaben. (...) Verantwortung für das Eingehen der Steuern, der Naturalabgaben und der Leistungen zur Heeresversorgung (...).“[513]

Oder:

„Nun wurden die längst bestehenden Zunftkooperationen (...) zunehmend staatlicher Überwachung unterworfen (...). Die Mitgliedschaft (...) war für alle Angehörigen des Berufsstandes Zwang.“[514]

Und so weiter. In dieses Gebiet näher einzudringen, würde zu weit führen. Aber diese Beispiele zeigen zumindest exemplarisch einen Wandel an, der sich hier andeutete: Während Octavian noch als Privatmann mit seinem Privatvermögen in die Angelegenheiten des Staates intervenierte und dies als nicht ungewöhnlich angesehen wurde, prägten rund zweihundert Jahre später umgekehrt die Belange der Staatswirtschaft die Wirtschaft insgesamt. Stand früher das Privateigentum unangefochten an erster Stelle und färbte die Staatswirtschaft privat ein, steht nun die Staatswirtschaft an erster Stelle und gibt dem verbliebenen Privateigentum seinen nur noch matten Glanz. Rostowzew und andere Autoren haben ganz recht, hier das Nachwirken einer hellenistischen Tradition zu erkennen, die – unserer Meinung nach – wiederum das dialektisch verarbeitete Erbe der asiatischen Produktionsweise in sich trug. Umso mehr indes das Privateigentum durch unzählige Eingriffe gegängelt wurde, umso mehr wurde es – ökonomisch gesehen – zu einem Besitzverhältnis. Indirekte, horizontal übereinander geschichtete Verhältnisse zur Produktion bestimmten das Bild. Summa summarum hat sich damit auch das *Privateigentum* auf Sklavenarbeit erledigt. Dafür kann hier keine historische, nur eine ökonomische Beweisführung dienen. Historisch hingegen zeigt folgender Passus die Verschiebung vom Privateigentum zum Besitz:

„Um der Steuereintreibung und den oft brutalen Steuerstrafen zu entgehen, übergaben freie Bauern oder ganze Dörfer ihren Besitz den Grundherren und erhielten ihn, häufig etwas vergrößert, als Pächter zurück (*precario*), mit der Gegenleistung eines Schutzes durch den Grundherrn.“[515]

Mit „Besitz“ ist hier Eigentum gemeint, das geradezu kapituliert ... vor dem richtigen Besitz – nämlich vor dem, welchen die Pächter nach diesem Tauschgeschäft in der Hand hielten. Und wieder sind Anklänge an den späteren Feudalismus deutlich wahrnehmbar.

Kommen wir nun zu der zweiten angesprochenen Frage: Ob die klassische antike Produktionsweise zu einer Stagnation der Produktivkräfte führte und ob dies letztlich für die Auflösung dieser Gesellschaftsform verantwortlich war. Hier bewegen wir uns leider auf empirisch wenig abgesichertem Terrain. Zuerst einmal stellen sich die theoretischen Folgefragen: Kann angenommen werden, dass Sklavenarbeit zu wenig zur Entwicklung der Produktivkräfte taugte? Und dass eine wachsende Bevölkerung eher jene Zivilisation ausbauen und verteidigen würde, deren Produktivität wächst? Wachstum kann ja auch bedeuten, dass bloß die Summe der Produkte im Gleichschritt mit der wachsenden Bevölkerung vermehrt wird. Die Produktivität würde in diesem Falle gleichbleiben. Ich vermute, die meisten Autoren bescheinigen der antiken Sklavenarbeit die Tendenz zur Stagnation. Eine methodische Schwierigkeit besteht in jeder Wirtschaftsgeschichte darin, wie die Alternativen gemessen werden. Welche Produktivität würde denn keine Stagnation bedeuten? Und gab es diese Alternativen real, standen ihre Bestandteile zumindest im Keim bereits zur Verfügung?

Sklaven, so sagt man, hätten per se kein Eigeninteresse an einer Steigerung der Arbeitsproduktivität. Man könnte dies tatsächlich so sehen: Die Sklaven profitieren nicht von einem Produktivitätsanstieg. Selbst bei mehr Output pro Arbeitsstunde würde sich der Arbeitstag nicht verringern, aber die Arbeitsintensität zunehmen. Erst mit der Lohnarbeit des industriellen Kapitalismus pendelt sich ein statistischer Zusammenhang zwischen Arbeitsintensität und Länge des Arbeitstages ein: Umso höher die eine, umso niedriger die andere. Die Reproduktion der Arbeitskraft der Lohnarbeiter wird immer aufwendiger und dauert immer länger ... die Lebensarbeitszeit geht zurück. Dem entspricht der *switch* vom absoluten zum relativen Anstieg des Mehrwerts. Aber all dies sind objektive und langfristige Veränderungen, die wenig mit dem sogenannten „Eigeninteresse" zu tun haben. Die Hypothese des „Eigeninteresses in der Produktion" geht eigentlich von dem historischen Gesichtspunkt des Kleinbürgertums aus, also zum Beispiel des Handwerkers, der sich ordentlich reinhängt, um auch mal mehr zu verdienen. Das mag es tatsächlich geben bzw. gegeben haben. Nur mit der Kategorie „Arbeitsproduktivität" hat dies nichts zu tun. Die Arbeitsproduktivität hängt nicht vom Fleiß, sondern vom „Kapitaleinsatz" ab: Umso größer die im Arbeitsprozess angewandte Maschinerie bzw. umso rationeller die Verfahren, die vergangene Arbeit repräsentieren, die in die Entwicklung der Produktionsmittel investiert wurden, umso mehr wird mit einer Einheit lebendiger Arbeit in Bewegung gesetzt. Das Ergebnis ist: mehr Produkte bei gleicher oder geringerer Arbeitszeit. Dieser Zusammenhang ist für den industriellen Kapitalismus empirisch gut belegt.[516]

Auch die Sklavenarbeit war zuerst einmal ein Fortschritt der Produktivkräfte gegenüber der Arbeitsweise der einzelnen Bauern, obwohl diese ein genuines Eigeninteresse an ihrem Betrieb gehabt haben dürften. Die Sklaven konnten in großem Stil zu gleichen Arbeitsschritten angeleitet bzw. gezwungen werden.

Alleine dieser Effekt der Planmäßigkeit und Massenhaftigkeit bedeutete einen Fortschritt der Produktivkräfte, die ja auch aus dem Element der Arbeitsorganisation bestehen. Hier wirkt das, was als *economies of scale* bezeichnet wird. Nun mag es Branchen gegeben haben, die sich der *economies of scale* nicht anboten. Nach Max Weber sei Getreideanbau nicht für Sklavenarbeit geeignet, Olivenanbau aber schon und nach anderen Autoren sei es genau umgekehrt gewesen. In diesem Punkt folgen wir eher Finley, der den Sklaven grundsätzlich die Eignung für alle Produktionsarbeiten in der antiken Mittelmeerwelt zuspricht, bis hin zur Leitung von Betrieben. Freilich, alles hat seine Grenzen: Im historisch langfristigen Vergleich ist Lohnarbeit weit besser geeignet, sich in einer Art Wechselwirkung mit den durch das Kapital verwerteten Produktionsmitteln zu dynamisieren. Erst recht müsste dies bei einem den Betrieb leitenden Arbeiterkollektiv der Fall sein, denn hier entwickelt direkt die Arbeitskraft die Produktionsmittel weiter – der Umweg über das Kapital entfällt. Aber all diese theoretischen Alternativen hatte in der Antike niemand. Man kann nur aus dem auswählen, was aus irgendeinem Grund bereits vorhanden ist.

Der einzig ernsthafte ökonomische Grund, weshalb Sklavenarbeit eine konkrete Barriere für die Weiterentwicklung der Produktivkräfte war, besteht in seinem einzigen Vorzug: Die Arbeit war zu billig, selbst wenn Sklaven von dem einen Sklavenhalter an andere teuer weiterverkauft wurden. In der Nationalökonomie zählt dieser Weiterverkaufs-Effekt nicht, denn hier gewinnt bloß der eine, was der andere verliert. Hingegen als Produktionsmittel sind Sklaven schlicht geraubte und daher nicht bezahlte Arbeitskraft. Die Konsequenz der Billigkeit: Anstatt das Output zu vergrößern, indem in die Maschinerie investiert wurde, wurden mehr Sklaven angewandt. Genau das ist das Charakteristische an der antiken Produktionsweise. An sich gab es ja genug griechische Erfinder, die erstaunliche Maschinen entwarfen – aber es gab keinen ökonomischen Anreiz, sie in der Produktion anzuwenden. Technik wurde unter der Sklavenarbeit nicht zur Technologie.

Das ist der eine relevante Aspekt. Der andere: die Brutalisierung der Arbeit. Max Weber meint ja, dass Sklaven in der Spätphase des römischen Reiches immer knapper wurden – eine Annahme, die empirisch nicht zu belegen ist und von Finley bestritten wird. Aber der Punkt ist: Ob die Sklaven nun knapp oder nicht knapp, aber von dem ebenso billigen Angebot an flüchtigen Bauern in den *villae* ersetzt wurden ... es ändert überhaupt nichts: Während der gesamten Antike war die Gewalt gegenüber den Arbeitskräften gang und gäbe. Die Gewalt war integraler Bestandteil der antiken Arbeitsbeziehungen und die Gewalt wurde vom Militär und den staatlichen Einrichtungen auch auf Nichtsklaven und in der Spätantike immer mehr auf Nichtsklaven angewandt. Ob Zwangsarbeit bei Straßen- und Verkehrsdiensten oder Beschlagnahmung von Lebensmitteln: Arbeitsleistung und Arbeitsfrüchte sind so leicht abzupressen, dass nicht auf Technologie gesetzt werden musste. Das Kolonat bedeutete zumindest die Domestizierung der Gewalt, der *fundus* bot Schutz im Tausch gegen Abhängigkeit.

An dieser Stelle könnte hinzugefügt werden: *Fundus* bzw. *villa rusticus* waren nicht die einzige Option. An den Grenzen und vor allem im Norden des römischen Reiches schlossen sich Steuerflüchtige und entlaufende Sklaven immer wieder nichtrömischen Heeresführern an. Diese boten ebenfalls Schutz vor dem Zugriff der Staatsgewalt. Ab einem bestimmten Punkt der Geschichte der Spätantike bot die Aussicht für die „Barbaren", das römische Bürgerrecht zu erlangen, weniger Anziehungskraft als die Anziehungskraft der plebejischen Klassen des römischen Reiches, bei den „Barbaren" Schutz zu suchen. Ganz kann dieser Strang der Geschichte, auf den Diesner im Gegensatz zu Finley und Weber den hauptsächlichen Schwerpunkt legt, nicht vernachlässigt werden. Indes, im Gegensatz zu Diesner glauben wir, dass die Desintegration zwar eine spannende Geschichte ist, aber alleine die Auflösung der Antike nicht erklären kann. Immerhin zeigt sich aber auch hier, bei der Geschichte der „Germanisierung", dass das Privateigentum (römisches Bürgerrecht) weniger Anziehungskraft hatte als der Besitz (der Schutzbefohlenen). Wir führen diesen Aspekt auch an dieser Stelle an, weil die Frage der Stagnation der Produktivkräfte der Antike zwar nicht absolut, im Sinne eines ökonometrischen Kennwertes, beantwortet werden kann, aber immerhin relativ: Eine Kraft wurde stärker als eine andere, gegensätzliche.

Die Auflösung des antiken Eigentums brachte keineswegs sofort einen Anstieg der Produktivkräfte mit sich – vermutlich eher das Gegenteil. Das Potential der neuen Produktionsweise und der neuen Produktionsverhältnisse entfaltete sich erst viele Jahrhunderte später. Mit dem Übergang zum *fundus* brachen erst einmal Warenproduktion, Warenhandel und Verkehr ein, bevor das Potential des Neuen sich verwirklichen konnte. Dennoch gilt: So unmenschlich die späteren feudalen Verhältnisse in Europa auch gewesen seien, sie reichten in Sachen Brutalisierung der Arbeit nicht an die antiken Verhältnisse heran. Das war ein Fortschritt, nicht nur ein abstrakt-zivilisatorischer, sondern auch ein Fortschritt in der selbstständigen Ausbeutung, Urbarmachung und Bebauung des Bodens durch Bauerngemeinschaften, Bergbaugenossenschaften, Klöster und Stifte, die übrigens viel der Produktionsweise der *villae rusticae* fortführten. Es dauerte wieder ein halbes Jahrtausend, bis sich die feudale Ausbeutung, die mit dieser Produktionsweise untrennbar einherging, zu einem immer mehr störenden Hindernis für die nun aufkommende bürgerliche Produktion entpuppte.

Moses I. Finley führt ins Treffen, dass es von der Spätantike weggerechnet Jahrhunderte – ja fast ein Jahrtausend – dauerte, bis das Mittelalter technologische Fortschritte offenbarte. Er meint somit, die Ablöse der Sklaven durch die Kolonen hätte keinen technologischen Impakt gehabt. Dieser Spur folgen wir nicht, denn der Wandel war so umfassend, dass sich das Potential der feudalen Produktionsweise erst nach vielen Generationen verwirklichen konnte. Und dann: Nur über die Umwandlung der antiken in feudale Verhältnisse konnte die Arbeitskraft über den Umweg des hörigen und leibeigenen Bauern schließlich zur Lohnarbeit werden und konnte sich im Gegenzug Kapital bilden. Selbst das ist Fortschritt, ist Entwicklung.

Der Untergang der Antike war keine Katastrophe, kein politischer Akt, kein militärisches Versagen und keine kulturelle Degeneration. Streng genommen ging die Antike auch nicht unter; sie löste sich in etwas Neuem auf. Kann man nun sagen, das alles fand statt, *weil* die antiken Produktivkräfte stagnierten? Ja, indirekt und hypothetisch schon. Denn hätten diese prosperiert und zu einem Anstieg der Arbeitsproduktivität geführt, die Anreize, aus dem eigenverantwortlichen Eigentum in den geschützten Besitz zu fliehen, hätten weniger stark gewirkt.

III. Die Antike besser verstehen

Kapitel 8: Das Vormoderne

„Ich möchte vorschlagen, dass wir andere Vorstellungen und andere Modelle suchen, die der Wirtschaft der Antike entsprechen und nicht (oder wenigstens nicht notwendigerweise) der unseren.“[517]

So Moses I. Finley in seinem für das Fach der Wirtschaftsgeschichte folgenreichen Buch „Die antike Wirtschaft“ aus den 1970er Jahren. In der weiteren Folge wurde diese Stoßrichtung vielleicht übertrieben und, wie wir noch sehen werden, auch von Finley selbst. Aber es war dennoch ein methodisch progressiver Impuls, der hier zum Ausdruck kam und der von der allgemeinen Geschichte leider nicht übernommen wurde. Ebendort begegnet uns zumindest in der Gestalt westlicher Autoren immer noch die Methode, unreflektiert mit rezenten statt mit antiken Kriterien an die Gesellschaften Athens und Roms heranzugehen oder aber einfach die offiziellen Motive der antiken Akteure für die Geschichtsschreibung zu übernehmen, was irgendwie ganz anders und doch wiederum dasselbe ist. Finley hat dieses Problem zumindest reflektiert.

Um das vorliegende Kapitel in einen Rahmen zu einer größeren Debatte zu stellen und um in das Thema einzuführen, soll zuerst aus Raymond Descats Beitrag „Die antike Wirtschaft und die griechische Polis. Diskussion eines Modells“ (2016) zitiert werden. Descat beginnt seinen Artikel wie folgt:

„Die historische Betrachtung ist manchmal ein Erbe, das von Generation zu Generation weitergegeben wird. Was die Antike betrifft, so bietet das Verständnis der griechischen Wirtschaft eines der auffälligsten Beispiele. Sie ist Gegenstand einer berühmten seit dem 19. Jahrhundert geführten Debatte zwischen ‚Modernisten' und ‚Primitivisten', (. . .) und man konnte die (. . .) gestellte Frage danach, wie die Wirtschaft der griechischen Antike zu charakterisieren sei, seit dem Erscheinen des Buchs *The Ancient Economy* von Moses I. Finley im Jahre 1972 für beantwortet halten. Die Vorstellung einer ‚antiken Wirtschaft' (unter Ausschluss des Alten Orients), (. . .) hat sich ganz allgemein durchgesetzt, auch wenn man hier und da einige Gegner seiner Auffassungen findet."[518]

Und weiter:

„Dabei ist eine ‚neue Orthodoxie' entstanden, nach der die antike Wirtschaft überwiegend durch die Vorherrschaft der Landwirtschaft, die Bedeutung der lokalen Eigenversorgung, die begrenzte Bedeutung des Handwerks und des Geldwesens und das Fehlen eines wirklichen Arbeitsmarkts und einer organisierten Investitionstätigkeit gekennzeichnet ist. Die ‚Primitivisten' hatten den Sieg davongetragen und die ‚Modernisten' hatten verloren, (. . .)."[519]

Mag sein, aber vielleicht ist die *ökonomische* Frage falsch gestellt. Ist mit Kapitalismus nur dessen reife, klassische Form gemeint – also mit all dem Drumherum und „mit allen Schikanen" (O-Ton Berthold Brecht), mit konstantem Kapital, Finanzkapital, Lohn und Mehrwert? Oder ist ein primitiver Kapitalismus, immerhin mit Kredit, Zins, Mehrarbeit, Ware und Geld – und all das gab es ja in der Antike – eine Vorstufe des industriellen Kapitalismus? Diese für die Geschichte der Antike bedeutsamen Fragen müssen nicht nur mit den Instrumenten der Geschichtsforschung, sondern ebenso mit den Instrumenten der Wirtschaftswissenschaft beantwortet werden.

In dieser Frage steckt weit mehr als bloß Haarspalterei. Selbst innerhalb des Marxismus, einer Denkschule, die viel

Wert auf genaues und feingliedriges Differenzieren legt, ist die Frage noch nicht gegessen, ob eine „einfache Warenwirtschaft“ bloß eine Abstraktion, eine Zwischenstufe der Analyse oder aber eine historisch aufgetretene Produktionsweise war. Auch darauf werden wir ganz am Ende noch zurückkommen. Hier genügt es vorerst, sich den Anspruch von Karl Marx zu vergegenwärtigen:

„Die bürgerliche Gesellschaft ist die entwickeltste und mannigfaltigste historische Organisation der Produktion. Die Kategorien, die ihre Verhältnisse ausdrücken, das Verständnis ihrer Gliederung, gewährt daher zugleich Einsicht in die Gliederung und die Produktionsverhältnisse aller der untergegangnen Gesellschaftsformen, mit deren Trümmern und Elementen sie sich aufgebaut, von denen teils noch unüberwundne Reste sich in ihr fortschleppen, bloße Andeutungen sich zu ausgebildeten Bedeutungen entwickelt haben etc. Anatomie des Menschen ist ein Schlüssel zur Anatomie des Affen.“[520]

Der letzte Satz wird öfters zitiert, vielleicht nicht die gesamte Passage. Und so geht sie weiter:

„Die Andeutungen auf Höhres in den untergeordneten Tierarten können dagegen nur verstanden werden, wenn das Höhere selbst schon bekannt ist. Die bürgerliche Ökonomie liefert so den Schlüssel zur antiken etc (...). Keineswegs aber in der Art der Ökonomen, die alle historischen Unterschiede verwischen und in allen Gesellschaftsformen die bürgerlichen sehen. (...) Man muß sie aber nicht identifizieren. (...) So kam die bürgerliche Ökonomie erst zum Verständnis der feudalen, antiken, orientalen, sobald die Selbstkritik der bürgerlichen Gesellschaft begonnen. Soweit die bürgerliche Ökonomie nicht mythologisierend sich rein identifiziert mit dem Vergangnen, glich ihre Kritik der frühern, namentlich der Feudalen, mit der sie noch direkt zu kämpfen hatte, der Kritik die das Christentum am

Heidentum, oder auch der Protestantismus am Katholizismus ausübte."[521]

Der Standpunkt gegenüber der Antike ist vom Standpunkt gegenüber der eigenen, modernen Gesellschaft abhängig. Vielleicht muss man Gegner der bürgerlichen Gesellschaft sein, um die alte Gesellschaft in ihrer vollen Gestalt hervortreten zu lassen. Marx war gegenüber der Antike weder „Modernist" noch „Primitivist".

Demgegenüber noch einmal Finley:

„Ich möchte vorschlagen, dass wir andere Vorstellungen und andere Modelle suchen, die der Wirtschaft der Antike entsprechen und nicht (...) der unseren."[522]

Es geht ja nicht darum, das eine mit dem anderen zu identifizieren ...

„Man muß sie aber nicht identifizieren."[523]

... aber man muß die eigenen Modelle überprüfen, um adäquate für die antike zu finden. Wir könnten also – als eine Variante – unsere Gesellschaft als dialektisches Ergebnis früherer Gesellschaftsformen nehmen. Bei Finley hingegen geht es um „das Andere", nicht um „das historisch Vorgesetzte".

Hatte nun Marx oder Finley Recht? Ja, wir können den rezenten Kapitalismus nicht voraussetzen und das, was wir dann in der Antike nicht finden, der Lückenhaftigkeit der Quellenlage oder bloß dem vorreifen Stand der Entwicklung zuschreiben. Nein, wir müssen zuerst den rezenten Kapitalismus verstehen, um daran zu messen, was an der Antike anders war. Das *kann* der „Primitivismus" nicht und das *will* der „Modernismus" nicht.

Finleys Wirkung auf die Wirtschaftsgeschichtsschreibung der Antike kann indes kaum übertrieben werden. Das Werk des 1986 verstorbenen Autors gibt nach wie vor die Richtung vor. So heißt es 2015 in der neuen Ausgabe der „Enzyklopädie der griechisch-römischen Antike“:

„Funktionierte die antike Wirtschaft ähnlich wie eine moderne, nur in kleinerem Stil und unter anderen technischen Voraussetzungen? Oder waren auch die sozialen und mentalen Voraussetzungen so verschieden, dass Entwicklung und Wachstum anders erklärt werden müssen?“[524]

Ist die Frage so formuliert, ist offensichtlich, dass letztere Option die gewünschte ist, was die erstere Option für Nonkonformisten wieder interessanter macht. Bevor wir wieder zu unserem *résumé* kommen, wollen wir uns aber auf den folgenden Seiten Finleys Argumentation im Detail ansehen, gerade weil vermutlich jeder Paradigmenwechsel im Nachhinein übertrieben und simplifiziert wird und die Begründer eines Paradigmenwechsels ein noch ausbalanciertes Urteil anbieten.[525]

Bei seiner Kritik an der Methode der „Modernisten“ geht Finley zuerst einmal davon aus, dass die sozialen Träger des modernen Kapitalismus gar nicht vorhanden waren. Es waren stattdessen andere Menschengruppen vorhanden, die indes in jenem Rahmen „wirtschafteten“, der ihnen sozial vorgegeben war. Finley bestreitet, dass die Ökonomie der Antike durch eine Klasse der Bourgeoisie und eine Klasse der Lohnarbeiter geprägt war. Der Autor kommt mit dieser Methode an die Nahtstellen zur „politischen Ökonomie“, deren klassische bürgerliche Schule im 19. Jahrhundert durch den Marxismus konsequent zu Ende gedacht wurde. Und so nimmt es nicht Wunder, dass Finley gelegentlich an dem Marxismus andockt – mehr unbewusst als wissentlich offenbar. Er spricht von Rom und Athen und charakterisiert diese als Sklavenhaltergesellschaft –

„Kurz, das klassische Griechenland und Italien waren (. . .) in demselben weiten Sinne des Wortes eine Sklavenhaltergesellschaft.“[526]

– er spricht von abhängiger Arbeit (die sowohl freie und unfreie Personen ausüben können), er versteht den Unterschied der Sklavenarbeit zur freien Lohnarbeit, bei der der Unternehmer die Ware Arbeitskraft und nicht die Arbeit oder das Arbeitsprodukt kauft und dass sich der Wert der Arbeitskraft quantitativ in Arbeitszeit misst. Allein dies ist eine Feinheit, die ansonsten nur Ökonomen und Historiker zu Wege bringen, die ihren Marx oder zumindest ihren Ricardo gelesen haben. Finley versteht, dass der politische Überbau – vor allem das Recht und explizit das römische Recht – eine Sache ist … die reale soziale Lage aber eine andere, wenngleich er den Zusammenhang zwischen diesen beiden Ebenen nicht so herstellt, wie dies der dialektische Materialismus tut. Bei Finley liegen diese Ebenen irgendwie nebeneinander, sozusagen als voneinander separierte Wirklichkeiten, die nicht gegenseitig aufeinander verweisen. Aber dennoch: Abgesehen von seiner außergewöhnlichen methodischen Statur erweist sich Finley als nachdenklicher, sorgfältiger und belesener Philologe. Seine Texte haben Eigenschaften, die Voraussetzung für eine moderne Quellenkritik des antiken Schrifttums bleiben. Der im Grunde mehr historischen statt ökonomischen, aber meist brillanten Kritik Finleys zu folgen, bereitet auch heute noch Lesevergnügen.

Schauen wir uns nun nach diesen Bemerkungen zum Standort Finleys etwas näher die relevanten Passagen in „Die antike Wirtschaft“ an – auch um vom heutigen Standpunkt aus zu beurteilen, in welchem Punkt dem Autor zuzustimmen ist und in welchem wiederum nicht.

Finley bestreitet also, dass die Ökonomie der Antike durch eine Klasse der Bourgeoisie und eine Klasse der Lohnarbeiter geprägt war. Und das – wie wir in den vorhergehenden Kapiteln sahen – völlig zu Recht. Aber der Autor sieht damit gleichzeitig die autonomen und anonymen ökonomischen Gesetze der

Warenwirtschaft als nicht wirksam an. Das ist *misleading*. Es geht nicht darum, wie groß der Anteil der Subsistenzproduktion gegenüber der Warenproduktion war, sondern dass die für die Antike typische Produktionsweise mit Verwendung von Sklavenarbeit die Warenproduktion geradezu zwangsläufig zur Folge hatte – sofern die Akteure Privateigentümer waren, und gerade das war ja auch das typische Phänomen.

In Theodor Mommsens Klassiker „Römische Geschichte" wird im 1. Band, 2. Buch, 8. Kapitel von diesem „Ur-Modernist" im Detail gezeigt, wie sich nach der Abschaffung des Königtums das Privatrecht aus der patriarchalischen Familienstruktur herauslöste und das Individuum und dessen Eigentum vor dem Kollektiv zu schützen begann.[527] Auch Mommsen ist kein Ökonom, aber gerade seine Rechtsgeschichte gibt so viele wertvolle Hinweise auf die eigentlichen Produktionsverhältnisse. Die Antike produzierte im Gegensatz zur „asiatischen Produktionsweise" für den Markt, aber sie produzierte aus bestimmten Gründen nicht industriell. Immerhin: Um Produktion für den Markt und Produktion von individuellen Privateigentümern handelte es sich dennoch und die Tatsache, dass es auch vom Markt unberührte Kleinbauern gab, ist kein stichhaltiges Gegenargument, denn die gibt es selbst heute im industriellen Kapitalismus nach wie vor. Moses I. Finley widerlegt zu Recht das Missverständnis des „Modernismus" und der traditionellen politischen Geschichtsschreibung gegenüber der Antike. Aber er erkaufte diese Widerlegung mit einer schweren Hypothek, indem er die in der Antike tatsächlich vorhandenen „bürgerlichen" Strukturelemente (Privateigentum, Warenwirtschaft) unterbewertet. Bloß episodischer Tausch von Überproduktion benötigt noch nicht das Wirken des Wertgesetzes. Eine Ökonomie, deren Produktion bereits auf den Markt schielt, schon. Das bedeutet in der elementarsten Form, dass Waren zu ihrem

Wert getauscht werden, dass der Preis um den Wert oszilliert und dass der Wert mit der in der Produktion verausgabten Arbeitszeit zu tun hat. Bei Finley hört es sich hingegen so an, als wären Preise und Zinssätze bloß Konvention, hauptsächlich abhängig von der Sphäre der Politik und Kultur. Somit stellt sich die Frage der Rolle der Politik gegenüber der Ökonomie.

Der Witz ist: Selbstverständlich hatten einzelne wirtschafts*politische* Maßnahmen einen politischen oder kulturellen Hintergrund. Aber wirksam als *wirtschafts*politische Maßnahmen wurden sie nur, insofern sie sich mit der Struktur der Ökonomie passend verzahnten. Die zahlreichen Münzreformen der Antike folgten einem, mitunter kurzsichtigen, Kalkül. Aber sie wirkten, weil die Münze als Marktinstrument bereits verbreitet und der Markt allgegenwärtige Realität war. Pierre Grimal über Drusus, am Vorabend des Bundesgenossenkrieges:

„Dann schritt er, sehr geschickt, zu einer Geldentwertung (indem er bei dem Sesterz, der bis dahin aus feinem Silber bestanden hatte, ein Achtel seines Gewichtes in Kupfer einführte). Dadurch wurde die Staatskasse aufgefüllt und die Schuldenlast verringert. Die Ritter allein, die die größten Gläubiger waren, trugen die Kosten dieser gewaltigen *largitio*, die die Popularität des Tribuns erhöhte.“[528]

Ein weiteres Beispiel, wie eine politische Maßnahme in der unpolitischen Struktur des Marktes eine Wirkung entfachte – der Antrag des Gabinius, ein konzentriertes Oberkommando gegen die Seeräuberei einzurichten:

„Höchstwahrscheinlich war das Gesetz des Gabinius nicht nur im Einvernehmen mit Pompeius, sondern auch mit der Zustimmung der Ritter vorbereitet worden, die für ihren Handel die Wiederherstellung der Sicherheit brauchten. Es ist daher nicht weiter erstaunlich, daß der Getreidekurs, der vor der Einbringung des Antrags gestiegen war, nach der Abstimmung plötzlich fiel.“[529]

Und wir wollen an dieser Stelle nur daran erinnern, dass im kaiserlichen Rom sogar die Bezugskarten für Lebensmittelzuschüsse Objekte des Handels wurden:

„Obwohl der Theorie nach eine Liste der berechtigten Personen aufbewahrt wurde, ist klar, daß die *tesserae* später Tauschobjekte wurden, die gekauft, verkauft oder ererbt werden konnten.“[530]

Eine solch hemmungslose Vermarktung von Sozialleistungen gibt es nicht einmal im modernen Kapitalismus. Die Gesellschaft und ihre Individuen hatten keinen Begriff für die „Verwerflichkeit“, mit der wir heute diese Praxis bewerten würden. Ja, man kann im Markt agieren, ohne etwas vom Markt zu verstehen. Und wir werden gleich sehen, dass gerade diese Tatsache Finley nicht berücksichtigen will. Einen bekannten Buchtitel, nämlich ...

„(...) *Principles of economics* (...) kann man weder ins Griechische noch ins Lateinische übersetzen. Ebensowenig kann man das mit den Grundbegriffen wie Arbeit, Produktion, Kapital, Investition, Einkommen, Kreislauf, Nachfrage, Unternehmer, Nutzen, zumindest nicht in der abstrakten Form, die die ökonomische Analyse erfordert. (...) Natürlich waren sie als Bauern oder Händler tätig, stellten Waren her, betrieben Bergbau, natürlich wurden Steuern erhoben und Münzen geprägt, man deponierte Geld und nahm welches auf, natürlich machten sie Gewinn oder scheiterten in ihren Unternehmungen. Sie sahen aber nicht all diese einzelnen Aktivitäten gedanklich als Einheit, als ‚differenzierte Unterfunktion der Gesellschaft‘ nach Parsonsscher Terminologie. Aus diesem Grunde hat Aristoteles, dessen Ziel es war, alle Zweige des Wissens systematisch zu erfassen, keine *Ökonomie* geschrieben.“[531]

Dieser Sachverhalt ist ein wichtiges Indiz und an anderer

Stelle vermerkt Finley zu Recht, dass keiner der antiken Autoren sich einen Zustand ohne Sklaven vorstellen konnte. Aber Finley führt diese beiden Bewusstseinsaspekte nicht konsequent zusammen, während es doch offensichtlich ist: Die Sklavenarbeit verhinderte nicht nur die „moderne" Entwicklung der bürgerlichen Produktionsfaktoren, *sondern damit auch deren theoretische Reflexion*. Indes, hier müssen wir natürlich auch vorsichtig im Schlussfolgern sein – eine Qualität, die übrigens von Finley gelernt werden kann. Das Argument geht nur negativ auf, nicht positiv. Denn eine abstrakte, theoretische Reflexion ist keineswegs Voraussetzung für die reale Handlung. Ja, gerade die Warenwirtschaft erzeugt die passenden Reize auf die Wirtschaftssubjekte, nach ihrer Logik zu handeln, ohne diese zu verstehen. Und die „Parsonssche Terminologie" ist ja auch heute nicht Voraussetzung für die Existenz des realen Kapitalismus.

„Wie ich wohl kaum hinzufügen muß, kann man auch nicht irgendeinen Fall des Nichteingreifens in die wirtschaftlichen Vorgänge mit einer Theorie des *laissez faire* erklären. (...) Und es kam vor, daß Schritte, die aus anderen Gründen unternommen wurden, wirtschaftliche Konsequenzen hatten, von denen einige vorhergesehen, andere unvorhergesehen eintraten. Wirtschaftspolitik und unbeabsichtigte wirtschaftliche Konsequenzen sind schwer auseinanderzuhalten (...)."[532]

Das glauben wir gerne. Bloß macht das nicht den Unterschied zum Kapitalismus aus. Finley scheint davon auszugehen, dieser werde nach einer wissenschaftlichen Doktrin gemanagt. Damit unterstellt der Autor dieser Produktionsweise eine größere Vernunft als anderen. Selbst die von einigen Linken verdammte neoliberale Ideologie lenkt den Kapitalismus keineswegs, auch nicht die Theorie des offenen Welthandels, wenn wir uns etwa den „Schutz" des europäischen Agrarmarktes vor den Anbietern

Afrikas und Asiens ansehen oder den staatlichen Dirigismus am Arbeitsmarkt. Worte und Daten sind nie ganz deckungsgleich und dieser gesunde Skeptizismus hätte Finley davor bewahrt, das „Primitive" der Antike zu übertreiben.

Auch in folgender Passage stellt Finley die falsche Frage:

„Die Tatsache zugegeben, daß niemand, nicht einmal Robinson Crusoe, vollkommen frei ist, wie frei war ein Grieche oder Römer, aus einer Reihe möglicher ‚Erwerbszweige' zu wählen, sei es zum Einsatz seiner Arbeitskraft oder seines Vermögens? Vielleicht genauer: wieviel Gewicht hatten bei der Wahl, was wir wirtschaftliche Faktoren nennen würden, z.B. Einkommensmaximierung oder Marktberechnungen?"[533]

Dieser Frage liegt kein historisches, sondern ein ökonomisches Missverständnis zugrunde: Nach Marktlogik zu handeln, hat nicht eine Freiheit zur Voraussetzung. Es bedeutet nicht Freiheit, sondern Unfreiheit. Der Markt wirkt autonom, unabhängig vom subjektiven Willen und einer nebulösen individuellen Freiheit. Niemand lernt das Marktverhalten aus einem Buch. Die Nationalökonomie ist keineswegs ein Handbuch für die Unternehmen. Im Gegenteil: Ihre eigene Erfahrung wird sich immer gegen die Sätze der Nationalökonomie stellen. So wie am Markt für das einzelne Individuum das vernünftig ist, was für alle gemeinsam unvernünftig ist ... jeder Kurssturz an der Börse kann von diesem Widerspruch ein Liedchen singen. Weshalb aber gab es dann einen ersten und gar nicht so schlechten Anlauf der bürgerlichen Nationalökonomie im 18. und 19. Jahrhundert? Die Bücher von Smith und Ricardo, Malthus und Say waren nicht notwendig, um der bürgerlichen Produktionsweise zum Durchbruch zu verhelfen. Indes entstand die Nationalökonomie in einer konkreten historischen Konstellation, als das Bürgertum sich erst einmal gegen den alten Staat der feudalen Vorrechte durchsetzen musste. Kurzum: Auch jene Nationalökonomie, die dem gesamtgesellschaftlichen Reichtum und nicht dem individuellen Profit des Unternehmers auf der Spur ist, entstand im Kontext des *enlightment*, der Aufklärung. Selbst wenn das antike Griechenland und das antike Rom tatsächlich bürgerliche Produktionsweisen und nicht bloß Privateigentum, Waren und Geld aufgewiesen hätten, sie hätten keinen Bedarf an einer Aufklärungs-Literatur gehabt – sie mussten sich nicht erst gegen eine feudale Vergangenheit durchsetzen. Und sie brauchten aus diesem Grunde auch keine ideologische Waffe gegen die Aristokratie.

Finley stellt die richtige Frage, aber in diesem Detail irrt er bei der von ihm unterstellten Antwort: Es sei kein Zufall, dass es im Altgriechischen und im Lateinischen kein Wort für „Markt" im ökonomischen Sinne gegeben habe und ...

„(...) was ist, wenn eine Gesellschaft zur Befriedigung ihrer materiellen Bedürfnisse nicht in ‚einem ungeheuren Konglomerat interdependenter Märkte' organisiert war."[534]

... was seiner Ansicht nach Untersuchungsmaterial der Wirtschaftswissenschaft sei. Aber die Wirtschaftswissenschaft kann ja auch die Ökonomie von Gesellschaften untersuchen, die nicht hauptsächlich für den Markt produzieren. Was dann? Und der Begriff des „Marktes" und des „Wertes" macht selbst heute noch der bürgerlichen Wirtschaftswissenschaft Schwierigkeiten, obwohl wir zweihundert Jahre industriellen Kapitalismus hinter uns haben mit einer schier unendlichen Zahl von Wert- und Preisbewegungen auf Märkten, die weder zum Anfassen noch immer sichtbar sind – wie der Weltmarkt oder der virtuelle Markt. Wir brauchen nur einmal nachlesen, was die Wirtschaftsjournalistik anlässlich der Weltwirtschaftskrise 2009 alles zur „Wertvernichtung" rechnete, nämlich auch bloße Preisanpassungen an die Werte. Und entgegen der bürgerlichen Wirtschaftstheorie kamen die Zinssenkungen der Notenbanken in den dem Absturz 2009 folgenden Jahren nicht in der „Realwirtschaft" als wirksame Liquidität an. Offensichtlich tappt auch die Wirtschaftswissenschaft irgendwie im Dunkeln, wenn es nicht um Modelle, sondern um eine Anleitung zum Handeln geht. Wenn das so ist, weshalb von den armen alten Griechen und Römern erwarten, sie müssten zuerst die Märkte theoretisch verstehen, um sich dann auf ihnen marktgerecht zu bewegen?

Finley baute seine Argumentation weiter aus, in dem er andeutete, dass die Marktwirtschaft in der Antike zu wenig entwickelt war, um *als Marktwirtschaft* untersucht werden zu können.[535] Im Grunde ist dies seine Arbeitshypothese. Und aus dieser folgt konsequenterweise: Nicht die tatsächlich fehlenden Daten erschweren die Analyse; nein – der Untersuchungsgegenstand selbst sperrt sich dagegen. Das ist eine der problematischen Seiten von Finleys ansonsten brillanter Ausführung. Nun ist es freilich nicht von der Hand zu weisen, dass ein Mehr-oder-weniger eine Rolle spielen kann. Der qualitative Unterschied ist aber, ob die Gesellschaft grundsätzlich subsistent produziert und nur Überschüsse abliefert bzw. verkauft oder ob sie von Haus aus für einen Markt produziert und die Subsistenzproduktion nur in Einsprengseln in ihrem ökonomischen Corpus existiert.

Unserer Ansicht nach ist Letzteres mit allen Folgen für Handel, Kredit, Versicherungen, Geldumlauf und sozialer Polarisierung in der Antike der Fall und die Unterschiede zu der modernen Marktwirtschaft, wie die von Finley angeführte Preisstabilität für bestimmte Güter, müssen *anders* erklärt werden. Vor allem aber durch das Fehlen eines Lohnarbeitsmarktes, dessen Absenz wiederum Finley ganz richtig nachzeichnet. Der Lohnarbeitsmarkt spielte in der Antike keine Rolle, weil die Klasse der Lohnarbeiter fehlte. Und sie fehlte deswegen, weil die Sklavenarbeit sie nur am Rande – als sporadische Taglöhner – zur Nachfrage werden ließ. Hier ist Finley auf der richtigen Spur. Der Punkt ist aber, dass die Produkte der Sklavenarbeit meist (und die Sklaven selbst immer) bereits als Waren auf den Markt kamen. Und in dieser Hinsicht ist es völlig richtig, von einer antiken Warenwirtschaft zu sprechen. Vielleicht hätte Finley gegen diesen Schluss nichts einzuwenden, doch meint er zumindest, dass …

„Es wäre (dann) nicht möglich, Gesetze (oder ‚statistische Gesetzmäßigkeiten', wenn man diese Formulierung vorzieht) wirtschaftlichen Verhaltens zu entdecken oder zu formulieren, ohne die die Vorstellung einer ‚Wirtschaft' kaum entstehen kann, ökonomische Analyse aber unmöglich ist."[536]

Was hat es dann aber zum Beispiel mit den Inflationen der Antike auf sich, mit jener des 3. Jahrhunderts vor Christus und jener zu Beginn der Spätantike? Die erstere kam durch einen Überhang des Goldes gegenüber den sonstigen Waren zustande, die letztere durch das Gegenteil, die kaiserliche Fälschung des Silbergehaltes des Münzgeldes. Die Inflation ist das klassische Beispiel einer „statistischen Gesetzmäßigkeit", die sich autonom, das bedeutet unabhängig von dem Willen der Wirtschaftssubjekte, vollzieht. Sie ist der schlagende Beweis, dass der Markt und nicht die Menschen die Ökonomie bestimmte.

Finley hat noch ein anderes, diesmal gar nicht so schwaches Argument:

„Es gab keine wirtschaftlichen Zyklen in der Antike."[537]

Genaugenommen wissen wir das nicht. Ein Fehlen von klassischen Konjunkturzyklen ist allerdings sehr wahrscheinlich – diese bilden ein Strukturelement des industriellen Kapitalismus. In einer agrarisch dominierten Warenwirtschaft ist die Produktion zumindest eines Produktes gering arbeitsteilig und die organische Zusammensetzung des Produktionsapparates gering. Der Anteil der Handarbeit gegenüber zusammengesetzter Arbeit, vergegenständlicht in Maschinerie, ist hoch. Steigt die Produktion eines Gutes über den Bedarf, wird es gelagert oder verdirbt, ohne dass andere Produktionszweige davon betroffen sind. Insofern sind Konjunkturzyklen tatsächlich ein Phänomen eines industriellen Kapitalismus, nicht aber deren Fehlen ein Beweis für die Absenz der Autonomie des Marktes. Und genaugenommen gab es so etwas wie Preis- und Warenbewegungen auch vor dem Industriezeitalter, nur waren sie viel langgestreckter und dauerhafter, so dass kein zyklischer Charakter ins Auge fällt. Es ging um Salz- und Metallpreise; Weizenpreise gegenüber Roggen- und Gerste-Preisen.

Handarbeit dominierte in der Antike aber auch deswegen, weil sie dank des Einsatzes von Sklaven so billig war und die Preise für Sklaven wenig damit zu tun hatten, wofür deren Arbeit konkret verwendet wurde. Damit hängt auch zusammen, dass es in der Antike keinen Zusammenhang zwischen dem Preis der Arbeitskraft und der Konsumrealisation gab. Kurzum: Produktionsweisen mit Sklavenarbeit bleiben generell auf einem niedrigen technischen Niveau, sie sind aber andererseits auch immun gegen Konjunkturzyklen. Ökonomische Krisen drücken sich in Preisentwicklungen aus, Inflation oder Deflation – sie führen zu einer Umverteilung von Eigentum. Die klassische Überproduktionskrise hingegen fehlt aus besagten Gründen.

„Zum Beispiel waren sowohl Löhne wie Zinssätze in griechischer und römischer Zeit über lange Perioden lokal ziemlich stabil (. . .), so daß man die Situation sogleich verfälscht, wenn man von einem ‚Arbeitsmarkt' oder ‚Geldmarkt' spricht."[538]

Weshalb die antike Warenwirtschaft ohne Lohnarbeitsmarkt auskam, haben wir bereits nachgespürt. Aber kein „Geldmarkt"? Falls damit „Kapitalmarkt" gemeint ist, dann kann dies auch nicht verleugnet werden, denn es gab keine Wertpapierbörse. Der Kredit war noch nicht Plethora von Kapital, noch nicht einerseits Überschuss und andererseits Bedingung für die Produktion. Wie gesagt: Einem Arbeitsmarkt, wie wir ihn heute kennen, stand die Sklavenarbeit im Weg. Der Punkt ist nun aber: Um irgendeine Warenwirtschaft handelte es sich dennoch. Und mit dem Urteil über den fehlenden „Geldmarkt" wären wir eher vorsichtig. Denn Reichtum an Geld gab es. Man konnte sich Geld leihen, etwa um den Grundbesitz abzurunden. Dieser brachte dann auch mehr ein ... wiederum Geld. Hier gab es Akkumulation, wenngleich keine, die in eine höhere organische Zusammensetzung des „Kapitals" mündete. Genau das ist der relevante Unterschied zum industriellen Kapitalismus mit all seinen Folgen und Finessen.

Dies kann Finley auch nicht durch folgende Beobachtungen widerlegen:

„Zu den Zinssätzen, die stabil blieben, gehörten die für Seedarlehen, die die früheste Form der Versicherung darstellen und mindestens bis ins 5. Jahrhundert vor Chr. zurückgehen."[539]

Die Existenz von Zinssätzen ist an sich bereits ein Indiz für eine Warenwirtschaft, es fragt sich dann nur noch, wie entwickelt, durchgängig und verbreitet diese waren. Die Annahme von Stabilität der Zinssätze relativiert Finley selbst an anderer Stelle seines Buches, bei der es um die gewaltigen Summen an Darlehen ging, die die Führer und Senatoren der ausgehenden römischen Republik sich untereinander liehen und hier scheint die Höhe der Zinssätze je nach politischem Kalkül gewaltig zu schwanken.

„Cicero selbst lieh (...) zu 6 % von berufsmäßigen Geldverleihern (...)."[540]

„(...) lieh Brutus (...) der Stadt Salamis auf Zypern eine beträchtliche Summe zu einem Zinssatz von 48 % (...).“[541]

– den wiederum Cicero als Statthalter Kilikiens auf die „gesetzlichen“ 12 % reduzierte – ein Vorgehen, das heute nicht ohne den Aufschrei „Enteignung!“ möglich wäre. Wie auch immer, all diese Angaben sind eher Beispiele für das Schwanken und nicht für die Stabilität von Zinssätzen. Und das trifft auch auf Ciceros Korrektur der Zinssätze zu. Finley hingegen meint, dass in Perioden, in denen die Zinssätze stabil blieben, die Höhe der Zinssätze nur „politisch“ motiviert wäre, indem sie sich an eine Konvention, an gute Sitten oder Ähnliches angelehnt hätte. Das ist freilich genauso schwer zu beweisen wie zu widerlegen. Alles in der Ökonomie, auch heute, hängt irgendwie mit Sitten, Konvention und Politik zusammen. Es ist nicht zu bezweifeln, dass es in der Antike diese Konventionen gab, die sich auf eine bestimmte Spannbreite der Zinssätze bezogen. Es ist auch nicht zu bezweifeln, dass „die Politik“ immer wieder intervenierte, entweder indem sie politischen Kredit mit anderen Zinssätzen aufs Tapet setzte, oder indem sie die Zinssätze des kommerziellen Kredits zu „korrigieren“ suchte. Nur, was sagt uns das? Die kulturelle Überformung von Kredit und Zins widerspricht auch dem echten Kapitalismus in keiner Weise. Insofern kann die kulturelle Überformung von Kredit und Zins auch schwerlich der Existenz einer Produktion für den Markt und der Warenwirtschaft widersprechen, samt deren Folgen für die Preisbewegung.

Alleine wenn wir die westlichen Ökonomien der letzten 30 Jahre betrachten, sehen wir eine geringe Spannbreite der Leitzinsen *und* ein großes Ausmaß an politischer Intervention gegenüber den Leitzinsen und ein großes Ausmaß an Konvention, wie das Verhältnis zwischen Politik und Zentralbank sich zu gestalten habe. Letzteres ist sehr komplex, da gerade die vorgebliche Zurückhaltung der Politik gegenüber den Zentralbanken

EZB, BOE oder FED eine subtile Lenkung der Bank bedeutet, indem immer die angenommene Reaktion der Märkte miteinkalkuliert wird. Dabei sollten die Leitzinsen eine konterzyklische Wirkung auf die Konjunktur entfalten. Trotz dieser Überformung des Kredits und des Zinses durch die Politik bleibt die zyklische Autonomie der Märkte erhalten, wie dies am Beispiel der Jahre 2008 und 2009 so gut studiert werden kann. Auch im umgekehrten Fall, wenn die politische Sphäre die ökonomische deckungsgleich überlagert, geht Finleys Argumentation nicht unbedingt auf. Denn vielleicht spricht die Stimme der Ökonomie durch den Mund der Politik. Dies wäre sogar wahrscheinlicher als alles andere.

Die Vorstellung, dass der Kapitalismus nach dem Lehrbuch der Ökonomen werke, führt Finley auf eine falsche Spur. Er kann die Wirkung des Lehrbuches sowie das Lehrbuch selbst in der Antike nicht auffinden. Das wundert freilich nicht, denn den Kapitalismus nach Lehrbuch der Ökonomen gibt es auch heute nicht.

Was hingegen stimmt: Kredit und Zins in der Antike spiegeln nicht einen industriellen Kapitalismus wider, sondern „nur" eine antike Marktwirtschaft. Vielleicht könnten wir das Schwanken der Zinssätze in der Antike mit der großen Spannbreite der Zinssätze des mittelalterlichen Wuchers vergleichen. Vielleicht hängt die Spannbreite der Zinssätze damit zusammen, wer Kunde des Kredits war: der Handwerker, der in Zahlungsschwierigkeiten geriet; der Grundeigentümer, der eine Chance zur Abrundung seiner Ländereinen sieht; der Aspirant für ein öffentliches Amt, der ja Wahlgeschenke machen muss; der Schifffahrts-, Mühlen- oder Bergwerks-Konzessionär, der in seine Anlage investiert. Je nachdem schwankt die Sache zwischen Wucher und Geschäftskredit. Je nachdem ist die Quelle des Zinses ein Teil der Revenue oder des Gewinns. Wir dürfen uns keine Illusionen machen: In einer agrarisch dominierten Ökonomie mit billigen Arbeitskräften wie Sklaven sowie vergleichsweise wenig Einsatz von Maschinen und konstantem Kapital hat der Kredit wie auch der Zins des Kredits eine andere, nämlich geringere Bedeutung als im industriellen Kapitalismus. Bei diesem setzt alleine die hohe organische Zusammensetzung von Kapital das Vorhandensein einer großen Menge an Geldkapital voraus. Letzteres ist Bedingung, um überhaupt erst einmal ins Geschäft einsteigen und mit der Produktion anfangen zu können. Vergleichbar sind die antiken Verhältnisse höchstens mit jenen des Merkantilismus (16. bis 18. Jahrhundert). Es geht immer um ein Mehr oder Weniger und um ein relevantes Ausmaß dieses Mehr oder Weniger. Wenig Industrie bedeutet wenig organische Zusammensetzung von Kapital und dies bedeutet wenig Kapitalvorschuss für die Produktion und dies bedeutet wenig Nachfrage nach Kredit. Der Reichtum, den die Produktion in den antiken Latifundien, Bergwerken und Manufakturen hergab, wurde mit dem Handel geteilt. Die Eigentümer und Händler verwendeten ihren Reichtum eher für Luxusausgaben denn als Investition. Es gab wenig Angebot an Technologie und wenig Nachfrage, in die organische Zusammensetzung von Kapital zu investieren, um sich gegenseitig über die Verbilligung pro Stück zu konkurrenzieren. Man kann es auch so formulieren: Der Anteil der Revenue an der Mehrarbeit war viel größer als heute. „Sich bereichern" – wofür es so viele Beispiele in der römischen Geschichte ab dem 1. Jahrhundert gibt – war die Schlüsselgröße.[542]

„Um ihrer Bedeutung gerecht zu werden, müssen die Begriffe ‚Weltmarkt' oder ‚eine einzige wirtschaftliche Einheit' wesentlich mehr beinhalten, als nur den Austausch einiger Handelswaren über weite Entfernungen; sonst wären China, Indonesien, die malayische Halbinsel und Indien auch Teil derselben Einheit und desselben Weltmarktes. Man müßte das Vorkommen ineinandergreifender Verhaltensweisen und Reaktionen auf den beherrschenden Sektoren der Wirtschaft über weite Gebiete hinweg nachweisen."[543]

Der erste Satz stimmt. Der letzte Satz drückt eine idealistische Vorstellung über die autonome Wirkungsweise des Weltmarktes aus. In Wirklichkeit ist das ökonomische Verhalten bloß eine Reaktion auf die Wirkungsweise des Weltmarktes und muss nicht bewusst ineinandergreifen. Richtig ist bei Finley indes, dass Weltmarkt nicht dasselbe bedeutet wie „Welthandel", der sich sporadisch zwischen dem Vorderen Orient und Indien entspannte – um nur ein Beispiel zu nennen. Selbst die Gesellschaften der asiatischen Produktionsweise betrieben Welthandel, aber bis zum Aufkommen der dualen Ökonomie im Hellenismus hatte dieser Welthandel keinen großen Einfluss auf die innere Struktur dieser Gesellschaften. Er war immer etwas Zusätzliches.[544]

Finleys Urteil ist in diesem Punkt aber auch deswegen nicht zu folgen, weil er dem Begriff „Weltmarkt" offensichtlich einen Inhalt zuschreibt, den er für den industriellen Kapitalismus annimmt. Der Autor hat zwar Recht, in Frage zu stellen, was archäologische Funde quer durch Europa, Afrika und Asien überhaupt zu der Beantwortung dieser Frage beitragen können. Aber es geht einfacher. Der Begriff „Weltmarkt" bedeutet nicht, dass die ganze Welt von einem alles verbindenden Handel umspannt ist, sondern dass ein Wirtschaftsraum – sagen wir jener der Antike – durch die Warenproduktion geprägt ist. Denn diese Tatsache bringt per se mit sich, dass die Warenproduktion ihr Ursprungsgebiet, etwa das einer Polis oder Italiens, überwindet. Und dass die Preise sich im Schnitt an den vorteilhaften Produktionsstandorten orientieren. Und dass dies alles im Laufe der Zeit zu einer Konzentration der Produktionsstandorte auf bestimmte vorteilhafte lokale Zentren führt. Ich denke, dies trifft für die Antike zu. Es reicht, sich hier die Mittelmeerwelt als Weltmarkt vorzustellen. Und die Frage nach der Stellung der Warenproduktion haben wir bereits des Öfteren angesprochen: Wir müssen nur schauen, ob die *wichtigsten* Güter für den Markt produziert wurden. Das können wir für Getreide, Olivenöl und vor allem Sklaven annehmen. Wenn – wie Finley selbst ausführt – Caesars Feldzüge in Gallien zwischen 58 und 51 v. Chr. bis zu einer Million Sklaven eingebracht haben, dann hat Caesar diese Sklaven ja nicht selbst verwendet.[545] Sie flossen in den Weltmarkt der Antike ein. Die Annahme eines Weltmarktes wird keineswegs durch die Tatsache widerlegt, dass Endkonsumenten auf die ihnen bekannten lokalen Händler zurückgreifen.[546] Der Detailhandel wiederlegt den Großhandel auch im industriellen Kapitalismus nicht. Weltmarkt unter vorindustriellen Verhältnissen einer Warengesellschaft bedeutet beides: Dass es nach wie vor innerhalb des Weltmarktes Inseln der Subsistenzproduktion gibt. Und dass viele Gemeinden ohne den Welthandel nicht leben können bzw. nur unter erheblichen Kosten und Umstellungen.

Wenn Athen vom Getreide aus dem Norden abhängig war, dann musste dieses Athen auch logistische und militärische Maßnahmen ergreifen, wenn Schiffe, die Getreide als Tonnage hatten, an der Weiterfahrt gehindert oder gar versenkt wurden. Eigentlich haben wir hier genau das vor uns, was Finley für die Existenz eines Weltmarktes in Rechnung stellt:

„Man müßte das Vorkommen ineinandergreifender Verhaltensweisen und Reaktionen auf den beherrschenden Sektoren der Wirtschaft über weite Gebiete hinweg nachweisen."[547]

Das Verhalten Athens zeigte sich in der Reaktion auf die Störungen der Getreidezufuhr: Aufbau neuer Handelswege und Kolonien. Wenn die italischen Getreidebauern von den Latifundien Siziliens vom Markt gedrängt wurden und Tiberius Gracchus die Dominanz der Sklavenarbeit in den Anbaugebieten Italiens beklagte – dann haben wir hier das Wirken eines Weltmarktes vor uns. Nicht immer zeigt sich die Existenz des Weltmarktes einer vorindustriellen Gesellschaft direkt über eine Preisvolatilität. Sondern indirekt über Handels-Abhängigkeiten, die eine Subsistenzgesellschaft oder eine orientalische Bewässerungskultur nicht kannte.

„Die wenigen vereinzelten Modellfälle, die immer herangezogen werden – etwa der Zusammenbruch der kurzfristigen Monopolstellung der norditalienischen Stadt Arezzo in der Herstellung von Terra sigillata, auch der lockere Zusammenhang zwischen großen Kriegen und den Sklavenpreisen (. . .).“[548]

. . . so wendet sich Finley gegen die Historiker, die der Antike eine Art „Kapitalismus“ unterstellen. Aber die Beispiele, die Finley nennt, sind trotz ihrer geringen Menge aussagekräftig – nämlich für die Annahme einer vorindustriellen Warenwirtschaft. Die Frage, die sich hier generell stellt: Bewegten sich Preise wegen der Größe von Angebot und Nachfrage von Waren und oder Geld bzw. Edelmetall? Schwankte der Preis um den Wert herum? Ein schnell gewonnener Krieg mit zusätzlichen 10.000 Sklaven verbilligte die Sklaven am Markt wegen des kurzfristig erhöhten Angebotes. Freilich sind Effekte wie diese eher selten empirisch nachweisbar. Nicht nur auf Grund der Quellenlage, sondern auch deswegen, weil wir nicht immer genau wissen, ob die Preisbewegung einer Ware nicht durch einen geänderten Edelmetallgehalt der Münze bzw. durch neue Abbaugebiete oder Abbautechniken des Edelmetalls mitbestimmt wurde.

Kurzum: Wir sehen in der Antike eine Warenwirtschaft – vulgo „Marktwirtschaft“ –, aber ohne industrielle Bourgeoisie.

Für Finley sind Begriffe wie „Bourgeoisie“, „Kapitalismus“

und „Arbeiterklasse" nicht tabu und dies trug ihm in der Fachwelt mitunter den Nimbus eines Marxisten ein. Zu Unrecht. Der Autor von „The Ancient Economy" verwendet diese Begriffe mehr „idealtypisch" als marxistisch. Immerhin reflektiert er diese Umformung selbst und das spricht für die intellektuelle Integrität des Autors. Finley lehnt einen Klassenbegriff nicht aus ideologischen Gründen ab, sondern um seinen idealtypischen Begriff von der Bourgeoisie als auf die Antike nicht anwendbar zu erklären. Diese Vorsicht war aber nicht notwendig, denn auch mit der Verwendung des marxschen Klassenbegriffs lässt sich nachweisen, dass in der Antike keine industrielle Bourgeoisie am Werken war und dass diese Tatsache nicht der Wirksamkeit eines Marktes und einer Warenwirtschaft widersprach. Finley lernte den Marxismus nur aus zweiter Hand kennen und dies ist selten ein zu empfehlender Zugang, wie wir später sehen werden. Doch fangen wir von Anfang an. Die „Stände" werden zuerst einmal so wie bei Pierre Grimal direkt von den antiken Autoren übernommen:

„Ursprünglich ist die Zugehörigkeit erblich, wie es in dem einfachsten und klarsten Beispiel aus der Antike der Fall ist, nämlich der Unterteilung der Römer in zwei Stände, Patrizier und Plebejer, in der frühesten Zeit."[549]

Das ist selbstverständlich nicht falsch, aber sozusagen zweidimensional. Denn die Ständeordnung war bloß das politische und juridische Abbild von Klassenverhältnissen: Grundeigentümer vs. Nicht-Grundeigentümer. Nur Letztere benötigten irgendeinen Beruf zum Broterwerb und dies wurde in der gesamten Antike als pejorativ empfunden – ein Detail, das auch Finley überzeugend darstellt.[550] Dass sich die Ständeordnung – die Staatsverfassung, wenn man so will – immer wieder den wirtschaftlichen und sozialen Veränderungen anpassen musste, darauf sind wir bereits gestoßen. Das bedeutet, dass die Ständeordnung nicht immer mit den sozialen Verhältnissen zu 100 % d'accord ging. Aber es bedeutet auch, dass die Ständeordnung das Abgeleitete der sozialen Verhältnisse war, nicht umgekehrt. Somit könnten gleich die puren sozialen Verhältnisse als Grundlage der Gesellschaft untersucht werden. Wie auch immer, der Zusammenhang zwischen dem Grundeigentum und den Ständen liegt auf der Hand und da beide Stände durch das Eigentum getrennt waren, könnten sie auch gleich als Klassen definiert werden.

Finley fügt dem Stand ein weiteres Element hinzu: den Status. Wir könnten dies so weiterverwenden: Wenn Verfassungsänderungen zwischen den Ständen nicht ausreichen, eine Anpassung an die realen Klassenbeziehungen zu erreichen, macht die weichere Kategorie des Status an der Diskrepanz zwischen Stand und soziökonomischem Gefüge einiges wett. Bei Finley:

„(...) ein Stand ist eine juristisch bestimmte Gruppe innerhalb der Bevölkerung."[551]

Aber auch wieder nicht, da der Ritterstand ...

„(...) alle Nichtsenatoren mit einem Mindestvermögen von mehr als 400.000 Sesterzen umfassen sollte."[552]

Dieser Stand ist somit eigentlich nur nach oben hin juristisch, nach unten hin sozial definiert.

Und laut Finley geht es nicht nur um die Beziehung der Patrizier und Plebejer zueinander – die Ständeordnung innerhalb der römischen Bürgerschaft – vielmehr ist die Bürgerschaft selbst wieder ein Stand gegenüber den anderen Gebieten, die nicht oder noch nicht die Bürgerschaft erhalten hatten:

„(...) es gab lokales und römisches Bürgerrecht."[553]

Und dann:

„Praktisch stand an der Spitze der Hierarchie nicht mehr der Senatorenstand insgesamt, sondern eine Kerngruppe, die ‚Nobilität' (wie sie sich selbst nannte), die zwar nicht juristisch definiert war, sich aber nichtsdestoweniger *de facto* auf Familien beschränkte, die für sich in Anspruch nehmen konnten, daß ihnen ein gewesener oder amtierender Konsul angehörte.«[554]

Und:

„Die Nobilität ist nicht ein Stand, sondern das, was ich im Folgenden einen Status nennen werde.«[555]

Wenn in der Gesellschaft Privateigentum vorherrscht und nicht eine andere Eigentumsform, dann ist die Vererbbarkeit ein zentrales Instrument des Bestandes und Abgrenzung der Klasse der Grundeigentümer. Insofern war der Stand der Patrizier nichts anderes als eine weitere rechtliche Absicherung der politischen Herrschaft dieser Klasse über jene, die ihren Reichtum mit eigenen Händen schufen. In weiterer Folge spaltete sich die politische immer mehr von der sozialen Herrschaft des großen Eigentums ab. Zwischenschritte auf diesem Weg waren der Gegensatz zwischen *equites* und Senatoren und zwischen der *nobilitas* und den Senatoren und später die gänzliche politische Entmachtung des Senats – der Körperschaft der großen Grundeigentümer – und die Abschaffung eines vom *princeps* unabhängigen Konsuls. Am Endpunkt dieser Entwicklung stand die spätantike Militärmonarchie: Hier verdrängte bereits der Besitz das Eigentum und die politische Herrschaft separierte sich von der sozialen. Für Letzteres hat die marxistische Analyse den Begriff des *Bonapartismus* entwickelt.

Es kamen zu Stand und Status noch feinere Unterschiede hinzu, die sich schlicht aus Beruf und Einkommen ergaben. Will man all diese Gliederungsinstrumente (Klasse-Stand, Status, Einkommen und Ähnliches) nebeneinander oder untereinander stellen, ergibt sich ein überraschend vielgestaltiges Bild, wie durch ein Kaleidoskop. Das Bild ändert sich immer wieder – je nachdem, an welchem Kriterium wir drehen.[556] Zu einem guten Teil entsprachen diese Bilder der Selbstwahrnehmung der antiken Menschen, die ja noch nicht durch den historischen Prozess der bürgerlichen Revolutionen (etwa des 18. und 19. Jahrhunderts) hindurchgegangen waren und deshalb spielten Stand und Status eine größere Rolle als heute. Aber worum geht es objektiv? Wir tappen selbstverständlich nicht in die methodische Falle, *Stand*, *Status* und *Einkommen* dem Klassenbegriff als Alternative gegenüberzustellen. Wozu auch? Stand, Status und Einkommen sind für die beteiligten Menschen so real gewesen, wie sie für die Historiker unentbehrliche Kategorien bilden. Gleichzeitig stellen sie Materialisation der Eigentumsverhältnisse und der Produktionsverhältnisse dar. Sie widersprechen dem Gegensatz der Klassen nicht, sie sind deren Kleider. Hingegen Finley:

„Historiker und Soziologen stimmen kaum in ihrer Definition von Klasse überein (. . .). Nicht einmal das klar formulierte, eindeutige marxistische Konzept der Klasse scheint ohne Schwierigkeiten zu sein. Menschen werden entsprechend ihrer Stellung zu den Produktionsmitteln klassifiziert. Zuerst wird unterschieden zwischen denen, die Produktionsmittel besitzen und denen, die keine besitzen; zweitens unter ersteren zwischen denen, die selbst arbeiten, und denen, die von der Arbeit anderer leben. Wie immer die Anwendbarkeit dieser Klasseneinteilung auf die heutige Gesellschaft auch beurteilt werden mag, für den Althistoriker gibt es eine offenkundige Schwierigkeit: der Sklave und der freie Lohnarbeiter wären demnach, mechanisch eingeordnet, Angehörige derselben Klasse, ebenso der reichste Senator und der nicht mitarbeitende Besitzer einer kleinen Keramikwerkstatt. Das ist offensichtlich kein sehr sinnvoller Weg, die Gesellschaft der Antike zu gliedern.“[557]

Allerdings. Indes, das wäre auch kein sinnvoller Weg, die Gesellschaft der Gegenwart zu gliedern. Oder irgendeine andere Gesellschaft. Aber nicht deswegen, weil der marxistische Klassenbegriff nicht sinnvoll wäre, sondern weil Finley ihn nicht verstanden hat. Oder, was angesichts des methodischen Verstandes ebendesselben wahrscheinlicher ist, ihn nur in einer vulgären Abart kennengelernt haben dürfte. Das war nur Pech, kein eigenes Versagen.

Sklave und Lohnarbeiter haben nur so viel bzw. so wenig gemeinsam, als sie Mehrarbeit leisten – also Arbeit, deren Ergebnis nicht sie selbst konsumieren, sondern eine andere Menschengruppe. Das ist ein wichtiges Kriterium, aber es definiert die Produktionsweise noch nicht. Gerade auf diesen Seiten haben wir kennengelernt, welch mannigfaltige soziale, ökonomische und technologische Auswirkungen der Einsatz von Sklaven in der Ökonomie hat. Finley versteht sehr wohl, was Lohnarbeit von Sklavenarbeit unterscheidet. Ja, er versteht Lohnarbeit bis auf die Aneignung der Mehrarbeit selbst bei gerechter Entlohnung der Arbeiter. Er versteht, dass die *Arbeitskraft* des Arbeiters gekauft wird, nicht aber die Arbeit selbst und nicht der Arbeiter – Letzteres macht den Unterschied zur Sklaverei aus. Der Marxismus ignoriert diesen Unterschied nicht, im Gegenteil, er fokussiert darauf. Denn andernfalls wären der Prozess der Kapitalakkumulation, das Gesetz der Zunahme der Zentralisation von Kapital, das Gesetz der Zunahme der organischen Zusammensetzung des Kapitals, das Gesetz des tendenziellen Falls der Profitrate, das Gesetz der Überakkumulationskrisen und ähnliche ökonomische Wirkungsgesetze des Kapitalismus nicht vorstellbar. Sie wirken nur dank der Existenz von *Lohnarbeit*. Sie wären und sie waren unter den Voraussetzungen der Sklavenarbeit nicht möglich. Kurzum: Für den Marxismus sind Lohnarbeiter und Sklaven *unterschiedliche* Klassen, genauso wie Handwerker und Grundeigentümer unterschiedliche Klassen sind. Auch heute unterscheidet sich Kleineigentum (der Selbstständigen) vom Kapitaleigentum. Aber dass es in jeder realen Gesellschaft Zwischenschichten und Übergänge und mehr als nur zwei Klassen gibt, ändert an der grundsätzlichen Teilung der Gesellschaft in die hauptsächlichen Mehrarbeit-Produzenten und die hauptsächlichen Mehrarbeit-Konsumenten nichts. Gerade Finley wäre mit der Differenzierung *d'accord* gewesen. Der Punkt ist: Die Klasse wird nicht alleine dadurch bestimmt, ob sie zu den Ausbeutern oder Ausgebeuteten gehört, sondern *welcher Art* die Produktionsweise und die Produktionsverhältnisse sind, in denen Ausbeuter und Ausgebeutete sich gegenüberstehen. Etwa: ob Privateigentum vorherrscht oder nicht und ob für den Markt produziert wird oder nicht. Wir können Finley also weiter folgen, denn auch der Marxismus operiert mit dem Begriffsgegensatz Sklave-Lohnarbeiter, Leibeigener-Höriger, Grundeigentümer-Feudalherr, Bauer-Handwerker und so weiter.

Gehen wir nun mehr ins Detail. Finley fällt nicht auf die antike „Propaganda" herein, dass die Beschäftigung mit der Landwirtschaft – angesprochen war die der Bauern, real die der großen Grundeigentümer – frei vom Gewinnstreben gewesen wäre.[558]

„Wer immer die Vornehmheit der Landwirtschaft mit einem Desinteresse an Gewinn und Reichtum verwechselt, verbaut sich den Weg zum Verständnis (...)."[559]

Die Senatoren als Großgrundeigentümer waren keine ökonomisch passive Klasse, auch wenn sie selbst als Personen nicht auf ihren Gütern arbeiteten, sondern in Rom wohnten. Die Güter wurden nicht selten operativ von Sklaven oder Freigelassenen geleitet und beinhalteten gerne auch kleine Produktionsbetriebe, wie eigene Ziegeleien. Wenn dem so war, dann haben wir zwar hier nicht eine klassische Bourgeoise vor uns, aber dennoch Produzenten für den Markt – dessen Umfang Finley wiederum als gering einschätzt. Indes, Finley verwendet das Kriterium „Status“ auch als Argument, dass es keine industriell wirtschaftende Bourgeoisie gegeben habe und dies ist definitiv der falsche Grund für das offensichtliche Fehlen derselben.

„Warum überließen die römischen Senatoren das ertragreiche und politisch bedeutende Geschäft der Steuereinnahmen in den Provinzen vollkommen den *equites*?“[560]

Und Finley fügt als Schlüssel für die Erklärung des Rätsels wieder den Begriff des Status ein:

„Anders gesagt, ein ökonomisches Entscheidungsmodell oder ein Investitionsmodell würde in der Antike auf diesen Statusfaktor entscheidendes Gewicht legen.“[561]

Hier liegt also der Hund begraben. Offensichtlich spielt der Autor auf die „Protestantismus-These“ Max Webers an. In „Die antike Wirtschaft“ kommt Finley mehrmals auf Weber zu sprechen und in seinem Kapitel IV, „Grundherren und Bauern“, steht explizit:

„Kurz gesagt, Investition in Grund und Boden war in der Antike niemals eine Frage systematischen, berechnenden Vorgehens, eine Frage dessen, was Max Weber ökonomischen Rationalismus nannte.“[562]

In diesem Kapitel führt Finley zahlreiche Beispiele an, die dokumentieren, dass Immobilienkäufe Gelegenheitskäufe waren, und er argumentiert, dass es weder im Altgriechischen noch im Lateinischen einen Begriff für „Makler“ gab. Nehmen wir an, dem sei so. Bloß, was soll damit bewiesen werden? Der Autor scheint davon auszugehen, „Markt“ und „Ware“ gebe es nur, wenn es institutionalisierte Märkte für diese Waren gebe, und institutionalisierte Märkte gebe es nur dann, wenn sie professionell und in diesem Fall mit einer guten Portion „ökonomischem Rationalismus“ im Gepäck betrieben wären. Diese Sicht der Dinge unterschätzt den strukturellen Gehalt der Warenökonomie. Ja, um es auf den Punkt zu bringen: Es stellt eine eindimensionale Identität zwischen Struktur und Wirtschaftspolitik, zwischen Ökonomie und Politik her. So als wären die ökonomischen Strukturgesetze identisch mit dem Bewusstsein der Handelnden. So als wäre Materie nur, wenn sie der Geist als solche erfassen würde. In Wirklichkeit entscheidet die Frage, ob wir es mit Marktwirtschaft zu tun haben: Ob wir Warenproduktion vor uns haben und nicht, ob es „institutionalisierte Märkte" gab. Waren haben wie alle anderen Produkte einen Gebrauchswert, aber darüber hinaus auch einen Tauschwert. Ein Tauschwert, der *verwertet* werden will – auch wenn dies in Form eines „Gelegenheitskaufs" stattfindet, bei dem alle anderen möglichen, nicht monetären Überlegungen auch eine Rolle spielen können. Im Übrigen ist dies auch oft heute noch der Fall, obwohl im industriellen Kapitalismus viele Märkte institutionalisiert bearbeitet werden. Der springende Punkt ist: Marktverhalten hat nicht die Reflexion der Marktzusammenhänge zur Voraussetzung. Der Witz des Tauschwertes ist ja gerade, dass er die Marktakteure an der Hand nimmt: Gleiche Werte werden getauscht. Ganz wörtlich genommen ist dafür sehr wohl eine Art Rationalität der Akteure von Nöten: Sie müssen zumindest zählen können. Den Markt „verstehen" müssen sie aber nicht. Sie werden vom Tauschwert getrieben, sie stehen nicht souverän über dem Wertgesetz. Und zwar, vorderhand paradoxerweise, umso weniger, umso mehr die gesamte Wirtschaft von der Warenproduktion durchdrungen ist und die Produktion von Haus aus für einen Markt – das bedeutet nichts anderes als nicht für den Eigengebrauch – ausgerichtet ist. Ist der Warenmarkt hingegen Ausnahme vom täglichen Geschäft, etwa in den altorientalischen Kulturen, muss der Exportmarkt bewusst ausgekundschaftet werden. Ohne über Max Weber selbst etwas auszusagen – dazu kommen wir weiter unten noch – genügt hier die Feststellung, dass die berühmte „Protestantismus-These“ Finley offensichtlich auf die falsche Fährte führt.

Der wesentliche Punkt ist: Sofern Waren nicht bloß der Export des Überschusses einer Gesellschaft sind, *basiert die Warenproduktion auf Privateigentum.* Und dieses existierte in der Antike durchgehend. Dass dabei auch eine Unzahl kleiner Bauern nur für sich das Land bestellte, ändert daran nichts. Wie immer geht es darum, was der dynamische und prägende Teil der Ökonomie ist. Und das war auch in der Antike die Warenökonomie und der damit zwangsläufig einhergehende Geldumlauf. Vielleicht ohne es zu beabsichtigen, gibt Finley ein für uns interessantes Beispiel. Er beschreibt, wie Octavian Augustus auf die Tatsache reagierte, dass sein eigenes Grundeigentum nicht ausreichte, um all den Veteranen zumindest jeweils eine Kleinparzelle Land zukommen zu lassen. Immerhin war das seine politische Hypothek.

„Er kaufte daher von Städten in Italien und in den Provinzen Landstriche zu einem Preis von insgesamt ungefähr 860 Millionen Sesterzen auf eigene Rechnung.“[563]

Das war eine enorme Summe. Und eine enorme Fläche an Land wechselte den Eigentümer. Aber der springende Punkt fällt sofort ins Auge: Selbst der Kaiser konnte sich nicht über die Usancen des Privateigentums stellen. Er respektierte dieses, ohne darüber einen Gedanken zu verschwenden. Ein ihm gleichrangiger Despot der Staaten mit asiatischer Produktionsweise hätte nie auf eigene Rechnung den eigenen Untertanen Land abgekauft, um es an andere zu verteilen. Ein Xerxes hätte das Land, auf das er ein Auge geworfen hatte, einfach räumen lassen. Ein Augustus hingegen musste einkaufen gehen wie jeder andere auch … wie „im Supermarkt.“ Das spricht Bände.

Ein anderes Indiz finden wir während des Zweiten Punischen Krieges – wir haben es bereits weiter oben aus dem Munde eines anderen Autors gehört:

„In Notfällen füllten die Römer ihre Legionen auch mit entlassenen Sträflingen und Sklaven. (...) Es ist kennzeichnend, daß man im Jahre 216 bereits junge Sklaven staatlicherseits loskaufen konnte, um sie ins Heer einzureihen. Auf diese Weise erwarben die Freigelassenen die volle Freiheit, falls sie die Feldzüge überlebten (...).“[564]

Hier werden Staat und Sklave genannt und die Beziehung zwischen beiden scheint ganz eindeutig. Aber im Hintergrund steht eine dritte Person: der Eigentümer des Sklaven. Nun kommt durch diesen eine weitere Beziehung ins Spiel: die des Eigentümers zum Staat. Und das ist bemerkenswert: Der Staat bekommt die Sklaven nur ins Heer, indem er sie den Privateigentümern abkauft. Der Staat der Privateigentümer kann nicht einfach sagen: Die äußerste Not gebietet es, die Sklaven herauszugeben, um sie in Waffen zu stellen. Nein, der Staat muss seinen Bürgern die Leute erst einmal abkaufen. Fast ist es so, als würde das Recht des Privateigentums über dem Recht des Gemeinwesens stehen, sich effektiv militärisch verteidigen zu können.

Kommen wir von diesem Punkt aus zu Finleys Argumentation zurück: Es ist gar nicht notwendig, ein ...

„(...) ökonomisches Entscheidungsmodell oder ein Investitionsmodell (...)“[565]

... heranzuziehen, weder für die antiken Wirtschaftssubjekte, noch für die Forscher heute. Es genügt vollauf, zu verstehen, weshalb das doch bedeutsame Privateigentum an Waren in der Antike nicht zu einem industriellen *modus vivendi* fand. Und dieses Rätsel ist mittels der Dominanz von Sklavenarbeit und mittels der Absenz von Lohnarbeit leicht zu lösen. Der Polis-Bürger wurde kein Bourgeois, weil ihm dazu das passende Gegenüber fehlte. Ware und Tauschwert standen jedenfalls bereit.

Wären alle materiellen Kräfte vorhanden gewesen, um den Typus des industriellen Bourgeois zu schaffen, „Stand“, „Status“ und „Sitte“ hätten sich dem angepasst, genauso wie es eben auf dem Weg zur Neuzeit zwischen dem 14. und 19. Jahrhundert der Fall gewesen war. Und die feudalen Stände und Stati, die dem oberitalienischen Bankhaus, dem englischen Webstuhl und der deutschen Dampflok wichen, waren zu ihrer Zeit nicht weniger mächtig als ihre antiken Cousins. Dass Stand und Status während der knapp eintausend Jahre antiker Geschichte nicht wichen, muss gewichtigere Gründe haben als jene, die Finley anführte. Es ist die Methode des Idealismus, die dem Autor hier im Wege steht, um das Naheliegende mit Händen fassen zu können. An dieser Stelle zeigt sich auch der Vorteil des Klassenbegriffs. Während die Angehörigen der Stände Individuen mit Attributen sind, die sie mit den anderen Angehörigen ihrer Stände teilen, beinhaltet der Klassenbegriff ein *Verhältnis*, nicht bloß ein Attribut: Es kann keine industrielle Bourgeoisie ohne die Mehrwertproduktion der Lohnarbeiterklasse geben.

Nicht wenig von diesem Konzept wendet Finley selbst an, es fehlt oft nur die letzte Konsequenz. Finley schätzt die ökonomischen und sozialen Auswirkungen speziell der Sklavenarbeit richtig ein und das unterscheidet diesen Autor vorteilhaft von vielen anderen. Er erkennt, dass die verallgemeinerte Sklavenarbeit die freie Lohnarbeit nicht aufkommen ließ. Freilich finden wir auch hier ein Haar in der Suppe. Im Grunde definiert er den Zustand der Sklaverei *rechtlich*, nicht *sozial*. Auch wenn bzw. indem er die Differenz zwischen dem rechtlichen und dem sozialen Gehalt auslotet. Die Methode Finleys ist also, zu sagen: Obwohl jemand rechtlich gesehen Sklave ist, kann er sozial gesehen durchaus ... aber hören wir den Autor selbst in dieser Passage über das Pekulium:

„Es wurde in der Praxis vom 3. Jahrhundert v. Chr. an in Rom, Italien und wo sonst im Reich Römer beschäftigt waren, sogar ein beträchtlicher Teil der städtischen Aktivitäten in Handel, Finanzen und Industrie auf diese Weise ausgeführt. Anders als Sklaven, die Verwalter und Aufseher waren, arbeiteten die, die ein *peculium* hatten, unabhängig und nicht nur für ihren Eigentümer, sondern auch für sich selbst. Und wenn das Geschäft über ein gewisses Mindestmaß hinausging, war es wahrscheinlich, daß ihr *peculium* Bargeld, Geschäftslokale, Ausrüstung, Lagerhaltung und sogar andere Sklaven einschloß. Es ist nun folgendes offenbar geworden: Obwohl Haussklaven, Sklaven mit einem *peculium* und solche, die in Ketten auf einem großen Landgut arbeiteten, rechtlich alle in eine Gruppe gehörten, verdeckt die rechtliche Stellung doch ihre wirtschaftlichen und sozialen Unterschiede.“[566]

Letzteres stimmt. Bloß wäre die Konsequenz, dann in dem einen Fall nicht von Sklavenarbeit zu sprechen. Wir wissen auch nicht, ob hier nicht doch Sklaven einfach im Auftrag ihrer Herren ökonomisch aktiv wurden. Wenn sie „selbständig“ operierten und einen Teil des Gewinns selbst behalten konnten, handelte es sich wohl um Besitz. Wenn sie diesen Besitz verwenden konnten, um sich selbst später freizukaufen, so wandelte sich der Besitz in Eigentum. Als Eigentümer waren sie frei. Als Sklaven mit Besitz näherten sie sich sukzessive dem Stand von Freien ohne politische Rechte an – wie es etwa bei den griechischen Periöken der Fall war. Jede Sonderform verleitet zur Verwirrung, aber nur dann, wenn Sklavenarbeit nur als rechtlicher „Status“ verstanden wird. Das ist aber keineswegs der Punkt. Genauso wenig wie die ökonomische Selbstständigkeit durch das Pekulium zum allgemeinen Zustand in der Antike werden konnte, waren Sklaven deswegen rechtlos, *damit* sich deren Herren ihr Arbeitsprodukt unentgeltlich aneignen konnten. Ohne diesen Aspekt zu beachten, würden wir uns nur mit einem der weiteren unterschiedlichen „Stände“ auseinandersetzen, für die die für Rechtsfragen so sensiblen Römer immer weitere und immer kompliziertere Begriffe erfanden.

Diesem Zugang weicht Finley aus, aber eben deswegen, um zu zeigen, dass Sklaven sozial aufsteigen konnten. Das ist ökonomisch richtig gedacht, aber historisch schwer zu beweisen:

„Wir sind die Erben des römischen Rechts (...). So werden die Heloten zu Leibeigenen, und die Sklaven mit einem *peculium* werden in erster Linie als Sklaven betrachtet, wo sie doch wirtschaftlich und im Sinne der Gesellschaftsstruktur und deren Funktionieren in der Hauptsache selbstständige Handwerker, Pfandleiher, Geldverleiher und Kleinhändler waren.“[567]

Nehmen wir einmal an, Finley hat in diesem Punkt auch historisch recht. Dann handelte es sich bei diesen Selbstständigen und politisch Unfreien nicht um Sklaven *im Sinne einer Klasse*. In diesem Punkt ist Max Weber konsequenter als Finley. Am Ende bleibt Finley doch eher bei dem Kriterium der „rechtlichen Stellung“, bloß dass er diese relativiert:

„Sie versahen dieselben Aufgaben in der Gemeinschaft wie die entsprechenden freien Männer (...). Weder die Angehörigen der einen noch die der anderen Gruppe arbeiteten unter dem Zwang einer dritten (...) und genau hier liegt das Paradoxon in der Sklaverei der Antike.“[568]

Der letzte Satz deckt die Karten auf. Es geht Finley darum, zu beweisen, dass Sklaverei sozial gesehen heterogen war. Er hätte aber auch den anderen Weg gehen können und die Sklaven als soziale Klasse statt als rechtlich definierten Stand nehmen können: Menschen, die zum Eigentum anderer gemacht und gezwungen wurden, für diese zu arbeiten. Die nicht entlohnt, sondern bloß am Leben erhalten wurden. Es steckte in dem Phänomen der Sklaverei ein Element des Zwanges und der Brutalität. Dies zu konstatieren, bedeutet keineswegs, die Klarheit der Analyse durch eine moralische Betrachtungsweise zu trüben, eine Befürchtung, die Finley mehrmals wiederholt. Ohne diese Elemente des Zwangs und der Brutalität würde sich Sklaverei nicht von anderen Formen der Mehrarbeit unterscheiden. Alleine als Mensch Privateigentum anderer Menschen zu sein, ist ein ökonomisch höchst bedeutsames Phänomen. Finley verwischt diese Bedeutung, indem er sagt, dass die Tätigkeit der Arbeit, sozusagen deren „Gebrauchswert“, sich je nach Träger dieser Arbeit unterscheiden konnte. Damit ignoriert er das „Tauschverhältnis“, dass das Eigentum Sklave Mehrarbeit produzierte. Das Eigentum hatte hier auch eine juridische Seite und diese Seite verband das Phänomen der Sklaverei mit dem Stand, aber es erschöpfte sich darin nicht. All die vielen Beispiele, die Finley in seiner Darstellung bringt, bestätigen im Grunde nur diesen Schluss.

„Historisch gesehen ist die Einrichtung der Lohnarbeit eine hochstehende späte Entwicklung. Allein die Vorstellung der Lohnarbeit erfordert zwei schwierige gedankliche Schritte. Erst einmal muß man die Arbeit eines Mannes losgelöst von seiner Person und dem Produkt seiner Arbeit sehen. Wenn man einen Gegenstand von einem selbstständigen Handwerker erwirbt, sei er nun frei oder Sklave mit *peculium*, so hat man nicht seine Arbeit, sondern den Gegenstand gekauft, den er zu einem von ihm selbst bestimmten Zeitpunkt und unter von ihm selbst bestimmten Arbeitsbedingungen hergestellt hat. Doch wenn man Arbeit mietet, kauft man etwas Abstraktes, nämlich Arbeitskraft. Die nutzt der Käufer dann zu einer Zeit und unter Bedingungen, die er, und nicht der Eigentümer der Arbeitskraft bestimmt (und er zahlt normalerweise dafür, nachdem er sie genutzt hat). Zweitens erfordert das System der Lohnarbeit zum Zwecke der Bezahlung eine Methode, die erworbene Arbeit zu messen. Gewöhnlich wird ein zweiter abstrakter Begriff eingeführt, nämlich die Arbeitszeit."[569]

Diese Passage ist vielsagend. Wir sehen hier den Idealismus („gedankliche Schritte") als Ausgangspunkt, der den Autor aber keineswegs daran hindert, sich der Schule der klassischen Nationalökonomie à la Smith, Ricardo und Marx zu nähern. Hier fehlt nur noch der letzte Schritt, die Arbeitszeit in Bezug auf den Warenwert der Arbeitskraft zu setzen, um die Quelle des Mehrwerts bloßzulegen. Das Handicap war hier eher, dass Finley die Arbeitskraft nicht als simple Ware sieht und deswegen die Arbeitszeit zur Bemessung der Entlohnung als Idee, Erfindung oder Konvention betrachtet. Deswegen klingt es so kurios, wenn Finley bei den antiken Menschen voraussetzt:

„(. . .) wird ein zweiter abstrakter Begriff eingeführt, nämlich die Arbeitszeit."[570]

Selbstverständlich hatte niemand diesen abstrakten Begriff eingeführt – bis auf die Ökonomen der klassischen englischen Nationalökonomie im 18. und 19. Jahrhundert. Und genau genommen wurde die Arbeitszeit von diesen auch nicht „eingeführt", sondern als Maß der Werte entdeckt – als sie bereits in der Warenwirtschaft existierte. Ein Lehrbeispiel, wie man etwas Reales mit der Reflexion des Realen, also der Idee, verwechseln kann.

Dieses Defizit ungeachtet, war Finley näher dran als viele anderer seiner Profession. Die Unterschiede zur Sklaverei sind nun deutlich. Und der Autor von „The Ancient Economy" führt aus, dass bereits in vorantiken Zeiten Mehrarbeit nötig und deswegen auch erzwungen wurde:

„(. . .) so wurden die erforderlichen Arbeitskräfte nicht gemietet, sondern wurden durch Waffengewalt oder durch die Macht des Gesetzes und des Brauches gezwungen."[571]

Das ist ganz richtig und hier lag der Ursprung der Sklaverei.

Aber Finley möchte auf etwas anderes hinaus:

„(...) bestand die Masse dieser unfreiwilligen Arbeiter normalerweise nicht aus Sklaven, sondern aus der einen oder anderen Art von ‚Zwittern', wie den in Schuldknechtschaft Geratenen, den Heloten, den Klienten im frühen Rom (...)."[572]

In weiterer Folge macht der Autor deutlich, dass der Status des Tagelöhners vielleicht sogar weniger angesehen war als jener der Sklaven und dass die soziale Lage Letzterer oft besser sein konnte. Die subjektive Sicht der Betroffenen verstellt hier den Blick auf die Signifikanz der Sklaverei als Gesellschaftsformation.

„Rechtlich gesehen sind zwei einander entgegengesetzte Maximalvorstellungen in Bezug auf ‚Freiheit' denkbar. Das eine Extrem ist der Sklave als Eigentum und nichts anderes; auf der anderen Seite steht der vollkommen freie Mensch, dessen sämtliche Handlungen aus freiem Willen vollbracht werden. Keines von beiden Extremen hat je bestanden. Es hat sicher einzelne Sklaven gegeben, die das Pech hatten, von ihren Eigentümern nur als reiner Besitzgegenstand behandelt zu werden, aber ich kenne keine Gesellschaft, in der die Sklavenbevölkerung als ganze in dieser rohen Weise betrachtet wurde. Andererseits ist jedermann, außer Robinson Crusoe, in seiner Freiheit auf die eine oder andere Weise eingeengt infolge der Tatsache, daß er in einer Gesellschaft lebt."[573]

Vielleicht der schwächste Passus in Finleys berühmtem Buch. Ein Robinson Crusoe, der so oft für nicht beweisbare Annahmen in der ökonomischen Literatur herhalten musste, tauschte in Wirklichkeit die Abhängigkeit von der Gesellschaft in eine noch unangenehmere Abhängigkeit von der außermenschlichen Natur ein und er war damit, wie alle anderen Gestrandeten, wenig erfolgreich. Wir benötigen die Produktivkraft der Gesellschaft, um nicht Opfer der Naturgewalten zu werden. Freilich ist dies nicht unsere Hauptkritik an Finleys Argumentation, sondern nur „nebenbei gesagt“. Die abstrakte und idealistische Verwendung der Kategorien Freiheit und Unfreiheit verdeckt die ökonomischen Zusammenhänge: Sklavenarbeit ist – wie schlecht oder gut die Personen auch behandelt werden – mit Gewalt erzwungene Arbeit auf Lebenszeit für andere, nämlich für den Eigentümer der Sklaven. Nichts sonst. Aber das Wenige genügt, um den Zusammenhang zwischen Materie (Ökonomie) und Geist (Recht) herzustellen: Sklaverei ist die Entrechtung der Person, die Verwandlung der Person in eine Sache, um an deren durch keine Tageszeit begrenzte Arbeitsleistung heranzukommen.

Freilich hat dieses Vorgehen Auswirkungen auf das Verhältnis dieser Arbeitsleistung zu ihren Nutzern. Denn obwohl der Sklaveneigentümer nur die Arbeitskraft nachfragt und dafür viel weniger bezahlt, als wenn er Lohnarbeiter nach deren Arbeitszeit entlohnen würde ... bekommt er den ganzen Menschen, auch wenn er diesen nicht als Person, sondern als Ding anzusehen braucht. Aber der Mensch hat dennoch Kinder, Krankheiten, verlangt Obsorge, zumindest in dem Ausmaß, das jedem Eigentum gebührt. Also eigentlich sehr viel „Drumherum“, das der Herr gerne entbehren würde. Einiges erkennen wir im Vergleich zum Feudalverhältnis, das dem antiken Verhältnis auf dem Fuß folgte. Denn hier zahlt der Feudalherr viel weniger für seine Leibeigenen. Er bekommt auch nicht den ganzen Menschen, sondern nur einen bestimmten Anteil des Arbeitsertrages der Leibeigenen, die sich auf einem Landstück selbst versorgen. Alles zusammen gezählt bekommt der Feudalherr weniger Lebenszeit seiner Leute als der Sklavenhalter, dafür mehr von dem reinen Stoff der Arbeitsleistung. Aber da das Feudaleigentum ein politisches und nicht ein Waren-Verhältnis ist, ist der Feudalheer für seine Hörigen und Leibeigenen politisch zuständig. Und diese sind nun – wie christlich! – nicht mehr Gegenstände, sondern Personen, über die er gegebenenfalls auch zu Gericht sitzen muss. Die Geschichte bleibt hier nicht stehen. Mit der darauffolgenden Durchsetzung des Kapitalverhältnisses wird dieser duale Prozess fortgeführt: Der Unternehmer ist für die Person des Lohnarbeiters nun nicht mehr zuständig und diese Person ist auch keine Sache mehr. Bloß im direkten Arbeitsprozess geht es darum, Gefahren für Leib und Gesundheit des Arbeiters abzuwenden und selbst das ist eine Aufgabe, die nicht mehr zum Produktionsverhältnis gehört, sondern nur noch ein Zusatz unter vielen anderen ist. In absoluten Zahlen gesehen zahlt der Kapitalist mehr als der Feudalherr und weitaus mehr als der Sklavenhalter, um zu der Arbeitskraft zu gelangen. Relativ gesehen aber viel weniger. Er bekommt den reinen Stoff der Arbeitskraft, ohne menschlichen Zusatz. Denn der Lohnarbeiter ist für sich selbst zuständig, für die eigene Reproduktion und er ist politisch dem Kapitalisten gleichgestellt. Alles Menschliche, Kindheit, Ausbildung, Familie, Gesundheit, Alter und Ableben werden zur Privatangelegenheit des Lohnarbeiters. Umgekehrt, wenn wir das Verhältnis von notwendiger zu zusätzlicher Arbeit ansehen, liegt die Sklavenarbeit an erster Stelle, denn hier kostet die notwendige Arbeit *für* den Sklaven fast nichts. Allerdings: Die vergleichsweise große Rate an Mehrarbeit geht mit einer geringen technischen Kapazität der Arbeit einher. Erst die Lohnarbeit kann für einen Anstieg der Arbeitsproduktivität effektiv eingesetzt werden und somit kann die Produktion nach Stückzahl spürbar vermehrt und die Kosten für die Reproduktion der Arbeitskraft können über diesen „Umweg" wiederum verringert werden. Nur so steigt die relative Mehrwertproduktion und nur so kann absoluter Kapitalreichtum angehäuft werden, von dem die Feudalherren und Sklavenhalter nicht einmal träumen konnten.

Erst in diesen Zusammenhängen wird deutlich, was Sklaverei ist ... losgelöst von Spekulationen über die subjektive Befindlichkeit von mit ihrer Lage „zufriedenen Sklaven", die Finley benutzt, um das Spezifische dieser Produktionsweise zu verwischen.[574]

Interessant ist die Verwendung des Begriffs der „abhängigen Arbeit" bei ebendiesem Autor:

„(...) Menschen, die zu einem größeren oder geringeren Teil nicht frei waren und eine Kategorie bildeten, für die unsere Sprache kein treffendes einzelnes Wort besitzt, wenn man einmal anerkannt hat, daß Besitzsklaven nur eine Unterkategorie sind. In die weitgefaßte Kategorie, die ich ‚abhängige (oder unfreiwillige) Arbeit' nennen will, schließe ich jeden ein, der für einen anderen nicht deswegen arbeitete, weil er zu dessen Familie gehörte, wie man es in einem bäuerlichen Haushalt tat, und nicht deswegen, weil er freiwillig eine vertragliche Bindung eingegangen war (für Lohn, Honorar oder Gebühren), sondern der für einen anderen arbeitete, weil er durch irgendeine Voraussetzung dazu gezwungen war. Eine solche Voraussetzung konnte durch Geburt in die Abhängigen-Klasse erfüllt sein, durch Schulden, durch Gefangenschaft oder durch irgendeine andere Gegebenheit, die jemanden nach Gesetz und Brauch automatisch einen bestimmten Teil seiner Entscheidungs- und Handlungsfreiheit nahm. Das geschah gewöhnlich auf lange Sicht oder lebenslang."[575]

In einer arbeitsteiligen Gesellschaft sind alle Mitglieder der Wirtschaft voneinander abhängig. Diese Tatsache würden wir aber nicht gegen Finleys Begriff einwenden, da sich diese Abhängigkeit von selbst versteht. Der Terminus „abhängige Arbeit" bezeichnet allerdings normalerweise auch einen anderen Bedeutungsinhalt als jener von Finley verwendete. Und zwar weist er auf folgenden Umstand hin: Abhängig ist, wer nicht Besitz oder Eigentum von Produktionsmitteln hat, die für die Arbeit angewendet werden. Das würde in der Antike auf Sklaven, Lohnarbeiter und vielleicht auf die Tagelöhner zutreffen, so diese nicht als Handwerker auftraten, und es würde auf die größere Gruppe der Pächter zutreffen, die sich völlig verschuldet hatten. Obwohl Finley den Begriff „abhängige Arbeit" offensichtlich ganz anders verwendet, bezeichnet er damit zwei wichtige Aspekte: Erstens, dass erzwungene unentgeltliche Arbeit auch jene treffen konnte, die im Besitz / Eigentum ihrer Produktionsmittel waren. Etwa wenn selbstständige Bauern zu Tätigkeiten an den Militärstraßen und Poststationen herangezogen wurden. Solange aber die Arbeitsleistenden dabei Bauern blieben, gehörten sie unserer Ansicht nach zur Klasse des Kleinbürgertums. Wir haben in dem vorangegangenen Kapitel gesehen, welche langfristigen Auswirkungen diese Arbeitsverpflichtungen hatten. In diesem Punkt folgen wir Finley, denn im Grunde zeigt er nichts anderes als den Prozess, wie aus Selbstständigen Unselbstständige wurden. Zu Letzteren passt der Terminus „abhängige Arbeit" wieder – auch im marxistischen Sinne. Zweitens, dass es dem Status der Sklaverei *vorgelagert* immer wieder eine Phase gab, die de facto in Richtung Sklaverei führte: finanzielle Abhängigkeiten oder rechtliche Verpflichtungen, die nur durch Arbeit „abgelöst" werden konnten. Es handelte sich um eine Art Protosklaverei, auch wenn es einigen „Abhängigen" gelang, sich in dieser Vorstufe zu halten und nicht in die tatsächliche Sklaverei abzurutschen. Auch dass Finley in einer anderen Passage echte Leibeigene für die römische Zeit anführt, ändert nichts an der Tatsache, dass in der Antike „abhängige Arbeit" eine Vorstufe der Sklaverei und nicht der Leibeigenschaft war.[576] Erst das Aufkommen der *coloni* ab dem 4. Jahrhundert nach Christi wird den Schwerpunkt der Verteilung der

Arbeit von der Sklaverei in Richtung der Leibeigenschaft verschieben und die Gründe für diesen Wandel hat Finley selbst, wie oben erwähnt, treffend dargestellt.[577]

Um dem Thema gerecht zu werden, wie sich Sklaverei historisch gegenüber anderen Formen des Arbeitszwanges und anderen Formen der abhängigen Arbeit absetzte, muss auch die Abgrenzung zur Lohnarbeit bzw. der Arbeit der Gelegenheitsarbeiter gezogen werden. Die Voraussetzung ist hier bei Finley nicht die Angebotsseite, die der Autor bei den Gründen für das Aufkommen des Kolonats betrachtet, sondern die Nachfrageseite:

„(. . .) angesichts des fehlenden freien Arbeitsmarktes wurden Sklaven als Arbeitskräfte von außen herangebracht – denn Sklaven kommen immer in erster Linie von außen –, aber nur, wenn die vorhandenen inländischen Arbeitskräfte nicht mehr ausreichten, wie in Athen nach den Reformen Solons."[578]

Hier ist richtig, dass Sklavenarbeit und Lohnarbeit grundsätzlich gegenübergestellt werden. Dass Sklavenarbeit sich durchsetze, *weil* Lohnarbeit nicht ausreichend vorhanden war, ist hingegen nicht plausibel. Ein Zuviel an Sklaven konnte es in der Antike nicht geben – die Menge der Sklaven war nicht von der Menge der Lohnarbeiter abhängig. Es gab nicht so etwas, wie ein bestimmtes Ausmaß an gesamtgesellschaftlicher Arbeit, das zu verrichten gewesen wäre und das auf verschiedene Formen der Arbeit aufzuteilen wäre. Die Antike war keine Planwirtschaft und auch die unsichtbare Hand des Marktes bewirkte diese Aufteilung nicht. Waren – etwa durch einen glücklich verlaufenen Kriegszug oder durch die Bestrafung einer unbotmäßigen Stadt – plötzlich um Zehntausende Sklaven mehr da, so wurden diese eben verwendet. Wenn nicht, dann nicht. Ausnahmsweise nimmt hier Finley mehr Markt an, als dies der Fall war. Ansonsten ist es immer umgekehrt und dieser Autor möchte die Wirkung des Marktes gering einschätzen. Weshalb hier nicht? Der Begriff „Sklavenmarkt" kann Historiker und Ökonomen zu der falschen Schlussfolgerung verleiten, die Menge der Sklaven wäre von Angebot und Nachfrage abhängig. Aber Sklaven waren „geraubte Produktionsmittel", um es mit Karl Marx zu sagen. Dass das Raubgut wiederverkauft wurde, ändert an dieser Tatsache nichts. Ein Zuviel des Raubgutes gab es nicht. Finleys Beobachtung stimmt nur verkehrtherum: Die Lohnarbeit konnte sich im großen Stil nicht durchsetzen, weil die Sklavenarbeit vorhanden war. Freilich ist auch dieser Satz nicht ökonometrisch zu verstehen – für das historische Auftreten von verallgemeinerter Lohnarbeit waren noch andere Faktoren von Nöten.

Immerhin trennt Finley die Ebenen „Arbeitsprozess" und „Sozialstruktur" analytisch voneinander und hier dürfen wir zu dem Schluss kommen, dass es ein Fortschritt ist, überhaupt den „Arbeitsprozess" zu betrachten.

„Am Anfang steht die Beobachtung, daß man in jeder Sparte des bürgerlichen Arbeitslebens sowohl Sklaven wie Freie beschäftigt findet, wenn auch Bergbau nahezu ein Monopol der Sklaven ist und Dienst im Hause ein Monopol der Sklaven und ehemaligen Sklaven (Freigelassenen) (. . .)."[579]

Sodann definiert Finley die Freien sozial. Die, die neben der Sklavenarbeit in denselben Berufen arbeiteten, waren nicht Lohnarbeiter, sondern Selbstständige. Er nennt sie „selbstständige Arbeiter", jedenfalls meint er Kleinbürger (Handwerker, Pächter, Händler).[580] Hier kommt wieder der Aspekt hinzu, dass Finley vom Gebrauchswert der Arbeit ausgeht und nicht von der Mehrarbeit und nicht von der Frage, welche bereits vorhandenen Klassen diese leisten würden. Finley sattelt das Pferd von der anderen Seite her auf: Wenn die spezifischen Tätigkeiten einer Branche bereits sowohl von Sklaven als auch von Kleinbürgern geleistet wurden, dann blieb für Lohnarbeit nur ein Platz am Rande der gesamten Ökonomie:

„Freie Lohnarbeit war Gelegenheitsarbeit und war saisonbedingt."[581]

Daraus ist wiederum zu schließen – und das ist das Ende der Argumentationskette, auf die alles hinsteuert –, dass ...

„(...) es absurd gewesen wäre, Sklaven zu kaufen und zu unterhalten, in erster Linie z.B. um den außergewöhnlichen und kurzfristigen Bedarf an Arbeitskräften bei der Ernte in der Landwirtschaft zu decken."[582]

Auch hier würden wir den Zusammenhang eher umdrehen: Die Menge der Sklaven war nach oben hin unbegrenzt, es gab kein Zuviel. Waren aber gerade zu wenige Sklaven vorhanden, konnten andere Arbeitsformen zum Zuge kommen. Oder anders gesagt: Es ging nicht darum, ob Sklaven für die Produktionsspitzen unrentabel wären. Sondern: Da Sklaven bereits generell und günstig zum Einsatz kommen konnten, gab es nur selten Nachfrage nach freier Lohnarbeit. Eben nur nach saisonalem Bedarf. Die Saisonalität der Lohnarbeit verhinderte auch, dass sich eine Arbeiterklasse entwickeln konnte. Denn saisonale Arbeiten als Tagelöhner konnten auch Kleinbürger annehmen. Der Bedeutungsinhalt des griechischen Begriffs „Thete" liegt ja eigentlich auch irgendwo zwischen Handwerker und Tagelöhner angesiedelt. Von „Tagelöhnern", die ihre eigenen Arbeitsinstrumente etwa zur Ernte mitbrachten, haben wir bereits gehört.

Finleys Argumentation, dass ...

„(...) es absurd gewesen wäre, Sklaven zu kaufen und zu unterhalten, in erster Linie z.B. um den außergewöhnlichen und kurzfristigen Bedarf an Arbeitskräften bei der Ernte in der Landwirtschaft zu decken (...)"

... ist gleichermaßen treffsicher wie widersprüchlich. Denn

bei allen Fragen des Weltmarktes unterstellt der Autor, dass in der Antike kein rationelles, monetäres Wirtschaftsdenken vorhanden gewesen sei. Aber bei der Relation zwischen dem Einsatz von freier Lohnarbeit gegenüber Sklavenarbeit unterstellt er den Unternehmern ein ganz und gar rationelles, monetäres Wirtschaftsdenken. Ob an diesem Punkt Moses I. Finley nicht über das Ziel hinausschießt?[583] Freie Lohnarbeit war in der antiken Ökonomie auch aus technischen Gründen nur am Rande möglich, es fehlte die Arbeitsteilung einer Fabrik. Wer ein wenig Eigentum hatte, kam in die Rolle des Kleinbürgertums, wer keines hatte oder dieses verloren hatte, verdingte sich als Söldner – übrigens die einzige große Branche von „Lohnarbeitern" – oder rutschte über Zwischenstufen, die Finley auch beschreibt, in die Sklaverei ab. Nicht nur die fehlende Nachfrage, auch das fehlende Angebot verhinderte eine „Proletarisierung", die mit jener der europäischen Neuzeit vergleichbar wäre.

„Die Löhne blieben in der Antike im Allgemeinen bemerkenswert stabil und wurden gezahlt, ohne daß man Unterscheidungen traf."[584]

Finley bringt damit zum Ausdruck, dass von den antiken Herren Lohnarbeit nicht als Konkurrenz zur Sklavenarbeit angesehen wurde. Aber wir wissen bereits, dass die Lohnarbeiter eigentlich Taglöhner waren. Anders liegt der Fall gelagert, wenn wir Sklavenarbeit dem qualifizierten Handwerk, den Bauern, Händlern, Geldverleihern – kurzum: dem Kleinbürgertum – gegenüberstellen. Aber hier kommen wir unwillkürlich zu der Frage, ob Sklavenarbeit zur qualifizierten Arbeit taugte, was die meisten Historiker und Ökonomen eher verneinen. Finley kämmt auch hier gegen den Strich. Oft formuliert der Historiker die Frage anders. Er fragt nicht, ob Sklavenarbeit die langfristige, historische Entwicklung der Qualifikation der Arbeitskraft im Wege stand, sondern ob es auch konkrete Zeugnisse von qualifizierter Arbeit gab – was eine andere Betrachtungsweise ist. Eben die des Historikers, nicht die des Ökonomen.

„Es gibt eine lange Reihe von Autoren verschiedenster politischer Couleur, die versichern, Sklavenarbeit sei nicht effektiv, zumindest in der Landwirtschaft und gänzlich unrentabel."[585]

Das sind nun freilich zwei ganz unterschiedliche Aspekte: Die Rentabilität misst das Ergebnis nach dem Einsatz der Produktionsfaktoren, die Effektivität nach dem – von wem auch immer gesetzten – Ziel. Rentabel war die Sklavenarbeit ganz sicher, denn als Produktionsfaktor musste sie nur einmal gekauft bzw. geraubt werden. Aus heutiger Sicht würde man sagen, dass es kaum niedrigere Personalkosten gab. Für die konkreten Menschen war die Sklavenarbeit wohl auch meist subjektiv effektiv. Freilich, was bedeutet dies? Nicht viel. Gemessen an anderen Zielen ging die Rechnung vielleicht nicht auf. Aber was waren die Alternativen? Gerade die Billigkeit der Sklavenarbeit ließ keine Alternative aufkommen, die vielleicht effektiver gewesen wäre. Und es gab auch sie, die Effektivität der Sklavenarbeit: Im großen, gleichförmigen Einsatz benötigte sie nur rationelle Einteilung und Kontrolle durch Aufseher. Hier brachte diese Form der Arbeit in der Landwirtschaft und im Bergbau gute Ergebnisse und konnte mit den Vorteilen einer *economy of scale* gegenüber dem gewiss größeren Eigeninteresse der Selbstständigen punkten. Ein Bergwerk lässt sich als Selbstständiger oder als Familienbetrieb kaum führen.

Aber in einer langfristigen Perspektive lag das Problem der Sklaverei sicher eher bei der Effektivität und nicht bei der Rentabilität. Zumindest wenn wir der Sklavenarbeit die Effektivität der industriellen Lohnarbeit gegenüberstellen. Gegenüber dem – für die Antike nur hypothetisch angenommenen – technologischen Fortschritt war eine Produktionsweise, die auf Kontrolle und lebenslanges Dienen angelegt war, wenig geeignet. Welches Interesse musste im Sklaven geweckt werden, um zu lernen und sich neue Qualifikationen anzueignen? Der industrielle Lohnarbeiter hat ein strukturelles und nicht bloß zufälliges persönliches Interesse an der Wertsteigerung der eigenen Arbeitskraft. Nicht nur, weil damit auch zumindest an einem Faktor des Preises (= Lohn) der Arbeitskraft nach oben gedreht wird, sondern weil zumindest langfristig ein Anstieg der Qualifikation der Arbeitskraft mit einer Reduktion der Arbeitszeit einhergeht. Ganz abstrakt gesehen bedeutet ein Anstieg der Arbeitsproduktivität, dass auch die notwendigen Lebensmittel der Arbeiter billiger werden. Das nützt den Lohnarbeitern objektiv und als Klasse, während der Benefit des sich wohlverhaltenden Sklaven nur sein kann, irgendwann als einzelne Person freigelassen zu werden. Das macht die Sklavenarbeit als Produktionsweise im engeren Sinne nicht produktiver.

Kurzum: Wir müssen die Frage der Effektivität, Profitabilität und Produktivität als nicht identische, aber zusammenhängende Faktoren diskutieren. Und nebenbei immer auch beachten, dass einige Begriffe umgangssprachlich gemeint sind: „Profitabilität" setzt eigentlich Profit voraus, also Mehrwert. In der Antike gab es aber keinen Mehrwert aus den Händen der Lohnarbeiter, sondern Mehrarbeit der Sklaven und sonstigen Abhängigen. Streng genommen geht es hier immer um Gewinn, nicht um Profit.

Und wir müssen unterscheiden, von welchem Zeithorizont wir reden: Ein individueller Agrarproduzent mit großer Betriebsfläche hatte in Italien, und erst recht im Sizilien des 1. Jahrhunderts, keine Alternative zur Sklavenarbeit – auch und vor allem, wenn er „ökonomisch rationell" handeln wollte. Ganz anders, wenn wir den Zeithorizont ausdehnen und fragen, ob die Sklavenarbeit vom 4. nachchristlichen Jahrhundert bis zur mittelalterlichen Blüte des 12. Jahrhunderts als dominante Produktionsweise eine technologische Zukunft gehabt hätte – selbst wenn alle äußeren Faktoren wie etwa die „Germanisierung“ nicht vorhanden gewesen wären. Das würden wir eher verneinen. Immerhin haben wir ja noch Byzanz als Vergleichsobjekt. Auch im Osten des ehemaligen römischen Reiches konnte die Sklavenarbeit nicht zu einer höheren technologischen Stufe führen. Erst recht kann ausgeschlossen werden, dass Sklavenarbeit mit dem Fortschritt der industriellen Produktion kompatibel gewesen wäre – hier haben wir sogar den Gegensatz zwischen den amerikanischen Südstaaten und dem industriellen Norden als Beispiel zur Verfügung. Theoretisch könnte auch hier behauptet werden, die Sklavenarbeit in den Plantagen sei sowohl effektiv als auch „profitabel“ gewesen und das Ende der Sklavenarbeit sei ein politischer und nicht ein ökonomischer Akt gewesen. Aber hier gilt wie überall sonst: Selbst, wenn erst der politische Akt reinen Tisch mit den alten Verhältnissen macht, so ist diese Option umso überzeugender, umso bessere ökonomische Alternativen in greifbarer Nähe vorhanden sind. Wäre die antike Sklavenarbeit im römischen Kaiserreich ökonomisch auch nur halb so erfolgreich wie die Lohnarbeit im England des 18. Jahrhunderts gewesen ... sie hätte neben einem höheren Ausmaß an Mehrarbeit auch einen genügend großen Part an (notwendiger) Arbeit in Konsumgüter stecken können und hätte damit die soziale Desintegration der Spätantike verhindert. Aber das war selbstverständlich nicht der Fall. Gewiss ist diese Analogie an den Haaren herbeigezogen, aber sie wirft ein Licht auf den springenden Punkt: Die Sklaven konnten durch die Kolonen verdrängt werden, *weil* diese – neben anderen Unterschieden – zumindest nicht schlechtere Ergebnisse ablieferten und nebenbei auch für sich selbst sorgten. Im Endeffekt, langfristig gesehen, spielten Effektivität und Produktivität sehr wohl eine Rolle – wenn es selbstverständlich auch nie so war, dass an einem bestimmten Punkt in der Spätantike jemand die Rechentafel heranzog, um sich einen Vergleich auszurechen, bei dem die Sklaverei schlechter abschnitt. Nicht das ökonomische Kalkül eines Einzelnen entscheidet, sondern ob sich eine neue Klasse mit einer neuen Produktionsweise durchsetzen kann – und das geschieht immer nur in einem Prozess, der sich sukzessive abspielt und, wie im gegenständlichen Fall, hunderte Jahre andauern kann.

Finley differenziert die ökonomische Bewertung der Sklavenarbeit zu wenig und formuliert zu polemisch – vielleicht weil die Kritiker der Sklavenarbeit ebenfalls polemisch argumentieren:

„Es wird dann versichert, in einer zweiten ‚Verteidigungslinie', daß Sklaverei den technischen Fortschritt und das Anwachsen der Produktivität behinderte, daß selbst das sklavenähnliche ‚Kolonat' des spätrömischen Kaiserreichs, der Vorläufer der mittelalterlichen Leibeigenschaft, leistungsfähiger war (. . .). Wiederum ein Vorurteil: Es dauerte in England und Frankreich bis ins 14. Jahrhundert, bevor z.B. die Weizenproduktion regelmäßig den vierfachen Ertrag brachte (. . .). Und man kann gerade dort technischen Fortschritt nachweisen, wo die Sklaverei sich von der brutalsten und tyrannischsten Seite zeigte, nämlich in den spanischen Silberminen und auf den römischen Latifundien."[586]

Letzter Satz sagt einiges über das technologische Potential der Sklavenarbeit aus. Die Notwendigkeit eines drakonischen Zwangs unterscheidet die Effektivität der Sklavenarbeit zumindest von den Produktionsweisen, in denen die Produzenten der Mehrarbeit ein strukturelles Interesse an der Hebung ihrer Arbeitsproduktivität haben. Dass die Technologie der Getreideproduktion erst ab dem Hochmittelalter Fortschritte gegenüber dem technologischen Konservativismus der Antike machte, stützt Finleys Argumentation nicht wirklich. Eine Produktionsweise unterscheidet sich von einer anderen nicht nur durch das Objekt der Mehrarbeit, sondern durch das ganze „Drumherum". Die antike Produktionsweise war mobil, basierte auf Städten und war auf Küsten, Meere und Wasserstraßen ausgerichtet. Eine Welt des Warenhandels und der Warenproduktion. Ganz anders das Bild im Mittelalter: Die Dörfer verdrängten die Städte, die Städte wirkten wie isolierte Inseln in dieser Welt der Selbstgenügsamkeit. Unter dem Vorherrschen der bäuerlichen Subsistenzproduktion bedeutet das Fehlen einer Produktion für den überregionalen Markt auch das Fehlen eines Anreizes, die Produktion zu „ökonomisieren", Waren zu verwerten, günstige Käufer- und Verkäuferpreise auszunutzen und so fort. Subsistenzwirtschaft ist von Natur aus konservativ und diese Eigenschaft wird durch den Vorteil, statt Sklaven Hörige und Leibeigene zur Verfügung zu haben, nicht sofort *overruled*. Aber nach und nach erwies sich selbst dieses beschauliche Mittelalter als durchaus fähig, die Agrarproduktion technologisch effektiver zu machen: Der Pflug änderte seine Gestalt, der Ochse wurde durch das Pferd ersetzt, die Dreifelderwirtschaft ermöglichte je nach klimatischen und pedologischen Gegebenheiten mehr Ertrag. Von einer bescheideneren Basis ausgehend punktete diese Gesellschaft gegenüber der Antike durch eine technologische Weiterentwicklung innerhalb der Agrarproduktion. Bei Vergleichen muss man immer vorsichtig bzw. genau sein: Wir müssen das „flache Land" der Antike mit dem „flachen Land" des Mittelalters vergleichen, nicht das „flache Land" des Mittelalters mit der gewiss beeindruckenden städtischen Infrastruktur der Antike.

Die Ausgangslage – die weitgehende Subsistenzproduktion des Mittelalters:

„Der Niedergang der Städte und des Fernhandels führte zu

einer Zersplitterung des lateinischen Westens, wo hauptsächlich die Besitzer großer Ländereien (villae) und die Kirche die Macht ausübten. Freilich gründete sich der Reichtum dieser neuen Machthaber im Wesentlichen auf dem Besitz von Land und Menschen, die Leibeigene geworden waren oder Bauern mit beschränkter Autonomie. Die Bauern hatten Frondienste und Naturalabgaben zu entrichten, zu einem kleinen Teil auch Bargeld, das sie sich auf den noch wenig entwickelten lokalen Märkten beschafften."[587]

Und:

„In einer Welt, in der die übergroße Mehrheit der europäischen Bevölkerung innerhalb eines geographisch sehr begrenzten Horizonts lebte, war der Landbau normalerweise fast überall auf die Eigenproduktion der Grundernährung, d.h. auf Getreide ausgerichtet."[588]

Von der Zweifelderwirtschaft zur Dreifelderwirtschaft:

„(...) möglicherweise kehrten die Mittelmeerländer zu ihr zurück, sobald die Zunahme der Bevölkerung dazu Anlaß gab. Die Zweifelderwirtschaft blieb auch in weiten Gebieten Rußlands und Skandinaviens das fortschrittlichste Anbausystem. In beiden Zonen entsprach es genau den natürlichen Vorbedingungen, so sehr diese auch voneinander verschieden waren, und wurde bis über das Mittelalter hinaus angewandt. In dem dazwischen gelegenen Gürtel gemäßigten Klimas bot das Aufkommen des Dreifeldersystems günstigere Möglichkeiten. Es bestand darin, daß das Ackerland nicht in zwei, sondern in drei Teile aufgeteilt wurde, die für jeweils die Wintersaat, das Sommergetreide und ein Brachjahr bestimmt waren. Geht man von einem bestimmten Stück Land aus, worauf im Herbst Wintergetreide zur Aussaat kam, das im frühen Sommer abgeerntet wurde, so wurde es im darauffolgenden Frühjahr mit Sommergetreide besät."[589]

Diese Dreiteilung wurde als Fruchtfolge pro Feld kombiniert und wurde vielleicht erst dort angewandt, wo die Blockflur durch die Längsflur verdrängt wurde – was vielleicht wiederum Resultat einer Eigentumskonzentration war. Es scheint, dass die Klöster wegen ihrer ausreichenden Betriebsgröße in dieser Hinsicht den Dörfern vorangingen:

„Die älteste Anweisung hinsichtlich der Dreifelderwirtschaft gibt eine Urkunde aus dem Jahre 763, in der ein Höriger der Abtei St. Gallen sich dazu verpflichtet, Land der Mönche jeweils im Frühjahr, im Juli und im Herbst zu bepflügen."[590]

„Man rechnet heute mit der Einführung der Langstreifenfluren (statt der ‚einzelbäuerlichen' kleinen Blockfluren) in der Zeit des 7. bis 11. Jh.; sie setzt freilich gemeinschaftliche Feldbestellung voraus und deutet auf Zuteilung von Streifenanteilen hin, lässt also auf organisatorische Maßnahmen der Grundherrschaft oder der Markgenossenschaft schließen; doch scheint es regelrechten Flurzwang noch nicht zu geben. Wenn die Einführung der Langstreifen an eine verbesserte Pflugtechnik gebunden ist, so könnte schon an das 7. Jh. zu denken sein. Denn der schwere, asymmetrisch schollewendende Pflug findet seit dem Ende der Römerzeit Eingang in die Bodenbearbeitung."[591]

Das Pferd als Arbeitstier in der Landwirtschaft:

„Ein anderer Faktor, der den höheren Erträgen der Dreifelderwirtschaft zugute kam, war die Übernahme des Pferdes für die Landarbeit. Die größeren Erträge gestatteten es ja, auf einem Teil des kultivierten Bodens Futterkorn zu gewinnen, ohne die Ernährungsbedürfnisse der Bevölkerung zu schmälern. Oder war die Verbreitung der Anwendung des Pferdes vielleicht nicht die Ursache, sondern die Folge der neuen Methode im Ackerbau?"[592]

Technische Innovationen des Pflügens – vom Hackenpflug zum Karrenpflug:

„Auf steinigem Grund, vor allem auch im Mittelmeergebiet, wo es darauf ankam, die obere Schicht durchlässig und frei von Unkraut zu halten, wurde die Hacke viel verwendet. In ausgedehnteren Betrieben konnte das mit Hilfe eines bespannten Hakenpfluges geschehen, dem antiken *aratrum*, einem Werkzeug ohne Räder, das aus einem dünnen Baumstamm oder Ast als Zugbaum bestand (...) Die römische Kolonisation hatte dieses Gerät, sofern es dort nicht schon vorher verwendet wurde, in den eroberten Gebieten des Reiches verbreitet. Miniaturen (...) beweisen, daß er bis in die Zeit der Karolinger hinein in Gallien vorkam.“[593]

Und andererseits:

„Plinius vermeldet im 1. Jh. unserer Zeitrechnung, daß in Rhätien (...) der Karrenpflug erfunden worden sei, dessen Balken auf einem zweiräderigen Gestell ruht und der die Furche mittels eines eisernen Kolters anschneidet und sie mittels einer eisernen pfeilförmigen Pflugschar öffnet. (...) Mit dem Pflugbaum als Stütze drückte man auf die Pflugschar, und auf diese Weise konnte der Bauer in der gewünschten Tiefe pflügen. Philologische Anhaltspunkte ergeben, daß die eindringenden Germanen den Pflug in die römische Welt brachten. (...) Er war übrigens wesentlich teurer als der Hakenpflug und zugleich schwerer. Möglicherweise stand seine Verbreitung im Zusammenhang mit einer größeren Produktion und einem entsprechend niedrigen Preis des Eisens auf der einen und mit dem Übergang von der Verwendung von Ochsen- auf Pferdekraft auf der anderen Seite.“[594]

Wir haben hier eine gegenseitige Dynamisierung durch die Faktoren Eisen & Pflug – Fruchtfolge & Düngung – Pferd, deren Wirkung auch von der Betriebsgröße abhängig war.

„Die Einführung der Plaggendüngung in Ostfriesland erfolgt, das lassen Grabungen erkennen, so plötzlich etwa in der Zeit um 900, dass man hinter der Maßnahme eine starke Grundherrschaft zu vermuten hat. Auch die allmähliche Einführung der Dreifelderwirtschaft seit dem späten 8. und vor allem im 9. Jh. lässt an großräumige Planung denken, nicht an den einzelnen Mansus-Bauern."[595]

Beeindruckend der Anstieg der französischen Agrarproduktion im Hochmittelalter mittels dieser Methoden und beeindruckend auch die Erträge in bevölkerungsreichen Randzonen wie in den Niederlanden oder Oberitalien, wo man die Brach durch das Düngen ersetzte. Freilich wirkten gleichzeitig spezifische Barrieren des technologischen Fortschrittes, mittunter der Flurzwang, oder die Allmende, oder der ungleiche Besitz:

„Bauernbetriebe ohne Pfluggespanne mußten sich mit anderen kleinen Betrieben zusammentun und in gemeinsamer Arbeit die Äcker pflügen oder Pflug und Zugtiere bei größeren Bauern ausleihen, denen sie dann als Gegenleistung ihre Arbeitskraft für bestimmte Tage zur Verfügung stellten. Solche Formen der Nachbarschaftshilfe schufen ein kompliziertes Netz gegenseitiger Abhängigkeit, das zweifellos auch große Auswirkungen auf das bäuerliche Gemeinschaftsleben hatte."[596]

Die Arbeitsleistungen für andere sowie die Leistungen für die Feudalherrschaft dynamisierten die technologische Entwicklung sicherlich nicht. Aber dennoch: Überschüsse nach Abzug der „Rente" an den Grundherren und nach Abzug des Eigenbedarfs und der Vorratshaltung wurden auf lokalen Märkten verkauft. Hier hatten Waren- und Münzumlauf zuerst noch bzw. wieder den Charakter von etwas „Zusätzlichem" – vergleichbar der Rolle in den altorientalischen Reichen, aber mit einer ganz anderen, partikularistischen Sozialstruktur und daher mit dem Fokus auf dem Nah- statt Fernhandel. Immerhin aber hob seit dem Spätmittelalter eine Monetarisierung auch der ländlichen Wirtschaft an. Auch die Art der Leistungserbringung für die

Feudalherrschaft konnte sich von der Arbeitsleistung zur Naturalabgabe und von der Naturalabgabe sogar zur Geldabgabe wandeln.[597]

Diese wenigen Passagen zur Agrarproduktion im Feudalzeitalter können nur einen ersten Eindruck bieten. Hier ist nicht der Ort, um diese auch nur streckenweise aufzuarbeiten. Und freilich bewegen wir uns hier entlang einer historisch langfristigen Perspektive und können damit nichts über die eigentlichen Gründe des Wandels der Produktivkräfte aussagen. Auch müsste Finleys Interpretation – um nun auf diesen wieder zurückzukommen – zumindest in der Hinsicht entgegengekommen werden, dass nicht nur die Sklavenarbeit dem echten Kapitalismus im Wege stand, sondern auch andere Barrieren. Das alleine bedeutet aber im Umkehrschluss nicht, dass Sklavenarbeit mit dem Wachsen an Produktivität und daher auch mit dem Kapital kompatibel sei. Das eine ist eine historische Frage, das andere eine ökonomische. Am Ende arbeitet Finley ein Stück weit seiner eigenen Argumentation entgegen. In dem Kapitel „Grundherren und Bauern" beschreibt er die chronische Unterbeschäftigung der Landbevölkerung und der Kleinbauern, die zu Kindesweglegung und der Verwandlung von selbstständigen Bauern in Pächtern führte. Es gab immer mehr Bevölkerung als Bauernstellen. Ganz richtig sieht er nun die ökonomischen Konsequenzen der Verbilligung des Faktors Arbeit:

„Diese eingebaute Leistungsschwäche bedeutete auch, daß man sich den Weg zu technologischen und anderen Verbesserungen verbaute und das existentiell Notwendige vorzog auf Kosten anderer möglicher Wege der Nutzung der Mittel."[598]

Guter Punkt. Das Angebot an jederzeit verfügbaren Arbeitskräften ließ das Motiv der Unternehmer, in die Produktivitätssteigerung pro Arbeitsstunde zu investieren, gar nicht erst aufkommen. Aber die Arbeitsleistung der Sklaven kostete erst recht wenig. Weshalb sollte das Argument dieser technologischen „Leistungsschwäche" im Falle der Bauern billig, im Falle der Sklaven aber unbillig sein? Und dann: Bauernarbeit und Sklavenarbeit existierten nicht in zwei aseptisch voneinander getrennten Welten. Immerhin ersetzte die Sklavenarbeit einen entwickelten Lohnarbeitsmarkt, der den Arbeitskräfteüberschuss der Landbevölkerung absorbieren hätte können. Oder anders gesagt: Der Sklavenarbeitsmarkt trug zur chronischen Unterbeschäftigung bei – mit allen von Finley wiederum plausibel beschriebenen Konsequenzen. Und so war selbst nach Finleys Argumentation am Ende doch die Sklaverei die Barriere für technischen Fortschritt, obwohl er dies in dem Kapitel „Herren und Sklaven" verneinte. Vielleicht bloß aus der eigentlich überflüssigen Sorge, den „Moralisten" unter den Wirtschaftshistorikern zu weit entgegenzukommen.

Das schönste Kapitel in Finleys Klassiker ist jenes über die Beziehung zwischen Stadt und Land.[599] Auf wenigen Seiten komprimiert bietet der Autor eine komplexe Beschreibung, was die Polis und die antike römische Stadt in ihrer ganzen Variationsbreite ausmachte. Nämlich nicht nur, „urbanen Lebensstil" zu ermöglichen, sondern auch eine Beziehung zu dem eigenen Umland zu gestalten. Es geht in dieser Beziehung um Agrarproduktion und um das Verhältnis von Nah- und Fernhandel. Um Fragen wie: Um wieviel kostengünstiger waren Wasserwege gegenüber Landwegen und welche Bedeutung hatte diese Tatsache für die *spatial pattern* der antiken Stadt?

Finley stellt die Frage, wieviel die Stadt vom Land bzw. von anderen Regionen generell nahm und wieviel sie dafür gab. Letztere Frage stellt sich als schwierig zu beantworten heraus. Jedenfalls könnte man mit Finley zu der Vorstellung einer „schmarotzenden Stadt" gelangen, die mehr konsumierte als produzierte. Aber beim näheren Hinsehen wird deutlich, dass unter „schmarotzende Stadt“ einfach nur gemeint sein könnte, dass diese wie Athen eine passive Handelsbilanz hatte bzw. auf Lebensmittelimporte angewiesen war. Aber Athen beglich seine Getreideimporte offensichtlich durch das Silber, das aus seinen Minen gefördert wurde. Wir wissen es nicht, aber theoretisch wäre es genauso gut möglich, dass dieser Tausch „Getreide gegen Geld“ durchwegs gerecht, also im Sinne der Marktlogik, von statten ging. Nehmen wir das einmal an. In dieser Hinsicht waren Städte wie Athen nicht „schmarotzend“. Eher nur insofern, falls sie darüber hinaus Schutzgeld erpressten. Das Paradebeispiel dafür wäre der Delisch-Attische Seebund. Aber das ist eine politische, keine ökonomische Struktur und zudem keine zwischen Stadt und Land, sondern zwischen unterschiedlichen Stadtstaaten.

Vielleicht aber bezahlten Städte wie Athen ihre Nahrungsmittelimporte auch nicht gemäß der Marktlogik mit äquivalenten Werten, sondern genossen das Privileg „asymmetrischer Handelsbeziehungen“. In diesem Fall würden die mächtigen Städte nicht nur eine passive Handelsbilanz aufgewiesen, sondern tatsächlich auch mehr Werte aus dem Land gezogen haben, als sie zurückgaben. Dieser Bruch des ökonomischen Wertgesetzes wäre mittels diplomatischer List oder Erpressung, politischer oder militärischer Gewalt ermöglicht ... so wie ja die offene Gewalt in einer Sklavenhaltergesellschaft immer allgegenwärtig ist und in der Antike vielleicht auch die Beziehung zwischen Stadt und Umland prägte. Hier würde die ökonomische Struktur durch einen politischen Faktor deformiert werden, während im Feudalismus – um die naheliegende Analogie anzusprechen – der politische Faktor die ökonomische Struktur *ist*.

So wichtig die Antwort auf diese Fragen wäre, so müssen wir sie doch offenlassen. Weder die eine noch die andere Annahme lässt sich beweisen, bloß die Charakterisierung einer „schmarotzenden Stadt“ ist falsch begründet – nämlich, dass die Stadt nichts als Austausch für die Nahrungsmittel aus dem Umland produziert hätte. Die Förderung, die Stückelung (Portionierung), die Lagerung und der Transport des Silbers *sind* eine Produktion, die Arbeitszeit kostet und Tauschwerte schafft. Gegenüber der Edelmetall- und Münzproduktion sowie dem Geldumlauf generell ist Finleys Buch „Die antike Wirtschaft“ erstaunlich schweigsam, so wie darin auch der Unterschied zwischen einer Stadt, die Lebensmittel aus dem Umland kauft, und einer Stadt, die *Mehrproduktion* aus dem Umland bezieht, nicht vorkommt. Für Finley haben beide Varianten einfach den Charakter der „parasitären Stadt“. In beiden Aspekten zeigt sich das Grundproblem seiner Analyse: Weil eine fleißige Gewerbestadt, wie sie dem europäischen Mittelalter (bei Max Weber) oder der europäischen Neuzeit unterstellt wird, in der Antike nicht wahrnehmbar ist ... wird daraus offensichtlich der Schluss gezogen, dass Waren- und Geldumlauf nur eine sekundäre Rolle spielten. Freilich, die „parasitäre“ Stadt hätte tatsächlich existieren können: Insofern hier die Grundeigentümer zu Hause waren, die das auf ihrem Grund und Boden im Umland erwirtschaftete Mehrprodukt verwendeten. Diese klassische Ausbeutung hatte Finley aber nicht im Sinn. Denn es gibt noch einen anderen Aspekt, der bei Finley zu kurz kommt: die antike Stadt als Konzentration des Eigentums.

Dabei ist die Polis in ihrem eigentlichen Kern zuerst einmal nichts anderes als Versammlungsort der Grundeigentümer. Insofern ist hier das Eigentum konzentriert. Und durch die Tatsache des Lebens in der Stadt wird auch die Eigentumskonzentration erleichtert. Die Stadt ist das politökonomische Zentrum der antiken Produktion, selbst wenn hier nichts produziert worden wäre. Und wiederum der Vergleich mit dem europäischen Mittelalter: Die mittelalterliche Gesellschaft hatte ihr politökonomisches Zentrum auf dem Lande; selbst dort, wo Städte als bedeutsame Handels- und Produktionszentren fungierten. Nicht nur weil hauptsächliche Produzenten und Konsumenten des Mehrproduktes auf dem Land lebten – leibeigene Bauern und Feudalherren –, sondern weil diese Verhältnisse dem Besitz vor dem Eigentum den Vorrang gaben. In solch einer Gesellschaft spielt die politische Konzentration, selbst wenn sie große, gewaltige, ja riesige Ausmaße wie im Angevinischen Besitz des 12. Jahrhundert annahm, keine Rolle als *ökonomische* Konzentration. Das Feudaleigentum war per se immer fragmentiert und zersplittert, auf unzählige miteinander beziehungslose Akteure heruntergebrochen.

Wieder zurück zu dem Thema Stadt & Land in der Antike:

„Möglicherweise gab es auch eine Rückwirkung auf die Verhältnisse auf dem Lande insofern, als der Import von Grundnahrungsmitteln eine wirksamere Ausbeutung größerer Landbesitzungen (wenn auch nicht von Bauernhöfen) durch Spezialisierung erlaubte, die in mehr oder weniger isolierten, autarken Gemeinschaften nicht wirklich möglich gewesen war.“[600]

Mit dem Begriff „Ausbeutung“ meint der Autor nicht die Aneignung von Mehrarbeit, sondern „Nutzung“. Das nur nebenbei. Finleys Satz bedeutet nichts anderes, als dass die natürliche Arbeitsteilung zwischen Stadt und Land die Stärkung der Marktwirtschaft *auf dem Lande* anreizte. Diesen Schluss dürfen wir ziehen, selbst wenn wir dafür nur unzureichende archäologische und textliche Quellen besitzen. Wir könnten auch hypothetische Modelle heranziehen und von der Größe der landwirtschaftlich genutzten Fläche des Umlandes einerseits und der kumulierten Bevölkerungszahl in den Städten andererseits ausgehen. Wenn ein Mensch ein bestimmtes Quantum an Lebensmitteln benötigt und dafür bei einem gegebenen Stand der

Produktivkräfte eine bestimmte Agrarfläche verwendet werden muss … wieviel Fläche bleibt dann für die Subsistenzproduktion der Bauern des Umlandes übrig? Selbst wenn wir davon ausgehen, dass diese Restfläche auf dem Lande nur für die Produktion des Eigenbedarfs im Sinne einer Subsistenzwirtschaft genutzt worden wäre, so hätten wir als Untersuchungsergebnis gerade wegen der Urbanisierung der antiken Welt zwangsläufig Warenproduktion auf dem Lande. Man darf sich den abstrakten Begriff „Markt" nicht als lokalen Bauernmarkt am Samstag vorstellen – wiewohl es diesen auch gab. Markt bedeutet in der Ökonomie Produktion von Mehrarbeit, Handel und Einkommensunterschiede, die sich akkumulieren. Nah- und Detailhandel bringt die Münzwirtschaft mit sich, Fernhandel hat immer auch ein gewisses Ausmaß an „Kapital" als Voraussetzung – und sei dies in Form von Schiffen, die im antiken Transportwesen eine so große Rolle spielten.[601] Sklaven und Getreide waren Güter, die zwar auch lokal produziert werden konnten, deren Angebot für die Nachfrage der Städte aber nur durch das Umland und durch den Fernhandel befriedigt werden konnte.

Wir kommen somit – gerade weil wir dem fünften Kapitel des Buches „Die antike Wirtschaft" gerne folgen – zwangsläufig zu der Schlussfolgerung, die Finley in seinem ersten Kapitel vermeiden wollte: Die antike Wirtschaft war eine Warenökonomie, in der Geldumlauf und Preise die ökonomischen Bewegungen bestimmten. Eigentlich etwas sehr Modernes.

„Die ältesten Silbermünzen fand man in Ephesos; die Datierung ist umstritten, 560 v. Chr. hat eine gewisse Wahrscheinlichkeit (…). Die Verbreitung des Geldes, und zwar auch spezifisch des Münzgeldes, ist dennoch ein ‚griechisches Phänomen', weil die Schnelligkeit und Vollständigkeit der Monetarisierung griechischer Poleis in der antiken Welt kein Vorbild hatte."[602]

Wie leicht zu erraten, ist diese Passage nicht von Finley. Sie ist aus einem jüngeren Sammelband der kulturwissenschaftlichen Numismatik. Dieselbe Quelle weiter zu Athens Kontrolle über das Geld:

„Zumindest das Silbergeld wurde von Athen eingezogen, eingeschmolzen und neu emittiert (kleinere lokale Nominale blieben teilweise erhalten). Neben Maßen und Gewichten wurde die Währung festgesetzt, in der nicht nur die Tribute zu entrichten waren, sondern die auch beim Handel innerhalb des Seebundes zu verwenden war. Das so genannte Münzdekret gehörte zwar wohl – gegen den Großteil der älteren Forschung – nicht in die 450er Jahre v. Chr., sondern erst in die Zeit des Peloponnesischen Krieges (...).“[603]

Es war nicht nebensächlich, welchen Edelmetallgehalt die Münze hatte. Das wissen wir erst recht aus römischer Zeit. [604] Im Grunde ging es darum, möglichst einen Äquivalenttausch Edelmetall – Ware zu ermöglichen und auf Dauer zu gewährleisten. Dieser Aussage widersprechen die kaiserlichen Münzfälschungen keineswegs. Die Fälschungen zeugen bloß davon, dass Wirtschaftspolitik immer kurzfristiger angelegt ist als die ökonomische Struktur. Nach einer kurzen Periode des Schwankens werden Waren wieder zum Edelmetallgehalt gehandelt. Wenn dieser pro Nominale gesunken ist, steigen im Gegenzug die Preise – falls nicht andere Faktoren der Wertbewegungen, wie Versiegen oder Auffinden neuer Lagerstätten oder Veränderung der Produktionsverfahren zur Edelmetallgewinnung, ins Spiel kommen und den Effekt modifizieren.

Wenn es in der Antike auch keine Arbeitsteilung innerhalb einer Fabrik gab, so wie diese im Zuge der industriellen Revolution im 18. Jahrhundert immer raffinierter angewendet wurde, so gab es doch Manufakturen, die den Arbeitsprozess nicht mehr wie im Handwerk auf ein einzelnes Stück bezogen, sondern auf eine Serie. Und es gab eine Arbeitsteilung unter den Kommunen, die sich jeweils auf die Produktion einer bestimmten Ware spezialisierten. Der Ort Histria an der Schwarzmeerküste ist nur ein Beispiel.

„Wir besitzen auch eine in offiziellen Schriftstücken seltene Angabe über die Wirtschaft der Stadt; Flavius Sabinus (50–57) schreibt, daß die Einkünfte der Stadt beinahe ausschließlich aus dem Verkauf von gesalzenem Fisch stammten."[605]

Solch eine Spezialisierung zieht nicht nur Nahhandel, sondern auch Fernhandel und die Vorherrschaft der Geldwirtschaft nach sich. Die Spezialisierung kann auf Seiten der Produktion, wie auf Seiten der Konsumtion festgemacht werden. Wenn all das Getreide, das über den Fernhandel im 6., 5., 4. und 3. Jahrhundert nach Athen kam, in Silber bezahlt wurde – in dieser Ausschließlichkeit ist dies freilich nicht nachweisbar – , dann bedeutet dies nichts anderes als die Dominanz der Warenökonomie über die Subsistenzwirtschaft. Die Rolle der Warenproduktion … gerade bei diesem Thema sehen wir Defizite in Finleys Analyse. Ähnlich sind Stärken und Schwächen im Kapitel „IV. Grundherren und Bauern" verteilt. Der Autor beschreibt steigende Armut der Bauern und steigenden Reichtum der Grundeigentümer im römischen Reich.[606] Aber was ist der Zusammenhang zwischen beiden Aspekten, der steigenden Armut der einen und dem steigenden Reichtum der anderen? Ein Reichtum, dem unter der Voraussetzung eines beschränkt vorhandenen Ausmaßes an Agrarland zwangsläufig auch sein Gegenteil, die wachsende Armut der bereits armen Bauern, folgen müsste. Aber bei Finley folgt die Konzentration des Eigentums nicht aus dem ökonomischen Kreislauf von Produktion, Handel, Preisbildung, Verkaufserlös bzw. der Warenwirtschaft generell, sondern einfach aus der antiken Kultur, derzufolge Reichtum als gut und Armut als schlecht hinzunehmen sei. Der Punkt ist auch hier: Erkennt man den Markt als Triebfeder für jene Jahrhunderte nicht an, so müssen andere Gründe als ökonomische für die soziale Polarisierung am Werken gewesen sein. Vorzugsweise politische.

Bei Finley heißt es aber auch ganz richtig:

„Wir dürfen auch den Schluß ziehen, daß große Güter große Einkünfte brachten, daß die vertraute Wiederkehr dessen, was Historiker eine ‚Agrarkrise' nennen, eine Krise des Bauerntums war oder der Militärbereitschaft oder von etwas anderem, aber nicht ein plötzliches Absinken der Gewinne der *latifundia*."[607]

Wohl nicht. Aber zwischen beiden Polen besteht ein Zusammenhang. Die Agrarkrise auf der politischen Ebene war Ausdruck des Ruins der kleinen, selbstständigen Bauern – zum Beispiel im Zuge der Inkorporation Siziliens in das römische Reich nach dem Zweiten Punischen Krieg. Hier haben die klassischen Althistoriker wie Theodor Mommsen einfach recht: Die ganze Periode von den Gracchen bis zu Augustus war eine Periode des sozialen Bürgerkriegs, der sich zuerst politisch und dann militärisch äußerte. Zuerst direkt, dann indirekt. Hier zeigt sich übrigens, dass der Fortschritt der Analyse, den Finley dadurch erzielt, dass er zwischen abhängiger Arbeit und nicht abhängiger Arbeit unterscheidet, wieder verspielt wird, indem er die Unterwerfung der formal nicht abhängigen Arbeit unter das Marktgeschehen ignoriert.

„Zweifellos wurden landwirtschaftliche Arbeitskräfte intensiv ausgebeutet. Dabei handelte es sich um gebundene Bauern in den östlichen und einigen anderen eroberten Gebieten, im klassischen Kernland in erster Linie um Sklaven und den gelegentlichen Freien, der kleine Pachtgüter übernahm. Dann kam der zweifache Schock für die Bauernschaft, nämlich die fortdauernde Abwertung der Bedeutung des Bürgerrechts für die unteren Klassen und die Last der Besteuerung und anderer Abgaben auf den Landbesitz. Mit der Zeit glitten sie gezwungenermaßen in die Reihe derer ab, die ganz der Ausbeutung unterworfen waren (...)".[608]

Auch hier spricht Finley etwas empirisch höchst Bedeutsames an. Dennoch ist es interessant, dass er die Möglichkeit ignoriert, dass ein kleiner Produzent zwangsläufig gegenüber der Marktmacht eines großen Produzenten unterlegen ist, sofern beide in derselben Branche tätig sind. Unser Autor sieht die Ausbeutung, die die politische Schichtung der Gesellschaft mit sich bringt, aber nicht die Ausbeutung, die formal Gleiche durch unterschiedliche Marktmacht treffen kann. Irgendwie hat der Markt bei Finley keine Relevanz; ja, er ist nicht vorhanden. Mit einer Ausnahme: Das zum Wirtschaften unrentable Kleineigentum sieht Finley im Zusammenhang mit der Erbteilung, die in der Antike kein Erstgeburtsrecht kannte.[609] Kurzum, der Autor beschreibt ganz richtig den großen und den kleinen Landbesitz. Aber beide Pole stehen in keinem Verhältnis zueinander. Vielleicht standen sie auch in Wirklichkeit in keinem ökonomischen Verhältnis zueinander. Aber wie wahrscheinlich ist das? Wenn die Großen ihren Besitz abzurunden trachteten – ein Vorhaben, das auch Finley erwähnt – weshalb nicht auf Kosten von mittleren und kleineren Bauern, die vielleicht verkaufen mussten? Entweder, weil sie vom Markt gedrängt wurden oder weil sie zu wenig Agrarfläche hatten, um sich selbst mit Lebensmitteln zu versorgen? Aber vielleicht sind wir in diesem Punkt überkritisch, denn implizit deutet ja auch Finley an, dass die Großen sich die besseren Böden aneignen konnten.

„Ich habe jedoch den Verdacht, daß derart gelegener guter Boden die wohlhabenden Grundbesitzer angezogen haben könnte (...)."[610]

Bloß, auf wessen Kosten? Finley sieht die großen Bauern mit den guten Böden in der Lage, einen „Überschuss" für den

Markt zu produzieren.[611] Das ist ganz plausibel, wenn wir nur die klassischen Selbstständigen im Blick haben. Die Leute, die sich auf gesalzenen Fisch spezialisiert hatten, verkauften nicht zwangsläufig „Überschuss“, sondern arbeiteten arbeitsteilig. Denn der Überschuss ist in einer Marktwirtschaft davon abhängig, wie groß der Wertanteil an den Waren ist, die durch unentgeltliche Aneignung der Arbeit Abhängiger (etwa Sklaven, Tagelöhner oder verschuldeter Bauern) generiert wurde. Die kleinen Bauern kamen in „Die antike Wirtschaft“ mit dem Markt höchstens in Form des Wochenmarktes in Kontakt, aber …

„(…) wenn alles gut ging, gab es nur wenige Dinge, die ein Bauer nicht selbst fertigen konnte (…).“[612]

Marktwirtschaft ist für einige Historiker anscheinend nur in zwei Extremen denkbar: als Preisbestimmung auf einem Weltmarkt einerseits und als bäuerlicher Wochenmarkt andererseits, den man vielleicht aufsuchen musste, um eine eiserne Pflugschar zu erwerben. Aber Marktwirtschaft ist viel mehr und fehlt nur deswegen nicht nicht, wenn diese beiden Extreme gerade nicht verortbar sind. Die Numismatik zum Beispiel gibt uns ein Bild davon, dass Geldverkehr auch diesseits des Fernhandels gang und gäbe war. Dem Geld dienten Scheidemünze und Kurantmünze im Doppelpack. Für eine Warenwirtschaft unter der Dominanz des Privateigentums ist die Kurantmünze – in der Antike zum Beispiel Aureus und Solidus, anfangs auch der Silberdenarius – unentbehrlich. Andererseits erleichtert die Scheidemünze den Detailhandel mit den Konsumenten.

Kommen wir zu den Bauern zurück:

„Es überrascht nicht, daß sich der Bauer der Antike immer am Rande des Existenzminimums befand. (…) Die einzig übliche Quelle für Nebeneinnahmen der Bauern war Saisonarbeit auf den benachbarten größeren Gütern, besonders zur Erntezeit

(...)."[613]

Selbst wenn die kleinen Bauern an sich nicht für den Markt produzierten, sondern nur für die eigene Familie – als Saisonarbeiter waren sie in dem Markt eingebunden, als Verkäufer der eigenen Arbeitskraft und als Käufer von Lebensmitteln ... mit dem Bronze-As und dem Silber-Denar in der Tasche.

Insofern Finley der autonomen Wirkungsweise des Marktes, der Geld- und Warenwirtschaft wenig Bedeutung für die Antike beimisst, insofern misst er der Wirkungsweise der „guten Sitten" umso mehr Bedeutung bei. Oder anders gesagt: Er stellt die „guten Sitten" in einen Gegensatz zu dem ökonomischen Rationalismus. Und diesen Rationalismus nimmt er als bewusste Geistesleistung, nicht als unbewusste Anpassung an die Anforderungen an die Usancen der Warenwirtschaft an. Wir sehen diesen Zugang in der Passage über den Agrar-Schriftsteller Cato:

„Cato war nicht etwa solchen ‚ökonomischen Wahrheiten' unzugänglich, sondern er hat nie davon gehört. In seiner Welt gab es niemanden, der sie vortrug oder für sie eintrat. Es fehlten die Verfahren, um die verschiedenen Möglichkeiten durchzurechnen und dann unter ihnen auszuwählen, z.B. die relativen ökonomischen Vorteile von Anbau oder Kauf von Gerste für die Sklaven und den Pfählen von Weinreben; es fehlten die Verfahren, um den relativen Nutzen der einen oder anderen Getreideart unter bestimmten Umständen zu berechnen oder den von Ackerbau gegenüber Viehzucht; die Landbesitzer der Antike, die gerne unabhängig von Käufen auf dem Markt sein wollten (...) betrieben ihr Geschäft nach Tradition, Brauch und mit Faustregeln, und eine solche Regel war, daß ‚der *paterfamilias* ein Verkäufer, kein Einkäufer sein soll'."[614]

Aber bereits zu Catos Zeiten war evident, dass der Verkäufer zu diesem Sosein einen Käufer als Gegenüber benötigte, andernfalls könnte er auch nichts verkaufen. Aber das ist nicht der Punkt. Es geht nicht darum, ob Finley Cato richtig interpretiert, sondern weshalb überhaupt das Argument der „nationalökonomischen Wahrheiten" ins Treffen geführt wird. Es geht nicht darum, ob Finley sich als Historiker irrt, sondern es geht darum, ob er sich als Ökonom irrt. Das ist, unserer Ansicht nach, der Fall. Selbst für ein kapitalistisches Wirtschaften ist es keineswegs Voraussetzung, wissenschaftliche Techniken der Kalkulation zu beherrschen bzw. zu berücksichtigen. Finleys Bild ist eine Art „Idealtypus" – nicht sein Bild der Antike, sondern sein Bild des modernen Kapitalismus. Das ist vermutlich das Ergebnis des Einflusses von Max Webers Religionssoziologie. Wobei Max Weber selbst weitaus vorsichtiger war, den (rationalistischen) Geist als Voraussetzung der (ökonomischen) Materie zu verabsolutieren. Weber gehört zu den Autoren, die immer einseitig interpretiert werden. Dabei war Finley in guter Gesellschaft. Hier noch einmal die Passage, in der Finley seine Karten auf den Tisch legt:

„Kurz gesagt, Investitionen in Grund und Boden war in der Antike niemals eine Frage systematischen, berechnenden Vorgehens, eine Frage dessen, was Max Weber ökonomischen Rationalismus nannte."[615]

Fergus Millar hingegen zitiert Plinius den Älteren, der wiederum von einem berichtet, der ...

„(...) hatte das Land für 600.000 Sesterzen gekauft. Auf Anraten eines Fachmannes hatte er den Boden neu dränieren lassen und verkaufte nach acht Jahren eine einzige Weinernte für 400.000 Sesterzen. Dieser Gewinn weckte das Interesse des reichen Seneca, der die Weingärten einige Jahre später für etwa 2.400.000 Sesterzen kaufte."[616]

Sicher, es geht hier nicht um die konkreten Zahlenangaben. Aber Plinius scheint zeigen zu wollen, dass „Investitionen in

Grund und Boden in der Antike sehr wohl eine Frage systematischen, berechnenden Vorgehens sein konnten" – also genau das Gegenteil von dem, was uns Finley sagt. An einer anderen Stelle berichtet Millar aus Briefen Plinius', in denen dieser einen Freund um Rat fragt ...

„(...) ob er Grundstücke – Felder, Weingärten und Wälder –, die an sein Besitztum grenzten, erwerben sollte oder nicht. Daraus würde sich die Einsparung von Haus- und Gartensklaven, Tischlern und Jagdausrüstung ergeben und der Vorteil, nur ein Landhaus im vollen Betrieb halten zu müssen."[617]

Das ist wiederum das glatte Gegenteil von dem, was Finley an einer anderen Stelle sagt, nämlich dass Arrondierungen von Grundeigentum nicht aus Gründen der Rationalität erfolgten.

Insofern dies einfach eine Frage der Quellenkritik ist, maßen wir uns selbstverständlich kein Urteil zu und die Passage bei Plinius, wie sie Millar wiedergibt, mag Ausnahme oder die Regel sei. Aber was an Finleys Argumentation eine idealistische Note hat, ist: dass Rationalismus als Buchwissen bzw. auch nur als Bewusstsein die Voraussetzung für den Gewinn sei. Umgekehrt wäre es plausibler: Die Möglichkeit, Gewinn zu erwirtschaften, weil wir uns in einer Gesellschaft mit Produktion für einen Markt befinden, bringt irgendwann den dazu passenden Rationalismus an die Tagesordnung. Zumindest für jene, die dafür offen sind und das sind dann vermutlich auch jene, die sich dann eher durchsetzen.

„Antike Autoren (...) hatten es noch nicht gelernt, Moral und Profit einfach gleichzusetzen."[618]

Das macht nichts, auch bei uns gibt es Kulturen, die diese Elemente nicht gleichsetzen. Dennoch leben und arbeiten sie im Kapitalismus ganz gut. Auch hier steht Finley seine Weber-Interpretation im Wege. Zumindest Moral und Reichtum, wenn auch nicht Moral und Profit, wurden in der Antike gleichgesetzt, wie Finley selbst ebenfalls betont und darin liegt die richtige Erkenntnis, dass der Produktionsprozess in der Antike zwar auch Gewinn, aber am Ende der Zirkulationskette einen nicht weiter investierbaren Reichtum erzeugte. Wenn wir die Begriffe „Profit", „Gewinn", „Erwerb" nicht synonym verwenden – und das macht Sinn – erkennen wir an, dass Finley den Punkt auch gut traf, wie in folgender Passage:

„Aristokraten sind dafür bekannt, daß sie sich in ihrem tagtäglichen Verhalten an veraltete Ideologien festklammern und mit ihnen untergehen. Das war in der Antike nicht ihr Schicksal. Im Vergleich zu Max Webers ‚protestantischer Ethik' mag ihre Mentalität nicht produktiv gewesen sein; aber sie war keineswegs eine Mentalität, die nicht auf Erwerb gerichtet war."[619]

Lassen wir den abstrakten Zusammenhang zwischen Moral und Rationalität einmal beiseite und gehen wir von der Produktionsweise aus: Im Grunde genügt es, sich empirisch vom Markt leiten zu lassen; von den Preisen, die Werte widerspiegeln; von dem Milieu; dem Brauch; der Beobachtung der Branche und so weiter. Daneben zählen für die Fortune des Einzelnen Glück, Geschick und Intuition; Mut und im richtigen Moment Vorsicht. Selbst kapitalistisches Unternehmertum ist keine Wissenschaft, sondern eine *Kunst*. Eine bestimmte Produktionsweise schafft sich ganz pragmatisch nach und nach ihre passende Reflexion. Auch heute ist es so, dass nur eine Minderheit der Unternehmer Betriebswirtschaftslehre oder gar Nationalökonomie oder Welthandel an der Universität studiert hat. Sie handeln vielleicht nicht im Widerspruch zu dem Buchwissen ... weshalb auch, das Buchwissen ist Produkt ihrer Produktionsweise. Dazu kommt, dass oft nationale, kulturelle und religiöse Sitten das ökonomische Handeln ideologisch „ummanteln" und die der Warenwirtschaft eigentümliche Rationalität nicht oder nur noch gebrochen sichtbar machen. Nehmen wir etwa Indien – ein Subkontinent, der vor kapitalistischer Betriebsamkeit nur so brummt. Und dennoch gleichzeitig durch die alten Schranken der Sitte, des Standes und des Status durchzogen ist. Oder eigentlich ist es so: Der Kapitalismus als Produktionsweise hat das Kastenwesen Indiens nicht beseitigt, sondern bloß überformt und für sich instrumentalisiert. Solche Konstellationen sind weit weniger eindimensional und geradlinig, wie uns die herkömmliche Weber-Rezeption glauben machen lässt. Hätte der Kapitalismus in der Antike seine materiellen Bedingungen vorgefunden, er hätte die antike Kultur für sich benutzt. Der Kapitalismus scheiterte hier nicht am fehlenden ökonomischen Verstand, sondern unter anderem an der Absenz einer Lohnarbeiterklasse. Kurzum: Das, was Finley der Antike zuschreibt – nämlich das Vorherrschen von Brauch und Sitte statt Rationalität – ist kein stichhaltiges Argument dafür, weshalb in der Antike kein Kapitalismus aufkommen konnte. Und wenn an diesem Punkt die Gegenkritik der „Modernisten" ansetzt, dann eigentlich nicht ganz zu Unrecht. Hätte es Finley dabei belassen, nachzuweisen, dass es in der Antike nicht zu der Herausbildung einer Lohnarbeiterklasse gekommen war, es gäbe gegen seine Argumentation nichts einzuwenden. Ohne Lohnarbeit kein Kapital, wie es bei Marx kurz und bündig gegenüber Rossi heißt. Rossi hatte 1824 die Ansicht vertreten, der Lohn sei kein notwendiges Element des Kapitalverhältnisses. Genau genommen meinte Rossi, dass es zwar Lohn („Salair") gebe, aber dieser habe nichts mit der Produktion zu tun, sondern nur mit der Verwendung eines gesellschaftlichen Konsumfonds. In der Produktion selbst geben beide Seiten zur Hälfte etwas her: der Kapitalist die Produktionsinstrumente, der Arbeiter seine Arbeit.

„Hier ist nun viel Konfusion, berechtigt dadurch, daß Rossi

die Ökonomen beim Wort nimmt und *Produktionsinstrument* als solches mit Kapital gleichsetzt. D'abord hat er ganz recht, daß Lohnarbeit keine absolute Form der Arbeit, vergißt aber nur dabei, daß Kapital ebensowenig eine absolute Form der Arbeitsmittel und -materien ist und daß diese zwei Formen dieselbe Form in verschiedenen Momenten sind, daher miteinander stehen und fallen; es daher abgeschmackt von ihm ist, von Kapitalisten ohne Lohnarbeit zu sprechen."[620]

Das ist die Basis der Überlegung. Und von hier weg – ohne verallgemeinerte Lohnarbeit in der Antike kein Kapitalismus in der Antike – wären wir auch mit Finley völlig einverstanden. Darauf aufbauend könnte man auch noch nachweisen, dass die vorherrschende Sklaverei der Herausbildung von Kapital und Lohnarbeit im Wege stand. Von diesem Punkte aus sind wiederum zwei Wege möglich: Erstens, dass Lohnarbeit und Kapital sich nur deswegen nicht entwickelten, *weil* in der Antike die Sklavenarbeit und in der Spätantike das Kolonat vorherrschend waren oder aber zweitens, dass auch ohne diese Hindernisse kein Kapitalismus entstanden wäre, sondern etwas Drittes. Denn tatsächlich benötigte zumindest der Kapitalismus, der die feudale Produktionsweise im Europa der frühen Neuzeit abzulösen begann, noch eine weitere Entwicklung: die der ursprünglichen kapitalistischen Akkumulation.

Finley hingegen bleibt meist bei seiner Verstandessache:

„Es gab keine klare Vorstellung von dem Unterschied zwischen Kapitalkosten und Arbeitskosten, keine planvolle Rücklage von Gewinnen (...)."[621]

Das wundert auch nicht. Denn wir sprechen von einer Gesellschaft, in der die Arbeit einfach durch Gewalt erpresst wurde (Sklavenarbeit) und Lohn nur eine pekuniär unbedeutende Nebenrolle im Falle unqualifizierter Tagelöhner spielte. Abgesehen davon, dass im Kapitalismus Arbeitskosten (die Löhne) sehr wohl Teil des Kapitals sind, daher auch Kapitalkosten ... aber das soll hier nicht der springende Punkt sein, sondern was es mit der angeblichen fehlenden Rationalität der antiken Produktion auf sich hat.

„(...) doch bestand offenbar keine Abneigung, *massae* und *fundi* aufzuteilen, wenn die Gelegenheit es notwendig machte."[622]

Gewiss, und es gab Gründe dafür (siehe unten); aber auch die gegenteilige Entwicklung zu großen und sehr großen Gütern – das haben wir bei dem Passus zur Spätantike bereits angesprochen.

„Unter den Bedingungen der Antike bedeutete die Arrondierung von Besitzungen zu großen zusammenhängenden Landstrichen nicht automatisch Rationalisierung, zumal nicht dort, wo Sklaven die hauptsächlichen Arbeitskräfte waren."[623]

Mag sein, aber vermutlich nur insofern, als die Sklavenarbeit der Entwicklung und der Anwendung von Maschinen, die sich erst ab einer bestimmten Größe der Agrarfläche rentieren, im Wege stand. Dennoch bedeutete die manufakturmäßige Sklavenarbeit immerhin mehr Rationalität und Betriebsgröße, als jene der italischen Bauern mit ihren Familienbetrieben, die nach dem Zweiten Punischen Krieg der Konkurrenz von Syrakus und Catania weichen mussten. Es kommt immer darauf an, *womit* wir das empirische Ergebnis der historisch-philologischen und archäologischen Forschung messen.

Selbstverständlich bedeutet die Kritik des Materialismus am Idealismus nicht im Umkehrschluss, dass es keine Unterschiede im unternehmerischen Verhalten der großen Agrarproduzenten der Antike zu jenen der Moderne gegeben hätte. Der Materialismus begründet diesen Unterschied nur anders als der Idealismus. Manche Unterschiede mögen zufällig gewesen sein, andere mit der Produktionsweise zusammenhängen. Die verallgemeinerte Anwendung von Sklavenarbeit lenkt die Rationalität anders als unter Bedingungen der verallgemeinerten Lohnarbeit. Zwang, Disziplin, Strafe, Manufaktur, große Stückzahlen mit viel Handarbeit, Einteilung, Planung und so weiter folgen einem anderen Muster als Qualifikation, Technologie und Selbstkontrolle. Auf der einen Seite steht als Bezugspunkt die Masse an Menschen, Muskeln und Sehnen, Armen und Beinen; auf der anderen Seite steht als Bezugspunkt die Investition, die Maschine, die bedient werden will und die sich rentieren soll. Hier wird jeweils eine unterschiedliche Art der Rationalität gefördert und gefordert. Hier sehen wir nicht nur einfach den Unterschied zwischen Muskeln und Hirn. Denn auch der Einsatz der Sklavenarbeit fordert und fördert einen bestimmten Typus der Rationalität. Und diese hat Auswirkungen: Wie bereits erwähnt, wäre es wiederum falsch, Sklavenarbeit eine Behinderung *jeglicher* wirtschaftlichen Rationalität der Unternehmer zu unterstellen. Sie stand zusammengesetzter Arbeit, Arbeitsteilung und Produktivitätsfortschritten nicht *an sich* im Wege. Im Vergleich zur Lohnarbeit behindert Sklavenarbeit Produktivitätsfortschritte, im Vergleich zu den Subsistenzbauern nicht. Finley verteidigte das technologische Potential der Sklavenarbeit gegen andere Autoren und wenn wir bei Max Weber nachlesen, wie dort die Sklavenarbeit nur als Kommandowirtschaft in einer Art Kaserne gedacht wird, verstehen wir wiederum Finley gut.[624] Aber Finley übertreibt dabei in der anderen Richtung.[625] Im Vergleich zur Lohnarbeit ist Sklavenarbeit weder geeignet, die Produktivkraft der Arbeit zu erhöhen, noch dabei ein Kapital zu erneuern, und es somit akkumulieren zu lassen, damit es wiederum die Produktivkraft der Arbeit erhöhen könne. Eine ganze Reihe an Reflexionen zu diesem Zusammenhang findet sich bei Karl Marx in dessen „Theorien über den Mehrwert“ und anderen Schriften aus den 1850er Jahren. Diese

Theorien beinhalten bei aller Abstraktion auch immer eine historische Komponente, weil Faktoren wie Kapital und Lohnarbeit, Grundeigentum und Sklavenarbeit nicht per se vorhanden sind, sondern sich im Laufe eines langfristigen geschichtlichen Prozesses entwickelt haben.[626]

Insofern haben wir vormoderne Verhältnisse in der Antike vor uns, die in der Produktion zwar sehr wohl monetären Reichtum schuf, aber kein Kapital.

KAPITEL 9: DER REICHTUM

Nun waren wir dem prominentesten Vertreter des „Primitivismus“ auf der Spur. Aber wie sieht es nun mit den Argumenten der „Modernisten“ aus? Zum Teil sind diese einfach nicht mehr wegzudenkender Teil der „Literaturgeschichte“, wie etwa die Werke Theodor Mommsens aus den 1850er bis 1880er Jahren oder jene des Kulturhistorikers Egon Friedell der Zwischenkriegszeit. Friedell war kein Historiker im engeren Sinne, aber an der Vorlage Mommsens haben sich später viele weitere Autoren abgearbeitet.[627] Heute gilt seine „Römische Geschichte“ eher als Frühform der Geschichtsschreibung und viele methodische Zugänge sind bei Mommsen nicht mehr zeitgemäß. Indes könnte dies im selben Ausmaß von Max Weber behauptet werden, dessen Werk noch heute eine weitaus größere Reputation genießt. Für eine Geschichte der antiken Gesellschaftsstruktur sind viele einzelne Einsichten Friedells und Mommsens unserer Ansicht nach wertvoll, ja inspirierend.

Interessant ist auch, dass gerade die „Modernisten“, zu denen auch der Historiker Michael Rostovtzeff gezählt werden kann, den Aspekt des Klassenkampfes stärker als die Vertreter des „Primitivismus“ betonen. Mommsen sprach ganz unverblümt von „Revolution“ und meinte damit die Spannungen, die das Auftreten der Gracchen sowohl begründeten wie auch nach sich zog. Und Rostovtzeff beginnt sein Buch „The Social & Economic History of the Roman Empire“ (1926) mit folgenden Worten:

„The Roman Empire as established by Augustus was the outcome of the troubled and confused period of civil war which lasted, both in Italy and in the Roman provinces, for more than eighty years, with some longer or shorter lulls. The civil wars, in their turn, owed their origin to two main causes, which also determined their course: on the one hand, the dominating position in the affairs of the civilized world occupied by Rome and Italy in the third and second century B. C., which led to the establishment of the Roman world-state, and, on the other hand, the gradual development of class antagonism and class war in Rome and Italy, a development which was closely connected with the growth of the Roman world-state.“[628]

Vielleicht würden die Vertreter des „Modernismus“ diesen – im Übrigen völlig zutreffenden – Absatz nicht ablehnen, aber sie würden eine Wirtschafts- und Sozialgeschichte Roms nicht damit beginnen und somit das Leitthema hier ansetzen.

Rostovtzeff weiters auf der ersten Seite seines Buches:

„Greece and especially Athens, which in the fifth and fourth centuries B. C. had developed, from the economic point of view, a flourishing state of commercial capitalism (. . .).“[629]

An diesem Punkt könnte man noch sagen, dass der Begriff „Kapitalismus“ umgangssprachlich für Marktwirtschaft verwendet wurde und noch nicht als industrielle Kapitalakkumulation gemeint war. Indes, Rostovtzeff lässt wenig Zweifel offen, was er unter „capitalism“ versteht. In Hellas . . .

„(. . .) an unceasing class-warfare, which originated in the steady growth of a well-to-do bourgeois class and the corresponding impoverishment of the masses. This class-war made the growth and development of a sound capitalistic system very difficult.“[630]

Ganz richtig sieht Rostovtzeff den Inhalt des Klassenkampfes nicht in einer Auseinandersetzung zwischen Kapital und Arbeit um Arbeitsbedingungen, die die Produktion anheben könnte, sondern in der . . .

„(...) redistribution of property (...) redistribution of land and abolition of debts.“[631]

Die daraus folgende Nebenthese Rostovtzeffs lautet, dass die hellenistischen Monarchien den offenen Klassenkampf unterdrückten und dass deswegen diese Königreiche zu einem Eldorado kapitalistischer Prosperität werden konnten:

„Thus the accumulation of capital and the introduction of improved methods in trade and industry proceeded more freely and successfully in the East than in the cities of Greece proper. Hence the commercial capitalism of the Greek cities of the fourth century attained an ever higher development, which brought the Hellenistic states very near to the stage of industrial capitalism that characterizes the economic history of Europe in the nineteenth and twentieth centuries.“[632]

Das ist die Kernthese. Und etwas näher erklärt:

„The Hellenistic cities of the East had at their disposal a large internal market. They carried on an important and steadily growing external trade in competition with each other. They gradually improved the technique of agricultural and of industrial production with the aid of pure and applied science, which advanced with rapid strides in all the Hellenistic kingdoms; and they employed both in agriculture (including cattle-breeding) and in industry the methods of pure capitalistic economy based on slave-labour. They introduced for the first time a mass production of goods for an indefinite market. They developed banking and credit (...) the attempts to stabilize the currency, or at least to establish stable relations between the coins of the various independent trading states. (...) the enormous importance of commercial considerations in the shaping their foreign policy, make it tempting to compare the economic conditions of these monarchies with those of the mercantile period in the history of modern Europe.“[633]

Interessant ist auch die Begründung der inhärenten Grenzen dieses Kapitalismus: der andauernde Krieg der griechischen und hellenistischen Welt, wobei Letztere zu einer Art Kriegswirtschaft wie im Ersten Weltkrieg Zuflucht fand, die Nationalisierung der Wirtschaft und die Einführung hoher Steuern, die das Aufblühen des Kapitalismus wieder zunichtemachte. Rostovtzeff sieht hier nicht einfach eine duale Ökonomie, die nach wie vor auf der asiatischen Produktionsweise basierte, sondern verschiedene Politiken innerhalb des ökonomischen Systems *Kapitalismus*.

Viele Aspekte, die Rostovtzeff erwähnt, wie Handel, Währungspolitik, standardisierte Produktion ... sind ganz richtig vor den Vorhang geholt. Aber der Autor zieht hier keine Linie dieser Elemente gegenüber einem echten industriellen Kapitalismus mit Akkumulation und allem Drumherum. Rostovtzeff erwähnt die Sklavenarbeit, aber für ihn ist diese nur ein Detail innerhalb des gesamten Bildes. Sie ist für ihn nicht die Barriere, die die antike Wirtschaft von einem echten Kapitalismus trennt und die sie nicht überwinden kann. Hier liest es sich wie über die Sklavenarbeit in den Dixie – innerhalb des Weltsystems des Kapitals. Die Performance der antiken Warenwirtschaft ist bei Rostovtzeff nur durch die Politik, die Wirtschaftspolitik oder durch den Klassenkampf beschränkt, nicht durch die antike Produktionsweise selbst.

Vorderhand noch konsequenter als Rostovtzeff ging der US-amerikanische Althistoriker Tenney Frank (1876–1939) von dem *framework of industrial capitalism* aus. Sein Werk „An Economic History of Rome" wird mittels folgender Kapitel aufgebaut und diese sind es wert, hier vollständig genannt zu werden, denn sie zeigen uns seine Herangehensweise:

„Chapter 1: Agriculture in Early Latium, Chapter 2: The Early Trade of Latium and Etruria, Chapter 3: The Rise of the Peasantry, Chapter 4: New Lands For Old, Chapter 5: Roman Coinage, Chapter 6: The Establishment of the Plantation, Chapter 7: Industry and Commerce, Chapter 8: The Gracchan Revolution, Chapter 9: The New Provincial Policy, Chapter 10: Financial Interests in Politics, Chapter 11: Public Finances, Chapter 12: The Plebs Urbana, Chapter 13: Industry, Chapter 14: Industry (continued), Chapter 15: Capital, Chapter 16: Commerce, Chapter 17: The Laborer, Chapter 18: The First Decades of the Empire, Chapter 19: Egypt as Imperial Province, Chapter 20: Italy during the Early Empire, Chapter 21: The Provinces in Hadrian's Day, Chapter 22: Beginnings of Serfdom“[634]

Dieses Buch bietet viele interessante Fakten – eine Qualität, die wohl auf viele „Modernisten“ zutrifft. Am erstaunlichsten ist „Chapter 17: The Laborer”, denn Tenney Frank meint tatsächlich die Arbeiter und nicht abstrakt den Faktor Arbeit. Dafür gibt es kein Kapitel explizit über Sklavenarbeit als Produktionsweise. Stattdessen werden die Lohnarbeiter neben die Sklaven gestellt. Frank verwendet den Begriff *capital* oft einfach als Geld, das investiert werden kann, und er sieht natürlich, dass die hauptsächliche Investition in der Antike Grund und Boden war. Das stimmt, auch das kann Kapital sein, Geldkapital ... aber was ist dann mit dem industriellen Kapital? Das wäre eigentlich der *casus belli*. Werfen wir daher einen kurzen Blick in seine Kapitel über „Industry“.

„To be sure, the recurrence in all parts of the world of certain types of lamps bearing a well-known firm-name succeeded until recently in deceiving archaeologists into thinking that certain firms commanded the trade over wide areas. But it has now been proved by measurements that the greater number of these lamps came from local potteries that simply used various shapes successively popular at some center like Rome, importing the originals and using them, firm-name and all, as molds. Since, then, in the absence of protective copyright, there was here no difficult formula or trade-secret to aid in excluding competition and no great economic inducement for gathering considerable labor, the industry scattered in such a way that local potteries usually supplied the needs of each community.“[635]

Daran ist der Hinweis spannend, dass das so rechtssensitive Rom keine Gesetze und Begriffe zum Schutze von Kapital kannte, die über den Schutz des bloßen Eigentums hinausgingen. Und Monopole, die vielleicht bestanden, wie die zur Produktion der roten Keramik von Arretium, scheinen eher technische Produktionsschwerpunkte bzw. regionale Cluster gewesen zu sein, denn eine gesetzlich geschützte Marke.

„Here again, as in the case of Arretine ware, conditions favorable to monopolistic production existed. Whether or not modern methods can extract glass paste with ease from the sands and pozzolanas of Italy everywhere, it is clear from Strabo and Pliny that the ancient glass-maker had great difficulty in finding a tractable sand. This alone prevented much competition.“[636]

Laut diesem Autor verhielt es sich mit der Ziegelproduktion, die für die Baukunst seit Neros Zeiten eine so große Rolle spielte, wiederum ganz anders. Die Produktion war kein Geheimnis und der Rohstoff war als Ablagerung der großen Flüsse Italiens weit verbreitet.

In der Glasproduktion:

„There is, however, a translucent glass of Rome, usually figured and signed, and apparently made with the blowpipe, that provides some little information of value. When Strabo says that in his day certain new inventions at Rome had greatly increased the production of glass and brought down the price to a cent or two per article he may well be referring to the discovery of the process by which a bubble of glass paste was manipulated with the aid of a blow-pipe. It is obvious why this method revolutionized the production of clear glass. (...) The product was clearer and smoother and the work was far more rapidly done than by the old method."[637]

Das ist eines der Beispiele, wie eine Investition in die Produktivkraft die Stückzahl pro Stunde erhöhte und damit die Preise pro Stück senkte. Also ein Vorgang, der tatsächlich *auch* den Usancen des industriellen Kapitalismus entspricht. Aber das Spezifische daran ist, dass Produktivitätsfortschritte einer Branche nicht auf andere Branchen weitergegeben werden konnten. Dazu spielte das „konstante Kapital" insgesamt eine zu geringe Rolle und die Betriebe waren eigentlich keine Fabriken, also Produktionsstätten mit dem Einsatz von Energie, sondern Manufakturen.

„Wrought iron and steel of excellent quality were made and used in arms and agricultural implements, but since the valved bellows had not yet been invented a thorough melting of iron ore was not yet possible. The Roman manufacturer therefore did not know of cast iron, the cheapest and most serviceable form of the metal. In lieu of thorough smelting he had to content himself with the expensive product that could be procured by patient and reiterated forging on the anvil. Delian price lists quote iron at about six dollars per hundred weight, which seems very high when we consider that the Roman procured his copper at very little above the modern price."[638]

Im Großen und Ganzen, oder besser gesagt: langfristig, sind Erfindungen nicht eine Sache des Zufalls oder der individuellen Genialität, sondern der Anreize, aus Technik eine Technologie zu machen und die Produktionsmittel pro Qualität zu verbilligen oder umgekehrt mit demselben Geld mehr zu produzieren. Das bedeutet immer: den Faktor Arbeit gegenüber dem Faktor Kapital zu verringern.

„The manufacturers of this glass bear Greek names and call

themselves natives of Phoenician Sidon. It may be that some of the factories were in Sidon; at least Ennion's work is found mainly in that region. On the other hand, the work of Artas, Neikon, and Ariston appears mostly at Rome. Either we are dealing with an eastern product that captured the trade of Rome, or, what is more likely, we are dealing with skilled artisans and manufacturers who, realizing that Rome offered the best market, set up their main factories in Italy. Perhaps these are the factories on the Volturnus River mentioned by Pliny."[639]

Schade, dass wir das nicht wissen. Es wäre ein aussagekräftiges Detail, ob „Fabriken" statt in der Nähe der Rohstoffe in der Nähe der Absatzmärkte angesiedelt wurden. Bei der Eisenindustrie scheint dies der Fall gewesen zu sein:

„At the time of the Second Punic War, the Etruscan cities still held possession of the iron industries of Italy, producing great quantities of arms and implements; but in the second century Puteoli captured the trade and the industry. Here, according to Diodorus, manufacturers gathered great numbers of smiths who wrought the crude metal into ‚arms, mattocks, sickles and other implements,' which merchants bought and carried into all parts of the world. That Puteoli succeeded Tuscany is not surprising when we consider her wealth of fuel in the Phlegraean fields, her excellent harbor, her position near the richest agricultural land of Italy where iron tools were especially used, and her place as a distributing center for the armies and navies of Rome."[640]

Vermutlich war die Standortwahl der Ziegelwerke erst recht an der Nähe zum Absatzmarkt orientiert:

„And yet certain brick firms at Rome grew to immense proportions, owing possibly to a capacity and ability to grasp the opportunities offered."[641]

In die Branche der Ziegelproduktion kam man vielleicht über

den Umweg des Grundeigentums. Weshalb sich hier neben „Neureichen“ auch „Aristokraten“ als „Fabrikanten“ tummelten.[642] Hier zählte irgendwann nur noch die Größe:

„Like any Roman ambitious to establish a social position, he invested in landed estates, and it was probably in this way that he became an owner of a brickyard, since tileburning was still looked upon as a legitimate branch of agriculture and therefore respectable beyond the run of ordinary business. (...) extended their enterprises enormously, acquiring, as their trade-marks show, the yards of several different estates which they finally conducted under a score of managers. There is hardly a public or private building of importance during their period—an epoch of enormous building activity—where their trademark is not prominent, if not predominant, among the brick stamps found.“ [643]

Aber auch Tenney Frank sieht auf der anderen Seite die Beschränkungen der Massenproduktion, die geringe Arbeitsteilung und den geringen Umfang des konstanten Kapitals. Hier ein Beispiel aus der Eisenproduktion:

„The language of Diodorus might lead the unwary into assuming a real factory system in this industry, as indeed it does justify us in applying to it the terms of capitalistic industry and international commerce. But we must not infer too much. Since the furnaces could not produce a thoroughly molten ore in large quantities, cast-iron implements which might have been made en masse were of course out of the question. Every iron and steel implement was accordingly the product of repeated heatings and forgings on individual anvils. There was therefore in all probability little division of labor, and little use of laborsaving machinery except such as any simple smith would employ.“[644]

Das ist gut bewertet. Tenney Frank weiter zu der Eisenproduktion:

„If some manufacturers, as Diodorus implies, took advantage of Puteoli's excellent position, to gather there under one roof a large number of skilled smiths, slaves or free, they might well be called capitalistic producers, but the essential elements of a factory system, such as we have found in the pottery and glass industries, cannot without further evidence be assumed.“[645]

Heute würden wir diese nicht als „capitalist producers“ bezeichnen. Der Autor meinte eigentlich das Manufaktursystem. Und auch das „factory system“ entbehrte in der Antike eines Energie-Antriebssystems, das über die Muskelkraft und vielleicht die der Wassermühle hinausgeht. Und dieses Manufaktursystem grenzt Frank gegenüber der Handwerksproduktion der „Roman artisans“, der Schild-Macher, Schwert-Macher, Helm-Macher ab. Wenn wir diese Begriffe verwenden, ist gegen seinen Inhalt nichts einzuwenden.

„Every army had its group of smiths behind the lines not only to make the artillery of the army but also to mend shields, swords and helmets and to supply spear-points in great abundance. But the artisans at home, during the Republic at least, did no little work in filling the demand for arms since every legionary soldier had to provide himself before departure with a helmet, a breastplate or coat of mail, a standard sword, and a steel-pointed lance. It is probable too that the armories which every municipality of any size kept well stocked against sudden riots or invasions bought their supplies from private shops or large producers. At any rate the armamentarium of Pompeii which was recently found had no place for production in the vicinity. In the late Empire, as is well known, the government assumed the task of producing all the arms and armor needed by its forces and erected for the purpose large state factories in several cities throughout the Empire.“[646]

Wir wollen es bei diesem kurzen Einblick in die Betriebswelt

Roms bewenden lassen. Vor allem auch deswegen, weil es natürlich modernere Untersuchungen mit einer besseren Quellenlage gibt. Aber die zitierten Passagen zeigen dennoch, dass bei aller berechtigen terminologischen Kritik auch Vertreter des „Modernismus" ein differenziertes Bild zeichnen konnten. Bei Tenney Frank zeigt sich ein Phänomen, das der Kritik des „Primitivismus" an dem „Modernismus" etwas an Schärfe nimmt: Die Begriffe Kapital und Kapitalismus sind hier oft nicht ausdifferenziert wie bei Karl Marx, sondern umgangssprachlich verwendet. Etwa im Sinne von „Geld" und „Unternehmertum". Genauso wie „industry" eher im Sinne von Produktions-Sparte und nicht im Sinne von Industrieproduktion oder Fabriksystem verstanden wird und „capital" einfach Geld ist, das betrieblich angelegt werden kann. Die Kritik neigt sich somit eher auf die Seite, dass der reale Kapitalismus nicht in exakte Begriffe gefasst wurde, wenn er zur Blaupause für die antike Wirtschaft herangezogen wurde und weniger auf die Seite, dass die „Modernisten" tatsächlich einen echten Kapitalismus unterstellten. Am wenigsten trifft dies auf Rostovtzeff, am meisten auf Mommsen zu.

Mommsen verwendet den Begriff „Kapital" mitunter einfach volkswirtschaftlich, im Sinne von Nationalreichtum:

„Wie mit dem sechsten Jahrhundert der Stadt zuerst eine einigermaßen pragmatisch zusammenhängende Geschichte derselben möglich wird, so treten auch in dieser Zeit zuerst die ökonomischen Zustände mit größerer Bestimmtheit und Anschaulichkeit hervor. Zugleich stellt die Großwirtschaft im Ackerbau wie im Geldwesen in ihrer späteren Weise und Ausdehnung jetzt zuerst sich fest, ohne daß sich genau scheiden ließe, was darin auf älteres Herkommen, was auf Nachahmung der Boden- und Geldwirtschaft der früher zivilisierten Nationen, namentlich der Phöniker, was auf die steigende Kapitalmasse und die steigende Intelligenz der Nation zurückgeht."[647]

Oder aber Kapital wird einfach als Geldkapital verstanden, zum Kauf von Betriebsflächen – wiewohl auch das heute tatsächlich Kapital sein kann, aber eben nicht nur:

„Die römischen Landgüter waren, als größerer Grundbesitz betrachtet, durchgängig von beschränktem Umfang. Das von Cato beschriebene hatte ein Areal von 240 Morgen; ein sehr gewöhnliches Maß war die sogenannte Centuria von 200 Morgen. Wo die mühsame Rebenzucht betrieben ward, wurde die Wirtschaftseinheit noch kleiner gemacht; Cato setzt für diesen Fall einen Flächeninhalt von 100 Morgen voraus. Wer mehr Kapital in die Landwirtschaft stecken wollte, vergrößerte nicht sein Gut, sondern erwarb mehrere Güter; wie denn wohl schon der Maximalsatz des Okkupationsbesitzes von 500 Morgen als Inbegriff von zwei oder drei Landgütern gedacht worden ist."[648]

Auch der Begriff der Kapitalrente wird ähnlich verwendet:

„Es ist einiger Grund zu der Annahme vorhanden, daß das in Grundstücken angelegte Kapital mit sechs Prozent sich gut zu verzinsen schien; was auch der damaligen, um das Doppelte höheren durchschnittlichen Kapitalrente angemessen erscheint. Die Viehzucht lieferte im ganzen bessere Ergebnisse als die Feldwirtschaft; in dieser rentierte am besten der Weinberg, demnächst der Gemüsegarten und die Olivenpflanzung, am wenigsten Wiese und Kornfeld."[649]

Oder „Kapital" meint die Macht des Privateigentums und auch das ist an sich nicht falsch:

„Die ganze Wirtschaft ist durchdrungen von der unbedingten Rücksichtslosigkeit der Kapitalmacht. Knecht und Vieh stehen auf einer Linie; ein guter Kettenhund, heißt es bei einem römischen Landwirt, muß nicht zu freundlich gegen seine ‚Mitsklaven' sein."[650]

Oder es wird mit „Kapital" das Inventar eines Bauernhofes gemeint, das in Schuss gehalten werden will:

„Wenn man übrigens sich zu jener wenig beneidenswerten Höhe des Denkens emporgeschwungen hat, wo in der Wirtschaft durchaus nichts gilt als das darin steckende Kapital, so kann man der römischen Gutswirtschaft das Lob der Folgerichtigkeit, Tätigkeit, Pünktlichkeit, Sparsamkeit und Solidität nicht versagen."[651]

„Kapital" wird hier umgangssprachlich als alle ökonomischen *assets* verwendet, die zur Produktion von Gewinn von Nöten sind. Und diese gab es ja tatsächlich. Hie und da wird eine vorkapitalistische „Kapitaleigenschaft" angesprochen: die Rente.

„Eher als der Bauer war der Gutsbesitzer imstande, sich zu behaupten. Derselbe produzierte an sich schon billiger als jener, wenn er sein Land nicht nach dem älteren System an kleinere Zeitpächter abgab, sondern es nach dem neueren durch seine Knechte bewirtschaften ließ; wo dies also nicht schon früher geschehen war, zwang die Konkurrenz des sizilischen Sklavenkorns den italischen Gutsherrn, zu folgen und anstatt mit freien Arbeiterfamilien mit Sklaven ohne Weib und Kind zu wirtschaften."[652]

Ob es diese „freien Arbeiterfamilien" wirklich jemals gegeben hatte, darf übrigens bezweifelt werden. Aber das ist hier nicht der Punkt. Mommsen weiter:

„Es konnte der Gutsbesitzer ferner sich eher durch Steigerung oder auch durch Änderung der Kultur den Konkurrenten gegenüber halten und eher auch mit einer geringeren Bodenrente sich begnügen als der Bauer, dem Kapital wie Intelligenz mangelten und der nur eben hatte, was er brauchte, um zu leben. Hierauf beruht in der römischen Gutswirtschaft das Zurücktreten des Getreidebaus, der vielfach sich auf die Gewinnung der für das Arbeiterpersonal erforderlichen Quantität beschränkt zu haben scheint, und die Steigerung der Öl- und Weinproduktion sowie der Viehzucht. (...) Dazu stimmt recht wohl, was uns über die ökonomischen Resultate der römischen Bodenwirtschaft berichtet wird."[653]

Wobei der Begriff „Bodenrente" hier nicht mit der Bodenrente im Kapitalismus verwechselt werden darf. Und Mommsen *meint* hier eigentlich „Kapitalrente", ein Begriff, der tatsächlich nicht auf die Antike anzuwenden wäre. Die echte Bodenrente, die Mommsen nicht meinte, ist im Kapitalismus ein Abzug des industriell erwirtschafteten Mehrwerts vor der Bildung des Profits. Ist die Bodenrente hoch, ist die Profitrate umso niedriger.

Ganz nahe an einer Position, die von einem „Modernisten" zu erwarten wäre, ist Mommsen mit folgendem Statement:

„Aber arg war es, daß man durch das später noch zu erwähnende Claudische Gesetz (...) die senatorischen Häuser von der Spekulation ausschloß und dadurch deren ungeheure Kapitalien künstlich zwang, vorzugsweise in Grund und Boden sich anzulegen, das heißt die alten Bauernstellen durch Meierhöfe und Viehweiden zu ersetzen. Es kamen ferner der dem Staat weit nachteiligeren Viehwirtschaft, gegenüber dem Gutsbetrieb, noch besondere Förderungen zustatten. Einmal entsprach sie als die einzige Art der Bodennutzung, welche in der Tat den Betrieb im Großen erheischte und lohnte, allein der Kapitalienmasse und dem Kapitalistensinn dieser Zeit."[654]

Aber gerade hier wird die Begrenzung der Wirkungsweise der „Kapitalienmasse" und des „Kapitalistensinns" dieser Zeit deutlich: im Boden. Weiter als bei den klassischen Physiokraten konnte der „Kapitalistensinn" daher auf keinen Fall reichen. Und dort, wo „Kapitalienmassen" keine neue Veranlagung fanden, blieben sie einfach das, was sie eigentlich waren: Geld. Geld gelangte dann in den Konsum der Reichen oder wurde gehortet. Als Zwischenschritt wurde es auch gerne verborgt:

„Der Ausgangspunkt der römischen Geldwirtschaft war natürlich das Leihgeschäft, und kein Zweig der kommerziellen

Industrie ist von den Römern eifriger gepflegt worden als das Geschäft des gewerbmäßigen Geldverleihers (fenerator) und des Geldhändlers oder des Bankiers (argentarius). Das Kennzeichen einer entwickelten Geldwirtschaft, der Übergang der größeren Kasseführung von den einzelnen Kapitalisten auf den vermittelnden Bankier, der für seine Kunden Zahlung empfängt und leistet, Gelder belegt und aufnimmt und im In- und Ausland ihre Geldgeschäfte vermittelt, ist schon in der catonischen Zeit vollständig entwickelt."[655]

Die „Kapitalgesellschaften" – namentlich die Konzessionen zur Ausbeutung von Bergwerken, haben wir bereits weiter oben kennengelernt und Mommsen erwähnt auch diese und ähnliche Geschäftsmodelle. Aber was ist in der Antike darunter zu verstehen? Das leihbare Geldkapital regulierte die Verteilung der Arbeit auf unterschiedliche Branchen nicht; es konnte sich kein „Finanzkapital" bilden. Gewiss, Mommsen macht diese Einschränkung nicht explizit, aber dürfen wir ihm das anlasten? Zu der Zeit, als seine „Römische Geschichte" entstand, war der Begriff „Finanzkapital" noch gar nicht im heutigen Sinne in Verwendung. Dass Mommsen die Bedeutung der *argentarii* übertrieb, ist zwar wahrscheinlich, macht aber nicht den methodischen Punkt. Am Ende ist „Kapital" für Mommsen auch ein moralischer Begriff, wie für Finley ein Begriff der Rechenkultur:

„Bei der einseitigen Hervorhebung des Kapitals in der römischen Ökonomie konnten die von der reinen Kapitalistenwirtschaft unzertrennlichen Übelstände nicht ausbleiben. Die bürgerliche Gleichheit, welche bereits durch das Emporkommen des regierenden Herrenstandes eine tödliche Wunde empfangen hatte, erlitt einen gleich schweren Schlag durch die scharf und immer schärfer sich zeichnende soziale Abgrenzung der Reichen und der Armen. (...) Kapitalistenübermut und Kapitalistenfrevel (. . .).“[656]

Oder:

„Aber vor allem zehrte die tiefe Unsittlichkeit, welche der reinen Kapitalwirtschaft inwohnt, an dem Marke der Gesellschaft und des Gemeinwesens und ersetzte die Menschen- und die Vaterlandsliebe durch den unbedingten Egoismus.“[657]

Über die Menschen- und die Vaterlandsliebe brauchen wir hier kein Wort zu verlieren. Als Ergebnis kann gelten: „Kapital“ wird bei Mommsen immer unterschiedlich, aber eigentlich nie als industrielles Kapital verstanden, insofern ist das Wort Kapital vielleicht schlecht gewählt, der semantische Inhalt aber bezeichnet meist etwas tatsächlich in der Antike Vorhandenes – auch wenn man hier keine kapitalistische Produktionsweise sieht. Wie bereits in Bezug auf Tenney Frank formuliert: Die Kritik wäre somit gegenüber Mommsen wie auch gegenüber vielen der anderen älteren „Modernisten“ etwas vorsichtiger angebracht, als sie im Zuge des spätestens mit Finley durchgesetzten Paradigmenwechsels üblich wurde.[658]

Im Kapitel VIII, Band 1, Buch 2 der „Römischen Geschichte“ mit dem Titel „Recht. Religion. Kriegswesen. Volkswirtschaft. Nationalität“ beschreibt Mommsen, wie sich die Verfassung, das Recht und die Sitten im Verlauf der römischen Republik veränderten. Diese Kulturgeschichte ist für den materialistischen Zugang zu den Produktionsverhältnissen von besonderem Interesse. Hier wird an allen Ecken und Enden deutlich, wie das Privateigentum sich von dem alten Gemeindeeigentum herauslöste, sich sozusagen emanzipierte. Die Strafen gegen viele Vergehen wurden von der drakonischen Praxis der alten Gemeinschaft in präzise definierte Geldbußen gewandelt. Und weiter:

„Die freie Bestimmung über das Vermögen, die dem Herrn desselben bei Lebzeiten schon nach ältestem römischen Recht zugestanden hatte, aber für den Todesfall bisher geknüpft gewesen war an die Einwilligung der Gemeinde, wurde auch von dieser Schranke befreit, indem das Zwölftafelgesetz oder dessen Interpretation dem Privattestament dieselbe Kraft beilegte, welche dem von den Kurien bestätigten zukam; es war dies ein wichtiger Schritt zur Sprengung der Geschlechtsgenossenschaften und zur völligen Durchführung der Individualfreiheit im Vermögensrecht. Die furchtbar absolute väterliche Gewalt wurde beschränkt durch die Vorschrift, daß der dreimal vom Vater verkaufte Sohn nicht mehr in dessen Gewalt zurückfallen, sondern fortan frei sein solle (...).“[659]

Interessant an den weiteren Ausführungen im Kapitel 8 ist die Notwendigkeit, staatliche Instanzen herauszubilden, die das Recht des Bürgers auf individuelle Souveränität gegenüber der Gesellschaft schützen. Mit dieser Linie steht Mommsen aber auch im Widerspruch zu der Absenz eines Staatsapparates im antiken Griechenland. Was war in Athen recht, was nicht in Rom billig wäre?

Auch im Kapitel 11, „Regiment und Regierte“, finden sich Spuren des alten Eigentums. Eigentlich war diese Geschichte zu erzählen nicht Mommsens Intention. Ihm ging es um ein moralisches Statement: Wie nach der ersten Revolution der Plebejer sich im Laufe der Zeit eine neue Aristokratie herausbildete und wie diese die republikanischen Ämter usurpierte.

„Der Sturz des Junkertums nahm dem römischen Gemeinwesen seinen aristokratischen Charakter keineswegs. Es ist schon früher darauf hingewiesen worden, daß die Plebejerpartei von Haus aus denselben gleichfalls, ja in gewissem Sinne noch entschiedener an sich trug als das Patriziat; denn wenn innerhalb des alten Bürgertums die unbedingte Gleichberechtigung gegolten hatte, so ging die neue Verfassung von Anfang an aus von dem Gegensatz der in den bürgerlichen Rechten wie in den bürgerlichen Nutzungen bevorzugten senatorischen Häuser zu der Masse der übrigen Bürger. Unmittelbar mit der Beseitigung des Junkertums und mit der formellen Feststellung der bürgerlichen Gleichheit bildeten sich also eine neue Aristokratie und die derselben entsprechende Opposition.“[660]

Das Problem ist hier wie bei anderen Stellen, dass der Begriff „Bürgertum“ bei Mommsen Unterschiedliches umfassen kann: das Privateigentum, vorzugsweise an Grund und Boden. Oder das ursprüngliche Gemeindeeigentum, das in einem unbestimmten Ausmaß während der gesamten Antike weiterbestand – vor der Herauslösung des Privateigentums aber das vorherrschende Eigentumsverhältnis gewesen war. Oder meint Mommsen einfach die Gemeinschaft der Stadt, also emphatisch und beschönigend einen sozialen Ort aller Staatsbürger?

Spuren der zweiten, für uns besonders interessanten Bedeutung finden sich bei Mommsen immer wieder:

„Die rechtliche Abhängigkeit des römischen Senats der Republik, namentlich des weiteren patrizisch-plebejischen, von der Magistratur, hatte sich rasch gelockert, ja in das Gegenteil verwandelt. Die durch die Revolution von 244 (510) eingeleitete Unterwerfung der Gemeindeämter unter den Gemeinderat, die Übertragung der Berufung in den Rat vom Konsul auf den Zensor.“[661]

Hier scheint der Magistrat der soziale Ort des alten Eigentums gewesen zu sein, der Senat der soziale Ort des neueren Privateigentums. Das erinnert ein wenig an die Konstellation während der Französischen Revolution, als die Nationalversammlung das bürgerliche Eigentum, die Pariser Sektionen aber das kleinbürgerliche Eigentum repräsentierten.

Leider kommt in dieser Hinsicht Mommsen nicht wirklich auf den Punkt, da er sich selbst mit dem Begriff des freien Bürgertums identifiziert. Das ist aus seiner Stellung in Deutschland zur Mitte des 19. Jahrhunderts auch ganz verständlich. Mommsen hatte gerade die gescheiterte bürgerliche Revolution von 1848/49 beobachtet, als er 1854 seine „Römische Geschichte“ anging. Er hatte ein geschärftes Bewusstsein für die historische Rolle *bürgerlicher Rechte* – einen Begriff, den er in seiner Römischen Geschichte häufiger als andere Autoren verwendet. Der Nachteil gereichte ihm zum Vorteil. Denn nur so konnte das Primat des Privateigentums aus dem gesamten Kontext von Recht, Sitte, Verfassung und Kultur so scharf erfasst werden.

Auch Egon Friedell würden wir zu den „Modernisten“ rechnen. Der Bohemien der Wiener Kulturgeschichtsschreibung stellt zwar Athen oder Rom nicht über das Perserreich oder die Sassaniden und dies zeichnet ihn gegenüber Pierre Grimal, Hermann Bengtson und Franz Georg Maier aus, aber in der antiken Wirtschaft sah er einen Kapitalismus, buntscheckig und geschäftig. Wir wollen diesmal ein längeres Zitat hören – immerhin war Friedell kein Ökonom, er beschreibt die Wirtschaft als Kulturhistoriker taxativ, die Qualität seiner Darstellung ist die gute Erzählung, wie bei Mommsen. Nicht die Analyse oder Anatomie der Produktionsweise, wozu ein mehr methodisches Herangehen wie bei Karl Marx, Max Weber oder Moses Finley von Nöten wäre. Friedells Stärke ist nicht die abstrakte Formel, sondern die Spezifik, nach der er sein Material zusammenträgt:

„Durch Einwanderung aus allen hellenischen Gauen, aber auch aus Barbarenländern wie Lydien, Phoinikien und Ägypten wuchs die Bevölkerung der großen Städte rapid: In der zweiten Hälfte des fünften Jahrhunderts zählte sie in Athen bereits über hunderttausend Seelen, das Fünffache der Peisistratidenzeit, in Syrakus nicht viel weniger, in Korinth an die neunzigtausend, in Milet etwa sechzigtausend, in Theben dreißigtausend, was für damalige Begriffe noch immer eine Großstadtziffer darstellte. Dies bedeutete natürlich eine ebenso reißende Zunahme des Proletariats und des kleinen Mittelstandes: Überall wimmelte es von Handwerkern und Handlangern, Krämern und Hausierern, Matrosen und Fuhrleuten. Die rege Bautätigkeit, zumal die öffentliche, setzte eine Menge Professionisten in Nahrung: Maler und Färber, Bildhauer und Steinmetzen, Erzgießer und Goldarbeiter, Lederer und Elfenbeindreher, Weber und Seiler, Sticker und Graveure. Die Arbeitsteilung ging schon sehr weit: Es gab Spezialisten für Lanzen, für Sicheln, für Federbüsche, für korinthische Helme mit festen Wangenstücken und für attische Helme mit aufklappbaren Backenteilen, für männliche und für weibliche Fußbekleidung; dabei verschnitt der eine das Leder, der andere nähte es zusammen, und ebenso gab es bei den Röcken eigene Zuschneider. Andrerseits ging durch die Übervölkerung und die Überseekonkurrenz die Landwirtschaft zurück. Die Kultur der Gemüse und Gartengewächse, des Ölbaums und Weinstocks wurde zwar erheblich verfeinert und diente zahlreichen kleinen Besitzern zum Lebensunterhalt, aber die großen Schwankungen der Marktpreise und vor allem die Zerstörungen der Kriege führten sehr oft zu deren Ruin. Es herrschte, wie bereits erwähnt, bei den Griechen die barbarische Sitte, das Feindesland aus purer Bosheit vollkommen zu verwüsten, die Wälder niederzubrennen, die Felder unfruchtbar zu machen, die Nutzbäume umzuhauen. Da gerade die wertvollsten von diesen sehr langsam gediehen (der Ölbaum erreicht seine volle Tragfähigkeit erst nach sechzehn bis achtzehn Jahren), so waren die Wirkungen katastrophal. Den Profit davon hatte die Großspekulation, die die entwerteten Grundstücke um Schleuderpreise an sich brachte und dann langsam wieder ameliorierte. Überhaupt entwickelten sich allmählich größere Sklavenbetriebe der Fabrikanten, Geschäftsleute, Grundbesitzer: die antike Form des Kapitalismus. Die Produkte der

Müllerei und Bäckerei, der Schreinerei und Töpferei, der Metallindustrie und des Textilgewerbes wurden zum Teil bereits auf diesem Wege erzeugt; auch findet sich schon die Scheidung zwischen Unternehmer und technischem Leiter. Die niedrigen Sklavenpreise drückten auf die Löhne der freien Arbeiter. Es kam infolgedessen auch schon zu Streiks; nur konnte diese Waffe des Wirtschaftskampfs nicht annähernd jene Schärfe erzielen wie heutzutage, da ein großer Teil der Arbeitskräfte, eben der Sklavenstand, nicht organisationsfähig war.“[662]

Oder:

„Da die antike Welt den Begriff des Kredits, zumindest in jener Form, die das gesamte moderne Wirtschaftsleben beherrscht, nicht kannte, so war das Kapital in der Anlage hauptsächlich auf Grundbesitz angewiesen. Einen gewissen Ersatz für die fehlenden Aktien und Wertpapiere bildeten die Sklaven, die ja in ihrer Art ebenfalls ein bewegliches, rententragendes Vermögen darstellten, mit ungefähr denselben Chancen des Gewinns und Verlustes. Hingegen gab es bereits Banken, die aber keine Institute für papierne Guthaben und Darlehen waren, sondern Depotanstalten: man hinterlegte dort seine Barschätze, wobei die Tempel wegen der erhöhten, aber doch nicht völlig zuverlässigen Sekurität, die ihre Heiligkeit gewährte, bevorzugt waren. Nächst den Sklaven waren die wichtigsten Einfuhrartikel Holz und Getreide, Rinder und Schafe, Kupfer und Zinn; exportiert wurden hauptsächlich Industrieartikel: außer den weltberühmten Waffen und Tongefäßen feine Webereien, Kurzwaren und Galanteriewaren; die Ausfuhr an Honig und Feigen, Wein und Öl scheint nie sehr bedeutend gewesen zu sein. Im Piräus mit seinen großen Marktplätzen und Verkaufshallen lagen Warenproben aus aller Welt zur Schau: da gab es kostbare Salben und Silphionstengel, ägyptischen Papyrus und Weihrauch, nubisches Ebenholz und Elfenbein, syrische Datteln und Rosinen, paphlagonische Mandeln und Kastanien, phönizische Teppiche und Kopfkissen, seltene Fische, hauchdünne Gewebe, exotische Gewürze und noch viele andere Dinge, die von weither kamen. Immerhin aber scheint der Transport mit großem Risiko verbunden gewesen zu sein, denn die Zinsen für Seedarlehen betrugen durchschnittlich ein Drittel des Kapitals, und in der Tat drohte jeder Ladung die dreifache Gefahr des Schiffbruchs, des Seeraubs und der Plünderung durch die eigene Mannschaft."[663]

Oder:

„Die wichtigsten Einnahmen des athenischen Staatshaushalts stammten aus den Erträgnissen der Silberbergwerke von Laurion und anderer städtischer Domänen, aus den Gefällen für Einfuhr und Ausfuhr, die ein Fünfzigstel des Wertes betrugen, den Marktgeldern und Sklavengebühren und ähnlichen Auflagen."[664]

Es ist kaum möglich, den Wahrheitsgehalt all dieser und ähnlicher Passagen einer Kritik zu unterziehen. Eher würde eine Wirtschaftsgeschichtsschreibung bemängeln, was Friedell alles offenlässt. Nun schrieb er aber eine Kulturgeschichte und keine Wirtschaftsgeschichte. Für ihn waren ökonomische Belange nicht unwichtig; aber wichtig nur, um den Geist jener Zeit noch einmal einzufangen.

Zum Teil ist uns die Tradition des „Modernismus" – also die Bewertung der Antike entlang moderner Phänomene – in der ersten Hälfte dieses Buches des Öfteren begegnet: bei Autoren, die man gemeinhin nicht als „Modernisten" bezeichnet, weil sie nicht in der Fachtradition der Wirtschaftsgeschichtsschreibung stehen und die auch wenig Verständnis gegenüber der Existenz von verschleierten oder offenen Klassenkämpfen aufbringen, wie Hermann Bengtson, Pierre Grimal oder Franz Georg Maier, die jedenfalls alle an die Antike bürgerliche Kriterien wie

Nation, Demokratie, individuelle Freiheit herantragen. Selbst dort, wo sie bedauern, dass die Antike diesen Kriterien nicht im vollen Ausmaß gerecht werde – wie etwa Griechenland der Nation – gehen sie implizit davon aus, dass das *Potential* für die Erfüllung dieser bürgerlichen Kriterien vorhanden gewesen sei. Damit geben sie dem Kapitalismus – also genau der Produktionsweise, die die modernen bürgerlichen Phänomene wie Nation aus sich selbst heraus reproduziert – den Nimbus eines universellen, ahistorischen Wesens. Ganz analog dem Verfahren des „Primitivismus" nimmt der „Modernismus" eine Chimäre des realen Kapitalismus an. War bei jenen der Kapitalismus zu eng, zu spezifisch, zu „phänomenologisch" gefasst, so bei diesen zu weit, zu universell, zu allgemein.

Was bleibt? Um das Rätsel der Antike zu lösen, muss offensichtlich zuerst die bürgerliche Produktionsweise richtig verstanden werden. Viele vergnügliche Stunden mit der Lektüre jener Werke von Karl Marx stehen bevor, die dieser von den späten 1850er bis in die 1870er Jahren verfasst hatte. Ungefähr zu dieser Zeit entdeckte die Generation nach Niebuhr das bürgerliche Ferment in der antiken Geschichte. An dieser Stelle ist der Platz Mommsens. Die „Primitivisten" wie Finley griffen die Überzeichnungen der „Modernisten" (Mommsen und seine Nachfolger) auf und unterwarfen diese einer notwendigen Quellenkritik. Aber das Bild des Kapitalismus, das beiden zur – einmal positiv gesetzten, einmal negativ gesetzten – Blaupause diente, ist in beiden Fällen eben nur ein Image, keine ökonomische Analyse.

Eine Schwäche hat die Wirtschaftsgeschichtsschreibung zur Antike bis heute nicht verarbeitet: Finleys Bild vom Kapitalismus. Und hier ist der Begriff „Bild" zutreffend, denn wenn Finley von „Kapitalismus" oder von „Bourgeoisie" spricht, dann in einer idealisierten Art und Weise, so als wäre der Geist des

Kapitalismus aus der Feder Max Webers lebendig. Dabei ist Weber bei der Produktion eines Bildes des Kapitalismus ein gutes Stück vorsichtiger, als es sein Ruf nahelegt. Weber grenzt sein Thema gewissenhaft ein:

„Denn daß hier nur von diesem westeuropäisch-amerikanischen Kapitalismus die Rede ist, versteht sich angesichts der Fragestellung von selbst. ‚Kapitalismus' hat es in China, Indien, Babylon, in der Antike und im Mittelalter gegeben. Aber eben jenes eigentümliche Ethos fehlte ihm, wie wir sehen werden."[665]

Interessant ist, dass Weber zwar von einem antiken Kapitalismus spricht, aber eben nur unter Anführungszeichen. Und er meint nicht, dass „der Geist des Kapitalismus" immer und überall Voraussetzung des Kapitalismus sei, eine Annahme, die von Finley getroffen wird. Viel zurückhaltender als Finley unterscheidet er zwischen kapitalistischer Praxis und kapitalistischer Ethik:

„Und noch weniger soll natürlich behauptet werden, daß für den *heutigen* Kapitalismus die subjektive Aneignung dieser ethischen Maxime durch seine einzelnen Träger, etwa die Unternehmer oder die Arbeiter der modernen kapitalistischen Betriebe, Bedingung der Fortexistenz sei. Die heutige kapitalistische Wirtschaftsordnung ist ein ungeheurer Kosmos, in den der einzelne hineingeboren wird und der für ihn, wenigstens als einzelnen, als faktisch unabänderliches Gehäuse, in dem er zu leben hat, gegeben ist."[666]

An diesem Passus ist selbst aus Sicht des Materialismus nichts auszusetzen. Weber meint: Nur in einer *bestimmten* Periode der Neuzeit, nach Ende des Mittelalters und vor der Entwicklung des industriellen Kapitalismus kam es zu der Konstellation, dass eine *bestimmte* religiöse Moral des Protestantismus, nicht aber des Protestantismus schlechthin, am ehesten zu dem späteren Kapitalismus passe. Diese Moral bestand nicht einfach nur aus Geiz und Sparsamkeit – Eigenschaften, die dem Investieren entgegenstünden –, sondern ganz im Gegenteil in dem Bewusstsein, dass nicht angelegtes Geld eine Verschwendung dessen Potentials als Kapital wäre:

„Nicht etwa deshalb, weil ‚der Erwerbstrieb' in den präkapitalistischen Epochen noch etwas Unbekanntes oder Unentwickeltes gewesen wäre – wie man so oft gesagt hat – oder weil die ‚auri sacra fames', die Geldgier, damals – oder auch heute – außerhalb des bürgerlichen Kapitalismus *geringer* wäre als innerhalb der spezifisch kapitalistischen Sphäre, wie die Illusion moderner Romantiker sich die Sache vorstellt."[667]

Dieser ‚präkapitalistische Geiz' war laut Weber ein Hindernis für die Entwicklung des Kapitalismus. Was bedeutet präkapitalistisch?

„(...) ‚präkapitalistisch' in dem Sinn: daß die rationale *betriebs*mäßige Kapitalverwertung und die rationale kapitalistische *Arbeits*organisation noch nicht beherrschende Mächte für die Orientierung des wirtschaftlichen Handelns geworden waren."[668]

Auch gegen diesen Satz ist nicht viel einzuwenden. Weber sagte einmal selbst, ihm könne nicht nur Idealismus, sondern auch genauso gut Materialismus vorgeworfen werden und dieser „Vorwurf" wäre bei Webers späten Texten zur antiken Wirtschaft sogar naheliegend. Was Webers berühmte „Protestantismus-Ethik" betrifft, zielt der „Vorwurf" eher auf die andere, idealistische Richtung ab. Denn hier sagt Weber, nachdem er Benjamin Franklin mit ...

„Bedenke, daß Geld von einer *zeugungskräftigen und fruchtbaren Natur ist*. Geld kann Geld erzeugen und die Sprößlinge können noch mehr erzeugen und so fort."[669]

... zitiert hat:

„An dieser Stelle genügt es für unseren Zweck wohl, darauf hinzuweisen, daß jedenfalls ohne Zweifel im Geburtslande Benjamin Franklins (Massachusetts) der ‚kapitalistische Geist' (in unserem hier angenommenen Sinn) *vor* der ‚kapitalistischen Entwicklung' da war (es wird über die spezifischen Erscheinungen profitsüchtiger Rechenhaftigkeit in Neuengland – im Gegensatz zu anderen Gebieten Amerikas – schon 1632 geklagt (...)."[670]

Und folgert daraus:

„In *diesem* Falle liegt also das Kausalverhältnis jedenfalls umgekehrt als vom ‚materialistischen' Standpunkt aus zu postulieren wäre."[671]

Weber macht an dieser Stelle viel Aufhebens um den angeblichen Widerspruch zum Materialismus. Freilich stellt sich die Frage, welche „Materialisten" Weber denn wirklich kennengelernt oder gelesen hat. Karl Marx selbst hatte sich jedenfalls nie so platt ausgedrückt, dass nur eine fertig bestehende materielle Basis die dazu passende Ideologie (bei Weber: Moral, was genauso gut ist) aufs Tapet bringe. Heißt es doch bei Marx:

„Daher stellt sich die Menschheit immer nur Aufgaben, die sie lösen kann, denn genauer betrachtet wird sich stets finden, daß die Aufgabe selbst nur entspringt, wo die materiellen Bedingungen ihrer Lösung schon vorhanden oder wenigstens im Prozeß ihres Werdens begriffen sind."[672]

Ich glaube, das ist ziemlich klar formuliert. In den geschichtlichen Perioden großer Umwälzungen, etwa von der feudalen zur bürgerlichen Produktionsweise, und diese große Transformation dauerte immerhin mehr als 500 Jahre, erkennen die Menschen Schritt für Schritt, dass der bisherige *modus vivendi* immer mehr Schwierigkeiten macht. Und ab einem bestimmten Punkt erkennen sie, dass er auch keine Zukunft mehr hat. An dieser Stelle lässt sich das Neue nur erahnen und antizipieren. Deswegen erscheint jeder Versuch, in Richtung des Neuen zu gehen, als Entdeckung oder gar Erfindung. Es entsteht der Eindruck, die besonders fortgeschrittenen Gruppen der Gesellschaft, die zumeist auch am ehesten unzufrieden mit dem Alten sind, bauen eine neue Welt aus ihrer Idee heraus. Und die besonders Weitsichtigen gehen zuerst in die Richtung, die der objektive Gang der Entwicklung bereits angelegt hat. Freilich, um Geschichte zu machen, müssen alle Taten der Akteure zuerst einmal durch deren Gehirn – wie dies Friedrich Engels einmal ausdrückte. Es entsteht von selbst der Eindruck, große Menschen machen die Geschichte aus freiem Willen.

Nehmen wir ein Beispiel: Die Philosophie der Aufklärung, sagen wir Frankreichs im 17. und 18. Jahrhundert, passte sicher nicht zu dem System der feudalen Ausbeutung des Landes vor der Großen Revolution. Dennoch existierte sie. Ja, sie existierte *nur* deswegen. Sie war Teil des ideologischen Kampfes der (zukünftigen) Bourgeoisie gegen den alten Staat der feudalen Vorrechte. Unter reinen kapitalistischen Verhältnissen ist die Philosophie der Aufklärung unnötig. Dieser „bürgerliche Überbau" entstand nicht auf der entwickelten ökonomischen „bürgerlichen Basis", indes musste bereits eine kritische Mindest-Masse an dieser Basis vorhanden sein, damit die Bourgeoisie ihr Programm gegen die alte Welt artikulieren konnte. Oder kurz gesagt: Es musste bereits eine Bourgeoisie vorhanden sein, in den Städten des Mittelalters, den Wechselstuben Deutschlands, den Banken Oberitaliens, und vor allem an den Ozeanhäfen der Neuzeit wie La Rochelle, später vor allem Nantes, London, Amsterdam und Hamburg. Andererseits benötigte es auch die Philosophie der Aufklärung, um den letzten großen und notwendigen Schritt zu machen: den Staat der Aristokratie zu entwenden. Insofern sind Phänomene des Überbaus nicht einfach nur passive Reflexionen – „Widerspiegelungen" – sondern notwendige Instrumente der unausweichlichen Auseinandersetzung.

Die Avantgarde der Philosophie repräsentierte nicht weniger als die von Max Weber untersuchten protestantischen Sekten die ökonomische Zukunft des industriellen Kapitalismus. Weber steht hier nicht unbedingt im Gegensatz zum Materialismus, eher zur historischen Relevanz. Denn der industrielle Kapitalismus benötigte für sein Aufkommen nicht weniger Materie wie „Wirtschaftsethik". Diese Materie fungierte bei der Errichtung der Industrie im 17., 18. und 19. Jahrhundert als Kapitalvorschuss. Woher stammte dieser Kapitalvorschuss? Durch etwas im Grunde Unbürgerliches, das üblicherweise mit Ethik nicht sofort in Zusammenhang gebracht wird: Gewalt und Betrug, mittelalterlicher Wucher, europäische Handelsprivilegien in Übersee, Sklavenarbeit in der Karibik und in Brasilien, Raub an dem bäuerlichen Gemeindebesitz (Allmende) im Inneren Europas und ähnliche, genauso prosaische wie unfreundliche Dinge. Dieses Raubgut akkumulierte zu erstem Geldkapital. Das Angebot an Geldkapital stieß im Prozess der industriellen Revolution mit anderen Faktoren zusammen, die etwa der britische Wirtschaftshistoriker Landes in den 1950er Jahren beschreibt.[673]

Einer dieser Faktoren besteht in der sozialen Umschichtung des Unternehmerstandes und hier passen die Ergebnisse Max Webers vorzüglich ins Bild. Wir müssen diese Dinge nur in der richtigen Proportion, sozusagen aus einer ganzheitlichen Perspektive sehen: Dass, wie Weber ausführt, die ersten richtigen Unternehmer der industriellen Revolution eher abenteuerliche „Parvenus" als traditionelle Verlagshäuser waren, ist zwar interessant und gleichzeitig plausibel, ändert aber nichts daran, dass nicht die Nachfrage, sondern das Angebot an Kapital in Form von Krediten und Beteiligungen die initiale Rolle für die industrielle Revolution spielte.[674]

Weber bestreitet, dass das Angebot an Kapital bedeutsamer war als die „kapitalistische Ethik“ mancher dieser Parvenus, erwähnt aber:

„(...) mit wenigen Tausenden von Verwandten hergeliehenen Kapitals wurde in manchen mir bekannten Fällen der ganze Revolutionierungs-Prozeß ins Werk gesetzt.“[675]

Ähnliches berichtet Landes.

Die „Parvenus“ konnten sich hier nur deswegen entfalten, weil sie – man entschuldige die blumige Ausdrucksweise – wie Fische im Wasser des Kapitalangebots schwammen.[676] Auch wenn eine Erfindung wenig Geld gekostet haben mag, ihre Umsetzung als Technologie im breiten Stil erforderte natürlich echtes Kapital, ja überschüssige Masse an Geldkapital. Notabene die Disziplinierung der Fabrikarbeiter, die sich erst einmal einer ihnen äußerlichen Zeit unterordnen mussten, geschah mindestens ebenso durch materiellen Zwang wie durch religiöse Moral in Neuengland. Aber sei‘s drum. Es geht hier nicht um diese historischen Details, sondern um die erstaunliche Tatsache, dass Weber sehr richtig das Auseinanderfallen von Produktionsweise (der Basis) und Geschäftsethik (des Überbaus) feststellt:

„Die ‚kapitalistische‘ Form einer Wirtschaft und der Geist, in dem sie geführt wird, stehen zwar generell im Verhältnis ‚adäquater‘ Beziehung, nicht aber in dem einer ‚gesetzlichen‘ Abhängigkeit voneinander.“[677]

Weber meint also, dass der von ihm zitierte Benjamin Franklin – obwohl dieser wie ein Industrieller dachte – nur einen Handwerksbetrieb sein Eigen nannte, während andererseits echte Industrien auch „traditionalistisch“ geführt werden konnten – ein Begriff, den Weber dem „Geist des Kapitalismus“ entgegensetzt. Wir wollen nicht pingelig sein und hier wieder ein

Haar in der Suppe finden. Es genügt, dass dies alles eigentlich gegen die einseitige Adaption Webers durch Finley spricht. Oder besser gesagt: Finley hat Weber ohne die von Weber selbst angelegten Einschränkungen, die eigentlich wiederum für Weber sprechen, aufgenommen.

Ja, Max Weber ist noch vorsichtiger und fügt am Ende des Textteils über Martin Luther hinzu:

„Aber andererseits soll ganz und gar nicht eine so töricht-doktrinäre These verfochten werden wie etwa die: daß der ‚kapitalistische Geist' (immer in dem provisorisch hier verwendeten Sinn dieses Wortes) *nur* als Ausfluß bestimmter Einflüsse der Reformation habe entstehen *können* oder wohl gar: daß der Kapitalismus als *Wirtschaftssystem* ein Erzeugnis der Reformation sei. (. . .). Sondern es soll nur festgestellt werden: ob und wieweit religiöse Einflüsse bei der qualitativen Prägung und quantitativen Expansion jenes ‚Geistes' über die Welt hin *mit* beteiligt gewesen sind und welche konkreten *Seiten* der auf kapitalistischer Basis ruhenden *Kultur* auf sie zurückgehen."[678]

Weshalb kann die „Protestantismusethik" von Max Weber so verstanden werden, als wären der moderne „Geist des Kapitalismus" und die „Rationalität" *die* Voraussetzungen für Kapitalismus und nicht etwa so prosaische Dinge wie Geldkapital? Denn dieses Verständnis bricht in Finleys Buch „Die antike Wirtschaft" immer wieder durch. Einerseits sind Überinterpretation und Simplifizierung das gängige Schicksal jeder ursprünglich originellen Idee. Andererseits Resultat einer Schwierigkeit *jeder* Wirtschaftsgeschichtsschreibung. Denn diese trifft einerseits ökonomische Aussagen und andererseits historische. Die ökonomischen Aussagen sind per se immer unbedingt: Für diese oder jene Art der Produktion sind diese oder jene Komponenten *notwendig*. Die historische Aussage ist aber gerade nicht unbedingt, sondern bedingt: Für diese oder jene historische Konstellation sind diese oder jene Komponenten *bezeichnend.* Nur wenige Autoren – ich zähle Marx dazu – brachten es zuwege, sich nicht in dieser Gegensätzlichkeit von bedingten und unbedingten zu verirren. In den drei Texten der späten 1850er Jahre, „Einleitung zur Kritik der politischen Ökonomie", „Kritik der politischen Ökonomie" und „Grundrisse der Kritik der politischen Ökonomie" wird geradezu als Subtext das Historische an der Ökonomie und das Ökonomische an der Historie ausdifferenziert. Bei uns Spätgeborenen sieht die Sache wiederum weniger günstig aus und erst recht gilt dies für die nicht-marxistische Wirtschaftsgeschichtsschreibung. Finley etwa entnahm von Weber gerade das Ahistorische, Unbedingte und baute es in das Historische, Bedingte ein: In der Antike konnte es keinen Kapitalismus geben, *weil* der dazu passende Rationalismus fehlte. Vielleicht fehlte der Rationalismus und vielleicht fehlte der Kapitalismus, aber die Kausalität zwischen beiden ist in diesem historischen Panorama unglücklich geraten.

Nun verhielten sich die Grundbesitzer der Antike tatsächlich keineswegs wie Calvinisten. Dieser Punkt bei Max Weber ist wohl für Finley der zentrale Schluss. Der ist für sich genommen nicht falsch, führt aber zu irreführenden Schlussfolgerungen: Wegen fehlender Rationalität und konservativer Sitten blieb der ökonomische Prozess bei der Produktion von Reichtum stehen und führte nicht weiter in die Akkumulation von Kapital. Umgedreht stimmt's wieder: Gerade weil der Weg vom Reichtum zur Akkumulation (aus anderen Gründen) versperrt war, lohnte es sich für die Gesellschaft nicht, auch die zur Akkumulation passende Rationalität zu entwickeln. Auch die elementare ökonomische Beobachtung, dass in der Antike Reichtum nicht zu Kapitalreichtum wurde, ist bei Finley vorhanden. *In diesem Sinne* verhielten sich die Grundbesitzer der Antike keineswegs wie Calvinisten. Aber weshalb? Für Erstere war passiver Reichtum das Ende des Produktionszyklus und somit Sinn der Ökonomie. Für Letztere war das Kapital das Ende des Produktionszyklus und somit immer gleichzeitig Anfang eines neuen, erweiterten Zyklus. Nur die Erneuerung und die Erweiterung des Zyklus, um das Kapital als Kapital zu erhalten, ist der Sinn der kapitalistischen Ökonomie. Und in dieser Hinsicht ist das von Max Weber angeführte Zitat von Benjamin Franklin so überaus treffend.

Der Knackpunkt ist die Frage der Akkumulation: Den Unterschied macht die Rolle des konstanten Kapitals, der Maschinerie, der Technologie, die durch das Geldkapital ermöglicht und als Gegenüber eine Lohnarbeiterklasse braucht ... deren Fehlen in der Antike sowohl Finley wie Weber zu recht konstatieren.

Sekten wie der Calvinismus hätten in der Antike keinen historischen Platz gehabt. Nicht deswegen, weil sie nur ideologische Phänomene der Industrie gewesen wären – ein flacher materialistischer Schluss, den Weber zurecht zurückweisen würde. Sondern weil diese ideologischen Phänomene Teile der Auseinandersetzung zwischen der feudalen und der bürgerlichen Welt in der Periode der großen Transformation waren. Der Protestantismus beinhaltete eine Facette dieses Klassenkampfes, der sich erst im Laufe der Jahrhunderte aus seiner religiös-konfessionellen Verkleidung schälte. Übrig blieb die bürgerliche Aufklärung, die wiederum ab dem Moment einer großen und erfolgreichen politischen Revolution (1789) überflüssig wurde. Der Mainstream der Philosophie nach 1815 wurde konservativ. Der Protestantismus: Die Auseinandersetzung zwischen Bourgeoisie und Feudalsystem musste geradezu zuerst konfessionelle Formen annehmen, weil das Feudalsystem die Religion als integralen Bestandteil in sich trug. Diese Interpretation ist aber nur der weitgesteckte Rahmen und widerlegt nicht das, was im Detail ebenfalls stimmt und auch Max Weber berücksichtigt: Einige Aspekte des Protestantismus sprechen nicht den bürgerlichen Rationalismus an und einige Aspekte des Katholizismus passen im Gegenzug auch ganz gut in die bürgerliche Wirklichkeit.

Langer Rede kurzer Sinn: Ein bestimmter ökonomische Rationalismus war nicht jene vorrangige Voraussetzung des industriellen Kapitalismus, die Finley, darin Weber interpretierend, sieht. Freilich gab es in der Antike weder den „Geist des Kapitalismus" noch den „Kapitalismus". Aber die Antike selbst widerlegt dem Historiker nicht dessen falsche Unterstellung. Umso sorgfältiger und akribischer der Historiker arbeitet, umso mehr fühlt er sich von seiner Interpretation von Webers Grundaussagen bestätigt. Umso besser die Geschichtsforschung, umso schlechter der Schluss. Der Punkt ist somit: Nicht die Antike kann die vulgäre Auffassung über eine Protestantismus-Ethik widerlegen, sondern nur die Analyse des realen Kapitalismus.

An dieser Stelle könnten wir es bei Max Weber bewenden lassen. Aber da dieser Autor nicht nur über den „Geist des Kapitalismus" schrieb, sondern auch über die Antike selbst – und das auf weite Strecken brillant –, lohnt sich ein kurzer Blick auf Weber als Wirtschaftshistoriker der Antike.

Max Weber verwendet zwar den Begriff „antiker Kapitalismus" (1908), aber eher um die Unterschiede zum richtigen Kapitalismus herauszustellen.[679] Vielleicht machte er dem damals dominanten „Modernismus" bloß rhetorische Konzessionen. Schauen wir uns nun einen anderen Text Webers an, der für die Frage der antiken Warenwirtschaft eine Spur legt. Webers Vortragstext von 1896, „Die sozialen Gründe des Untergangs der antiken Kultur", zeichnet sich durch Originalität und eine fast schon materialistische Argumentation aus, der wir an dieser Stelle aber nicht nachspüren wollen. Es geht uns hier nur um eine Frage: Ob in der Antike die Warenwirtschaft den dominanten Part gegenüber der Subsistenzwirtschaft gespielt habe. Max Weber sagt nämlich Folgendes:

„Die Kultur des Altertums ist ihrem Wesen nach zunächst: städtische Kultur. Die Stadt ist Trägerin des politischen Lebens wie der Kunst und Literatur. Auch ökonomisch eignet, wenigstens in der historischen Frühzeit, dem Altertum diejenige Wirtschaftsform, die wir heute ‚Stadtwirtschaft' zu nennen pflegen. Die Stadt des Altertums ist in hellenischer Zeit nicht wesentlich verschieden von der Stadt des Mittelalters."[680]

Hier ist alles tadellos, nur der letzte Satz macht uns stutzig. Dominierte im Mittelalter nicht das Dorf über die Stadt? Waren die Städte nicht bloß Inseln der Warenwirtschaft in diesem Meer von Subsistenzwirtschaft, von Dörfern, die die feudale Klasse miternähren mussten? Finley geht in dieser Hinsicht noch weiter als Weber und dreht das Verhältnis nicht um 90°, sondern um 180° um:

„Im Gegenzug dazu garantierte die agrarische Welt des feudalen Europa den mittelalterlichen Städten die äußeren Märkte, die den antiken Städten fehlten."[681]

Welches Mittelalter meint hier Finley? Das 15. oder 14. Jahrhundert? Für die lange Zeitspanne vom 6. bis zum 12. Jahrhundert ist es schwer nachzuvollziehen, dass die mittelalterlichen Städte mehr Märkte gehabt haben sollen als die antiken und vor allem ist schwer nachzuvollziehen, dass ausgerechnet die Agrarproduzenten des Mittelalters diesen Markt abgegeben haben sollen. In der Antike waren Stadt und Land Teil *einer* Produktionsweise, und das Land eindeutig der Stadt subsummiert. Im klassischen Mittelalter waren Stadt und Land *zwei* unterschiedliche Produktionsweisen und jede davon reproduzierte ihre Gesellschaft aus sich selbst heraus. Die feudale Ordnung wurde jedenfalls am Lande reproduziert. Selbst dort, wo beide Produktionsweisen sich austauschten, und das war nicht selten der Fall, handelte es sich um eine *duale Ökonomie*. Der Austausch findet hier so statt wie zwischen zwei ganz unterschiedlichen Gesellschaften.

Gewiss, diese Aussagen sind zuerst einmal apodiktisch. Wir sehen die unterschiedliche Bedeutung des Marktes und der Warenproduktion nicht, wenn wir Stadt und Land für beide Perioden getrennt untersuchen, sondern indem wir die Bedeutung des Marktes und der Warenproduktion der Antike insgesamt mit dem klassischen Mittelalter vergleichen und die neueren Handbücher und Monographien weisen auf Unterschiede in Umfang und Funktion der Geldwirtschaft hin. Hier nur zwei Textbeispiele:

„Hinsichtlich des Geldes stellt das Mittelalter auf die lange Zeitspanne der Geschichte gesehen eine Phase der Regression dar. Geld war weniger wichtig, weniger präsent, als es das im Römischen Reich gewesen war, und von weit geringerer Bedeutung, als es das ab dem 16. und insbesondere ab dem 18. Jahrhundert sein würde.“[682]

Oder:

„Im Gegensatz zu diesen Verhältnissen (. . .)“

– die Rede ist in dieser Stelle von den mittelalterlichen –

„(. . .) war der monetäre Charakter der römischen Wirtschaft sehr deutlich. Die Goldmünzen wurden unter der Autorität der Kaiser geschlagen nach Prototypen, die im ganzen Reich galten. Nur infolge der unvollkommenen Technik und örtlicher und persönlicher Faktoren, also je nach den verschiedenen Münzstätten und Münzmeistern, waren sie etwas verschieden, zirkulierten aber ungehindert überall.“[683]

Der weitere Text aus diesem Handbuch bezieht sich auf die Spätantike, eine Zeit, in der der Warencharakter der gesamten Ökonomie bereits abgeschwächt war. Wir dürfen daher annehmen, dass die klassische Antike einen monetäreren Charakter hatte, vor allem was die Zirkulation der Edelmetallmünzen betrifft. Hören wir dazu eine Stelle aus einer Abhandlung zur Rechtsgeschichte:

„For example, (...) infers from data on 545 dated ancient shipwrecks, found near the coasts of France, Italy, and Spain, that interregional trade was higher in the period from 200 BC to AD 200 than either before or during any time in the following millennium. Analyses of the number of silver coins minted in Rome during the late Republic (157-50 BC) supports this hypothesis: the circulation of coins increased tenfold over that sample period.“[684]

Geldumlauf war Münzumlauf und stand in Korrelation mit dem Warenumlauf:

„Analyzing historical data on grain prices in Rome, Northern Italy, Sicily, Spain, Turkey, Palestine, and Egypt, they find a strong linear relationship between prices and distance from the production site, which appears to reflect transportation costs and suggests a functioning market and price mechanism. (...) The positive correlation of time trends across regions suggests a smooth flow of money across the Empire, consistent with the view that Rome had become the monetary center of the known Western world in the first century BC (...) The coin-flow also corroborates the empire-wide operation of many other product markets (...).“[685]

Diese Passage stammt aus einer Untersuchung aus dem Blickwinkel der Rechtsgeschichte, einem Fach, in dem das „modernistische“ Paradigma bis heute sozusagen überwintert hat. Das ist irgendwie verständlich, da das römische Recht ja auch tatsächlich gut und gerne auf heutige Verhältnisse angewendet wird.[686] Die Autoren suchen dabei instinktiv nur nach jenen Hinweisen, die das Bild eines in ökonomischen Belangen modernen römischen Reiches stützen. Indes, nur wegen dieses Motivs müssen einzelne Beobachtungen nicht falsch sein. Zumindest den qualitativen Unterschied zu mittelalterlichen Verhältnissen, was einen zentralisierten Münzumlauf zur Bewältigung des Warenumlaufes betrifft, dürfen wir als gegeben nehmen.

Nun wieder aus dem Handbuch zur Wirtschaftsgeschichte:

„Konstantin der Große reformierte am Beginn des 4. Jh. die römische Münze nach dem Wirrwarr des vorhergehenden Jahrhunderts. Grundlage dieser Reform war der aureus solidus von 4,48 Gramm Feingold, gewöhnlich kurz solidus genannt. (...) Daneben war silberne, bronzene oder kupferne Scheidemünze in Umlauf, die — eher als Gold — für die meisten Zahlungsbedürfnisse in der Wirtschaft in Frage kam, die ja auf kleinere Beträge hinausgingen. Goldmünzen werden vermutlich im ganzen Reich hauptsächlich als Spargeld gedient haben: Dies erklärt auch ihren ziemlich hohen Anteil in den archäologischen Münzfunden."[687]

Die Funktion als „Spargeld" hatten die Münzen erst recht im Mittelalter, wie andere Quellen belegen, aber dazu kamen die geringere Zirkulation der Scheidemünze und vor allem auch das Fehlen eines verbindlichen Standards. Wie alle anderen Belange war auch die Münzprägung in der Feudalzeit und der frühen Neuzeit partikularisiert. Deswegen gab es einen eigenen Beruf des Geld- und Münzwechslers, der so schön im 15. und 16. Jahrhundert von den Meistern dieser Epoche, wie etwa dem Antwerpener Maler Quentin Massys, portraitiert wurde.

Kommen wir nach diesem kurzen Exkurs nun zu dem Ausgangspunkt zurück:

„Im Gegenzug dazu garantierte die agrarische Welt des feudalen Europa den mittelalterlichen Städten die äußeren Märkte, die den antiken Städten fehlten."[688]

Bei Max Weber lautet der entsprechende Absatz so:

„Die Kultur des europäischen Altertums ist *Küstenkultur,* wie seine Geschichte zunächst Geschichte von Küstenstädten. Neben dem technisch fein durchgebildeten städtischen Verkehr steht schroff die Naturalwirtschaft der barbarischen Bauern des Binnenlandes."[689]

Auch hier finden wir ein Haar in der Suppe: Weber stellt das Binnenland in einen Gegensatz zur Stadt. Bestand zwischen beiden Sphären keine Verbindung? Weber möchte uns sagen: Die antike Stadt hatte mehr mit der mittelalterlichen Stadt gemein, als sie mit dem antiken Umland zu tun hatte. Insofern wir Städte miteinander vergleichen, haben die Städte das Städtische gemeinsam. Ansonsten aber muss man die Beziehung aufdecken, die die antike und die mittelalterliche Stadt zu ihrem jeweiligen „platten Land" hatten und nur hier zeigt sich der entscheidende Punkt: Nämlich dass das mittelalterliche Land – die Dörfer mit den Leibeigenen und Fronbauern – ökonomisch notwendige Verbindungen mit seinem jeweiligen Feudalherren hatte, der für es vieles in einem war: Fürsorge, Gericht, Polizei, Scharfrichter und vor allem Aneigner der bäuerlichen Mehrarbeit. Die Feudalherren waren aber nicht mit der mittelalterlichen Stadt identisch, sondern stellten ein drittes Subjekt dar. Selbst wenn sie in der Stadt residierten, machten gerade sie nicht das Wesen der mittelalterlichen Stadt aus, sondern die freien Bürger mit deren Gewerbe und Handel. Einige Historiker interessiert diese Beziehung nicht und sie ignorieren die feudalen Produktionsverhältnisse. Aber gerade diese Verhältnisse machten das aus, was wir „Mittelalter" nennen.

Wenden wir uns nun dem antiken „platten Land" zu. Es war nicht auf irgendwelche Feudalherren ausgerichtet, sondern … auf die antiken Städte! Ganz gut ist dies bei Fergus Millar dargestellt.[690] Auch Finley spürt den Beziehungen der antiken Stadt zu deren eigenen Umland sorgfältig nach, unterstützt aber letztlich Webers Ansicht, dass …

„(…) die antike Stadt als ein Konsumzentrum, nicht als ein Zentrum der Produktion (…).“[691]

… zu bezeichnen sei. Damit ist vermutlich gemeint, dass die Stadt nicht wie beim Übergang des Mittelalters zur Neuzeit Zentrum der Produktion wurde. Aber immerhin bedeutet eine Stadt als Konsumzentrum auch, dass die Konsumgüter, die hier so massenhaft genossen wurden, irgendwo produziert werden mussten; auf dem Lande, in den Dörfern (*vici*), in den *villae / fundi* oder eben in den Städten. Kurzum: Der städtische Konsum wurde mit Sicherheit nicht subsistent hergestellt, also von den einzelnen Konsumenten selbst. Das genügt uns schon, um zu verdeutlichen, dass es sich um eine Warenökonomie gehandelt haben muss. Ein wenig schieben Finley und Weber die Produktion der Konsumgüter immer weg, von der Stadt weg, vom Land weg … aber irgendwo werden sie wohl hergestellt worden sein.

Finley geht in dieser Hinsicht aber nicht so weit wie Weber und konstatiert immerhin, dass die Größe der Städte im römischen Reich nicht mit der – ja bereits verlorenen – politischen Bedeutung der alten Polis zusammenhängen konnte, sondern mit Umfang und Bedeutung des Handwerks in der Stadt und des Handels mit dem Umland; wobei wirklich große Städte überregionalen Import von Konsumgütern generierten. Auch die Geldzirkulation – von der Peripherie in das Zentrum via Steuern und vom Zentrum in die Peripherie via des ausgegebenen Solds der Soldaten – erwähnt Finley und beide Aspekte geben ein realistischeres Bild der umfangreichen ökonomischen Beziehungen zwischen Land und Stadt. Nebenbei schließen wir aus diesem Bild auf die Existenz einer verallgemeinerten Warenzirkulation zwischen beiden Raumeinheiten.[692]

Das passt mit Webers Bild der Separierung von Stadt und Land in zwei getrennte Welten nicht mehr zusammen. Wir wissen etwa, dass in Griechenland das Umland mit seinen Periöken – auch das ein für sich selbst sprechender altgriechischer Begriff! – in einer Funktion zu der Polis stand und im römischen Reich gehörte jedes Dorf (*vicus*) zu der Fläche und der Zuständigkeit einer Stadt. Wir können uns das so vorstellen, dass jedes Fleckchen Erde Teil einer Gebietskörperschaft war und dass diese Gebietskörperschaft ihr administratives Zentrum in der Stadt hatte. Das war im Grunde auch im römischen Reich nicht anders und stellte tatsächlich ein lebendiges Erbe der Polis dar. Erst die Militärlager der späten Kaiserzeit mit ihren Weideflächen schoben sich ohne städtische Gemeindeaufsicht zwischen diese Raumordnung. Fergus Millar (Oxford):

„Strabo erwähnt, daß Nîmes 24 Dörfer unter eigener Jurisdiktion hatte (...).“[693]

Hier ist nicht die Zahl 24 interessant, sondern dass die Dörfer zu einer Stadt gehörten. Das war generell so üblich:

„‚Gemeinde‘ bedeutete normalerweise Stadt, worunter ein städtischer Mittelpunkt zu verstehen ist, der seine eigenen Beamten wählte oder zumindest hervorbrachte, der (in der Regel) einen Rat und ein ‚Territorium‘ mit Dörfern besaß, die seiner Rechtsprechung unterstanden.“[694]

Und Fergus Millar weiter:

„Dörfer konnten ihre eigenen Beamten und sogar Ratsversammlungen haben; der Unterschied zwischen Stadt und Dorf (im Lateinischen meist *vicus*; im Griechischen *komē*, aber auch in einer Vielzahl anderer Namen belegt) scheint darin bestanden zu haben, daß nach der Definition einer Stadt diese nicht auf dem Territorium einer anderen lag, während das bei Dörfern fast immer der Fall war. So bestrafte Septimius Severus

(193 bis 211) Antiochia in Syrien wegen der Unterstützung seines Rivalen Pescennius Niger, indem er es in den Stand eines *komē* im Territorium von Laodikeia zurückversetzte."[695]

Und:

„Wir wissen in allgemeinen Zügen, daß die Städte von ihren Territorien den Tribut, der Rom geschuldet wurde, ihre eigenen indirekten Einkünfte und später die Rekruten für die Armee (oder eine Steuer an ihrer Stelle) einzogen."[696]

Millar berichtet von einem Beispiel aus einer antiken Quelle:

„(...) wie die Bauern verhungerten, nachdem ihre besten Ernteerträge in die Stadt gebracht worden waren. Wir wissen jedoch nicht, ob das in Form von Pachtzins, offiziellen Abgaben oder (vielleicht) von Ablieferungen geschah, die für römische Beamte bestimmt waren. Ein Jurist aus dem späten 3. Jahrhundert sagt jedoch, daß einige Städte das Privileg besaßen, in jedem Jahr von den Pächtern in ihrem Territorium (offenbar ohne Kompensation) eine gewisse Getreidemenge einzusammeln."[697]

Ich gebe zu, diese Beispiele zeigen auch ökonomische Beziehungen jenseits von Marktbeziehungen, es geht um Zwangsabgaben und Naturallieferungen (vielleicht mit Ausnahme des Tributs). Aber der springende Punkt ist hier, dass sich das flache Land auf die Stadt bezieht, die Stadt nimmt etwas vom Land und gibt im Gegenzug städtische Leistungen (Rechtspflege, Fürsorge, Infrastruktur). Und wir klammern hier die Warenzirkulation einmal komplett aus. In der Antike ist das Dorf auf die Stadt ausgerichtet, im Mittelalter hingegen ist das Dorf auf den Feudalsitz ausgerichtet, nicht auf die Stadt. Das ist der springende Punkt – vorausgesetzt, wir vergleichen das *Typische* der Antike mit dem *Typischen* des Mittelalters, also die Antike vom 5. vorchristlichen Jahrhundert bis zur Krise des 3. nachchristlichen Jahrhunderts mit der klassischen Feudalzeit, etwa vom 9. bis zum 13. Jahrhundert. Kurzum: Wir vergleichen die antiken mit den feudalen Produktionsverhältnissen und nur so ist der Vergleich aussagekräftig.

Kommen wir nun zu Max Weber zurück:

„Auf diesem noch unzersetzten naturalwirtschaftlichen Grunde wurzelt der Tauschverkehr nicht tief: eine *dünne Schicht hochwertiger Artikel* ist es – Edelmetalle, Bernstein, wertvolle Gewebe, einige Eisen- und Töpferwaren u. dgl. – welche wirklich Gegenstand stetigen Handels sind; zumeist Luxusgegenstände, welche infolge ihres hohen Preises die gewaltigen Transportkosten tragen können. Ein solcher Handel ist mit dem modernen Verkehr überhaupt nicht vergleichbar. Es wäre, als ob heute etwa nur Champagner, Seide u. dgl. gehandelt würde, während jede Handelsstatistik uns zeigt, wie die *Massen*bedürfnisse allein heute die großen Ziffern der Handelsbilanzen ausmachen."[698]

Dieses Bild kann heute wohl nicht mehr aufrechterhalten werden. Denn der Warenhandel in der Antike war keineswegs auf Luxusgegenstände beschränkt. Es ging gerade um alltägliche Güter wie Getreide, um Konsumgüter, die in Manufakturen und Plantagen hergestellt wurden, um Sklaven und vor allem um Lebensmittel. All dies war Stoff der Zirkulation. Überall dort, wo Archäologen antike Keramikscherben oder ganze Amphoren und ähnliche Gefäßtypen (Hydria, Kados, Kalathos, Lagynos, Lekythos, Olla, Pelike, Pithos ... die es auch in römischen Varianten gab), finden, haben wir auch eine Dokumentation des Lebensmittelhandels. Keramik: Das waren die Konserven und Aludosen der alten Zeit. Sie waren mit etwas befüllt, entleert, halbentleert oder aber noch gar nicht ausgepackt, wie der Fund der gallischen Keramik in Pompeji belegt. Wenn Weber meint, der überlokale Handel würde nur Seide und andere Luxusprodukte betreffen, dann ist uns so, als würde Weber recht haben ... falls er von dem europäischen Mittelalter, nicht von der Antike sprechen würde!

„Freilich ereignet es sich, daß Städte wie Athen und Rom auch in ihrem Getreidebedarf auf Zufuhr angewiesen werden. Aber dann handelt es sich stets um Erscheinungen von welthistorischer Abnormität und um einen Bedarf, dessen Deckung die *Gesamtheit* in die Hand nimmt, weil sie sie dem freien Verkehr weder überlassen will noch kann."[699]

Aber die Abnormität war hier bloß, dass der Staat, die Republik oder der Kaiser sich um die Getreideversorgung der großen Städte sorgten, nicht aber, dass Getreide *überhaupt* gehandelt wurde. Letzteres war keineswegs eine „Abnormität". Und so finden wir die attische Keramik sogar in der Heuneburg an der oberen Donau. Und immerhin mussten die getreideexportierenden Gemeinden für das Geld, das ihnen von Staats wegen für den blonden Staub bezahlt wurde, irgendetwas zum Kaufen gehabt haben. Auch an diesem Ende müssen wir Warenwirtschaft annehmen.

„Die antike Kultur ist *Sklavenkultur.* – Von Anfang an steht neben der freien Arbeit der Stadt die unfreie des platten Landes, neben der freien Arbeitsteilung durch *Tausch*verkehr auf dem städtischen Markt die unfreie Arbeitsteilung durch *Organisation* der eigenwirtschaftlichen Gütererzeugung im ländlichen Gutshof – wiederum wie im Mittelalter."[700]

Alleine aus diesem Passus würde hervorgehen, dass die Sklavenarbeit auf das platte Land beschränkt gewesen sei. Es ist kaum vorstellbar, dass dies die Position Webers gewesen ist. Jedenfalls war Sklavenarbeit kein spezifisch ländliches Phänomen. Wir brauchen uns nur die baulichen Maßnahmen in Pompeij anzusehen, die die Sklavenhalter wegen der Notwendigkeit unternahmen, Sklaven irgendwo anketten zu müssen. Pompeij war eine Stadt mit 20.000 Einwohnern und nur wegen seiner

Einäscherung durch den Vesuvausbruch sehen wir hier mehr an Alltagskultur als in anderen Städten:

„Eine von ihnen beherbergte Wohnräume für Sklaven und ein Sklavengefängnis mit eisernen Stöcken, das dem von Columella empfohlen ähnelt."[701]

Die von Weber getroffene Gegenüberstellung – unfreie Arbeit auf dem Lande, freie in der Stadt – traf nicht nur nicht zu – abgesehen davon, dass auch politisch freie Arbeit Objekt der Ausbeutung sein kann. Sie zeigt uns darüber hinaus eine besondere Räson dieses Autors: Es geht nicht allein um die geographische Verteilung eines Attributs, das mehr oder weniger ausgeprägt ist, vielmehr soll diese Verteilung auf *unterschiedliche Klassen* und *unterschiedliche Produktionsweisen* hindeuten. Diese Perspektive macht ja an sich die Qualität der Arbeit Max Webers aus. Das Unglück besteht bloß darin, dass er die Klassen und Produktionsweisen des Mittelalters auf die Antike projiziert.

„(...) wiederum wie im Mittelalter."[702]

Hier liegt der Hund begraben. Eigentlich ist gemeint: nur wie in den Städten des Mittelalters, die Keimzelle und Brutstätte des Kapitalismus wurden. Jeder Autor hat sozusagen irgendwo einen absoluten Nullpunkt, einen ideellen Bezug, von dem weg alle anderen historischen Phänomene bewertet und gemessen werden. Der absolute Nullpunkt Max Webers war der „Gewerbefleiß" der neuzeitlichen Städte, der aufstrebenden Bourgeoisie. Deswegen sieht Weber auch die Ausbeutung nicht, der hier die freie, aber unselbstständige Arbeit unterworfen war.

„Der Fortschritt beruht auf *fortschreitender* Arbeitsteilung. Bei *freier* Arbeit ist diese – zunächst – identisch mit fortschreitender *Ausdehnung des Marktes,* extensiv durch geographische, intensiv durch personale Erweiterung des Tauschkreises: – daher sucht die Bürgerschaft der Stadt die Fronhöfe zu sprengen, ihre Hintersassen in den freien Tauschverkehr einzubeziehen. Bei *unfreier* Arbeit vollzieht sie sich durch fortschreitende *Menschenanhäufung;* je mehr Sklaven oder Hintersassen, desto weitergehende Spezialisierung der unfreien Berufe ist möglich. Aber während aus dem Mittelalter die *freie* Arbeit und der Güter*verkehr* in zunehmendem Maß als Sieger hervorgehen, verläuft die Entwicklung des Altertums *umgekehrt.* Was ist der Grund?“[703]

Ja, was ist der wahre Grund?

„Es ist derselbe, der auch den technischen Fortschritten des Altertums ihre Schranken setzte: die *‚Billigkeit‘ der Menschen,* wie sie durch den Charakter der unausgesetzten Kriege des Altertums hervorgebracht wurde. Der Krieg des Altertums ist zugleich Sklavenjagd (...).“[704]

Das ist nicht nur richtig, sondern auch mutig formuliert. Max Weber konnte im Gegensatz zur Antiken-Begeisterung des späten 18. und frühen 19. Jahrhunderts diese Unbekümmertheit des Urteils aufbringen, weil ihm die frühneuzeitliche Stadt doch irgendwie lieber als die antike Stadt war. Weber nun weiter zur Funktion der antiken Kriege:

„(...) er bringt fortgesetzt Material auf den Sklavenmarkt und begünstigt so in unerhörter Weise die unfreie Arbeit und die Menschenanhäufung.“[705]

Dass nicht nur Kriege, sondern andere Quellen den Bedarf an Sklaven stillten, ist uns bei der Frage der Auflösung der antiken Welt bereits begegnet und an dieser Stelle mag Weber Unrecht und Finley Recht haben, ohne dass dies Webers Urteil über die andauernden antiken Kriege schmälert.

Jedenfalls betont wiederum Max Weber einen Aspekt, den Moses I. Finley unserer Ansicht nach zu Unrecht kleinredet: Die technologische Auswirkung der Sklavenarbeit – zumindest gemessen am technologischen Potential des Kapitalismus:

„Damit wurde das freie Gewerbe zum Stillstand auf der Stufe

der besitzlosen Kunden-Lohnarbeit verurteilt. Es wurde verhindert, daß mit Entwicklung der Konkurrenz freier Unternehmer mit freier Lohnarbeit um den Absatz auf dem Markt diejenige ökonomische Prämie auf arbeitssparende Erfindungen entstand, welche die letzteren in der Neuzeit hervorrief."[706]

Korrekt. Nachdem nun die Ausbreitung von Lohnarbeit durch die Sklavenarbeit verhindert war – ein Phänomen, worüber sich Finley und Weber wieder einig sind:

„Nur der Sklavenbetrieb vermag neben der Deckung des eigenen Bedarfs zunehmend für den Markt zu produzieren."[707]

Das ist wiederum nicht ganz logisch. Weber meint hier, dass nur harscher Arbeitszwang Überschuss produzieren kann, der dann auf dem Markt landet. Aber für den Markt kann auch ohne Ausbeutung, Mehrarbeit und Überschuss produziert werden, indem sich eine Arbeitsteilung der Gesellschaft entwickelt. Nebenbei gesagt, war genau dies in der Antike der Fall. Nur die vorantiken Gemeinschaften, zum Beispiel die altindische, machten zufällig anfallenden Überschuss zur Ware für den Austausch mit anderen Gemeinden. Weshalb kann nur unselbstständige Arbeit – bei Weber und bei diesem in dieser Terminologie folgenden Finley „freie" und „unfreie" — für den Markt produzieren, nicht etwa auch selbstständige? Diese Unlogik wird auch gleich wiederum zurückgenommen, allerdings nur, um sie durch eine andere Unlogik zu ersetzen:

„Im Altertum dagegen geht – so sehen wir – mit der Entwicklung des internationalen Verkehrs parallel die Zusammenballung unfreier Arbeit im großen Sklavenhaushalt. Es schiebt sich so *unter* den verkehrswirtschaftlichen Überbau ein stets sich verbreiternder Unterbau mit verkehrs*loser* Bedarfsdeckung: – die fortwährend Menschen aufsaugenden Sklavenkomplexe, deren Bedarf in der Hauptsache *nicht* auf dem Markt, sondern *eigen*wirtschaftlich gedeckt wird."[708]

Wenn Weber damit die Antike und nicht etwa die Auflösung der Antike meint, dann ist er zu dem kuriosen Schluss gekommen, der Antike weniger Warenwirtschaft als dem Mittelalter zuzuschreiben. Das kann nicht stimmen. Wenn aber *nur* die mittelalterliche Stadt mit der *gesamten* Antike verglichen wird, also ein Gesellschaftssystem nur zur *Hälfte* mit einem anderen Gesellschaftssystem zur *Gänze*, dann ist dieser Vergleich nicht wissenschaftlich, sondern willkürlich. Nur wenn Weber das *ausgehende* Mittelalter mit dem ökonomischen Sieg der Stadt über das Dorf und die *ausgehende* Antike mit der Verdrängung der Stadt durch die Gutshöfe mit den Kolonen meint, stimmt der Vergleich. Aber dann hat man eben nicht zwei Epochen an sich verglichen, sondern nur die Art und Weise, wie sie abtraten. In diesem Fall hätte in der zitierten Stelle nicht von der „Sklavenarbeit“, sondern eben von dem „Kolonat“ die Rede sein müssen.

Die historische Entwicklung hat Weber indes richtig erfasst: Die Antike bewegte sich von einer Warengesellschaft in eine Gesellschaft mit Naturalwirtschaft, das Mittelalter bewegte sich von einer Gesellschaft mit Naturalwirtschaft in eine Warengesellschaft. Letzteres aber nur deswegen, weil die vorindustrielle Produktion der freien Städte mit ihrer Kapitalakkumulation die feudale Produktionsweise auch an Masse verdrängen konnte. Die feudale Produktionsweise tat dies nicht aus sich heraus. Genau genommen tat sie überhaupt nichts, die Stadt neben ihr blieb ihr fremd. Blieb das Alte aber ein Hindernis, wurde es irgendwann durch eine Revolution wie jene von 1789 hinweggesprengt, um den Bach der bürgerlichen Produktionsweise zu einem großen Strom anschwellen zu lassen. Deshalb lautet die präzisere Formulierung wie oben gesetzt: Die Antike bewegte sich von einer Warengesellschaft in eine Gesellschaft mit Naturalwirtschaft, die feudale Gesellschaft mit ihrer Naturalwirtschaft wurde von der ökonomisch dynamischeren Warenproduktion an den Rand gespielt.

Soweit im Detail zu Max Webers Vortrag aus dem Jahr 1886. Weber ist für unser Thema aus mehreren Gründen relevant. Erstens, weil seine Texte zur Antike nicht zur Gänze in die Gegenüberstellung „Primitivismus vs. Modernismus" eingespannt sind. Zweitens, weil sich viele Autoren wie Finley eine vereinfachte Lesart der Weberschen „Protestantismus-These" zu eigen machen und diese Lesart stellte sich gerade für die antike Wirtschaftsgeschichtsschreibung bis heute als Erkenntnis-Handicap heraus. Und dann geht es um die finale Frage: Wenn die Antike keinen Kapitalismus kannte, kannte die Antike zumindest eine Warenwirtschaft? Die Antwort ist bereits gegeben.

Die Antwort wirft aber sofort eine weitere Frage auf: Wenn es sich nicht um eine kapitalistische Warenwirtschaft handelt, um was für eine dann? Wiederum liegt die Antwort geradezu auf der Hand: um eine „einfache Warenwirtschaft", die in dem Kreislauf Ware-Geld-Ware beschränkt blieb. Spätestens an dieser Stelle ist wiederum Vorsicht und Zurückhaltung angebracht. Denn diese Antwort liegt *nicht* auf der Hand. Zumindest nicht, wenn wir bei Karl Marx nachlesen.

Man muss genau sein: Marx spricht nicht von „einfacher Warenwirtschaft", sondern von „einfacher Warenzirkulation" oder oft auch von „einfacher Zirkulation", „einfachen Momenten" oder überhaupt nur von „Zirkulation" und es ergibt sich aus dem Zusammenhang, dass damit die „einfache Warenzirkulation" gemeint ist. Der Bedeutungsinhalt der „einfachen Warenzirkulation" findet sich zum Beispiel in „Das Kapital" und zwar sowohl im ersten Band zur Ware-Geld-Beziehung, als auch im zweiten Band zu den Zirkulationstheorien – hier spielt die „einfache Warenzirkulation" die erste Geige in der Theorie der „einfachen Reproduktion". Schließlich kommt der Begriff auch im dritten Band des Buches „Das Kapital“ vor, und zwar im Zusammenhang mit der Akkumulationstheorie. Denn die „einfache Warenzirkulation“ ist sozusagen die Null-Annahme gegenüber der „erweiterten Reproduktion“, vulgo Akkumulation.[709]

Marx spricht also in „Das Kapital“ nicht von „einfacher Warenwirtschaft“, sondern von der „einfachen Warenzirkulation“ und das ist nicht bloß ein Zufall der Formulierung. Die „einfache Warenzirkulation“ ist ein Element der Wirtschaft, aber sie ist die Wirtschaft nicht als solche. „Warenwirtschaft“ charakterisiert die Wirtschaft als Totalität, die „Zirkulation“ nicht. Bereits aus diesen kursorischen Bemerkungen kann abgeleitet werden, dass der Bedeutungsinhalt einer „einfachen Warenzirkulation“ bei diesem Autor einem analytischen bzw. didaktischen, nicht aber einem historiographischen Zweck dient. Marx meint hier nicht eine konkrete geschichtliche Epoche, die mit dem Terminus „einfache Warenwirtschaft“ charakterisiert wird.

Was meint Marx aber dann? Die Antwort: eine Abstraktion. Weshalb wird diese benötigt? Einzelne Elemente und Funktionen der bürgerlichen Produktionsweise werden zuerst jeweils isoliert voneinander untersucht. Erst nach und nach kommt die Komplexität des Zusammenspiels hinein. Hier wendet – nach einem Ausspruch von Karl Marx – die politische Ökonomie ähnliche Methoden wie die Chemie im Labor mit ihren Reagenzgläsern an: Nicht jedes Zwischenergebnis existiert so in der „freien Wildbahn“. So fängt das Hauptwerk „Das Kapital“ mit der Ware an, der Wertform, dem Geld – und nicht etwa mit dem Mehrwert, der Stoff für die Akkumulation des Kapitals ist und mit dieser eigentlich das Wesen des Kapitalismus ausmacht. Ein anderes Beispiel: Der Handel und der Kredit werden überhaupt erst später bzw. sogar nachrangig behandelt, obwohl historisch gesehen das Kapital zuerst als Handels- und Wucherkapital auftrat. Marx beschreibt zuerst die einfache Reproduktion des Kapitals, um darauf aufbauend die erweiterte Reproduktion zu erklären. Auch diese Reihenfolge ergibt sich bei ihm nicht aus dem historischen Ablauf, sondern aus dem Untersuchungsgegenstand: Es geht darum, etwas Komplexes dadurch zu fassen, indem zuerst die Komplexität reduziert wird. Das Elementare wird vor dem Zusammengesetzten betrachtet.

Aus dieser Anordnung ist das „Missverständnis verständlich", dass das Elementare auch historisch vor dem Zusammengesetzten auf der Welt gewesen sei. Vorderhand scheint dies ganz naheliegend: Die Neuzeit kannte den Warenverkehr des Gewerbes, der Manufaktur und des Kolonialhandels, bevor der Kapitalismus in seine industrielle Phase einmündete. Es scheint, als wäre die Industrie nur eine Spezifikation des Kapitalismus. Aber nein, die große Industrie ist nicht bloß eine Produktionsweise unter vielen anderen, sondern schlicht die Verwirklichung des Potentials des Kapitals. Erst hier unterwirft sich der Arbeitsprozess unter den Produktionsprozess:

„In den Produktionsprozeß des Kapitals aufgenommen, durchläuft das Arbeitsmittel aber verschiedne Metamorphosen, deren letzte die Maschine ist oder vielmehr ein automatisches System der Maschinerie (...), in Bewegung gesetzt durch einen Automaten, bewegende Kraft, die sich selbst bewegt; dieser Automat, bestehend aus zahlreichen mechanischen und intellektuellen Organen, so daß die Arbeiter selbst nur als bewußte Glieder desselben bestimmt sind. (...) Nicht wie beim Instrument, das der Arbeiter als Organ mit seinem eignen Geschick und Tätigkeit beseelt und dessen Handhabung daher von seiner Virtuosität abhängt. Sondern die Maschine, die für den Arbeiter Geschick und Kraft besitzt, ist selbst der Virtuose, die ihre eigne Seele besitzt in den in ihr wirkenden mechanischen Gesetzen und zu ihrer beständigen Selbstbewegung, wie der Arbeiter Nahrungsmittel, so Kohlen, Öl etc. konsumiert (matières instrumentales). Die Tätigkeit des Arbeiters, auf eine bloße Abstraktion der Tätigkeit beschränkt, ist nach allen Seiten hin bestimmt und geregelt durch die Bewegung der Maschinerie, nicht umgekehrt. Die Wissenschaft, die die unbelebten Glieder der Maschinerie zwingt, durch ihre Konstruktion zweckgemäß als Automat zu wirken, existiert nicht im Bewußtsein des Arbeiters, sondern wirkt durch die Maschine als fremde Macht auf ihn, als Macht der Maschine selbst."[710]

Erst die „große Maschine" erlaubte den Wechsel von der absoluten zur relativen Mehrwertproduktion und damit die perpetuierende Vergrößerung des fixen Kapitals gegenüber der lebendigen Arbeit. Das ist die allgemein-technologische Voraussetzung der ständig vergrößerten Warenmasse, der Wertmasse, der Unterordnung wie auch der durch den Produktionsprozess erzwungenen Qualifikation der Arbeit wie auch der Reduktion der Arbeitszeit. Kurzum: Erst der industrielle Kapitalismus ist echter Kapitalismus. Dahinter steht keine graduelle Entwicklung, sondern eine qualitative Neuzusammensetzung:

Die Industrie ist nicht eine Branche oder eine Anwendung des Kapitalismus, sondern die Verwirklichung des Potentials des Kapitals. Der Begriff „Capital fixe" steht in folgendem Passus für das fixe konstante Kapital:

„Die volle Entwicklung des Kapitals findet also erst statt – oder das Kapital hat erst die ihm entsprechende Produktionsweise gesetzt –, sobald das Arbeitsmittel nicht nur formell als Capital fixe bestimmt ist, sondern in seiner unmittelbaren Form aufgehoben und das Capital fixe innerhalb des Produktionsprozesses der Arbeit gegenüber als Maschine auftritt; der ganze Produktionsprozeß aber als nicht subsumiert unter die unmittelbare Geschicklichkeit des Arbeiters, sondern als technologische Anwendung der Wissenschaft. Der Produktion wissenschaftlichen Charakter zu geben, daher die Tendenz des Kapitals, und die unmittelbare Arbeit herabgesetzt zu einem bloßen Moment dieses Prozesses. Wie bei der Verwandlung des Werts in Kapital, so zeigt sich bei der nähern Entwicklung des Kapitals, daß es einerseits eine bestimmte gegebne historische Entwicklung der Produktivkräfte voraussetzt – unter diesen Produktivkräften auch die Wissenschaft –, andrerseits sie vorantreibt und forciert.“[711]

Es liegt auf der Hand, dass all diese Verhältnisse in der Antike nicht vorhanden waren – zugespitzt im Fehlen der „Maschinerie“, dem sich immer erneuernden und erweiternden *Capital fixe*. Und Marx ist ziemlich deutlich, was den Unterschied macht: „Die volle Entwicklung des Kapitals findet also erst statt (...)“ ... erst (!), „Entwicklung des Kapitals, daß es einerseits eine bestimmte gegebne historische Entwicklung der Produktivkräfte voraussetzt (...)“ ... voraussetzt (!). Sehr deutlich ist auch die Fortsetzung dieser Passage:

„Der quantitative Umfang, worin, und die Wirksamkeit (Intensivität), worin das Kapital als Capital fixe entwickelt ist, zeigt daher überhaupt den degree an, worin das Kapital als Kapital, als die Macht über die lebendige Arbeit entwickelt ist (...).“[712]

Ist das nicht der Fall, ist das Kapital nicht als Kapital entwickelt und das bedeutet nichts anderes, als dass das Kapital nicht *verwirklicht* ist. Es sind vielleicht bloß andere Aspekte vorhanden, die ein bloßes Potential des Kapitals bilden, wie in der Antike Warenproduktion und Privatwirtschaft, aber mit diesen gelangt kein Kapital zur Verwirklichung. Die Passage bei Marx schließt wie folgt:

„(...) als die Macht über die lebendige Arbeit entwickelt ist und sich den Produktionsprozeß überhaupt unterworfen hat.“[713]

Das *Capital fixe* benötigt zu dieser Unterwerfung der Arbeit nicht irgendeine Arbeit, sondern Lohnarbeit – nur diese ist duktil genug, sich der Maschinerie zu unterwerfen und sich entlang der Eigenheiten der Maschinerie weiterzuentwickeln. Alle anderen Formen der Arbeit sind zu unflexibel, verharren in ihrer Abhängigkeit von persönlichen Bindungen oder von dem eigenen Kleineigentum. Weder die Sklavenarbeit, noch die Fronarbeit, noch die Fellachenarbeit, noch die handwerklich-selbstständige Arbeit oder die Arbeit der Subsistenzbauern ist für *diese* Unterwerfung geeignet.

Der qualitative Unterschied der Verwirklichung des Kapitals in der Industrie ist bei Marx gestochen scharf dargestellt. Mit anderen Denkschulen kommen wir zu anderen Ergebnissen: Genauso wie von der Neuzeit aus gesehen die spätere Industrie eine bloße Spezifikation ist, so ist von der Industrie aus gesehen die frühe Neuzeit (oder gar die Antike) bloß unreife kapitalistische Ökonomie. Beide Varianten treffen den Punkt nicht. Ein unreifes Element wird hier zum Einfachen, zur „einfachen Warenökonomie", zur eigenen historischen Formation. Nun, nach dieser Mutation, ist diese Formation namens „einfache Warenökonomie" plötzlich nicht bloß als Unreifes die Verlängerung des Reifen in der Sphäre der Vergangenheit, sondern eine in sich abgeschlossene Sache. Aus dem Präteritum wurde ein Plusquamperfekt, sozusagen. Auch diese – dritte –Variante trifft den Punkt nicht.

Wir können das nachlesen: Bei verschiedenen Autoren wird die Neuzeit vom Kapitalismus abgetrennt, um aus der „einfachen Warenwirtschaft" eine eigene historische Epoche zu machen. Werfen wir einen Blick auf diesen Ansatz bei Nikolai Bucharin und Evgenij Preobrazenskij, die der Warenwirtschaft einen Abschnitt in der populären Schrift „Das ABC des Kommunismus" (1920) widmen:

„Als erstes Merkmal der kapitalistischen Gesellschaftsordnung erscheint also die Warenwirtschaft, d.h. eine Wirtschaft, die für den Markt erzeugt. Zur Charakteristik des Kapitalismus genügt es nicht, eines der Merkmale der Warenwirtschaft anzuführen. Es kann eine derartige Warenwirtschaft geben, ohne daß es Kapitalisten gibt, wie z.B. die Wirtschaft der arbeitenden Handwerker. Sie arbeiten für den Markt und verkaufen ihre Erzeugnisse; diese Produkte sind also Waren und die ganze Produktion ist eine Warenproduktion. Und trotzdem ist diese Warenwirtschaft noch keine kapitalistische, sondern eine bloße einfache Warenproduktion."[714]

Als bloß ökonomische Charakteristik ist die Warenproduktion richtig dargestellt – so wie es sie in der Antike und in der frühen Neuzeit gab. Aber im Gegensatz zu diesen Autoren sehen wir alleine in der „Warenwirtschaft" keine ausreichende Definition einer Epoche.

„Damit diese einfache Warenproduktion zur kapitalistischen wird, müssen einerseits die Produktionsmittel (Werkzeuge, Maschinen, Gebäude, Grund und Boden usw.) sich in das Eigentum einer kleinen Klasse reicher Kapitalisten verwandeln, andererseits zahlreiche selbständige Handwerker und Bauern untergehen und zu Arbeitern werden. Wir haben bereits gesehen, daß die einfache Warenwirtschaft in sich den Keim des Untergangs der einen und der Bereicherung der Anderen trägt. Dies ist auch zur Tatsache geworden."[715]

Diese Entwicklung lässt sich kaum abstreiten, aber sie ist völlig unvollständig. Einerseits findet in jeder Gesellschaft mit Warenproduktion die Polarisierung in Arm und Reich statt – aber ohne, dass daraus zwangsläufig die Klassen von Lohnarbeitern und Kapitalisten entstehen. Die Antike zum Beispiel sah eintausend Jahre lang die Polarisierung zwischen Arm und Reich, aber es blieb dennoch bei der Dreiteilung zwischen Kleineigentum, Sklaven und Grundeigentum. Das, was tatsächlich in der Neuzeit den Übergang zum Kapitalismus ebnete, war die ursprüngliche kapitalistische Akkumulation – also ein Vorgang, der gerade *nicht* auf „einfacher Warenwirtschaft" basierte. Ja, mehr noch: Ein Vorgang, der das Wirken des Wertgesetzes definitiv und systematisch brach – denn Raub und Sklaverei (Antillen, Brasilien, Azoren ...) basierten keineswegs auf dem Tausch gleicher Warenwerte. Klar, in der Antike auch nicht, aber das Argument bei Bucharin und Preobrazenskij besteht ja darin, dass bereits „einfache Warenwirtschaft" die Klassen des Kapitalismus herausbilde.

„Langsam geriet in die Hände dieser Reichen alles, was für die Produktion notwendig ist: Fabriksgebäude, Rohstoffe, Warenlager und Magazine, Häuser, Werke, Erzlager, Eisenbahnen, Dampfschiffe, — kurz, alles, was für die Produktion unentbehrlich ist. Alle diese Produktionsmittel wurden das ausschließliche Eigentum der Kapitalistenklasse (...) Dieses Monopol der Kapitalistenklasse auf die Produktionsmittel ist das zweite Merkmal der kapitalistischen Gesellschaftsordnung."[716]

Und vice versa, als Prozess der Trennung von Kapital und Arbeit:

„Folglich unterscheidet sich die kapitalistische Wirtschaft von der einfachen Warenwirtschaft dadurch, daß in der kapitalistischen Wirtschaft auch die Arbeitskraft selbst zur Ware wird. Als drittes Merkmal der kapitalistischen Gesellschaftsordnung erscheint also die Lohnarbeit"[717]

Hier sollen ziemlich homogene historische Epochen zum Ausdruck kommen: hier die Epoche der einfachen Warenwirtschaft, dort die Epoche des Kapitalismus. Wir könnten noch eins draufgeben: Der Abstand der Epoche der einfachen Warenproduktion zum Kapitalismus verhält sich so wie der Abstand der Epoche des „Konkurrenzkapitalismus" zur Epoche des „Monopolkapitalismus“ (die Preobrazenskij und Bucharin in diesem Passus noch nicht erwähnen).[718] Gibt es diese Entwicklung als Stufenleiter? Ich bin anderer Ansicht. Diese vier Begriffe dienen der Analyse, um etwas Spezifisches herauszustellen: entweder ein ökonomisches Gesetz – das in der „freien Wildbahn“ aber von anderen ökonomischen Gesetzen in seiner Wirkung verändert wird – oder aber eine konkrete Materialisation dieser ökonomischen Gesetze. In letzterem Fall sehen wir dies auch als Geschichte und Historiker können sich damit befassen, aber es hat dann nicht den Charakter des Notwendigen bzw. des „Wirklichen“ in der Begrifflichkeit Hegels. Wir haben oben bei der Besprechung von Max Weber und Moses I. Finley gesehen:

Die Formierung des Kapitals in der Neuzeit beinhaltet bereits das Potential des industriellen Kapitalismus, genauso wie der Konkurrenzkapitalismus immer auch das Potential des Monopols und der Dominanz des Finanzkapitals in sich trägt. Der Unterschied ist nur: In ersterem Fall war die Verwirklichung des Potentials von einem historischen Kampf mit der feudalen Ökonomie abhängig, in zweiterem Fall nicht.

Das „Einfache“ der abstrakten Analyse bei Karl Marx verhält sich ganz anders als das „Einfache“ des historisch Unreifen. Aber auch dieser Begriff des „historisch Unreifen“ ist nicht so leicht zu fassen. Das Historische ist nicht einfach nur eine Entwicklungsstufe, sondern eine spezifische Behinderung des Potentials des Reifen. Die neuzeitliche Warenwirtschaft *vor* der industriellen Revolution war eben beides: Raubzüge der Bourgeoisie, um initiales Kapital zu schaffen, und Gefangenschaft der Bourgeoisie im feudalen Umfeld. Deswegen gab es neben dem Aufstieg von Handel und Banken auch Folgendes: die Bindung der Bauern an das Land; den Ausschluss von Grund und Boden vom Warenverkehr; die Feudalabgaben, die die Ausbeutung der Arbeitskräfte durch die Bourgeoisie verhinderten. Die

Zünfte standen der Gewerbefreiheit geradezu jahrhundertelang im Wege. Wir brauchen uns nur die Elendsquartiere nicht beschäftigter Handwerker, Gesellen und Tagelöhner in den Vororten des Paris (wie St. Antoine) der 1780er Jahre vor Augen führen, um zu erkennen, welche politische Sprengkraft die Frage der Gewerbefreiheit einst hatte. Die Welt, die uns heute selbstverständlich vorkommt, ist in Wirklichkeit sehr jung.

Kurzum: Der Begriff der „einfachen Warenwirtschaft" taugt als Charakterisierung der frühneuzeitlichen Produktionsweise nicht. In der Neuzeit entstand die Bourgeoisie, aber bezeichnenderweise zuerst eher im Handel und im Wucher denn in der Produktion. Und die frühe Neuzeit war gleichzeitig auch noch Teil der feudalen Produktionsweise. Die Dualität dieser Ökonomie legte sowohl der Bourgeoisie als auch der Aristokratie Fesseln auf, eben weil beide Pole zueinander inkompatibel waren und sich gleichzeitig im Wege standen. Eine dynamische, zerrissene und widerspruchsvolle Zeit – jedenfalls keine mit einer in sich homogenen Ökonomie, Stichwort „einfache Warenwirtschaft".

Der Begriff Produktionsweise hat sowohl eine ökonomische, als auch eine historische Seite, er schließt die Existenz konkreter Gesellschaftsklassen mit ein, die zueinander in einem Verhältnis stehen – deswegen Produktionsverhältnis: Bauern und Feudalherr, Sklaven und Grundeigentümer, Arbeiter und Kapitalist und so weiter und so fort und das in unzähligen Kombinationen, da die Gesellschaft ja nie aus nur zwei Gesellschaftsklassen besteht. Wohl stimmt es, dass auch Preobrazenskij und Bucharin in dem populären Text aus dem Jahr 1920 Gesellschaftsklassen anführen, aber bezeichnenderweise vor allem das Kleinbürgertum. Erst mit allen anderen Gesellschaftsklassen im Blick lässt sich der ökonomische und politische Klassenkampf unterschiedlicher Produktionsweisen und Verhältnisse erahnen, die notwendig waren, um dem kapitalistischen Potential der Warenproduktion – das ist in diesem Zusammenhang nämlich der präzisere Begriff als jener der „Warenwirtschaft“ – zur Verwirklichung zu verhelfen.

Positiv gesehen hat der Begriff „einfache Warenzirkulation“ auch seine Berechtigung, aber nicht als historiographischer, sondern als analytischer Begriff der – wenn man so will: spekulativen – ökonomischen Theorie. Aber wie verhält es sich nun mit der antiken Wirtschaft? Wäre hier der Begriff „einfache Warenwirtschaft“ nicht angebracht? Immerhin handelt es sich dabei nicht um eine duale Ökonomie, denn Stadt und Land waren nicht Pole von zwei unterschiedlichen Produktionsweisen (im weiteren Sinne). Nur nach außen hin und gegenüber den östlichen und südöstlichen Randzonen der griechisch-hellenistischen und der römischen Welt entwickelte sich diese Dualität. Aber wenn wir Bucharin und Preobrazenskij folgen, ist das Charakteristikum der einfachen Warenwirtschaft, dass die Produzenten noch Inhaber der eigenen Produktionsmittel sind. Denn im Sinne einer Abgrenzung des Kapitalismus zu der „einfachen Warenwirtschaft“ heißt es hier:

„Dieses Monopol der Kapitalistenklasse auf die Produktionsmittel ist das zweite Merkmal der kapitalistischen Gesellschaftsordnung.“[719]

Demnach bestand die „einfache Warenwirtschaft“ aus Produzenten, die gleichzeitig noch Inhaber ihrer Produktionsmittel waren. In der Antike waren die hauptsächlichen Produzenten – die Sklaven – aber keineswegs Inhaber der Produktionsmittel. Ja mehr noch: Sie waren selbst Produktionsmittel, nämlich in den Händen anderer. Die großen Grundeigentümer arbeiteten überhaupt nicht selbst, sondern ließen arbeiten. Dass aber in der Antike auch selbstständige Bauern und Handwerker existierten, sagt wenig aus, denn diese gibt es selbst heute noch, ja geradezu zu fast jeder Zeit der Geschichte. Folglich spricht das

Argument des „Monopols" dagegen, dass die Antike einfach nur „einfache Warenwirtschaft" gewesen sei. Nur deswegen war sie aber auch noch lange nicht Kapitalismus, denn wie heißt es bei Bucharin und Preobrazenskij in diesem Punkt völlig richtig:

„Als drittes Merkmal der kapitalistischen Gesellschaftsordnung erscheint also die Lohnarbeit"[720]

Diese fehlte – wie bereits unzählige Male erwähnt. Und nicht zuletzt wegen der Sklavenarbeit. Wie man es auch dreht und wendet, das Modell der „einfachen Warenwirtschaft" passt auch nicht auf die Antike, weder positiv noch negativ gesehen.

Was für eine Art der Warenproduktion fand aber in der Antike statt? Sie hatte noch etwas ihrer eigenen Genesis als Zusatz zum alten Kollektiveigentum an sich. Wir treffen sie auch in den altorientalischen, altindischen und vermutlich auch in den präkolumbianischen Kulturen an – als „Überschuss" der Gemeinden, der mit anderen Gemeinden getauscht wird. Im Inneren der Gemeinden bleiben die ökonomischen Beziehungen aber direkt auf den Eigengebrauch gerichtet. Wir nennen dies üblicherweise *Subsistenzwirtschaft*, ein Begriff, der zu der Frage, ob Mehrarbeit produziert wird und wer dies für wen macht, nobel schweigt. Aber sei´s drum. Diese Stufe der Warenproduktion ist noch deren eigene Vorform, solange die Produktion selbst noch nicht zum Zwecke des Verkaufs stattfindet. Die Warenform erscheint hier als zufälliges Ergebnis, zum Beispiel einer guten Ernte oder einer zufällig entdeckten reichhaltigen Kupferquelle. Nun könnten wir annehmen, dass sich die Warenproduktion von dieser Vorform aus immer mehr im Inneren der Gesellschaft ausbreitet, indem nun von Haus aus ein bestimmtes Quantum an Arbeitszeit der Gesellschaft für die Produktion von Waren verwendet wird. Noch immer wird die Ware an andere Gesellschaften getauscht, aber der Tauschhandel hat sich nun bereits im Inneren der Gesellschaft als eigene Sparte etabliert.

Diese Variante könnte etwa für die bronzezeitlichen Gemeinschaften angenommen werden. Beweisen kann man dies aufgrund der Quellenlage freilich nicht so ohne weiteres. Der dritte Schritt wäre dann, dass die Waren auch innerhalb der Gesellschaft gehandelt werden. In diesem Fall sprechen wir von *verallgemeinerter* Warenproduktion. So wie dies etwa in den antiken Gesellschaften (Griechenland, Karthago, Rom ...) tatsächlich der Fall war.

Indes ist die Schwäche dieser Annahme einer stufenweisen Genesis der Warenproduktion jene, dass sie ebenfalls zu der Frage, ob Mehrarbeit produziert wurde und wer dies für wen machte, nobel schweigt. Gerade diese Frage ist aber nicht unwichtig. Denn nicht alle Gesellschaften nahmen die Entwicklung über eine eigene „Antike". Gerade dort, wo sich aus bestimmten Gründen eine kompakte Gesellschaftsschicht als Aneigner des Mehrproduktes etablierte, wurde der Weg zur verallgemeinerten Warenproduktion blockiert. Das war in den altorientalischen Reichen und in Altägypten der Fall. Wir können hier sagen: Gerade weil das agrarische Mehrprodukt reichhaltig war und gerade weil es auch durch staatliche Bewässerungs- und sonstige Infrastruktur zustande kam, verhinderte das Mehrprodukt die Weiterentwicklung der Warenproduktion. Und noch etwas sehen wir hier: Subsistenzproduktion ist nicht das logische Gegenteil zur Warenproduktion. Denn die Fellachen etwa schufen mehr, als sie selbst verbrauchten. Ob eine alte Gesellschaft eine verallgemeinerte Warenproduktion schließlich aufnahm, ist nicht von der Höhe des „Überschusses" abhängig, sondern von den Eigentumsverhältnissen.

Es kommt also darauf an, welche Eigentumsformen wir vor uns haben und in Mesopotamien, Ägypten und Altindien entsprach diese „asiatische Produktionsweise" dem *Kollektivbesitz* der Bauern über ihr Land. Hier war der „Überschuss" mit der

Mehrarbeit identisch. Aber der „Überschuss“ konnte in einem guten Jahr noch so groß sein, er stieß keine verallgemeinerte Warenproduktion an. Freilich betrieben auch diese Staaten Handel, aber der Schwerpunkt lag auf dem *Außenhandel*, nicht auf dem inneren Handel: Hier mussten die Bauern ihr Mehrprodukt einfach abliefern, sie konnten es nicht an eine Priesterkaste oder an die Satrapen verkaufen.

Nur jene Gesellschaften, in denen sich das Privateigentum neben dem Kollektiveigentum durchsetzen konnte, entwickelte sich die Ware aus einer Sparte für den Export zu einer verallgemeinerten Produktion, also auch für den inneren Gebrauch. Weshalb dieses Privateigentum aufkam, dazu gibt es unterschiedliche, interessante und auch einander ausschließende Theorien, auf die wir hier nicht eingehen können. Auch wird von einigen Historikern für die antike Produktionsweise kollektives Grundeigentum angenommen – was es freilich, nebenbei erwähnt, schwer macht, die Berichte von Grundkäufen und Grundverkäufen von einzelnen Personen einzuordnen, die sich vor allem in der römischen Antike häufen. Aber selbst wenn wir Kollektiveigentum an Grund und Boden unterstellen, so ist hier das prägende Element das „Eigentum“ und nicht der abgeleitete „Besitz“ wie in der asiatischen Produktionsweise.

Die verallgemeinerte Warenproduktion benötigt zu ihrer Existenz zumindest das Primat des Eigentums vor dem Besitz. Wie üblich können wir hier einen „Disclaimer“ anfügen: Ja gewiss, es gab in der Antike *auch* Besitz – zum Beispiel in Form von Agrar-Pachten oder Bergwerksgesellschaften – aber diese Verhältnisse prägten nicht den dynamischen Teil der antiken Ökonomie. Ich würde noch weiter gehen: Die antike Produktionsweise basierte auf Privateigentum und Sklavenarbeit und nicht bloß auf unspezifischem Eigentum und Sklavenarbeit … und hier würde der „Disclaimer“ wie folgt lauten: Ja, es gab auch Bereiche und Gegenden ohne Privateigentum und ohne Sklavenarbeit, ja auch ohne Warenproduktion – aber diese Bereiche und Gegenden machten weder das Dynamische noch das Typische der antiken Produktionsweise aus.

Zwischen Privateigentum und verallgemeinerter Warenproduktion besteht ein Zusammenhang. Hier wiederum Preobrazenskij und Bucharin (1920), an dieser Stelle treffend:

„Die Warenwirtschaft setzt unbedingt das *Privateigentum* voraus.“[721]

Gemeint ist hier nur die „verallgemeinerte Warenwirtschaft“. Und freilich würden wir hier eher von „Warenproduktion“ sprechen, da auch die antike Wirtschaft nicht einfach *nur* Warenwirtschaft ist – es kommen noch andere Bestimmungselemente hinzu. Jedenfalls: Nur Privatpersonen fragen ein genaues Wertäquivalent nach, wenn sie ihre eigene Ware auf den Markt schicken. Es war kein Zufall, dass sich das Münzgeld in Lydien, im Umfeld der kleinasiatischen griechischen Poleis, entwickelt hatte und nicht etwa in Sumer. Die Hinweise auf Vorformen des Geldes in anderer Gestalt und in anderen Gesellschaften entwerten das Argument ja keineswegs, dass das metallene Münzgeld am besten dem verallgemeinerten Warenverkehr unzähliger Privateigentümer entsprach. Das Metall, vor allem das Edelmetall, hat einen Produktionswert und war nicht nur Herrschaftssymbol oder Recheninstrument. Das metallene Münzgeld musste in einer Gesellschaft mit starken Privateigentümern entstehen, die selbst den Staat bildeten und nicht einem ihnen fremden Staatsapparat gegenüberstanden. Das traf auf die griechische Polis zu.

Wir können nun eine Zwischenbilanz ziehen. Die antike Wirtschaft basierte auf einer guten Portion Warenproduktion. Ja, es handelte sich um verallgemeinerte Warenproduktion – ungeachtet aller älteren Formen der Produktion, die ebenfalls noch vorhanden waren. Diese verallgemeinerte Warenproduktion verwirklichte aber nicht ihr kapitalistisches Potential, weil die dafür notwendigen Gesellschaftsklassen fehlten: Sklaven und Grundeigentümer sind noch keine Lohnarbeiter und Kapitalisten. Diese modernen Klassen waren aber nur deswegen nicht vorhanden, weil die industrielle Form der Produktion fehlte. Wir können den Satz auch umdrehen und sagen, die industrielle Form der Produktion fehlte, weil es keine echten Kapitalisten gab – ein Schluss, der sich auch bei Finley findet, der das Fehlen dieser Klasse mit den Faktoren Stand und Status erklären will. Indes kommen wir dem tatsächlichen historischen Ablauf in der Neuzeit näher, wenn wir sagen, dass sich zuerst Kapital ansammelte und dieses dann in der industriellen Revolution Anwendung fand. Wir dürfen auch nicht zu schematisch denken: Denn auch die antiken Grundeigentümer waren Unternehmer und der Übergang vom Geldverleiher, Plantagenbetreiber und Händler der Neuzeit zum industriellen Kapitalisten war selbstverständlich fließend. Die gesellschaftlichen Akteure schlagen langfristig neue Wege ein, wenn sich die wirtschaftlichen Möglichkeiten gerade bieten.

Lohnender ist es, zu untersuchen, was die Hindernisse für die Verwirklichung des Potentials waren, die in Warenproduktion und Privateigentum angelegt waren. Sklavenarbeit begrenzte die Herausbildung eines Arbeitsmarktes für Tagelöhner, Handwerker, Lohnarbeiter. Somit waren wiederum zwei Barrieren aufgebaut, in ein *Capital fixe* zu investieren, um diesen Begriff von Karl Marx aus der oben zitierten Passage weiter zu verwenden. Denn einerseits fehlte wegen der Billigkeit der Produktion der Mehrarbeit durch Sklaven der Anreiz für die Sklavenhalter, in tote statt in lebendige Arbeit zu investieren. Und zweitens war und ist Sklavenarbeit an sich nicht geeignet, sich einem anonymen und vom Arbeitsprozess emanzipierten Produktionsprozess anzupassen.[722] Auch die vielen Bereiche, die in der Antike keine Sklaven verwendeten, konnten hier nicht in diese Investitions-Lücke einspringen. Denn in diesen Bereichen war die Produktion noch kleiner, auf selbstständige Arbeit der Bauern und Handwerker angelegt. Weshalb hätten gerade die, die arm, aber frei waren, in ein *Capital fixe* investieren sollen? Ohne *Capital fixe* fehlten die ökonomischen Gesetzmäßigkeiten, die Marx bei der abstrakten Analyse des Kapitalismus aufrollt, nämlich alles, was sich auf die Rolle des konstanten Kapitals gegenüber dem variablen Kapital bezieht. Und das ist bereits die halbe Miete der politischen Ökonomie: das Verhältnis der relativen zur absoluten Mehrwertproduktion; der Unterschied der organischen Zusammensetzung des Kapitals zur technischen Zusammensetzung; Überakkumulation; Fall der Profitraten; Krisentheorien.

All das war für die Antike nicht relevant. Dabei wurde in der Antike sehr viel Mehrarbeit geleistet, vermutlich relativ zur Bevölkerung und zur Warenmasse mehr als heute! Die Frage stellt sich also, welchen ökonomischen Kreislauf diese den Sklaven abverlangte Mehrwertmasse nahm? Der Reichtum konnte nur konsumiert oder als Geldschatz thesauriert werden. Er gelangte nicht als Investition in die Wirtschaft zurück, um diese zu dynamisieren. Die Antike hatte hier einen definitiv statischen Charakter; selbst die Ausweitung ihrer Produktion bedeutete in letzter Konsequenz immer nur *more of the same*: mehr Fläche und mehr Menschen, die in den ökonomischen Kreislauf einbezogen werden können.

Unserer Ansicht nach war also die Sklavenarbeit der wichtigste Faktor, der das Potential der Warenproduktion und des Privateigentums nicht verwirklichte. Indes, was wäre ohne Sklaven geschehen? Hätte sich die Neuzeit um eintausend Jahre früher abgespielt? Wohl kaum, wenngleich solch hypothetische Fragen kaum zu beantworten sind. Eher umgekehrt: Die Sklavenproduktion war Ausdruck des Privateigentums einer Gesellschaft, die gerade aus der archaischen Gemeindestruktur herausgetreten ist. Ohne Sklaven hätte das Kollektiveigentum wieder überhandgenommen und vielleicht wäre sogar das Eigentum zum Besitz mutiert. Aber wie gesagt, das kann nur Spekulation bleiben und wir kommen zu dem Ergebnis zurück, dass die antike Produktionsweise am Ende nur Geldreichtum, aber keinen Kapitalreichtum generieren konnte.

Das Paradoxon, dass ausgerechnet die billigsten Produktionsfaktoren (Sklavenarbeit) *produktiven* Reichtum verhindern, ist für den Marxismus kein Rätsel. Nur die Sklaven waren als Menschen Ware, aber nicht ihre Arbeitskraft. Nicht die Arbeitskraft wurde gekauft, sondern das Produktionsmittel Sklave. Der Sklave ist nur Ware, wenn er von einem Eigentümer an den anderen verkauft wird. Aber er kann hundertmal weiterverkauft werden, kein Wert und keine Arbeitsfrucht nimmt damit zu. Sklavenarbeit ist geraubte Arbeit und kein ökonomischer Austausch:

„Der Austausch also, der zwischen Kapitalist und Arbeiter vorgeht, ist also vollständig den Gesetzen des Austauschs entsprechend (...)"

– gemeint ist, weil der Lohn dem Wert der Ware Arbeitskraft entspricht –

„(...) aber nicht nur entsprechend, sondern seine letzte Ausbildung. Denn solang das Arbeitsvermögen nicht selbst sich austauscht, beruht die Grundlage der Produktion noch nicht auf dem Austausch, sondern der Austausch ist bloß ein enger Kreis, der auf Nichtaustausch als seiner Basis ruht, wie in allen der bürgerlichen Produktion vorhergehenden Stufen."[723]

Ganz genau. Das Fehlen des Tausches Lohn gegen Arbeitskraft schränkt die Warenwirtschaft wieder ein. Übrigens meinte Marx mit „vorhergehenden Stufen“ auch die antike Produktionsweise. Trotz verallgemeinerter Warenproduktion ist der Austausch noch nicht im Kern der Produktion vorhanden: der Austausch Lohn gegen Arbeitskraft. Hier befindet sich sozusagen am Beginn des ökonomischen Kreislaufes eine Lücke in der Zirkulation Geld-Ware-Geld‘, die am Ende des ökonomischen Kreislaufs einer anderen Lücke gegenübersteht: Das Geld, das Warenverkäufe der Produktion einbringen, wird nicht in ein *Capital fixe* reinvestiert.

Hier drängt sich eine Analogie auf, die indes so wie jede andere Analogie, die nicht auf einer realen Entsprechung basiert, mit Vorsicht zu genießen ist. Im Krisenjahr 2009 verhielten sich die Unternehmer ökonomisch „eigenartig“ und gleichzeitig individuell rationell. Sie suchten nach einer wertbeständigen, aber gänzlich passiven und unproduktiven Form der Veranlagung, da jede Re-Veranlagung in der Produktion, in Unternehmensbeteiligungen (Bonds) oder Aktien wegen der Krise entwertet wäre. Beliebt waren Gold oder Immobilien, die freilich nicht als Immobilien, sondern nur als Wertanlage genutzt wurden. Es ging bloß darum, Mehrwert, der irgendwann in der Produktion erzeugt und in Warenverkäufen realisiert wurde, aus der Produktion zu ziehen und als passiven Schatz zwischenzuparken ... bis sich die Krise gelegt hat und alles wieder den normalen Gang weitergeht. Wenn man so will: Die antiken Unternehmer handelten permanent so, wie die Kapitalisten in der schweren Wirtschaftskrise. Diese Analogie hat schon was! Auch in die genau andere Richtung: Die Kapitalisten hören in der schweren Wirtschaftskrise auf, als Teil des Kapitalismus zu handeln, vorübergehend agieren sie als dessen eigene Negation.

Nun könnte man meinen, wenn am Ende des ökonomischen Kreislaufes die antike Produktionsweise Geldreichtum statt Kapitalreichtum schuf, es in der Antike relativ zum gesamten

Output mehr Geld als im echten Kapitalismus gegeben hätte. Das ist nicht der Fall. Zum einen existierte keine Klasse von Lohnarbeitern, die einen Lohn in Waren umsetzen konnten. Sklaven wurden einfach miternährt. Vor allem aber waren relativ zu der Masse der Konsumgüter die Investitionsgüter viel geringer an Zahl, Wert und damit gespiegelt in Geld. Wie bereits erwähnt, hat der Kreislauf W-G-W‘ bzw. -G-W-G‘ am Anfang und am Ende eine Lücke. Das Ende des Kreislaufes -G-W-G‘ bedeutet auch das Ende von *mehr* Geld:[724]

„Obgleich das Geld sehr früh und allseitig eine Rolle spielt, so ist es im Altertum doch als herrschendes Element nur einseitig bestimmten Nationen, Handelsnationen, zugewiesen.“[725]

Hier dürfen wir uns an dem Begriff „Nation“ nicht stoßen, das ist in dieser Hinsicht einfach schlampig formuliert. Für uns geht es hier um das Geld.

„Und selbst im gebildetsten Altertum, bei Griechen und Römern, erscheint seine völlige Entwicklung, die in der modernen bürgerlichen Gesellschaft vorausgesetzt ist, nur in der Periode ihrer Auflösung. Also diese ganz einfache Kategorie erscheint in ihrer Intensivität nicht historisch als in den entwickeltsten Zuständen der Gesellschaft. Keineswegs alle ökonomischen Verhältnisse durchwatend. Z.B. im Römischen Reich, in seiner größten Entwicklung, blieb Naturalsteuer und Naturallieferung Grundlage. Das Geldwesen eigentlich nur vollständig dort entwickelt in der Armee.“[726]

Letztere beiden Sätze würden wir nicht unterschreiben. Aber der Passus geht dann wiederum treffend weiter. Das Geldwesen ...

„Es ergriff auch nie das Ganze der Arbeit.“[727]

Das ist der Punkt: Weil Arbeit Sklavenarbeit und keine Lohnarbeit war.

„Es ist also klar, daß mit der Lohnarbeit als Grundlage das

Geld nicht auflösend, sondern produzierend wirkt; während das antike Gemeinwesen schon an sich mit der Lohnarbeit als allgemeiner Grundlage im Widerspruch steht. (...) Wo das Geld nicht selbst das Gemeinwesen, muß es das Gemeinwesen auflösen. Der Antike konnte unmittelbar Arbeit kaufen, einen Sklaven; aber der Sklave konnte mit seiner Arbeit nicht Geld kaufen. Die Vermehrung des Geldes konnte die Sklaven teurer, aber nicht die Arbeit produktiver machen."[728]

Dieser Satz ist genial formuliert und enthält bereits die Antwort auf das Rätsel der stagnierenden Produktivkräfte der Antike – immer vorausgesetzt, wir vergleichen diese mit jenen des industriellen Kapitalismus bzw. des Kapitalismus schlechthin, was ja der Ausgangspunkt von Marx war.

„Bei den Römern, Griechen etc. erscheint das Geld erst unbefangen in seinen beiden ersten Bestimmungen als Maß und Zirkulationsmittel, in beiden nicht sehr entwickelt. Sobald sich aber entweder ihr Handel etc. entwickelt oder, wie bei den Römern, die Eroberung ihnen Geld massenhaft zuführt – kurz, plötzlich auf einer gewissen Stufe ihrer ökonomischen Entwicklung erscheint das Geld notwendig in seiner dritten Bestimmung, und je mehr es sich in derselben ausbildet, als Untergang ihres Gemeinwesens. Um produktiv zu wirken, muß das Geld in der dritten Bestimmung (...) nicht nur Voraussetzung, sondern ebensosehr Resultat der Zirkulation sein und als ihre Voraussetzung selbst ein Moment derselben, ein von ihr Gesetztes sein. Bei den Römern z.B., wo es aus der ganzen Welt zusammengestohlen war, war dies nicht der Fall."[729]

Wahrscheinlich kann hier herausgelesen werden, dass der Kreislauf auch der antiken Manufakturproduktion à la -G-W-G' von Marx negiert wird. Der Punkt ist hier aber nicht, ob am Ende des Kreislaufes mehr Geld steht als zu Beginn, sondern was mit dem Mehr an Geld angefangen wird. Als Endprodukt des antiken Kreislaufes ist Geld ökonomisch passiv. Nun tritt die Eigenschaft des Geldes als Objekt des abstrakten Reichtums hervor:

„Das Geld ist daher nicht nur ein Gegenstand der Bereicherungssucht, sondern es ist der Gegenstand derselben. Sie ist wesentlich auri sacra fames. (…). Das Geld ist also nicht nur der Gegenstand, sondern zugleich die Quelle der Bereicherungssucht. Habsucht ist auch ohne Geld möglich; Bereicherungssucht ist selbst das Produkt einer bestimmten gesellschaftlichen Entwicklung, nicht natürlich im Gegensatz zum Geschichtlichen. Daher der Jammer der Alten (…)“

– damit sind die antiken Gesellschaften gemeint –

„(…) über das Geld als die Quelle alles Bösen. Die Genußsucht in ihrer allgemeinen Form und der Geiz sind die zwei besondren Formen der Geldgier. Abstrakte Genußsucht unterstellt einen Gegenstand, der Möglichkeit aller Genüsse enthielte. Die abstrakte Genußsucht verwirklicht das Geld in der Bestimmung, worin es der materielle Repräsentant des Reichtums ist; den Geiz, insofern es nur die allgemeine Form des Reichtums gegenüber den Waren als seinen besondren Substanzen ist. Um es als solches zu halten, muß er alle Beziehung auf die Gegenstände der besondren Bedürfnisse opfern, entsagen, um das Bedürfnis der Geldgier als solcher zu befriedigen.“[730]

Bis hierher ist alles klar, weil abstrakt. Doch Marx schließt mit einer historischen Aussage an:

„Die Geldgier oder Bereicherungssucht ist notwendig der Untergang der alten Gemeinwesen.“[731]

Das wiederum ist wenig verständlich und es ist auch nicht sicher, ob Marx hier mit „alten Gemeinwesen“ das klassische Griechenland oder das römische Reich als Ganzes meint oder das, was zum Beispiel die beiden Gracchen untergehen sahen. Marx fährt fort:

„Daher der Gegensatz dagegen. Es selbst ist das Gemeinwesen und kann kein andres über ihm stehendes dulden. Das unterstellt aber die völlige Entwicklung der Tauschwerte, also einer ihr entsprechenden Organisation der Gesellschaft."[732]

Erst der industrielle Kapitalismus vermehrt die Tauschwerte, indem die Arbeit als Lohnarbeit gehandelt wird und indem immer mehr Produktionsmittel akkumuliert werden – auch diese sind Tauschwerte. Erst der Kapitalismus macht von sich aus *alles* zur Ware und drängt andere Wirtschaftsbereiche zurück. In der Antike existierte generell weniger Markt – aus oben angeführten Gründen – und der Nichtwarensektor blieb immer als Klammer vorhanden.

Wenn wir gegenüber Finley kritisch anmerken müssen, dass er den Warencharakter der antiken Wirtschaft zu gering bewertet, um die Kurzschlüsse von „Modernisten" früherer Jahrzehnte zu vermeiden, dann bedeutet dies auch wiederum nicht, dass die Warenwirtschaft der Antike der Warenwirtschaft des Kapitalismus glich. Aus denselben Gründen, die die Grenzen der antiken Geldwirtschaft bewirken, hat die Warenwirtschaft der Antike ihre Grenzen. Dort, wo Finley mit Argumenten der historischen Quellenkritik die antike Ware kleinredet, stellen wir sie mit ökonomischen Argumenten wieder groß. Aber innerhalb der ökonomischen Argumentation ist die antike Warenwirtschaft doch substantiell kleiner als die moderne. Genau das hören wir bei Marx:

„Gleichheit und Freiheit sind also nicht nur respektiert im Austausch, der auf Tauschwerten beruht, sondern der Austausch von Tauschwerten ist die produktive, reale Basis aller Gleichheit und Freiheit. Als reine Ideen sind sie bloß idealisierte Ausdrücke desselben; als entwickelt in juristischen, politischen, sozialen Beziehungen sind sie nur diese Basis in einer andren Potenz. Dies hat sich denn auch historisch bestätigt.

Die Gleichheit und Freiheit in dieser Ausdehnung sind grade das Gegenteil der antiken Freiheit und Gleichheit, die eben den entwickelten Tauschwert nicht zur Grundlage haben, vielmehr an seiner Entwicklung kaputtgehn. Sie setzen Produktionsverhältnisse voraus, die in der alten Welt noch nicht realisiert waren; auch nicht im Mittelalter. Direkte Zwangsarbeit ist die Grundlage der ersten; das Gemeinwesen ruht auf dieser als existierender Unterlage; Arbeit selbst als Privilegium, als noch in ihrer Besonderung, nicht als allgemein Tauschwerte produzierend, geltend die Grundlage des zweiten."[733]

Übrigens könnte der antike Kreislauf -G-W-G' auch seine eigene Paradoxie erklären, nämlich das Fehlen von Finanzprodukten. Hier wiederum Finley:

„Es war eine Geschäftswelt, die niemals Kreditgeld in irgendeiner Form schuf oder übertragbare Wertpapiere. Geld war bare Münze, meist Silber, und ein beträchtlicher Teil davon war gehortet und in Geldtruhen vergraben, oder es lag häufig als zinslose Einlage bei Banken."[734]

Der letzte Satz deckt sich mit dem, was der Marxismus unter passivem Geldschatz versteht: Nämlich Geld, das zwar als Profit aus der Produktion stammt, aber nicht in diese – und sei es über den Umweg von Börse, Banken und Krediten – reinvestiert wird. Aus Geld als Geldkapital wird Geld als Schatz. Die vorindustrielle Warenproduktion kannte zwar den Kredit und die Bank – etwa in Form des Goldes, gehortet in Tempeln, oder in Form der Seedarlehen – aber nicht die Plethora von Kapital (O-Ton Karl Marx) und somit auch keine „Finanzindustrie". Andererseits gab es aber *auch* Geld, das ohne „Finanzindustrie" reinvestiert wurde.

Das ist ein spannendes Thema. Denn *societas* hat es in der römischen Antike ja sehr wohl gegeben. Auch wenn diese früher von der „modernistischen" Schule der antiken Wirtschaftsgeschichtsschreibung vorschnell als „Aktiengesellschaften" einer „Finanzaristokratie" interpretiert werden, können diese nicht ignoriert werden. Es handelte sich um einen Zusammenschluss von Privateigentümern. Diese sammelten Geld, um eine gemeinsame Unternehmung zu beginnen. Es gab dabei keinen Aktienmarkt und daher auch keine Wertpapier-Kurse, aber immerhin Vermögensanteile. Vielleicht können wir diese Gesellschaften entweder mit „Bondsgesellschaften" oder mit *Public-Private-Partnership* (PPP) vergleichen. In den *societas publicanorum* legten Privateigentümer zusammen, um einen öffentlichen Auftrag zu erlangen bzw. eine Unternehmung im Namen des Kaisers durchzuführen oder ein Monopol zu betreiben. Eine neuere, quellenkritische Darstellung zu den privaten „Kapitalvereinigungen":

„Die meisten Anhaltspunkte finden sich für den gemeinsamen Betrieb eines Handelsgeschäfts (. . .)."[735]

Diese Darstellung berichtet über die üblicherweise geringe Teilnehmeranzahl der *societas* und vor allem auch über die Tatsache, wie Mitglieder ihre Anteile aus der Gesellschaft abziehen konnten:

„Die *socii* selbst können auf das gemeinsame Vermögen zugreifen, weil sie die *societas* einseitig zur Auflösung bringen und, unabhängig davon, jederzeit ihr Eigentum oder ihren Miteigentumsanteil an beliebige Dritte veräußern können."[736]

Zu welchem Preis? Aber auch der Rest des Zitats ist erstaunlich. Die Möglichkeit, die Anteile wieder einzuziehen, indem die Gesellschaft einfach aufgelöst wird, gibt es nicht einmal bei modernen Bonds, also Anteilen, die nicht am Aktienmarkt gehandelt werden. Diese Informationen rücken die *societas* eher in Richtung eines Joint Venture und damit würde sich die Distanz dieser „Veranlagung" zu einem Finanzinstrument noch mehr erhöhen.

„Paulus im 29. Buch zum Edikt: ‚Und ebenso ist es unerheblich, mit welchem Anteil jeder an dem Schiff beteiligt ist; und derjenige, der gezahlt hat, kann im Wege der Gesellschafterklage von den Übrigen Ersatz verlangen.'"[737]

Das zu den berühmten Seedarlehen, den „Gesellschaften zur Finanzierung und zum Betreiben von Schifftransporten".

Wir müssen jedenfalls verstehen, dass Unternehmen in der Antike schlichtweg gleichzeitig Privatpersonen waren. Wenn das römische Recht und diverse Stellen bei Cicero und anderen Autoren von Rechten und Pflichten der Mitglieder der *societas* berichten, entsteht für uns der Eindruck, vermögende Privatpersonen legen Geld in einem Finanzprodukt an oder beteiligen sich als Rentiers an einem Unternehmen, das unabhängig von den Personen existiert. Diese Trennung zwischen Privatiers und Unternehmen gab es aber nicht. In den *societas* agierten die Personen als Unternehmen, auch wenn sie, wie üblich, für die operative Leitung andere beauftragten.

Mit der Ausnahme des Modells, bei dem Bauern für den Kaiser oder im Namen des Kaisers Land bestellten wie in der Provinz Africa Proconsularis – dort gehörten fast 20 % des Landes dem Kaiser und dieses Pächter-Modell hat mit der Idee der *societas* und der *societas publicanorum* wenig zu tun – scheinen die Gesellschaften weniger Veranlagung überschüssigen Geldes gewesen zu sein, als vielmehr Joint Ventures.[738] Einige Autoren weisen den *publicani* eine sehr große Geschäftstätigkeit nach, wie die Versorgung der Armee mit Ausrüstung, das Eintreiben von Steuern, die Errichtung und Instandhaltung von Infrastruktur und das Betreiben von Bergwerken.

„The construction, renovation, and maintenance of public facilities were likely the next-largest type of public provision contract. Public buildings included streets, city walls, temples, markets, porticus, basilicas, theatres, facilities for the circus games, aqueducts, and public sewers. Private entrepreneurs were also contracted to erect statues. Like the army supplies, building contracts required vast financial resources. (...) suggests that the building contract for the Marcian aqueduct in the middle of the second century BC amounted to 45m denarii, which was roughly the entire fortune of the (purportedly) richest millionaire in Rome in the first century, M. Crassus."[739]

Wie auch immer, wenn dies und die hohen Beträge stimmen, zeigt dies alles eher die Masse an Geld, die bewegt wurde, nicht die Existenz eines Finanzmarktes und eines Finanzkapitals. Es ist so, als würde der Staat sagen: Wir bauen die staatliche Infrastruktur nicht selbst, sondern vergeben den Auftrag an Private. Auch das liegt irgendwo zwischen einem Joint Venture und dem Betreiben eines Privilegs. Ja, eigentlich eher wie das Betreiben eines Privilegs, wie es auch im Mittelalter beim Salz- und Erzabbau, der Münzprägung oder dem Betrieb der Post- und Straßendienste üblich war. Im Gegenzug konnte die Verwaltung des römischen Kaisers ziemlich profane Geschäfte zum Nutzen des Kaisers betreiben. In der Antike war das Verhältnis zwischen öffentlicher Funktion und privatem Geschäft noch nicht auf die Art und Weise ausdifferenziert, wie in Europa nach den bürgerlichen Revolutionen der Neuzeit.

Und, was der zweite Aspekt ist, die *societas publicanorum* negieren mit dem Bau von Gebäuden und Straßen nicht das Fehlen von Investitionen in ein *Capital fixe*. Gebäude und Straßen können zwar Teil von fixem Kapital im Kapitalismus sein – aber ohne die Maschinerie in der Produktion haben sie einen anderen Charakter: Sie sind nicht Kapital, höchstens Ware. Sie ersetzen das Fehlen einer Industrie nicht.

Geldreichtum zeigte sich schließlich auch im herkömmlichen Kredit und Darlehen und diese hatten insgesamt vielleicht ein größeres Geldvolumen als die *societas*. Die übliche Verwendung des Begriffs „Bank" für den Goldschatz der griechischen Tempel und die römischen *argentarii* ist nicht treffend. Denn Bank bedeutet Kapital, nicht bloß Geld. Die *argentarii* fungierten auch als Geldwechsler, wahrscheinlich auch als Notare, die Wirtschaftsverträge aufbewahrten. Freilich wäre es auch wiederum verkehrt, diesen Funktionen das Potential zur Entwicklung in Richtung leihbares Geldkapital abzusprechen. Genauso wie die Geldwechsler und Geldverleiher des Spätmittelalters eine Quelle des echten Geldkapitals wurden, genauso hätten sich die Dinge in der Antike entwickeln können. Allein, sie taten es nicht – es blieb beim Potential.

Was wiederum mit dem Mittelalter nicht vergleichbar ist: die Menge an reichen Privateigentümern der Antike, die ihr Geld anderen Privatpersonen oder sogar ganzen Städte gegen Zins verliehen. Während der mittelalterliche Wucher am Rand der Gesellschaft, ja sogar am Rande der städtischen Wirtschaft existierte, war das Geldverleihen zumindest in Rom eine ganz normale Sache und sozusagen in der Mitte der Gesellschaft platziert. Ein gewisser Brutus zum Beispiel unterhielt eigene Geldeintreiber, „Inkassobüros".[740] Darlehen waren mitunter so umfangreich und langfristig abzuzahlen, dass es sich bis zum Tode des Schuldners nicht ausging, weshalb die Erbschaft außerhalb des Familienkreises zu häufigen und umfangreichen Vermögensumschichtungen führte.

Das Geldverleihen war auch Ausdruck des oben beschriebenen Zusammenhangs: Der antike Wirtschaftskreislauf schaffte am Ende Geldreichtum und vice versa auch Armut und Elend. Aber eben nicht Reichtum, der die Produktion vermehrt und dynamisiert, indem das Verhältnis zwischen toter und lebendiger Arbeit zugunsten ersterer verschoben wird. Und diesen Effekt hat im Kapitalismus selbst das Aktienkapital, zumindest dessen Primärhandel, sowie die Bonds und die Unternehmenskredite. Denn all dieses vom Publikum anderer Kapitalisten bereitgestellte Geld fließt in die Erweiterung der Produktion. Nicht umsonst heißt es im Primärhandel „Kapitalaufnahme". Es handelt sich um Geldkapital und als „Aufsicht" über die eigentliche Industrie auch um Finanzkapital. Alle Geldgeschäfte der Antike hatten eine andere Wirkung und standen in einen anderen Zusammenhang: Entweder es handelte sich bei dem Kreditgeschäft um Schuldner, die zahlungssäumig wurden, und dazu gibt es eine Unmenge an Berichten. Das große Thema der Antike ist die Schuldknechtschaft![741]

„The war-cry was the immemorial one of (...) redistribution of land and abolition of debts. This cry was so freely used as early as the end of the Peloponnesian war that the Athenians introduced into the oath of the Heliasts in 401 a clause which forbade the putting of such an issue to the vote."[742]

Oder aber es handelte sich um Kredite und Darlehen für *equites*, *nobiles* und sonstige Reiche und Aufstrebende, die zum Beispiel ihr Grundeigentum erweitern, sozusagen „abrunden" wollten. Einfach, weil sich eine gute Gelegenheit ergab. Oder die gerade Bargeld für eine Spende benötigten.

Geldreichtum zeigte sich nämlich auch in den umfangreichen Spenden, den *leiturgia / munera*, den Mitgiften, Hochzeitsgeschenken, den (hohen) Summen, die für das Erlangen eines öffentlichen Amtes ausgegeben wurden. Auch dieses Geld wurde wiederum unproduktiv verkonsumiert. Entweder als – im modernen Verständnis – verschleierte Sozialhilfe an die Bedürftigen der Städte, oder als übliche Bestechung.

Viertens schließlich zeigte sich Geldreichtum im Konsum der Reichen, zu denen zum Beispiel auch Cicero gehörte. Aber ...

„Ciceros Vermögen war nun aber Welten von dem der wirklich reichen *nobiles* entfernt. L. Licinius Lucullus veranstaltete etwa einen überaus prächtigen Triumphzug und konnte es sich leisten, für seine Residenz nahe Neapolis einen Berg untertunneln zu lassen, um frisches Wasser in seine Fischteiche leiten zu können. Fischteiche scheinen überhaupt ein geradezu endemisches Problem der Senatorenschicht der Späten Republik gewesen zu sein.«[743]

Es ging um Konsum und da diese Art von Konsum sich gegenüber jenem der Armen, Sklaven, Bauern, Tagelöhner absetzte, um Luxuskonsum. Das römische Reich ging nun keineswegs am ausschweifenden Luxus seiner Oberschicht zugrunde; ein Argument, das in der populären Literatur des bürgerlichen Zeitalters gerne verwendet wird. Der Luxus war einfach Ausdruck von Geldreichtum, eben unter der Voraussetzung, dass das Geld nicht zu Geldkapital werden konnte. Ohne Luxuskonsum wäre alles wie gehabt gewesen und der Geldreichtum hätte sich in einer der anderen Verwendungsoptionen versteckt. Übrigens: Das Bild der unmäßig konsumierenden Stadt Rom entspricht nicht dem wissenschaftlichen Begriff von Luxuskonsum.[744] In Rom konsumierte ja auch die Plebs das, was als Überfluss angesehen wird:

„Und Aristides schildert, wie ununterbrochen zahllose Schiffsladungen im Hafen Ostia eintreffen, die Agrarprodukte aus Ägypten, Sizilien und Nordafrika, Gewürze aus Indien und Südarabien, Textilien aus Mesopotamien und Schmuck aus noch entlegeneren Gebieten herantransportieren. Mithin ein Porträt Roms, welches ohne weiteres auf so manche moderne, am Meer gelegene Großstadt übertragen werden könnte! (...) Eine Metropole, die nichts als eine Anhäufung von Unrat und Exkrementen sei, in der alles Abscheuliche und Schamlose zusammenfließe, deren Lärm, Feuersbrünste und Hauseinstürze einem vernünftigen Menschen keine andere Möglichkeit ließen, als die Flucht aufs Land anzutreten, ein sündiges Babylon — dies ist das Rom nicht weniger kaiserzeitlicher heidnischer

Dichter, Historiker, Philosophen sowie jüdischer und christlicher Autoren.“[745]

In einem anderen Buch, mit dem Titel „Wie die frühen Christen die Antike zerstörten“, heißt es, recht belletristisch:

„Als die Männer den Tempel betraten, nahmen sie eine Stange und zertrümmerten Athenes Hinterkopf mit einem einzigen Schlag — einem Schlag, der mit solcher Kraft ausgeführt wurde, dass er die Göttin enthauptete. Ihr Kopf fiel zu Boden, die Nase brach ab, die so sanft wirkenden Wangen waren zerschmettert. Nur die Augen Athenes blieben intakt und blickten die Angreifer aus einem furchtbar entstellten Gesicht heraus an. (...) Der ‚Triumph‘ des Christentums hatte begonnen.“[746]

Auch wenn hier nicht der Luxus, sondern die Christen, die sich in einen Gegensatz zum Luxus gestellt hätten, an der Zerstörung der Antike beteiligt gewesen wären ... so indirekt doch auch wieder der Luxus, der auch hier nicht ökonomisch, sondern kulturell, oder vielmehr nicht einmal kulturell, sondern moralisch definiert ist und bei dem wir nur raten können, um wessen Moral es sich dabei handelt:

„In der römischen Welt des Jahres 270 n. Chr. galt das ‚einfache Leben‘ nicht gerade als erstrebenswert. Wenn Satan sich die Mühe gemacht hätte, sich das römische Imperium näher anzusehen, so hätte er wohl zufrieden festgestellt, dass sein Werk vollendet war. Allerorten gaben sich die Leute den Todsünden Wollust, Völlerei und Habgier hin. Hatten die Aristokraten von Rom einst voller Stolz eine schlichte, im eigenen Haus gewebte Tunika getragen, so schwitzten die reichen Leute nun unter scharlachroten, mit Gold bestickten Stoffen. Noch schlimmer waren die Frauen: Sie trugen juwelenbesetzte Sandalen und teure Seidenkleider aus derart dünnem Stoff, dass man jede Rundung ihres Körpers sah. Hatten sich die römischen Adligen früher damit gebrüstet, sich durch Bäder im eiskalten

Strom des Tibers abzuhärten, zog diese verweichlichte Generation barock dekorierte Badehäuser vor, in die sie zahllose silberne Fläschchen mit Öl und Salben mitschleppten."[747]

Aus unserer Sicht gibt das Thema Luxuskonsum nicht viel her, außer eben: dass Konsum eine Option für Geld war, das nicht reinvestiert und somit nicht zu Kapital werden konnte. Die fünfte Option, mit Reichtum umzugehen, zeigte sich schließlich im Thesaurieren von Münzen. Und tatsächlich ist es nicht sonderlich schwierig, antike Münzdepots aus der Erde zu bergen. Weiter oben hörten wir bereits:

„Goldmünzen werden vermutlich im ganzen Reich hauptsächlich als Spargeld gedient haben: Dies erklärt auch ihren ziemlich hohen Anteil in den archäologischen Münzfunden."[748]

Hier ist auch der Unterschied zu dem thesaurierten Geld des Achämenidenreichs deutlich: Dieses wurde von Staats wegen gehortet, im römischen Reich horteten Privatpersonen Geld. Wiederum anders dort, wo es um den Außenhandel und nicht um die Schatzbildung im Inneren der Antike geht:

„Die römischen Münzfunde hinterließen die signifikantesten Spuren des römischen Indien- beziehungsweise des indischen Romhandels. (...) Die in Indien gefundenen Denarii stammen nahezu ausschließlich aus den Regierungszeiten von Augustus und Tiberius. Die Reduzierung des Silbergehaltes der Denarii und des Gewichtes der Aurei hatte nach der Münzreform Neros in den Jahren 63/64 zu einem drastischen Rückgang des indischen Handels mit römischen Münzen geführt. Lange Zeit waren Numismatiker von einer Korrelation von Emissions- und Exportdaten ausgegangen, woraus sie auf einen nur kurzen Höhepunkt des römischen Indienhandels in der julisch-claudischen Zeit schlossen. Diese Annahme wurde jedoch unlängst geradezu auf den Kopf gestellt. So habe der maritime indisch-römische Handel auch nach dieser Münzreform zunächst unvermindert floriert. Denn ein Großteil der augusteisch-tiberianischen Münzen sei erst nach Neros Reformen nach Indien gelangt. Sie seien aus Beständen noch existierender Aurei und Denarii des Augustus und Tiberius systematisch für den Handel mit Indien zusammengestellt und nach Indien exportiert worden, da dort nur deren Edelmetallwert zählte.“[749]

Handelt es sich dabei um Schatzbildung? Sehr schön käme hier die Bedeutung des Edelmetalls der Münze zum Ausdruck. Es diente als Relais zwischen der römischen Ökonomie mit Privateigentümern und dem Seidenexporteur Kushana, einem Staat, der als später Nachkömmling der hellenistischen Reiche von Satrapen verwaltet wurde.

„Für den dominierenden Einfluss des römischen Münzwesens in den ersten Jahrhunderten n. Chr. spricht ferner, dass 97 % aller römischer Münzfunde in Indien aus Südindien stammen. Numismatiker und Historiker schließen daraus sicherlich zu Recht, dass die nordindischen Kushanas alle in ihren Einflussbereich geratenen römischen Münzen systematisch einzogen und einschmolzen, um aus ihnen in eigener Münzhoheit neue zu prägen. Doch im Gegensatz zum gräko-baktrischen Münzfuß ihrer Vorgänger übernahmen die Kushanas seit dem späten 1. Jahrhundert n. Chr. zeitgemäß das römische Münzwesen.“[750]

– ihrerseits für den Außenhandel des Staates und nicht für den Privatgebrauch, wie wir annehmen. Eine Stelle bei Plinius wird zu Indien gerne zitiert:

„‚Gewiss aber noch glücklicher ist das Meer Arabiens: Denn es stiftet uns die Perlen, und nach der niedrigsten Schätzung rauben Indien, die Serer und jene Halbinsel unserem Reich alle Jahre 100 Millionen Sesterzen: So viel kosten uns Luxus und Frauen.‘ Die Passage ist außerdem aufgrund des Hinweises interessant, dass beträchtliche Mengen römischen Geldes in Länder außerhalb des Imperium Romanum abflossen, wie durch Hortfunde bestätigt wird.«[751]

Auch das war eine Verwendung des antiken Geldreichtums und hatte nebenbei eine stabilisierende Wirkung auf die Herrschaft zum Beispiel der nordindischen Könige, die den erfolgreichen Handel mit Rom gewährleisteten.

Genug, wir besitzen leider keine leicht verwertbaren ökonometrischen Daten, um Größenverhältnisse der Verwendung des antiken Geldreichtums in den hier angeführten Kategorien – *societas, societas publicanorum*; Kredit, Darlehen, Wucher; Spenden; Konsum; Abfluss des Edelmetalls im Außenhandel; Thesaurierung und so weiter – einzuschätzen. Mit diesen ganz wenigen Hinweisen zur Verwendung des Geldreichtums soll zumindest angedeutet werden, dass die Menschen in der Antike und vor allem die Vermögenden mit ihrem erwirtschafteten Geld sehr wohl etwas anzufangen wussten, bloß nicht für das, was wir unter *produktivem Konsum* verstehen. Wenn wir von einem Kreislauf -G-W-G' sprechen, bedeutet dies nicht, dass dieses Geld und auch das Geld aus einer erfolgreichen Produktion nicht individuell einen Nutzen stiften konnte. Der Punkt ist alleine der, dass dieser Geldreichtum so gut wie nie zu dem Aufbau eines fixen Kapitals verwendet wurde. Zumindest, wenn wir an Maschinerie und nicht bloß an Grund und Boden und Immobilien denken.

Nicht jede vorindustrielle Warenproduktion zeigte jene Züge der antiken. Deswegen macht es Sinn, von einer *antiken Produktionsweise* zu sprechen. Nicht jede Warenproduktion basiert auf Sklavenarbeit und nicht jede Sklavenarbeit auf Warenproduktion. Wenn wir von Privateigentum in der Antike sprechen, dann besteht die Identität zum bürgerlichen Eigentum nur darin, dass die einzelnen Individuen Eigentümer von Waren sein können, und nicht bloß Besitzer. Sie handeln als letzte Instanz, direkt und nicht indirekt wie etwa die Pächter. Eine bestimmte Eigentumsform bedeutet nicht nur, wer und bis zu welchem Punkt über etwas verfügen kann. Dieser Ansatz entspräche einem juristischen und bürgerlichen Verständnis von Eigentum. Das umfassendere Verständnis bei Marx bezieht sich nicht auf die Relation einer Person zu einer Sache, sondern auf die Relation einer Person zu einer anderen Person *über eine Sache*, soweit damit auch die Reproduktion von Produktionsverhältnissen bestimmt ist. Die Sache ist hier bloß die Vermittlung, nicht die Bestimmung. Weniger dialektisch gesagt: Eine Eigentumsform bestimmt die Art und Weise, wie die Menschen ihr materielles Dasein produzieren und damit ihre Verhältnisse zueinander Tag für Tag reproduzieren.

„Eigentum meint also ursprünglich – und so in seiner asiatischen, slawischen, antiken, germanischen Form – Verhalten des arbeitenden (produzierenden) Subjekts (oder sich reproduzierenden) zu den Bedingungen seiner Produktion oder Reproduktion als den seinen.“[752]

Der Begriff „antikes Eigentum“ bedeutet nun nichts anderes, als dass in der antiken Produktion nicht nur Sachen, sondern auch die dazu passenden Produktionsverhältnisse reproduziert werden. Privateigentümer wenden abhängige Arbeit – etwa Sklavenarbeit – an. Diese beiden Faktoren (Produktionsverhältnisse und Produktionsweise) laufen zusammengenommen auf einen Warenmarkt hinaus. Mehrarbeit schafft Warenwerte für die Eigentümer, die die Tauschwerte beim Verkauf der Waren zurückbekommen. Aber die Produktion bleibt auf einem vorindustriellen Stand und die Verkaufserlöse gelangen nicht in einen Kreislauf, der in die ständige Inwertsetzung von fixem Kapital einmündet. Vielleicht konnte deswegen für manche Autoren der Eindruck entstehen, die antike Produktion schaffe überhaupt nur Gebrauchswerte, keine Tauschwerte. Und zumindest stimmt ja auch, dass der Produktionszyklus am Anfang und am Ende Barrieren aufweist, die das Potential der Warenproduktion, in eine Kapitalproduktion einzumünden, unverwirklicht bleiben lassen. Das Fehlen der Lohnarbeit ist hier Bedingung und Resultat der antiken Produktionsweise in einem. Dieses Fehlen ist untrennbar verkettet mit dem Fehlen von *Capital fixe*. Ohne ständige Investition in die „artifizielle Maschinerie" bleibt nur eine *natürliche Maschinerie* übrig, die somit ihre alte Vormachtstellung behält ...

„In der Agrikultur ist die Erde in ihrem chemischen etc. Wirken selbst schon eine Maschine, die die unmittelbare Arbeit produktiver macht und daher eher ein Surplus gibt, weil hier eher mit Maschine, nämlich einer natürlichen gearbeitet wird. Dies die einzig richtige Basis der Lehre der Physiokraten, die nach dieser Seite nur die Agrikultur gegenüber der noch ganz unentwickelten Manufaktur betrachtet."[753]

... und damit schuf während der Antike die Landwirtschaft die meisten Güter.[754] Die Dominanz des Grundeigentums reproduzierte sich durch die Dominanz der Landwirtschaft von selbst. Vermutlich ist das auch der Grund, weshalb der eigene Grund und Boden während dieser Jahrhunderte das Ideal aller abhängigen und prekären Klassen blieb – auch wenn dieses Ideal so oft und für so viele Unglückliche Utopie bleiben musste. Der Grundeigentümer blieb der eigentliche Bürger. Hier war er auch Privateigentümer, auch wenn ein Teil des Bodens immer für die Allgemeinheit nutzbar blieb und der Grundeigentümer ursprünglich nur Besitzer des *ager publicus* gewesen war. Ein Schatten dieser Verhältnisse ist in der *lex agraria* aus dem 2. vorchristlichen Jahrhundert erkennbar.[755]

„It is clear that the Lex agraria was another great step toward the privatization of ager publicus. Various kinds of land which had been exchanged during the distribution of land now became private. Alongside Roman citizens, allies could also profit from these regulations. Ager publicus had not completely disappeared, but the land still left over was mostly pasture or land which had been assigned to specific people (e.g. through long-term leases or to viasii vicanei) and could not therefore be distributed.«[756]

Dieser Prozess der Verwertung des *ager publicus* war bis zur Spätantike nicht abgeschlossen. So hielten sich noch alte Verhältnisse bis in die Zeit des Dominats, als die Kaiser sich des *ager publicus* bemächtigen konnten.[757] Aber in dieser Zeit war das Privateigentum auch an anderen Fronten bereits in Ablösung begriffen. Das bedeutet: In der eigentlichen Antike bestand immer auch die Begrenzung des Grundeigentums durch andere Eigentumsformen. Die Dominanz des Grundeigentümers bewirkte immer auch die Begrenzung des Grundeigentümers durch das Gemeindeeigentum. Dieses Paradoxon ist auf Basis der Eigentumsverhältnisse nicht erklärbar. Nur auf Basis einer Produktionsweise, die die Landwirtschaft gegenüber der Manufaktur begünstigte.

Solch eine Produktionsweise kann sich nur entwickeln, indem sie sich in der Fläche immer weiter ausbreitet. Aber ausgerechnet mittels der Ausbreitung entwickelt sie sich nicht zu etwas Neuem.

Wir haben in diesem Buch die antike Produktionsweise gegenüber ihren Nachbarn und Nachfolgern abgegrenzt, gegenüber der asiatischen und gegenüber der feudalen Produktionsweise. Es ist für jeden Bewunderer der antiken Kunst und Kultur schwer, aber alternativlos, anzuerkennen: Das Ende der antiken Produktionsweise bedeutete im Großen und Ganzen auch einen Entwicklungsschritt der Humanisierung. Auch wenn die Geschichte dieser Humanisierung durch eine Abkehr von der Warenproduktion „erkauft“ wurde. Selbst die Lage geschundener Leibeigener oder Fronbauern des Mittelalters ist ein Fortschritt gegenüber der Sklavenarbeit, der Sklaverei und der von dieser ausgehenden Brutalisierung der gesamten Gesellschaft. Genauso wie umgekehrt das Ende der feudalen Ausbeutung einen Fortschritt darstellte und für die Ausbeutung im Kapitalismus wenigstens theoretisch keine physische Gewalt mehr notwendig ist:

„Im Kapital ist die association der ouvriers nicht erzwungen durch direkte physische Gewalt, Zwangs-, Fron-, Sklavenarbeit; sie ist erzwungen dadurch, daß die Bedingungen der Produktion fremdes Eigentum sind und selbst vorhanden sind als objektive Assoziation, die dasselbe wie Akkumulation und Konzentration der Produktionsbedingungen."[758]

Nun wird die Arbeitsleistung nicht mehr mittels Gewalt den Produzenten abgepresst, aber die Arbeit selbst bringt gewaltsame Auswirkungen mit sich: Der Arbeitsprozess unterwirft sich dem Produktionsprozess der Maschine; die Warenproduktion unter dem Kommando des Kapitals erobert die ganze Welt, formt sie um, zersetzt alle bisherigen Verhältnisse; ja, gefährdet sogar ein der Gattung Mensch zuträgliches Ökosystem.

Und dann: Genauso wie heute, unter bürgerlichen Verhältnissen, so manche gesellschaftlichen Strukturen Spuren eines feudalen Prinzips in sich tragen ... so auch jene initiale Periode des Kapitalismus von der frühen Neuzeit bis ins 19. Jahrhundert hinein.[759] Hier sind sie wieder: Betrug, Sklavenarbeit und rohe Gewalt. Diese waren unentbehrliche Bestandteile der ursprünglichen kapitalistischen Akkumulation. Und ja, noch heute finden wir sie an den Rändern unserer Produktionsweise, wenngleich nicht mehr als ökonomische Voraussetzung des Kapitalismus. All diese „unbürgerlichen Sitten" wären für die Ökonomie nicht mehr unverzichtbar. Aber sie assistieren bei der politischen Abwicklung. Etwa so, wie das alte Kastenwesen in Indien durch die bürgerliche Produktionsweise nicht ausgelöscht, sondern bloß umgeformt wurde und dem Kapital nun dienlich zur Seite steht. Aber das ist – wie man so schön sagt – wiederum eine andere Geschichte.

Anhang

Anmerkungen

1 Marcel Proust, Auf der Suche nach der verlorenen Zeit. Frankfurter Ausgabe, Band 2/2: Im Schatten junger Mädchenblüte, 1919, 1995, Seite 129.

2 Georg Büchner, Helden-Tod der vierhundert Pforzheimer, 1829/30, http://gutenberg.spiegel.de/buch/-6789/4 (23.11.2017).

3 Georg Büchner, Helden-Tod der vierhundert Pforzheimer, 1829/30, http://gutenberg.spiegel.de/buch/-6789/4 (23.11.2017).

4 Vgl. Hinweise in: https://www.wissenschaft.de/magazin/weitere-themen/wanderer-kommst-du-nach-sparta/ (23.11.2017). Bemerkenswert ist jedenfalls, dass ein Militärhistoriker der DDR, Hans-Joachim Diesner, noch 1971 vom „Heldentod" der 300 Spartaner schrieb. Vgl. Hans-Joachim Diesner, Kriege des Altertums, 1971, 1989, Seite 33.

5 Heinrich Böll, Wanderer kommst du nach Spa... , 1950, Seite 35–43.

6 Friedrich Schiller, Der Spaziergang, 1795, 1804, Sämtliche Werke, Band 1, 1962, Seite 228 ff.

7 Heinrich Böll, Ansichten eines Clowns, 1963.

8 Vgl. z.B.: https://www.welt.de/politik/article789452/Ein-Sandalen-Film-reizt-den-Iran-bis-aufs-Blut.html (23.11.2017).

9 https://de.wikipedia.org, Artikel „300 (Film)" vom 10.7.2019.

10 Vgl. https://scilogs.spektrum.de/antikes-wissen/wiege-moderner-demokratie-athen/ (4.10.2018).

11 Leopold von Ranke, Vorrede zu Geschichten der romanischen und germanischen Völker, 1824, Sämtliche Werke, Band 33/34, 1885, Seite 7.

12 Leopold von Ranke, Vorrede zu Geschichten der romanischen und germanischen Völker, 1824, Sämtliche Werke, Band 33/34, 1885, Seite 7.

13 Pierre Grimal (Hrsg.), Der Aufbau des römischen Reiches, 1966. Weltbild Weltgeschichte Band 7, Die Mittelmeerwelt im Altertum III, 1998, Seite 44.

14 Pierre Grimal (Hrsg.), Der Aufbau des römischen Reiches, 1966. Weltbild Weltgeschichte Band 7, Die Mittelmeerwelt im Altertum III, 1998, Seite 54–55.

15 Pierre Grimal (Hrsg.), Der Aufbau des römischen Reiches, 1966. Weltbild Weltgeschichte Band 7, Die Mittelmeerwelt im Altertum III, 1998, Seite 55.

16 Pierre Grimal (Hrsg.), Der Aufbau des römischen Reiches, 1966. Weltbild Weltgeschichte Band 7, Die Mittelmeerwelt im Altertum III, 1998, Seite 48–49.

17 Vgl. Pierre Grimal (Hrsg.), Der Hellenismus und der Aufstieg Roms, 1967. Weltbild Weltgeschichte Band 6, Die Mittelmeerwelt im Altertum II, 1998, Seite 338 ff.

18 Pierre Grimal (Hrsg.), Der Aufbau des römischen Reiches, 1966. Weltbild Weltgeschichte Band 7, Die Mittelmeerwelt im Altertum III, 1998, Seite 86–87.

19 Pierre Grimal (Hrsg.), Der Hellenismus und der Aufstieg Roms, 1967. Weltbild Weltgeschichte Band 6, Die Mittelmeerwelt im Altertum II, 1998, Seite 312. Vgl. auch im gleichen Sinne: Pierre Grimal (Hrsg.), Der Aufbau des römischen Reiches, 1966. Weltbild Weltgeschichte Band 7, Die Mittelmeerwelt im Altertum III, 1998, Seite 72.

20 Max Weber, Die sozialen Gründe des Untergangs der antiken Kultur, 1896. In: Marianne Weber (Hrsg.), Max Weber: Gesammelte Aufsätze zur Sozial- und Wirtschaftsgeschichte, 1924, 1988, Seite 294.

21 Pierre Grimal (Hrsg.), Der Hellenismus und der Aufstieg Roms, 1967. Weltbild Weltgeschichte Band 6, Die Mittelmeerwelt im Altertum II, 1998, Seite 314.

22 Pierre Grimal (Hrsg.), Der Hellenismus und der Aufstieg Roms, 1967. Weltbild Weltgeschichte Band 6, Die Mittelmeerwelt im Altertum II, 1998, Seite 315.

23 Pierre Grimal (Hrsg.), Der Hellenismus und der Aufstieg Roms, 1967. Weltbild Weltgeschichte Band 6, Die Mittelmeerwelt im Altertum II, 1998, Seite 316–317.

24 Der Begriff „Subsistenzwirtschaft" wird in dieser Darstellung umgangssprachlich verwendet, als logischer Gegensatz zur „Warenwirtschaft". Subsistenzwirtschaft bedeutet hier nicht, dass die Bauern keine Mehrarbeit leisten mussten.

25 Pierre Grimal (Hrsg.), Der Hellenismus und der Aufstieg Roms, 1967. Weltbild Weltgeschichte Band 6, Die Mittelmeerwelt im Altertum II, 1998, Seite 317.

26 Pierre Grimal (Hrsg.), Der Aufbau des römischen Reiches, 1966. Weltbild Weltgeschichte Band 7, Die Mittelmeerwelt im Altertum III, 1998, Seite 64.

27 Hermann Bengtson (Hrsg.), Griechen und Perser, 1965. Weltbild Weltgeschichte Band 5, Die Mittelmeerwelt im Altertum I, 1998, Seite 27.

28 Sabine Schmidt, Von den Perserkriegen bis zum Tod Alexanders. In: Ingomar Weiler (Hrsg.), Grundzüge der Politischen Geschichte des Altertums, 1995, Seite 58.

29 Hermann Bengtson, Griechische Geschichte: Von den Anfängen bis zur römischen Kaiserzeit, 1950, 1977, Seite 126–127.

30 Egon Friedell, Kulturgeschichte des Altertums, 1950 (posthum),

2011, Seite 770–771.

31 Egon Friedell, Kulturgeschichte des Altertums, 1950 (posthum), 2011, Seite 771.

32 Hermann Bengtson (Hrsg.), Griechen und Perser, 1965. Weltbild Weltgeschichte Band 5, Die Mittelmeerwelt im Altertum I, 1998, Seite 27.

33 Hermann Bengtson, Griechische Geschichte: Von den Anfängen bis zur römischen Kaiserzeit, 1950, 1977, Seite 125. Das Adjektiv „national“ ist für eine Sklavenhaltergesellschaft kaum treffend, denn „national“ bedeutet seit der Französischen Revolution, dass alle Klassen eines Staates an einem gemeinsamen historischen Projekt Anteil haben.

34 Hermann Bengtson (Hrsg.), Griechen und Perser, 1965. Weltbild Weltgeschichte Band 5, Die Mittelmeerwelt im Altertum I, 1998, Seite 27–28.

35 Theodor Mommsen, Römische Geschichte, 1. Band, 3. Buch, 12. Kapitel, 1854, 1925, 2015, Seite 1133.

36 Hermann Bengtson (Hrsg.), Griechen und Perser, 1965. Weltbild Weltgeschichte Band 5, Die Mittelmeerwelt im Altertum I, 1998, Seite 23.

37 Moses I. Finley, Die antike Wirtschaft, 1973, 1977, Seite 21.

38 Rudolf Bahro, Die Alternative. Zur Kritik des real existierenden Sozialismus, 1977, 1980, Seite 70.

39 Rudolf Bahro, Die Alternative. Zur Kritik des real existierenden Sozialismus, 1977, 1980, Seite 72.

40 Vgl. Evgenij Preobrazhenskij, Die neue Ökonomik, 1926, 1971.

41 Moses I. Finley, Die antike Wirtschaft, 1973, 1977, Seite 21.

42 In der Anmerkung 39 führte Finley aus, dass nur die von Marxisten geführte Debatte um eine „asiatische Produktionsweise“ dem von ihm identifizierten Problem nahekommt, die „einzige ernsthafte theoretische Diskussion“ (Seite 23). Indes, bloß mit dem Wording

war er nicht glücklich: „‚Asiatisch' ist eine unglückliche, historisch belastete und ungenau klassifizierende Bezeichnung: vermutlich umfasst sie außer den großen Flußebenen Asiens auch das minoische und mykenische Griechenland, die Azteken und Inkas, vielleicht die Etrusker, nicht aber die Phöniker." (Seite 23) Hier passen zwar nicht alle Beispiele, aber dass „asiatisch" nicht wörtlich-geographisch zu verstehen ist, ist unter Marxisten, die mit der Kategorie „asiatische Produktionsweise" arbeiten, Konsens. Vgl. Moses I. Finley, Die antike Wirtschaft, 1973, 1977, Seite 22–23.

43 Moses I. Finley, Die antike Wirtschaft, 1973, 1977, Seite 22.

44 Moses I. Finley, Die antike Wirtschaft, 1973, 1977, Seite 22.

45 Moses I. Finley, Die antike Wirtschaft, 1973, 1977, Seite 77.

46 Moses I. Finley, Die antike Wirtschaft, 1973, 1977, Seite 76.

47 Moses I. Finley, Die antike Wirtschaft, 1973, 1977, Seite 76.

48 Moses I. Finley, Die antike Wirtschaft, 1973, 1977, Seite 113.

49 Hermann Bengtson (Hrsg.), Griechen und Perser, 1965. Weltbild Weltgeschichte Band 5, Die Mittelmeerwelt im Altertum I, 1998, Seite 23.

50 Carsten Binder, Plutarchs Vita des Artaxerxes: Ein historischer Kommentar. In: Göttinger Forum für Altertumswissenschaft. Beihefte N.F., 2008, Seite 147.

51 https://www.unifr.ch › withe › assets › files › Bachelor › Wirtschaftsgeschichte › Anfaenge_der_Wirtschaft_Wige.pdf (20.12.2017).

52 Hermann Bengtson (Hrsg.), Griechen und Perser, 1965. Weltbild Weltgeschichte Band 5, Die Mittelmeerwelt im Altertum I, 1998, Seite 23–25.

53 Moses I. Finley, Die antike Wirtschaft, 1973, 1977, Seite 25–26.

54 Hans-Joachim Diesner, Kriege des Altertums, 1971, 1989, Seite 85.

55 „In mykenischer Zeit existiert in den meisten Gebieten Griechenlands eine feudale Gesellschaftsstruktur mit Burgen als

Verwaltungs- und Wirtschaftszentren des Landes (Palastwirtschaft)" – Klaus Tausend, Geschichte Griechenlands von den Anfängen bis zu den Perserkriegen. In: Ingomar Weiler (Hrsg.), Grundzüge der Politischen Geschichte des Altertums, 1995, Seite 31. Diese Charakterisierung mag in Bezug auf die Eisen- und Bronzezeit nordwestlich der großen Bewässerungskulturen nicht ganz so weit hergeholt sein, wie in Bezug auf das Achämenidenreich, das indes auch gerne als „feudal" bezeichnet wird.

56 Hermann Bengtson (Hrsg.), Griechen und Perser, 1965. Weltbild Weltgeschichte Band 5, Die Mittelmeerwelt im Altertum I, 1998, Seite 28.

57 Hermann Bengtson (Hrsg.), Griechen und Perser, 1965. Weltbild Weltgeschichte Band 5, Die Mittelmeerwelt im Altertum I, 1998, Seite 28.

58 Klaus Tausend, Geschichte Griechenlands von den Anfängen bis zu den Perserkriegen. In: Ingomar Weiler (Hrsg.), Grundzüge der Politischen Geschichte des Altertums, 1995, Seite 37.

59 Hermann Bengtson (Hrsg.), Griechen und Perser, 1965. Weltbild Weltgeschichte Band 5, Die Mittelmeerwelt im Altertum I, 1998, Seite 387.

60 Möglicherweise waren die Motive Herodots ganz anderer Natur. Die wissenschaftliche Literatur über Herodots Kriegsgeschichtsschreibung ist jedenfalls reichhaltig. Abgesehen von den bekannten Ausführungen von Hans Delbrück (1848–1929) und Franz Mehring (1846–1919) zu dieser Frage, sei als Beispiel noch angeführt: Nicolaus Wecklein, Über die Tradition der Perserkriege, 1876.

61 Hermann Bengtson (Hrsg.), Griechen und Perser, 1965. Weltbild Weltgeschichte Band 5, Die Mittelmeerwelt im Altertum I, 1998, Seite 387.

62 Hermann Bengtson (Hrsg.), Griechen und Perser, 1965. Weltbild Weltgeschichte Band 5, Die Mittelmeerwelt im Altertum I, 1998, Seite 387–388.

63 Vgl. im Detail: Hilmar Klinkott, Der Satrap: ein achaimenidischer

Amtsträger und seine Handlungsspielräume. Oikumene. Studien zur antiken Weltgeschichte. Bd. 1, 2005.

64 Hermann Bengtson (Hrsg.), Griechen und Perser, 1965. Weltbild Weltgeschichte Band 5, Die Mittelmeerwelt im Altertum I, 1998, Seite 388–389.

65 Karl Marx, Einleitung [zur Kritik der politischen Ökonomie], 1857, MEW 13, Seite 641–642.

66 Karl Marx, Einleitung [zur Kritik der politischen Ökonomie], 1857, MEW 13, Seite 641–642.

67 Pierre Grimal (Hrsg.), Der Hellenismus und der Aufstieg Roms, 1965. Weltbild Weltgeschichte Band 6, Die Mittelmeerwelt im Altertum II, 1998, Seite 149.

68 Reinhard Elze, Konrad Repgen (Hrsg.), Studienbuch Geschichte. Eine europäische Weltgeschichte, Band I, 1974, 1994, Seite 83.

69 Hermann Bengtson (Hrsg.), Griechen und Perser, 1965. Weltbild Weltgeschichte Band 5, Die Mittelmeerwelt im Altertum I, 1998, Seite 39–40.

70 Hermann Bengtson (Hrsg.), Griechen und Perser, 1965. Weltbild Weltgeschichte Band 5, Die Mittelmeerwelt im Altertum I, 1998, Seite 28.

71 Vgl. Sabine Schmidt, Von den Perserkriegen bis zum Tod Alexanders. In: Ingomar Weiler (Hrsg.), Grundzüge der Politischen Geschichte des Altertums, 1995, Seite 54.

72 Moses I. Finley, Die antike Wirtschaft, 1973, 1977, Seite, 77.

73 Wilhelm Oncken, Die Staatslehre des Aristoteles in historisch-politischen Umrissen. Ein Beitrag zur Hellenischen Staatsidee und zur Einführung in die Aristotelische Politik, 2. Hälfte, 1875 Seite 134.

74 Wilhelm Oncken, Die Staatslehre des Aristoteles in historisch-politischen Umrissen. Ein Beitrag zur Hellenischen Staatsidee und zur Einführung in die Aristotelische Politik, 2. Hälfte, 1875 Seite

134–135.

75 Wilhelm Oncken, Die Staatslehre des Aristoteles in historisch-politischen Umrissen. Ein Beitrag zur Hellenischen Staatsidee und zur Einführung in die Aristotelische Politik, 2. Hälfte, 1875 Seite 137.

76 Vgl. dazu auch den sehr treffsicheren Finley: Moses I. Finley, Die antike Wirtschaft, 1973, 1977, Seite 38 ff.

77 Karl Marx, Zur Judenfrage, 1843, MEW 1, Seite 369–370. Hervorhebungen im Original.

78 Vgl. Platon, Politeia, 1940, Seite 223.

79 Platon, Politeia, 1940, Seite 281.

80 Platon, Politeia, 1940, Seite 296.

81 Platon, Politeia, 1859, Seite 329.

82 Platon, Politeia, 1940, Seite 318.

83 Platon, Politeia, 1940, Seite 319.

84 In Bezug auf die Sklavenarbeit vgl. die Darstellung bei: Sabine Schmidt, Von den Perserkriegen bis zum Tod Alexanders. In: Ingomar Weiler (Hrsg.), Grundzüge der Politischen Geschichte des Altertums, 1995, Seite 65.

85 Karl Marx, Grundrisse der Kritik der politischen Ökonomie, 1858, MEW 42, Seite 506.

86 Karl Marx, Grundrisse der Kritik der politischen Ökonomie, 1858, MEW 42, Seite 507.

87 Karl Marx, Grundrisse der Kritik der politischen Ökonomie, 1858, MEW 42, Seite 508.

88 Hans-Joachim Diesner, Kriege des Altertums, 1971, 1989, Seite 56.

89 Reinhard Elze, Konrad Repgen (Hrsg.), Studienbuch Geschichte. Eine europäische Weltgeschichte, Band I, 1974, 1994, Seite 83.

90 Moses I. Finley, Die antike Wirtschaft, 1973, 1977, Seite 24–25.

91 Es lohnt sich, die Unterschiede der Raumnutzung der Griechen mit jener im Perserreich zu vergleichen. Interessante Hinweise zu demographischen und ökonomischen Aspekten des Achämenidenreichs im Vergleich zu Athen finden sich bei: Ian Morris, Walter Scheidel (Hrsg.), The Dynamics of Ancient Empires: State Power from Assyria to Byzantium, Oxford Studies in Early Empires, 2010.

92 https://scilogs.spektrum.de/antikes-wissen, Artikel „Wiege moderner Demokratie: Athen?“ (20.12.2017).

93 Egon Friedell, Kulturgeschichte des Altertums, 1950 (posthum), 2011, Seite 779.

94 http://www.dhm.de/archiv/ausstellungen/mythen/griechen.html (30.11.2017).

95 Hans-Joachim Diesner, Kriege des Altertums, 1971, 1989, Seite 25. Das klingt überzeugend. Zumindest realistischer als bei Hermann Bengtson, der die offizielle Begründung der Spartaner, sie dürfen vor dem Vollmond nicht ins Felde ziehen (!), mit folgendem Satz bewertete: „Die Begründung mag auf Wahrheit beruhen.“ – vgl. Hermann Bengtson (Hrsg.), Griechen und Perser, 1965. Weltbild Weltgeschichte Band 5, Die Mittelmeerwelt im Altertum I, 1998, Seite 48. Weshalb hatte sich Athen nicht mehr über das Verhalten der Spartaner mokiert? Weil dieses Verhalten für keine der Poleis des griechischen Kosmos ungebührlich war. Über Athen lesen wir in der entscheidenden Periode vor der für die Perser siegreichen Seeschlacht bei Lades (495) bei Julius Beloch: „Die Athener verließen in Ephesos ihre Bundesgenossen und schifften nach Hause; Lemnos und Imbros wurden nun wieder mit Athen vereinigt. Der Zweck, für den die Athener zu den Waffen gegriffen hatten, war erreicht und sie haben infolgedessen an dem Krieg keinen weiteren Anteil genommen.“ – Julius Beloch, Griechische Geschichte, Volume 2, Part 1, 1914, 2012, Seite 11. Kurzum: Athen überließ somit die Ionischen Städte der Vergeltung des Dareios.

96 Vgl. dazu auch die exzellente Darstellung bei Finley: Moses I. Finley, Die antike Wirtschaft, 1973, 1977, Seite 65 ff.

97 https://de.wikipedia.org, Artikel „Schlacht bei den Thermopylen (Perserkriege)“ vom 28.10. 2019.

98 Egon Friedell, Kulturgeschichte des Altertums, 1950 (posthum), 2011, Seite 803–804.

99 Egon Friedell, Kulturgeschichte des Altertums, 1950 (posthum), 2011, Seite 804–805.

100 Egon Friedell, Kulturgeschichte des Altertums, 1950 (posthum), 2011, Seite 694.

101 Egon Friedell, Kulturgeschichte des Altertums, 1950 (posthum), 2011, Seite 798–799.

102 Egon Friedell, Kulturgeschichte des Altertums, 1950 (posthum), 2011, Seite 693.

103 Pierre Grimal (Hrsg.), Der Hellenismus und der Aufstieg Roms, 1965. Weltbild Weltgeschichte Band 6, Die Mittelmeerwelt im Altertum II, 1998, Seite 129.

104 Vgl. Egon Friedell, Kulturgeschichte der Neuzeit, 1928, 2011, Seite 156 ff.

105 Egon Friedell, Kulturgeschichte des Altertums, 1950 (posthum), 2011, Seite 693–694.

106 Egon Friedell, Kulturgeschichte des Altertums, 1950 (posthum), 2011, Seite 694.

107 Vgl. zu dem Begriff „politischer Staat“: Karl Marx, Zur Judenfrage, 1843, MEW 1.

108 Egon Friedell, Kulturgeschichte des Altertums, 1950 (posthum), 2011, Seite 694.

109 Egon Friedell, Kulturgeschichte des Altertums, 1950 (posthum), 2011, Seite 695.

110 Egon Friedell, Kulturgeschichte des Altertums, 1950 (posthum), 2011, Seite 695.

111 Ahlers, Donner, Kreuzer, Orbon, Westhoff (Hrsg.), Die vorkapitalistischen Produktionsweisen, 1973, Seite 23.

112 Die Quellen berichten von beiden Ackertechniken, Bewässerungsfeldbau und Regenfeldbau, je nach lokaler klimatologischer Gegebenheit. „Der landwirtschaftliche Charakter der Gegend von Samarkand wird vollständig durch die Irrigation bedingt. Ohne Zuführung von Wasser wäre das Tal öde und vegetationslos.“ – Wilhelm Geiger, Ostiranische Kultur im Altertum, 1882, Seite 378.

113 Vgl. Ahlers, Donner, Kreuzer, Orbon, Westhoff (Hrsg.), Die vorkapitalistischen Produktionsweisen, 1973, Seite 23.

114 Vgl. Rudolf Bahro, Die Alternative, 1977 und Ahlers, Donner, Kreuzer, Orbon, Westhoff (Hrsg.), Die vorkapitalistischen Produktionsweisen, 1973.

115 Ahlers, Donner, Kreuzer, Orbon, Westhoff (Hrsg.), Die vorkapitalistischen Produktionsweisen, 1973, Seite 21.

116 Ahlers, Donner, Kreuzer, Orbon, Westhoff (Hrsg.), Die vorkapitalistischen Produktionsweisen, 1973, Seite 21–22.

117 Vgl. Hermann Bengtson (Hrsg.), Griechen und Perser, 1965. Weltbild Weltgeschichte Band 5, Die Mittelmeerwelt im Altertum I, 1998, Seite 52.

118 Vgl. Martin Seelos, 1917 und 1789 und: Aspekte der politischen Geographie, 2017.

119 „(...) denn der Eroberungskrieg, den Xerxes im Westen führen wollte, war ein ungerechter Krieg, dessen Erfolg die Unterdrückung weiter Teile der ostmediterranen Bevölkerung auf lange Zeit hinaus bedeutet hätte.“ – Hans-Joachim Diesner, Kriege des Altertums, 1971, 1989, Seite 37.

120 Karl Marx, Grundrisse der Kritik der politischen Ökonomie, 1858, MEW 42, Seite 386.

121 Karl Marx, Grundrisse der Kritik der politischen Ökonomie, 1858, MEW 42, Seite 386–387.

122 Karl Marx, Grundrisse der Kritik der politischen Ökonomie, 1858, MEW 42, Seite 387.

123 Karl Marx, Grundrisse der Kritik der politischen Ökonomie, 1858, MEW 42, Seite 388.

124 Karl Marx, Grundrisse der Kritik der politischen Ökonomie, 1858, MEW 42, Seite 388.

125 Ahlers, Donner, Kreuzer, Orbon, Westhoff (Hrsg.), Die vorkapitalistischen Produktionsweisen, 1973, Seite 47.

126 Wilhelm Geiger, Ostiranische Kultur im Altertum, 1882, Seite 373. Geiger berichtet von beiden Ackertechniken in der ostiranischen Gesellschaft.

127 Der Begriff „Mehrprodukt" ist auch an dieser Stelle nicht umgangssprachlich zu verstehen, sondern in dem Sinne, dass das Produkt nicht von seinen Produzenten konsumiert wird.

128 Finley beschreibt den steigenden Reichtum des Grundbesitzes vor allem in römischer Zeit, dem vice versa unter der Voraussetzung eines beschränkt vorhandenen Ausmaßes an Agrarland das Gegenteil, die steigende Armut der Bauern, folgen müsste. Aber bei Finley folgt die Konzentration des Eigentums nicht aus dem ökonomischen Kreislauf von Produktion, Handel und Warenwirtschaft. Sondern folgt einfach der antiken Kultur, der zufolge Reichtum gut und Armut schlecht sei. Der Punkt ist also auch hier, welche Rolle Marktwirtschaft und Produktion für den Markt und die Warenökonomie schlechthin für die Antike hatte. Erkennt man den Markt als ökonomische Triebfeder nicht für jene Jahrhunderte, sieht man nicht, dass dem steigenden Reichtum der einen die steigende Armut der anderen folgen musste. Erkennt man aber diese Polarisierung zumindest empirisch, so müsste sie andere Gründe als ökonomische haben, vorzugsweise politische. Vgl. Moses I. Finley, Die antike Wirtschaft, 1973, 1977.

129 Vgl. Ahlers, Donner, Kreuzer, Orbon, Westhoff (Hrsg.), Die vorkapitalistischen Produktionsweisen, 1973.

130 Karl Marx, Grundrisse der Kritik der politischen Ökonomie, 1858,

MEW 42, Seite 388.

131 Moses I. Finley, Die antike Wirtschaft, 1973, 1977, Seite 47.

132 Egon Friedell, Kulturgeschichte des Altertums, 1950 (posthum), 2011, Seite 812–813.

133 Moses I. Finley, Die antike Wirtschaft, 1973, 1977, Seite 109.

134 Vgl. zu Ägypten in ptolemäischer Zeit: Moses I. Finley, Die antike Wirtschaft, 1973, 1977, Seite 113.

135 Moses I. Finley, Die antike Wirtschaft, 1973, 1977, Seite 110.

136 Moses I. Finley, Die antike Wirtschaft, 1973, 1977, Seite 110–111.

137 Moses I. Finley, Die antike Wirtschaft, 1973, 1977, Seite 111.

138 Moses I. Finley, Die antike Wirtschaft, 1973, 1977, Seite 109.

139 Joachim Marquardt, Theodor Mommsen (Hrsg.), Handbuch der römischen Alterthümer, Band 5, Seite 217.

140 Moses I. Finley, Die antike Wirtschaft, 1973, 1977, Seite 109.

141 Karl Christ, Geschichte der römischen Kaiserzeit: von Augustus bis zu Konstantin, 1988, 2005, Seite 439.

142 Einige Beispiele bringt: Fergus Millar (Hrsg.), Das Römische Reich und seine Nachbarn, 1966. Weltbild Weltgeschichte Band 8, Die Mittelmeerwelt im Altertum IV, 1998.

143 Reinhard Elze, Konrad Repgen (Hrsg.), Studienbuch Geschichte. Eine europäische Weltgeschichte, Band I, 1974, 1994, Seite 86.

144 Reinhard Elze, Konrad Repgen (Hrsg.), Studienbuch Geschichte. Eine europäische Weltgeschichte, Band I, 1974, 1994, Seite 86.

145 Hans-Joachim Diesner, Kriege des Altertums, 1971, 1989, Seite 136.

146 Hermann Bengtson (Hrsg.), Griechen und Perser, 1965. Weltbild Weltgeschichte Band 5, Die Mittelmeerwelt im Altertum I, 1998, Seite 57.

147 Pierre Grimal (Hrsg.), Der Hellenismus und der Aufstieg Roms, 1965. Weltbild Weltgeschichte Band 6, Die Mittelmeerwelt im Altertum II, 1998, Seite 37.

148 Hermann Bengtson (Hrsg.), Griechen und Perser, 1965. Weltbild Weltgeschichte Band 5, Die Mittelmeerwelt im Altertum I, 1998, Seite 175.

149 Franz Mehring, Eine Geschichte der Kriegskunst, 1908. In: Franz Mehring, Gesammelte Schriften, Band 8, 1982, Seite 143.

150 Franz Mehring, Eine Geschichte der Kriegskunst, 1908. In: Franz Mehring, Gesammelte Schriften, Band 8, 1982, Seite 146.

151 Nebenbei erwähnt: Die letztlich entscheidende militärische Fortune der Hellenen erklärt Mehring erstens damit, dass im Gegensatz zu den antiken Berichten die Anzahl der tatsächlich kampffähigen Soldaten nicht auf Seiten der Perser überwog. Und zweitens damit, dass es Athen verstand, seine Stärke auf See zu nutzen und im Gegenzug dazu das Land, ja selbst die Stadt Athen, freigab. Vgl. Franz Mehring, Eine Geschichte der Kriegskunst, 1908. In: Franz Mehring, Gesammelte Schriften, Band 8, 1982, Seite 140–147.

152 Franz Mehring, Eine Geschichte der Kriegskunst, 1908. In: Franz Mehring, Gesammelte Schriften, Band 8, 1982, Seite 150.

153 Vgl. Mehring zum Peloponnesischen Krieg: Franz Mehring, Eine Geschichte der Kriegskunst, 1908. In: Franz Mehring, Gesammelte Schriften, Band 8, 1982, Seite 147 ff.

154 Klaus Tausend, Geschichte Griechenlands von den Anfängen bis zu den Perserkriegen. In: Ingomar Weiler (Hrsg.), Grundzüge der Politischen Geschichte des Altertums, 1995, Seite 38.

155 Wie diese Form mit der Palastwirtschaft der Bronzezeit (Troia, Mykene, Kreta) zusammenhängt, ist unklar. Vor allem, ob es sich um eine spätere Stufe handelte, in der die Warenproduktion bereits die Subsistenzproduktion ersetzt hatte, oder ob die Metallproduktion wie im Falle Ägyptens und wie im Falle der Hethiter nur ein Zusatz zu der allgemeinen Produktionsweise war.

156 Hans-Joachim Diesner, Kriege des Altertums, 1971, 1989, Seite 84.

157 Pierre Grimal (Hrsg.), Der Hellenismus und der Aufstieg Roms, 1965. Weltbild Weltgeschichte Band 6, Die Mittelmeerwelt im Altertum II, 1998, Seite 165.

158 Pierre Grimal (Hrsg.), Der Hellenismus und der Aufstieg Roms, 1965. Weltbild Weltgeschichte Band 6, Die Mittelmeerwelt im Altertum II, 1998, Seite 165.

159 Pierre Grimal (Hrsg.), Der Hellenismus und der Aufstieg Roms, 1965. Weltbild Weltgeschichte Band 6, Die Mittelmeerwelt im Altertum II, 1998, Seite 167.

160 Vgl. Pierre Grimal (Hrsg.), Der Aufbau des römischen Reiches, 1966. Weltbild Weltgeschichte Band 7, Die Mittelmeerwelt im Altertum III, 1998, Seite 77 zu Spanien und Seite 174 zu Gallien.

161 Pierre Grimal (Hrsg.), Der Aufbau des römischen Reiches, 1966. Weltbild Weltgeschichte Band 7, Die Mittelmeerwelt im Altertum III, 1998, Seite 174.

162 Klaus Tausend, Geschichte Griechenlands von den Anfängen bis zu den Perserkriegen. In: Ingomar Weiler (Hrsg.), Grundzüge der Politischen Geschichte des Altertums, 1995, Seite 38–39.

163 Klaus Tausend, Geschichte Griechenlands von den Anfängen bis zu den Perserkriegen. In: Ingomar Weiler (Hrsg.), Grundzüge der Politischen Geschichte des Altertums, 1995, Seite 39.

164 Pierre Grimal (Hrsg.), Der Aufbau des römischen Reiches, 1966. Weltbild Weltgeschichte Band 7, Die Mittelmeerwelt im Altertum III, 1998, Seite 128.

165 Pierre Grimal deutet auch eine historische Verbindung zwischen beiden Ereignissen an, die durch weniger als hundert Jahren voneinander getrennt waren. Vgl. Pierre Grimal (Hrsg.), Der Hellenismus und der Aufstieg Roms, 1965. Weltbild Weltgeschichte Band 6, Die Mittelmeerwelt im Altertum II, 1998, Seite 102. Indes sind beide „Verfassungsrevolutionen“ sehr gut isoliert voneinander erklärbar: Das antike Athen / Attika und das antike Rom / Latium wurden von den gleichen sozialen Kräften getrieben.

166 Pierre Grimal (Hrsg.), Der Hellenismus und der Aufstieg Roms,

1965. Weltbild Weltgeschichte Band 6, Die Mittelmeerwelt im Altertum II, 1998, Seite 125.

167 Pierre Grimal (Hrsg.), Der Hellenismus und der Aufstieg Roms, 1965. Weltbild Weltgeschichte Band 6, Die Mittelmeerwelt im Altertum II, 1998, Seite 104.

168 Klaus Tausend, Geschichte Griechenlands von den Anfängen bis zu den Perserkriegen. In: Ingomar Weiler (Hrsg.), Grundzüge der Politischen Geschichte des Altertums, 1995, Seite 40.

169 Klaus Tausend, Geschichte Griechenlands von den Anfängen bis zu den Perserkriegen. In: Ingomar Weiler (Hrsg.), Grundzüge der Politischen Geschichte des Altertums, 1995, Seite 45.

170 Fergus Millar (Hrsg.), Das Römische Reich und seine Nachbarn, 1966. Weltbild Weltgeschichte Band 8, Die Mittelmeerwelt im Altertum IV, 1998, Seite 39.

171 Sabine Schmidt, Von den Perserkriegen bis zum Tod Alexanders. In: Ingomar Weiler (Hrsg.), Grundzüge der Politischen Geschichte des Altertums, 1995, Seite 55.

172 Vgl. Sabine Schmidt, Von den Perserkriegen bis zum Tod Alexanders. In: Ingomar Weiler (Hrsg.), Grundzüge der Politischen Geschichte des Altertums, 1995, Seite 55.

173 Selbst Bengtson spricht von einer „Herrschaft einer Minderheit über eine Mehrheit“ – Hermann Bengtson (Hrsg.), Griechen und Perser, 1965. Weltbild Weltgeschichte Band 5, Die Mittelmeerwelt im Altertum I, 1998, Seite 87.

174 Sabine Schmidt, Von den Perserkriegen bis zum Tod Alexanders. In: Ingomar Weiler (Hrsg.), Grundzüge der Politischen Geschichte des Altertums, 1995, Seite 55.

175 Sabine Schmidt, Von den Perserkriegen bis zum Tod Alexanders. In: Ingomar Weiler (Hrsg.), Grundzüge der Politischen Geschichte des Altertums, 1995, Seite 55.

176 Sabine Schmidt, Von den Perserkriegen bis zum Tod Alexanders. In: Ingomar Weiler (Hrsg.), Grundzüge der Politischen Geschichte

des Altertums, 1995, Seite 56.

177 Sabine Schmidt, Von den Perserkriegen bis zum Tod Alexanders. In: Ingomar Weiler (Hrsg.), Grundzüge der Politischen Geschichte des Altertums, 1995, Seite 55.

178 Sabine Schmidt, Von den Perserkriegen bis zum Tod Alexanders. In: Ingomar Weiler (Hrsg.), Grundzüge der Politischen Geschichte des Altertums, 1995, Seite 57.

179 Sabine Schmidt, Von den Perserkriegen bis zum Tod Alexanders. In: Ingomar Weiler (Hrsg.), Grundzüge der Politischen Geschichte des Altertums, 1995, Seite 56–57.

180 Sabine Schmidt, Von den Perserkriegen bis zum Tod Alexanders. In: Ingomar Weiler (Hrsg.), Grundzüge der Politischen Geschichte des Altertums, 1995, Seite 57.

181 Sabine Schmidt, Von den Perserkriegen bis zum Tod Alexanders. In: Ingomar Weiler (Hrsg.), Grundzüge der Politischen Geschichte des Altertums, 1995, Seite 57.

182 Hermann Bengtson (Hrsg.), Griechen und Perser, 1965. Weltbild Weltgeschichte Band 5, Die Mittelmeerwelt im Altertum I, 1998, Seite 89.

183 Hermann Bengtson (Hrsg.), Griechen und Perser, 1965. Weltbild Weltgeschichte Band 5, Die Mittelmeerwelt im Altertum I, 1998, Seite 87.

184 Hermann Bengtson (Hrsg.), Griechen und Perser, 1965. Weltbild Weltgeschichte Band 5, Die Mittelmeerwelt im Altertum I, 1998, Seite 89.

185 Sabine Schmidt, Von den Perserkriegen bis zum Tod Alexanders. In: Ingomar Weiler (Hrsg.), Grundzüge der Politischen Geschichte des Altertums, 1995, Seite 57.

186 Fergus Millar (Hrsg.), Das Römische Reich und seine Nachbarn, 1966. Weltbild Weltgeschichte Band 8, Die Mittelmeerwelt im Altertum IV, 1998, Seite 70–71.

187 Franz Georg Maier (Hrsg.), Die Verwandlung der Mittelmeerwelt, 1968. Weltbild Weltgeschichte Band 9, 1998, Seite 80.

188 Bedeutsame Getreideproduzenten waren Sizilien und der Pontus am Schwarzen Meer. Sizilien und der Eingang zum Schwarzen Meer waren auch Schauplätze des Peloponnesischen Krieges. Der Krieg begann aus Gründen der Handelskonkurrenz Athens und Korinths in Bezug auf Sizilien, wohin es Alkibiades in der zweiten Phase des Krieges auch verschlug. Vgl. Hans-Joachim Diesner, Kriege des Altertums, 1971, 1989, Seite, Seite 51 ff oder Franz Mehring, Eine Geschichte der Kriegskunst, 1908. In: Franz Mehring, Gesammelte Schriften, Band 8, 1982, Seite 147 ff.

189 Hans-Joachim Diesner, Kriege des Altertums, 1971, 1989, Seite, Seite 67.

190 Hans-Joachim Diesner, Kriege des Altertums, 1971, 1989, Seite, Seite 67–68.

191 Gut dargestellt in: Hans-Joachim Diesner, Kriege des Altertums, 1971, 1989, Kapitel 5, Seite 184–223.

192 Hans-Joachim Diesner, Kriege des Altertums, 1971, 1989, Seite 56.

193 Vgl. Thomas Morawetz, Der Demos als Tyrann und Banause: Aspekte antidemokratischer Polemik im Athen des 5. und 4. Jahrhunderts v. Chr. In: Europäische Hochschulschriften, Série 3: Histoire et sciences auxiliaires, 2000.

194 Aristoteles, Politik, Siebentes Buch, Siebentes Kapitel, Übersetzung: Julius Hermann von Kirchmann, 1880.

195 Aristoteles, Politik, Siebentes Buch, Erstes Kapitel, Übersetzung: Julius Hermann von Kirchmann, 1880.

196 Hans-Joachim Diesner, Kriege des Altertums, 1971, 1989, Seite 75.

197 Pierre Grimal (Hrsg.), Der Hellenismus und der Aufstieg Roms, 1965. Weltbild Weltgeschichte Band 6, Die Mittelmeerwelt im Altertum II, 1998, Seite 302.

198 Pierre Grimal (Hrsg.), Der Hellenismus und der Aufstieg Roms,

1965. Weltbild Weltgeschichte Band 6, Die Mittelmeerwelt im Altertum II, 1998, Seite 125.

199 Pierre Grimal (Hrsg.), Der Hellenismus und der Aufstieg Roms, 1965. Weltbild Weltgeschichte Band 6, Die Mittelmeerwelt im Altertum II, 1998, Seite 80.

200 Pierre Grimal (Hrsg.), Der Hellenismus und der Aufstieg Roms, 1965. Weltbild Weltgeschichte Band 6, Die Mittelmeerwelt im Altertum II, 1998, Seite 80.

201 Pierre Grimal (Hrsg.), Der Hellenismus und der Aufstieg Roms, 1965. Weltbild Weltgeschichte Band 6, Die Mittelmeerwelt im Altertum II, 1998, Seite 80.

202 Vgl. Karl Julius Beloch, Griechische Geschichte, Volume 3, Part 2, 1923, 2012.

203 Pierre Grimal (Hrsg.), Der Hellenismus und der Aufstieg Roms, 1965. Weltbild Weltgeschichte Band 6, Die Mittelmeerwelt im Altertum II, 1998, Seite 80–81.

204 Pierre Grimal (Hrsg.), Der Hellenismus und der Aufstieg Roms, 1965. Weltbild Weltgeschichte Band 6, Die Mittelmeerwelt im Altertum II, 1998, Seite 81.

205 Pierre Grimal (Hrsg.), Der Hellenismus und der Aufstieg Roms, 1965. Weltbild Weltgeschichte Band 6, Die Mittelmeerwelt im Altertum II, 1998, Seite 81.

206 Pierre Grimal (Hrsg.), Der Hellenismus und der Aufstieg Roms, 1965. Weltbild Weltgeschichte Band 6, Die Mittelmeerwelt im Altertum II, 1998, Seite 81.

207 Pierre Grimal (Hrsg.), Der Hellenismus und der Aufstieg Roms, 1965. Weltbild Weltgeschichte Band 6, Die Mittelmeerwelt im Altertum II, 1998, Seite 81–82

208 Vgl. https://www.spektrum.de/news, Artikel „Kinderopfer nur ein Gerücht?“ vom 19.2.2010.

209 Pierre Grimal (Hrsg.), Der Hellenismus und der Aufstieg Roms,

1965. Weltbild Weltgeschichte Band 6, Die Mittelmeerwelt im Altertum II, 1998, Seite 82.

210 Pierre Grimal (Hrsg.), Der Hellenismus und der Aufstieg Roms, 1965. Weltbild Weltgeschichte Band 6, Die Mittelmeerwelt im Altertum II, 1998, Seite 82.

211 Pierre Grimal (Hrsg.), Der Hellenismus und der Aufstieg Roms, 1965. Weltbild Weltgeschichte Band 6, Die Mittelmeerwelt im Altertum II, 1998, Seite 83.

212 Pierre Grimal (Hrsg.), Der Hellenismus und der Aufstieg Roms, 1965. Weltbild Weltgeschichte Band 6, Die Mittelmeerwelt im Altertum II, 1998, Seite 83.

213 Pierre Grimal (Hrsg.), Der Hellenismus und der Aufstieg Roms, 1965. Weltbild Weltgeschichte Band 6, Die Mittelmeerwelt im Altertum II, 1998, Seite 253.

214 Pierre Grimal (Hrsg.), Der Hellenismus und der Aufstieg Roms, 1965. Weltbild Weltgeschichte Band 6, Die Mittelmeerwelt im Altertum II, 1998, Seite 163.

215 Fergus Millar (Hrsg.), Das Römische Reich und seine Nachbarn, 1966. Weltbild Weltgeschichte Band 8, Die Mittelmeerwelt im Altertum IV, 1998, Seite 120.

216 Fergus Millar (Hrsg.), Das Römische Reich und seine Nachbarn, 1966. Weltbild Weltgeschichte Band 8, Die Mittelmeerwelt im Altertum IV, 1998, Seite 120–121.

217 Vgl. Franz Georg Maier (Hrsg.), Die Verwandlung der Mittelmeerwelt,1968. Weltbild Weltgeschichte Band 9, 1998, Seite 77.

218 Fergus Millar (Hrsg.), Das Römische Reich und seine Nachbarn, 1966. Weltbild Weltgeschichte Band 8, Die Mittelmeerwelt im Altertum IV, 1998, Seite 121.

219 Fergus Millar (Hrsg.), Das Römische Reich und seine Nachbarn, 1956. Fischer Weltgeschichte Band 8, Die Mittelmeerwelt im Altertum IV, Seite 122.

220 Fergus Millar (Hrsg.), Das Römische Reich und seine Nachbarn, 1966. Weltbild Weltgeschichte Band 8, Die Mittelmeerwelt im Altertum IV, 1998, Seite 121.

221 Fergus Millar (Hrsg.), Das Römische Reich und seine Nachbarn, 1966. Weltbild Weltgeschichte Band 8, Die Mittelmeerwelt im Altertum IV, 1998, Seite 122.

222 Fergus Millar (Hrsg.), Das Römische Reich und seine Nachbarn, 1966. Weltbild Weltgeschichte Band 8, Die Mittelmeerwelt im Altertum IV, 1998, Seite 122.

223 Fergus Millar (Hrsg.), Das Römische Reich und seine Nachbarn, 1966. Weltbild Weltgeschichte Band 8, Die Mittelmeerwelt im Altertum IV, 1998, Seite 122.

224 Fergus Millar (Hrsg.), Das Römische Reich und seine Nachbarn, 1966. Weltbild Weltgeschichte Band 8, Die Mittelmeerwelt im Altertum IV, 1998, Seite 123–125.

225 Hans-Joachim Diesner, Kriege des Altertums, 1971, 1989, Seite, Seite 136.

226 https://de.wikipedia.org/wiki/Marcus_Licinius_Crassus (8.3.2018).

227 Pierre Grimal (Hrsg.), Der Hellenismus und der Aufstieg Roms, 1965. Weltbild Weltgeschichte Band 6, Die Mittelmeerwelt im Altertum II, 1998, Seite 83.

228 Pierre Grimal (Hrsg.), Der Hellenismus und der Aufstieg Roms, 1965. Weltbild Weltgeschichte Band 6, Die Mittelmeerwelt im Altertum II, 1998, Seite 83.

229 Pierre Grimal (Hrsg.), Der Hellenismus und der Aufstieg Roms, 1965. Weltbild Weltgeschichte Band 6, Die Mittelmeerwelt im Altertum II, 1998, Seite 84.

230 Vgl. Martin Seelos, 1917 und 1789: Aspekte der politischen Geographie, 2017.

231 Vgl. Sitta von Reden, Antike Wirtschaft. Enzyklopädie der griechisch-römischen Antike, Band 10, 2015, Seite 164.

232 Fergus Millar (Hrsg.), Das Römische Reich und seine Nachbarn, 1966. Weltbild Weltgeschichte Band 8, Die Mittelmeerwelt im Altertum IV, 1998, Seite 179.

233 Schöne Beispiele finden sich bei Fergus Millar– zum Beispiel in der Produktion, auf die sich die Provinz Baetica spezialisiert hatte. Vgl. Fergus Millar (Hrsg.), Das Römische Reich und seine Nachbarn, 1966. Weltbild Weltgeschichte Band 8, Die Mittelmeerwelt im Altertum IV, 1998, Seite 163 ff.

234 Vgl. Pierre Grimal (Hrsg.), Der Aufbau des römischen Reiches, 1966. Weltbild Weltgeschichte Band 7, Die Mittelmeerwelt im Altertum III, 1998, Seite 106.

235 Vgl. zu dem Begriff „persönlich" im Feudalsystem: Martin Seelos, Franz Kafka und das feudale Prinzip, 2017.

236 Vgl. als ersten, wenngleich nicht quellenkritischen Überblick: Peter Roth, Die Steuergeschichte des Römischen Reiches, 2016. Gehaltvoller: Hilmar Klinkott, Sabine Kubisch und Renate Müller-Wollermann (Hrsg.), Geschenke und Steuern, Zölle und Tribute. Antike Abgabenformen in Anspruch und Wirklichkeit. In: Culture and History of the Ancient Near East, Band 29, 2007. Erst in der Spätantike nahm das relative Gewicht der Naturalabgaben gegenüber eigentlichen Steuern zu.

237 Moses I. Finley, Die antike Wirtschaft, 1973, 1977, Seite 73–74. Finley hat hier positiv gesehen recht. Aber nicht nur der Anteil der Sklaverei an abhängiger Arbeit – vgl. den Begriff bei: Moses I. Finley, Die antike Wirtschaft, 1973, 1977, Seite 73 – war hoch, sondern auch der Anteil der Sklaverei an der Arbeit überhaupt, sodass auch selbständige Arbeit in der Landwirtschaft Italiens vor dem Bürgerkrieg zurückgedrängt wurde.

238 Fergus Millar (Hrsg.), Das Römische Reich und seine Nachbarn, 1966. Weltbild Weltgeschichte Band 8, Die Mittelmeerwelt im Altertum IV, 1998, Seite 178.

239 Fergus Millar (Hrsg.), Das Römische Reich und seine Nachbarn, 1966. Weltbild Weltgeschichte Band 8, Die Mittelmeerwelt im Altertum IV, 1998, Seite 181.

240 Vgl. Moses I. Finley, Die antike Wirtschaft, 1973, 1977, Seite 15–16. Zu der Episode im Peloponnesischen Krieg: „Als nach dem für Athen unglücklich ausgegangenen sizilianischen Feldzug die Spartaner auf Veranlassung von Alkibiades in Attika einbrechen, nehmen 20.000 Sklaven die Gelegenheit zur Flucht war, was dazu führt, dass die Wirtschaft Athens in völligen Verfall gerät." – Wolfgang Harich, Philosophiegeschichte und Geschichtsphilosophie – Vorlesungen, Teilband 1: Von der Antike bis zur Deutschen Aufklärung, Schriften aus dem Nachlass Wolfgang Harichs, Band 6.1., 2015, Seite 131.

241 Moses I. Finley, Die antike Wirtschaft, 1973, 1977, Seite 78.

242 Vgl. Moses I. Finley, Die antike Wirtschaft, 1973, 1977, z.B. Seite 80.

243 „In dem Sklaven wird das Produktionsinstrument direkt geraubt." – Karl Marx, Einleitung [zur Kritik der Politischen Ökonomie], 1857, MEW 13, Seite 629.

244 Max Weber bestreitet diese Option. Vgl. Max Weber, Die sozialen Gründe des Untergangs der antiken Kultur, 1896. In: Marianne Weber (Hrsg.), Max Weber: Gesammelte Aufsätze zur Sozial- und Wirtschaftsgeschichte, 1924, 1988, Seite 300–301.

245 Hier verwenden wir den Begriff „Dixies" umgangssprachlich für jene Gebiete der Vereinigten Staaten, die im 19. Jahrhundert Sklavenarbeit anwandten.

246 Karl Marx, Grundrisse der Kritik der politischen Ökonomie, 1858, MEW 42, Seite 489.

247 Karl Marx, Grundrisse der Kritik der politischen Ökonomie, 1858, MEW 42, Seite 487.

248 Karl Marx, Grundrisse der Kritik der politischen Ökonomie, 1858, MEW 42, Seite 490.

249 Karl Marx, Grundrisse der Kritik der politischen Ökonomie, 1858, MEW 42, Seite 516.

250 Vgl. Max Weber, Die sozialen Gründe des Untergangs der antiken

Kultur, 1896. In: Marianne Weber (Hrsg.), Max Weber: Gesammelte Aufsätze zur Sozial- und Wirtschaftsgeschichte, 1924, 1988, Seite 297.

251 Karl Marx, Grundrisse der Kritik der politischen Ökonomie, 1858, MEW 42, Seite, 487–488.

252 Viele interessante Aspekte über den Ausschluss auch der Legionäre mit Bürgerrecht von eben diesem Bürgerrecht bringt: Fergus Millar (Hrsg.), Das Römische Reich und seine Nachbarn, 1966. Weltbild Weltgeschichte Band 8, Die Mittelmeerwelt im Altertum IV, 1998, Seite 106 ff.

253 Stefan Radt (Hrsg.), Strabons Geographika, Band 4, Buch XIV-XVII, 2005, Seite 99.

254 Pierre Grimal (Hrsg.), Der Aufbau des römischen Reiches, 1966. Weltbild Weltgeschichte Band 7, Die Mittelmeerwelt im Altertum III, 1998, Seite 99.

255 Vgl. Pierre Grimal (Hrsg.), Der Aufbau des römischen Reiches, 1966. Weltbild Weltgeschichte Band 7, Die Mittelmeerwelt im Altertum III, 1998, Seite 93.

256 Vgl. Werner Dahlheim, Geschichte der Römischen Kaiserzeit, 2003, Seite 218. Oder, ziemlich präzise: Wolfgang Waldstein, Zum Reskript Hadrians über Operae bei fideikommissarischer Freilassung. In: Gottfried Baumgärtel, Ernst Klingmüller, Hans-Jürgen Becker, Andreas Wacke, Festschrift für Heinz Hübner zum 70. Geburtstag am 7. November 1984, 1984, Seite 325 ff.

257 Vgl. Pierre Grimal (Hrsg.), Der Aufbau des römischen Reiches, 1966. Weltbild Weltgeschichte Band 7, Die Mittelmeerwelt im Altertum III, 1998, Seite 240-241.

258 Hinweise finden sich in: Sibylle Ihm, Eros und Distanz: Untersuchungen zu Asklepiades in seinem Kreis, 2004, Seite 24 ff.

259 Pierre Grimal (Hrsg.), Der Hellenismus und der Aufstieg Roms, 1965. Weltbild Weltgeschichte Band 6, Die Mittelmeerwelt im Altertum II, 1998, Seite 153.

[260] Pierre Grimal (Hrsg.), Der Hellenismus und der Aufstieg Roms, 1965. Weltbild Weltgeschichte Band 6, Die Mittelmeerwelt im Altertum II, 1998, Seite 333.

[261] Pierre Grimal (Hrsg.), Der Hellenismus und der Aufstieg Roms, 1965. Weltbild Weltgeschichte Band 6, Die Mittelmeerwelt im Altertum II, 1998, Seite 333.

[262] Pierre Grimal (Hrsg.), Der Hellenismus und der Aufstieg Roms, 1965. Weltbild Weltgeschichte Band 6, Die Mittelmeerwelt im Altertum II, 1998, Seite 333.

[263] Bei Marx finden sich beide Varianten, eine engere Definition des Begriffs „Produktionsweise" als technische Anordnung der Produktionsfaktoren, und eine weitere, heute übliche Definition, die die Gesamtheit der Produktionsverhältnisse und der Produktionsweise umfasst. Vgl. etwa: Karl Marx, Grundrisse der Kritik der politischen Ökonomie, 1858, MEW 42, Seite 497.

[264] Pierre Grimal (Hrsg.), Der Hellenismus und der Aufstieg Roms, 1965. Weltbild Weltgeschichte Band 6, Die Mittelmeerwelt im Altertum II, 1998, Seite 346.

[265] Pierre Grimal (Hrsg.), Der Hellenismus und der Aufstieg Roms, 1965. Weltbild Weltgeschichte Band 6, Die Mittelmeerwelt im Altertum II, 1998, Seite 352.

[266] Pierre Grimal (Hrsg.), Der Hellenismus und der Aufstieg Roms, 1965. Weltbild Weltgeschichte Band 6, Die Mittelmeerwelt im Altertum II, 1998, Seite 312.

[267] Moses I. Finley, Die antike Wirtschaft, 1973, 1977, Seite 14.

[268] https://de.wikipedia.org/wiki/Sklaverei, 2.1.2018.

[269] https://de.wikipedia.org/wiki/Sklaverei, 2.1.2018.

[270] Pierre Grimal (Hrsg.), Der Hellenismus und der Aufstieg Roms, 1965. Weltbild Weltgeschichte Band 6, Die Mittelmeerwelt im Altertum II, 1998, Seite 198.

[271] Pierre Grimal (Hrsg.), Der Hellenismus und der Aufstieg Roms,

1965. Weltbild Weltgeschichte Band 6, Die Mittelmeerwelt im Altertum II, 1998, Seite 198.

272 Pierre Grimal (Hrsg.), Der Hellenismus und der Aufstieg Roms, 1965. Weltbild Weltgeschichte Band 6, Die Mittelmeerwelt im Altertum II, 1998, Seite 199.

273 Pierre Grimal (Hrsg.), Der Hellenismus und der Aufstieg Roms, 1965. Weltbild Weltgeschichte Band 6, Die Mittelmeerwelt im Altertum II, 1998, Seite 204.

274 Pierre Grimal (Hrsg.), Der Hellenismus und der Aufstieg Roms, 1965. Weltbild Weltgeschichte Band 6, Die Mittelmeerwelt im Altertum II, 1998, Seite 289.

275 Pierre Grimal (Hrsg.), Der Hellenismus und der Aufstieg Roms, 1965. Weltbild Weltgeschichte Band 6, Die Mittelmeerwelt im Altertum II, 1998, Seite 291.

276 Pierre Grimal (Hrsg.), Der Hellenismus und der Aufstieg Roms, 1965. Weltbild Weltgeschichte Band 6, Die Mittelmeerwelt im Altertum II, 1998, Seite 236.

277 Pierre Grimal (Hrsg.), Der Hellenismus und der Aufstieg Roms, 1965. Weltbild Weltgeschichte Band 6, Die Mittelmeerwelt im Altertum II, 1998, Seite 222.

278 Pierre Grimal (Hrsg.), Der Hellenismus und der Aufstieg Roms, 1965. Weltbild Weltgeschichte Band 6, Die Mittelmeerwelt im Altertum II, 1998, Seite 229.

279 Pierre Grimal (Hrsg.), Der Hellenismus und der Aufstieg Roms, 1965. Weltbild Weltgeschichte Band 6, Die Mittelmeerwelt im Altertum II, 1998, Seite 230.

280 Pierre Grimal (Hrsg.), Der Hellenismus und der Aufstieg Roms, 1965. Weltbild Weltgeschichte Band 6, Die Mittelmeerwelt im Altertum II, 1998, Seite 195.

281 Pierre Grimal (Hrsg.), Der Hellenismus und der Aufstieg Roms, 1965. Weltbild Weltgeschichte Band 6, Die Mittelmeerwelt im Altertum II, 1998, Seite 226.

282 Pierre Grimal (Hrsg.), Der Hellenismus und der Aufstieg Roms, 1965. Weltbild Weltgeschichte Band 6, Die Mittelmeerwelt im Altertum II, 1998, Seite 85.

283 Pierre Grimal (Hrsg.), Der Hellenismus und der Aufstieg Roms, 1965. Weltbild Weltgeschichte Band 6, Die Mittelmeerwelt im Altertum II, 1998, Seite 85.

284 Pierre Grimal (Hrsg.), Der Hellenismus und der Aufstieg Roms, 1965. Weltbild Weltgeschichte Band 6, Die Mittelmeerwelt im Altertum II, 1998, Seite 324.

285 Pierre Grimal (Hrsg.), Der Hellenismus und der Aufstieg Roms, 1965. Weltbild Weltgeschichte Band 6, Die Mittelmeerwelt im Altertum II, 1998, Seite 326.

286 Pierre Grimal (Hrsg.), Der Hellenismus und der Aufstieg Roms, 1965. Weltbild Weltgeschichte Band 6, Die Mittelmeerwelt im Altertum II, 1998, Seite 86.

287 Pierre Grimal (Hrsg.), Der Hellenismus und der Aufstieg Roms, 1965. Weltbild Weltgeschichte Band 6, Die Mittelmeerwelt im Altertum II, 1998, Seite 86.

288 Pierre Grimal (Hrsg.), Der Hellenismus und der Aufstieg Roms, 1965. Weltbild Weltgeschichte Band 6, Die Mittelmeerwelt im Altertum II, 1998, Seite 218.

289 Karl Marx, Das Kapital, Band I, 1867, MEW 23, Seite 143–144.

290 Egon Friedell, Kulturgeschichte des Altertums, 1950 (posthum), 2011, Seite 18.

291 Egon Friedell, Kulturgeschichte des Altertums, 1950 (posthum), 2011, Seite 18.

292 Pierre Grimal (Hrsg.), Der Hellenismus und der Aufstieg Roms, 1965. Weltbild Weltgeschichte Band 6, Die Mittelmeerwelt im Altertum II, 1998, Seite 165.

293 Pierre Grimal (Hrsg.), Der Hellenismus und der Aufstieg Roms, 1965. Weltbild Weltgeschichte Band 6, Die Mittelmeerwelt im Al-

tertum II, 1998, Seite 88.

294 Pierre Grimal (Hrsg.), Der Hellenismus und der Aufstieg Roms, 1965. Weltbild Weltgeschichte Band 6, Die Mittelmeerwelt im Altertum II, 1998, Seite 206.

295 Pierre Grimal (Hrsg.), Der Hellenismus und der Aufstieg Roms, 1965. Weltbild Weltgeschichte Band 6, Die Mittelmeerwelt im Altertum II, 1998, Seite 206. Aber auch Grimal operiert mit Begriffen wie „Rasse", indes mehr im Bedeutungsinhalt von „Volk" oder „Kultur", die hier freilich als ethnisch angenommen und nicht als Überbau eines Produktionsverhältnisses verstanden werden. Vgl. Pierre Grimal (Hrsg.), Der Hellenismus und der Aufstieg Roms, 1965. Weltbild Weltgeschichte Band 6, Die Mittelmeerwelt im Altertum II, 1998, Seite 242.

296 Pierre Grimal (Hrsg.), Der Hellenismus und der Aufstieg Roms, 1965. Weltbild Weltgeschichte Band 6, Die Mittelmeerwelt im Altertum II, 1998, Seite 206.

297 Fergus Millar (Hrsg.), Das Römische Reich und seine Nachbarn, 1966. Weltbild Weltgeschichte Band 8, Die Mittelmeerwelt im Altertum IV, 1998, Seite 157.

298 Pierre Grimal (Hrsg.), Der Hellenismus und der Aufstieg Roms, 1965. Weltbild Weltgeschichte Band 6, Die Mittelmeerwelt im Altertum II, 1998, Seite 206.

299 Pierre Grimal (Hrsg.), Der Hellenismus und der Aufstieg Roms, 1965. Weltbild Weltgeschichte Band 6, Die Mittelmeerwelt im Altertum II, 1998, Seite 248.

300 Pierre Grimal (Hrsg.), Der Hellenismus und der Aufstieg Roms, 1965. Weltbild Weltgeschichte Band 6, Die Mittelmeerwelt im Altertum II, 1998, Seite 206.

301 Pierre Grimal (Hrsg.), Der Hellenismus und der Aufstieg Roms, 1965. Weltbild Weltgeschichte Band 6, Die Mittelmeerwelt im Altertum II, 1998, Seite 209.

302 Pierre Grimal (Hrsg.), Der Hellenismus und der Aufstieg Roms, 1965. Weltbild Weltgeschichte Band 6, Die Mittelmeerwelt im Al-

tertum II, 1998, Seite 209.

303 Pierre Grimal (Hrsg.), Der Hellenismus und der Aufstieg Roms, 1965. Weltbild Weltgeschichte Band 6, Die Mittelmeerwelt im Altertum II, 1998, Seite 209.

304 Pierre Grimal (Hrsg.), Der Hellenismus und der Aufstieg Roms, 1965. Weltbild Weltgeschichte Band 6, Die Mittelmeerwelt im Altertum II, 1998, Seite 261.

305 Pierre Grimal (Hrsg.), Der Hellenismus und der Aufstieg Roms, 1965. Weltbild Weltgeschichte Band 6, Die Mittelmeerwelt im Altertum II, 1998, Seite 251.

306 Pierre Grimal (Hrsg.), Der Hellenismus und der Aufstieg Roms, 1965. Weltbild Weltgeschichte Band 6, Die Mittelmeerwelt im Altertum II, 1998, Seite 251.

307 Pierre Grimal (Hrsg.), Der Hellenismus und der Aufstieg Roms, 1965. Weltbild Weltgeschichte Band 6, Die Mittelmeerwelt im Altertum II, 1998, Seite 152.

308 Pierre Grimal (Hrsg.), Der Hellenismus und der Aufstieg Roms, 1965. Weltbild Weltgeschichte Band 6, Die Mittelmeerwelt im Altertum II, 1998, Seite 283.

309 Pierre Grimal (Hrsg.), Der Hellenismus und der Aufstieg Roms, 1965. Weltbild Weltgeschichte Band 6, Die Mittelmeerwelt im Altertum II, 1998, Seite 237–238.

310 Pierre Grimal (Hrsg.), Der Hellenismus und der Aufstieg Roms, 1965. Weltbild Weltgeschichte Band 6, Die Mittelmeerwelt im Altertum II, 1998, Seite 212–213.

311 Peter Herz, Das Problem der Energieversorgung in der Antike. In: Jürgen Krahl, Josef Löffl (Hrsg.), Strömungen, Band 2, 2015, Seite 72. In dieser Darstellung ab Seite 70 weitere Angaben zu der Rolle des Holzes als strategisches Gut für den Flottenbau Athens.

312 Christopf Ulf, Die Welt der Hellenistischen Staaten. In: Institut für Alte Geschichte an der Universität Innsbruck (Hrsg.), Studienbuch zur Politischen Geschichte des Altertums, 1994, 1999, Seite 89.

313 Vgl. etwa Hermann Bengtson, Griechische Geschichte: Von den Anfängen bis in die römische Kaiserzeit, 1950, 1996, Seite 308.

314 Heinz Heinen, Geschichte des Hellenismus: von Alexander bis Kleopatra, 2003, Seite 56–57.

315 Vgl. etwa Nikolai Wassiljewitsch Gogol, Die toten Seelen oder Tschitschikows Abenteuer, 1842, 1965, Seite 6.

316 Vgl. Franz Mehring, Eine Geschichte der Kriegskunst, 1908. In: Franz Mehring, Gesammelte Schriften, Band 8, 1982, Seite 192.

317 Arthur Rosenberg, Demokratie und Klassenkampf im Altertum, 1921, 2007, Seite 71–72.

318 Heinz Heinen, Geschichte des Hellenismus: von Alexander bis Kleopatra, 2003, Seite 56–57.

319 Wolfgang Harich, Philosophiegeschichte und Geschichtsphilosophie – Vorlesungen, Teilband 1: Von der Antike bis zur Deutschen Aufklärung, Schriften aus dem Nachlass Wolfgang Harichs, Band 6.1., 2015, Seite 131.

320 Vgl. William Woodthorpe Tarn, Die Kultur der hellenistischen Welt, Band 3, 1966, Seite 141 oder für spätere Jahre Ägyptens: Hermann Bengtson, Die hellenistische Weltkultur, 1988, Seite 33.

321 Pierre Grimal (Hrsg.), Der Hellenismus und der Aufstieg Roms, 1965. Weltbild Weltgeschichte Band 6, Die Mittelmeerwelt im Altertum II, 1998, Seite 67–68.

322 Pierre Grimal (Hrsg.), Der Hellenismus und der Aufstieg Roms, 1965. Weltbild Weltgeschichte Band 6, Die Mittelmeerwelt im Altertum II, 1998, Seite 169.

323 Pierre Grimal (Hrsg.), Der Hellenismus und der Aufstieg Roms, 1965. Weltbild Weltgeschichte Band 6, Die Mittelmeerwelt im Altertum II, 1998, Seite 180.

324 Pierre Grimal (Hrsg.), Der Hellenismus und der Aufstieg Roms, 1965. Weltbild Weltgeschichte Band 6, Die Mittelmeerwelt im Altertum II, 1998, Seite 169.

325 Moses I. Finley, Die antike Wirtschaft, 1973, 1977, Seite 75.

326 Moses I. Finley, Die antike Wirtschaft, 1973, 1977, Seite 75–76.

327 Pierre Grimal (Hrsg.), Der Hellenismus und der Aufstieg Roms, 1965. Weltbild Weltgeschichte Band 6, Die Mittelmeerwelt im Altertum II, 1998, Seite 279.

328 Hans-Joachim Gehrke, Helmuth Schneider (Hrsg.), Geschichte der Antike: Quellenband, 2013, Seite 228.

329 Pierre Grimal (Hrsg.), Der Hellenismus und der Aufstieg Roms, 1965. Weltbild Weltgeschichte Band 6, Die Mittelmeerwelt im Altertum II, 1998, Seite 279–280.

330 Pierre Grimal (Hrsg.), Der Hellenismus und der Aufstieg Roms, 1965. Weltbild Weltgeschichte Band 6, Die Mittelmeerwelt im Altertum II, 1998, Seite 305.

331 Moses I. Finley, Die antike Wirtschaft, 1973, 1977, Seite 27.

332 Michael Ivanovitch Rostovtzeff, Die hellenistische Welt, Gesellschaft und Wirtschaft, Band 2, 1955, Seite 720.

333 Pierre Grimal (Hrsg.), Der Hellenismus und der Aufstieg Roms, 1965. Weltbild Weltgeschichte Band 6, Die Mittelmeerwelt im Altertum II, 1998, Seite 137–138.

334 Pierre Grimal (Hrsg.), Der Hellenismus und der Aufstieg Roms, 1965. Weltbild Weltgeschichte Band 6, Die Mittelmeerwelt im Altertum II, 1998, Seite 286.

335 „Fremd-fremde Mehrarbeit“ mag hier stehen für: Mehrarbeit einer anderen Klasse und einer anderen Produktionsweise.

336 Pierre Grimal (Hrsg.), Der Hellenismus und der Aufstieg Roms, 1965. Weltbild Weltgeschichte Band 6, Die Mittelmeerwelt im Altertum II, 1998, Seite 213.

337 Pierre Grimal (Hrsg.), Der Hellenismus und der Aufstieg Roms, 1965. Weltbild Weltgeschichte Band 6, Die Mittelmeerwelt im Altertum II, 1998, Seite 280.

338 Vgl. zu dem Gegensatz zwischen dem Individuellen und dem Persönlichen: Martin Seelos, Franz Kafka und das feudale Prinzip, 2017.

339 Pierre Grimal (Hrsg.), Der Aufbau des römischen Reiches, 1966. Weltbild Weltgeschichte Band 7, Die Mittelmeerwelt im Altertum III, 1998, Seite 13.

340 Pierre Grimal (Hrsg.), Der Hellenismus und der Aufstieg Roms, 1965. Weltbild Weltgeschichte Band 6, Die Mittelmeerwelt im Altertum II, 1998, Seite 188–189.

341 Pierre Grimal (Hrsg.), Der Hellenismus und der Aufstieg Roms, 1965. Weltbild Weltgeschichte Band 6, Die Mittelmeerwelt im Altertum II, 1998, Seite 189.

342 Pierre Grimal (Hrsg.), Der Hellenismus und der Aufstieg Roms, 1965. Weltbild Weltgeschichte Band 6, Die Mittelmeerwelt im Altertum II, 1998, Seite 205.

343 Pierre Grimal (Hrsg.), Der Hellenismus und der Aufstieg Roms, 1965. Weltbild Weltgeschichte Band 6, Die Mittelmeerwelt im Altertum II, 1998, Seite 208–209.

344 Pierre Grimal (Hrsg.), Der Hellenismus und der Aufstieg Roms, 1965. Weltbild Weltgeschichte Band 6, Die Mittelmeerwelt im Altertum II, 1998, Seite 177.

345 Pierre Grimal (Hrsg.), Der Hellenismus und der Aufstieg Roms, 1965. Weltbild Weltgeschichte Band 6, Die Mittelmeerwelt im Altertum II, 1998, Seite 177.

346 Pierre Grimal (Hrsg.), Der Hellenismus und der Aufstieg Roms, 1965. Weltbild Weltgeschichte Band 6, Die Mittelmeerwelt im Altertum II, 1998, Seite 177.

347 Pierre Grimal (Hrsg.), Der Hellenismus und der Aufstieg Roms, 1965. Weltbild Weltgeschichte Band 6, Die Mittelmeerwelt im Altertum II, 1998, Seite 177–178.

348 Pierre Grimal (Hrsg.), Der Hellenismus und der Aufstieg Roms, 1965. Weltbild Weltgeschichte Band 6, Die Mittelmeerwelt im Al-

tertum II, 1998, Seite 178.

349 Pierre Grimal (Hrsg.), Der Hellenismus und der Aufstieg Roms, 1965. Weltbild Weltgeschichte Band 6, Die Mittelmeerwelt im Altertum II, 1998, Seite 178.

350 Pierre Grimal (Hrsg.), Der Hellenismus und der Aufstieg Roms, 1965. Weltbild Weltgeschichte Band 6, Die Mittelmeerwelt im Altertum II, 1998, Seite 178.

351 Pierre Grimal (Hrsg.), Der Hellenismus und der Aufstieg Roms, 1965. Weltbild Weltgeschichte Band 6, Die Mittelmeerwelt im Altertum II, 1998, Seite 178.

352 Pierre Grimal (Hrsg.), Der Hellenismus und der Aufstieg Roms, 1965. Weltbild Weltgeschichte Band 6, Die Mittelmeerwelt im Altertum II, 1998, Seite 179–180.

353 Pierre Grimal (Hrsg.), Der Hellenismus und der Aufstieg Roms, 1965. Weltbild Weltgeschichte Band 6, Die Mittelmeerwelt im Altertum II, 1998, Seite 180.

354 Pierre Grimal (Hrsg.), Der Hellenismus und der Aufstieg Roms, 1965. Weltbild Weltgeschichte Band 6, Die Mittelmeerwelt im Altertum II, 1998, Seite 180.

355 Pierre Grimal (Hrsg.), Der Aufbau des römischen Reiches, 1966. Weltbild Weltgeschichte Band 7, Die Mittelmeerwelt im Altertum III, 1998, Seite 94.

356 Pierre Grimal (Hrsg.), Der Aufbau des römischen Reiches, 1966. Weltbild Weltgeschichte Band 7, Die Mittelmeerwelt im Altertum III, 1998, Seite 94.

357 Pierre Grimal (Hrsg.), Der Aufbau des römischen Reiches, 1966. Weltbild Weltgeschichte Band 7, Die Mittelmeerwelt im Altertum III, 1998, Seite 93–94.

358 Pierre Grimal (Hrsg.), Der Hellenismus und der Aufstieg Roms, 1965. Weltbild Weltgeschichte Band 6, Die Mittelmeerwelt im Altertum II, 1998, Seite 180.

359 Pierre Grimal (Hrsg.), Der Hellenismus und der Aufstieg Roms, 1965. Weltbild Weltgeschichte Band 6, Die Mittelmeerwelt im Altertum II, 1998, Seite 180.

360 Pierre Grimal (Hrsg.), Der Hellenismus und der Aufstieg Roms, 1965. Weltbild Weltgeschichte Band 6, Die Mittelmeerwelt im Altertum II, 1998, Seite 180.

361 Pierre Grimal (Hrsg.), Der Hellenismus und der Aufstieg Roms, 1965. Weltbild Weltgeschichte Band 6, Die Mittelmeerwelt im Altertum II, 1998, Seite 180.

362 Pierre Grimal (Hrsg.), Der Hellenismus und der Aufstieg Roms, 1965. Weltbild Weltgeschichte Band 6, Die Mittelmeerwelt im Altertum II, 1998, Seite 181.

363 Pierre Grimal (Hrsg.), Der Hellenismus und der Aufstieg Roms, 1965. Weltbild Weltgeschichte Band 6, Die Mittelmeerwelt im Altertum II, 1998, Seite 182.

364 Pierre Grimal (Hrsg.), Der Hellenismus und der Aufstieg Roms, 1965. Weltbild Weltgeschichte Band 6, Die Mittelmeerwelt im Altertum II, 1998, Seite 182.

365 Pierre Grimal (Hrsg.), Der Hellenismus und der Aufstieg Roms, 1965. Weltbild Weltgeschichte Band 6, Die Mittelmeerwelt im Altertum II, 1998, Seite 287–288.

366 Pierre Grimal (Hrsg.), Der Aufbau des römischen Reiches, 1966. Weltbild Weltgeschichte Band 7, Die Mittelmeerwelt im Altertum III, 1998, Seite 67.

367 Vgl. auch die m. E. empfehlenswerte Darstellung: Christian Mileta, Der König und sein Land: Untersuchungen zur Herrschaft der hellenistischen Monarchen über das königliche Gebiet Kleinasiens und seine Bevölkerung, 2008, Seite 13 f – hier allgemein und nicht explizit zu dem Fall Pergamons. Mileta weist übrigens auch die These zurück, die Bauerngemeinschaften im hellenistischen Osten wären in einer dem Feudalismus vergleichbaren Lage als Leibeigene: „Nach der lange Zeit unbestrittenen communis opinio hatten die bäuerlich-indigenen Bewohner des königlichen Gebietes keiner-

lei Rechte an dem Land, das sie selbst seit unvordenklichen Zeiten bebauten und als Eigentum ihrer Familien behandelten. Vielmehr seien sie, ähnlich den Bauern des westlichen Mittelalters, nur leibeigene Pächter der Könige bzw. der Grundherren gewesen, die Land von den Monarchen erhalten hatten. Als Leibeigene, die zudem an den Boden bzw. an ihre Dorfgemeinden gebunden waren, hätten die indigenen Bauern einen in juristischer und sozialer Hinsicht homogenen Stand mit der offiziellen, mindestens aber offiziösen Bezeichnung (. . .) (‚Leute', ‚Königsleute') gebildet. Sie seien somit die Vorläufer der spätantiken Kolonen gewesen." – Christian Mileta, Der König und sein Land: Untersuchungen zur Herrschaft der hellenistischen Monarchen über das königliche Gebiet Kleinasiens und seine Bevölkerung, 2008, Seite 111 ff. Mileta arbeitet auch den Gegensatz zwischen poleis und chora im Hellenismus heraus. M. E. steht der Begriff chora im klassischen Griechenland für etwas anderes als in Mesopotamien der hellenistischen Zeit: nicht mehr das Umland einer Stadt, sondern Territorium.

368 Pierre Grimal (Hrsg.), Der Hellenismus und der Aufstieg Roms, 1965. Weltbild Weltgeschichte Band 6, Die Mittelmeerwelt im Altertum II, 1998, Seite 67–68.

369 Pierre Grimal (Hrsg.), Der Aufbau des römischen Reiches, 1966. Weltbild Weltgeschichte Band 7, Die Mittelmeerwelt im Altertum III, 1998, Seite 13.

370 Vgl. Robert Graves, Seven Days in New Crete, 1952.

371 Moses I. Finley, Die antike Wirtschaft, 1973, 1977, Seite 46.

372 Peter Apathy, Georg Klingenberg, Martin Pennitz, Einführung in das römische Recht, 1994, 2016, Seite 13.

373 Vgl. Peter Apathy, Georg Klingenberg, Martin Pennitz, Einführung in das römische Recht, 1994, 2016, Seite 5–10.

374 Gunter Pirntke, Geschichte des Rechts und der Wirtschaft: Vorlesungsskripte, 2016, ohne Paginierung.

375 Walther Sontheimer, Konrat Ziegler, Der Kleine Pauly, Band 4, 1972, Seite 1351.

376 Magnus Schlette, Die Selbst(er)findung des Neuen Menschen: zur Entstehung narrativer Identitätsmuster im Pietismus, Studien zur Umwelt des Neuen Testaments, Forschungen zur systematischen und ökumenischen Theologie, Band 106, 2005, Seite 105.

377 Viktor Korošec, Keilschriftrecht. In: Bertold Spuler (Hrsg.), Handbuch der Orientalistik, Ergänzungsband 3: Orientalisches Recht, 1964, Seite 58.

378 Viktor Korošec, Keilschriftrecht. In: Bertold Spuler (Hrsg.), Handbuch der Orientalistik, Ergänzungsband 3: Orientalisches Recht, 1964, Seite 60.

379 Hans Neumann, Einheimische Tradition und interkulturell bedingter Wandel in den babylonischen Rechtsverhältnissen der hellenistischen Zeit. In: Robert Rollinger, Heinz Barta, Martin Lang (Hrsg.), Rechtsgeschichte und Interkulturalität. Zum Verhältnis des östlichen Mittelmeerraums und »Europas« im Altertum, Philippika 19, 2007, Seite 126. In dieser Darstellung finden sich viele interessante Hinweise zur Eigentumsstruktur in Mesopotamien.

380 Vgl. Fergus Millar (Hrsg.), Das Römische Reich und seine Nachbarn, 1966. Weltbild Weltgeschichte Band 8, Die Mittelmeerwelt im Altertum IV, 1998, Seite 41.

381 Vgl. Fergus Millar (Hrsg.), Das Römische Reich und seine Nachbarn, 1966. Weltbild Weltgeschichte Band 8, Die Mittelmeerwelt im Altertum IV, 1998, Seite 22–28.

382 Pierre Grimal (Hrsg.), Der Aufbau des römischen Reiches, 1966. Weltbild Weltgeschichte Band 7, Die Mittelmeerwelt im Altertum III, 1998, Seite 49–50.

383 Vgl. Fergus Millar (Hrsg.), Das Römische Reich und seine Nachbarn, 1966. Weltbild Weltgeschichte Band 8, Die Mittelmeerwelt im Altertum IV, 1998, Seite 129 ff.

384 Fergus Millar (Hrsg.), Das Römische Reich und seine Nachbarn, 1966. Weltbild Weltgeschichte Band 8, Die Mittelmeerwelt im Altertum IV, 1998, Seite 174.

385 Fergus Millar (Hrsg.), Das Römische Reich und seine Nachbarn,

1966. Weltbild Weltgeschichte Band 8, Die Mittelmeerwelt im Altertum IV, 1998, Seite 177.

386 Fergus Millar (Hrsg.), Das Römische Reich und seine Nachbarn, 1966. Weltbild Weltgeschichte Band 8, Die Mittelmeerwelt im Altertum IV, 1998, Seite 20. Ebendort auf Seite 24 Details zu den tesserae.

387 Vgl. zu dem Begriff „politischer Staat“: Karl Marx, Zur Judenfrage, 1843, MEW 1.

388 Vgl. Fergus Millar (Hrsg.), Das Römische Reich und seine Nachbarn, 1966. Weltbild Weltgeschichte Band 8, Die Mittelmeerwelt im Altertum IV, 1998, Seite 45 ff.

389 Pierre Grimal (Hrsg.), Der Hellenismus und der Aufstieg Roms, 1965. Weltbild Weltgeschichte Band 6, Die Mittelmeerwelt im Altertum II, 1998, Seite 105–106.

390 Pierre Grimal (Hrsg.), Der Hellenismus und der Aufstieg Roms, 1965. Weltbild Weltgeschichte Band 6, Die Mittelmeerwelt im Altertum II, 1998, Seite 125.

391 Pierre Grimal (Hrsg.), Der Hellenismus und der Aufstieg Roms, 1965. Weltbild Weltgeschichte Band 6, Die Mittelmeerwelt im Altertum II, 1998, Seite 107.

392 Pierre Grimal (Hrsg.), Der Hellenismus und der Aufstieg Roms, 1965. Weltbild Weltgeschichte Band 6, Die Mittelmeerwelt im Altertum II, 1998, Seite 107.

393 Pierre Grimal (Hrsg.), Der Hellenismus und der Aufstieg Roms, 1965. Weltbild Weltgeschichte Band 6, Die Mittelmeerwelt im Altertum II, 1998, Seite 319:

394 Hier wird die in der Literatur nur zum Teil gebräuchliche, weitgespannte Definition des Bürgerkrieges verwendet, der bereits im Jahre 137 und nicht erst 88 v. Chr. begann und zwei Phasen aufweist: die gewaltsame und jedenfalls nicht verfassungskonforme Auseinandersetzung zwischen den Klassen und Ständen und die darauffolgende und damit zusammenhängende militärische Konfrontation zwischen unterschiedlichen Prätendenten für die Staats-

spitze.

395 Pierre Grimal (Hrsg.), Der Aufbau des römischen Reiches, 1966. Weltbild Weltgeschichte Band 7, Die Mittelmeerwelt im Altertum III, 1998, Seite 18:

396 Moses I. Finley, Die antike Wirtschaft, 1973, 1977, Seite 48 ff.

397 Vgl. dazu etwa: Fergus Millar (Hrsg.), Das Römische Reich und seine Nachbarn, 1966. Weltbild Weltgeschichte Band 8, Die Mittelmeerwelt im Altertum IV, 1998, Seite 35.

398 Vgl. Real-Encyclopädie der classischen Alterthumswissenschaft in alphabetischer Ordnung, 1852, Seite 2094.

399 Pierre Grimal (Hrsg.), Der Hellenismus und der Aufstieg Roms, 1965. Weltbild Weltgeschichte Band 6, Die Mittelmeerwelt im Altertum II, 1998, Seite 318.

400 Eberhard Ruschenbusch, Die frühen römischen Annalisten: Untersuchungen zur Geschichtsschreibung des 2. Jahrhunderts v. Chr., Marburger altertumskundliche Abhandlungen, Band 2, 2004, Seite 41.

401 Andreas Graeber, Auctoritas patrum: Formen und Wege der Senatsherrschaft zwischen Politik und Tradition. Schriftenreihe der Juristischen Fakultät der Europa-Universität Viadrina Frankfurt (Oder), 2001, Seite 91.

402 Pierre Grimal (Hrsg.), Der Hellenismus und der Aufstieg Roms, 1965. Weltbild Weltgeschichte Band 6, Die Mittelmeerwelt im Altertum II, 1998, Seite 125–126.

403 Pierre Grimal (Hrsg.), Der Hellenismus und der Aufstieg Roms, 1965. Weltbild Weltgeschichte Band 6, Die Mittelmeerwelt im Altertum II, 1998, Seite 126.

404 Zu der neuen Kolonie “Narbo Martius” vgl. z.B.: Pierre Grimal (Hrsg.), Der Aufbau des römischen Reiches, 1966. Weltbild Weltgeschichte Band 7, Die Mittelmeerwelt im Altertum III, 1998, Seite 123 f.

405 Christian Pfister, Sizilien – eine Entwicklungsregion im Spiegel ihrer Wirtschaftsgeschichte. In: Geographica Helvetica 25 / 4 (1970), Seite 175.

406 John Haywood, Der neue Atlas der Weltgeschichte: von der Antike bis zur Gegenwart, 2002, Seite 34.

407 Christian Pfister, Sizilien – eine Entwicklungsregion im Spiegel ihrer Wirtschaftsgeschichte. In: Geographica Helvetica 25 / 4 (1970), Seite 175.

408 Pierre Grimal (Hrsg.), Der Hellenismus und der Aufstieg Roms, 1965. Weltbild Weltgeschichte Band 6, Die Mittelmeerwelt im Altertum II, 1998, Seite 317–318.

409 Pierre Grimal (Hrsg.), Der Hellenismus und der Aufstieg Roms, 1965. Weltbild Weltgeschichte Band 6, Die Mittelmeerwelt im Altertum II, 1998, Seite 318.

410 Vgl. Theodor Mommsen, Römische Geschichte, 1. Band, 3. Buch, 12. Kapitel, 1854.

411 Pierre Grimal (Hrsg.), Der Aufbau des römischen Reiches, 1966. Weltbild Weltgeschichte Band 7, Die Mittelmeerwelt im Altertum III, 1998, Seite 113.

412 Pierre Grimal (Hrsg.), Der Aufbau des römischen Reiches, 1966. Weltbild Weltgeschichte Band 7, Die Mittelmeerwelt im Altertum III, 1998, Seite 114.

413 Pierre Grimal (Hrsg.), Der Aufbau des römischen Reiches, 1966. Weltbild Weltgeschichte Band 7, Die Mittelmeerwelt im Altertum III, 1998, Seite 157.

414 Pierre Grimal (Hrsg.), Der Aufbau des römischen Reiches, 1966. Weltbild Weltgeschichte Band 7, Die Mittelmeerwelt im Altertum III, 1998, Seite 157.

415 Moses I. Finley, Die antike Wirtschaft, 1973, 1977, Seite 81–82.

416 Moses I. Finley, Die antike Wirtschaft, 1973, 1977, Seite 103–104. Finleys ökonomisch unreife Passage – „Die Schuld an dem steigen-

den Geldbedarf kann man auf den ersten Blick jenem ehernen Gesetz absolutistischer Bürokratie zusprechen, das besagt, sie wachse von selbst in ihrem Umfang und ihren Ansprüchen an den Lebensstil.“ (Seite 104) – soll hier nicht empirisch bewertet werden. Selbstverständlich gibt es ein solches ehernes Gesetz nicht bzw. es wäre so formuliert nichtssagend. Die relevante Frage ist eher: Wurde Münze ohne Gegenwert geschlagen, wurde der Edelmetallwert der Münze gestreckt – beides mit vermutlich inflationären Folgen, oder stieg die Staatsquote am Gesamtprodukt tatsächlich und nicht nur die absoluten Staatsausgaben oder, was wiederum nicht dasselbe ist, die Ausbeutungsrate?

417 Franz Georg Maier (Hrsg.), Die Verwandlung der Mittelmeerwelt,1968. Weltbild Weltgeschichte Band 9, 1998, Seite 79.

418 Franz Georg Maier (Hrsg.), Die Verwandlung der Mittelmeerwelt,1968. Weltbild Weltgeschichte Band 9, 1998, Seite 80.

419 Einige interessante Hinweise finden sich in: Peter Hassel, Marxistische Formationstheorie und der Untergang Westroms. In: Alexander Fischer, Günther Heydemann (Hrsg.), Geschichtswissenschaft in der DDR: Vor- und Frühgeschichte bis Neueste Geschichte, 1990, Seite 81 ff.

420 Max Weber, Die sozialen Gründe des Untergangs der antiken Kultur, 1896. In: Marianne Weber (Hrsg.), Max Weber: Gesammelte Aufsätze zur Sozial- und Wirtschaftsgeschichte, 1924, 1988, Seite 288.

421 Vgl. zu Arabien: Pierre Grimal (Hrsg.), Der Hellenismus und der Aufstieg Roms, 1965. Weltbild Weltgeschichte Band 6, Die Mittelmeerwelt im Altertum II, 1998, Seite 292 ff.

422 Fergus Millar (Hrsg.), Das Römische Reich und seine Nachbarn, 1966. Weltbild Weltgeschichte Band 8, Die Mittelmeerwelt im Altertum IV, 1998, Seite 116.

423 Hans Delbrück, Geschichte der Kriegskunst im Rahmen der politischen Geschichte, Zweiter Teil, 1902, 1921, Seite 3.

424 Hans Delbrück, Geschichte der Kriegskunst im Rahmen der politi-

schen Geschichte, Zweiter Teil, 1902, 1921, Seite 4.

425 Hans Delbrück, Geschichte der Kriegskunst im Rahmen der politischen Geschichte, Zweiter Teil, 1902, 1921, Seite 4.

426 Hans Delbrück, Geschichte der Kriegskunst im Rahmen der politischen Geschichte, Zweiter Teil, 1902, 1921, Seite 5.

427 Hans Delbrück, Geschichte der Kriegskunst im Rahmen der politischen Geschichte, Zweiter Teil, 1902, 1921, Seite 5.

428 Ein Beispiel: Michael Stolleis, Dieter Simon (Hrsg.), Rechtsgeschichte im Nationalsozialismus: Beiträge zur Geschichte einer Disziplin, 1989.

429 Vgl. Franz Mehring, Eine Geschichte der Kriegskunst, 1908. In: Franz Mehring, Gesammelte Schriften, Band 8, 1982. In dem Kapitel 5, Die Schlacht im Teutoburger Wald, zitiert Mehring ausgiebig und zustimmend aus Delbrücks Geschichte der Kriegskunst im Rahmen der politischen Geschichte.

430 Moses I. Finley, Die antike Wirtschaft, 1973, 1977, Seite 97.

431 Hans-Joachim Diesner, Kriege des Altertums, 1971, 1989, Seite 174.

432 Karl Marx, Grundrisse der Kritik der politischen Ökonomie, 1858, MEW 42, Seite 507.

433 Moses I. Finley, Die antike Wirtschaft, 1973, 1977, Seite 97.

434 Hans-Joachim Diesner, Kriege des Altertums, 1971, 1989, Seite 185.

435 Zur Integration der „Barbaren“ in die regulären Einheiten vgl. z.B.: Hans-Joachim Diesner, Kriege des Altertums, 1971, 1989, Seite 199.

436 Hans-Joachim Diesner, Kriege des Altertums, 1971, 1989, Seite 195.

437 Hans-Joachim Diesner, Kriege des Altertums, 1971, 1989, Seite 195–196.

438 Hans-Joachim Diesner, Kriege des Altertums, 1971, 1989, Seite 203.

439 Hans-Joachim Diesner, Kriege des Altertums, 1971, 1989, Seite 209.

440 Hans-Joachim Diesner, Kriege des Altertums, 1971, 1989, Seite 139.

441 Hans-Joachim Diesner, Kriege des Altertums, 1971, 1989, Seite 209–211.

442 Max Weber, Die sozialen Gründe des Untergangs der antiken Kultur, 1896. In: Marianne Weber (Hrsg.), Max Weber: Gesammelte Aufsätze zur Sozial- und Wirtschaftsgeschichte, 1924, 1988, Seite 296.

443 Max Weber, Die sozialen Gründe des Untergangs der antiken Kultur, 1896. In: Marianne Weber (Hrsg.), Max Weber: Gesammelte Aufsätze zur Sozial- und Wirtschaftsgeschichte, 1924, 1988, Seite 296.

444 Max Weber, Die sozialen Gründe des Untergangs der antiken Kultur, 1896. In: Marianne Weber (Hrsg.), Max Weber: Gesammelte Aufsätze zur Sozial- und Wirtschaftsgeschichte, 1924, 1988, Seite 299.

445 Moses I. Finley, Die antike Wirtschaft, 1973, 1977, Seite 99.

446 Moses I. Finley, Die antike Wirtschaft, 1973, 1977, Seite 99–100.

447 Moses I. Finley, Die antike Wirtschaft, 1973, 1977, Seite 100.

448 Moses I. Finley, Die antike Wirtschaft, 1973, 1977, Seite 101.

449 Vgl. Moses I. Finley, Die antike Wirtschaft, 1973, 1977, Seite 102.

450 Moses I. Finley, Die antike Wirtschaft, 1973, 1977, Seite 102.

451 Moses I. Finley, Die antike Wirtschaft, 1973, 1977, Seite 103.

452 Moses I. Finley, Die antike Wirtschaft, 1973, 1977, Seite 103.

453 Moses I. Finley, Die antike Wirtschaft, 1973, 1977, Seite 183.

454 Fergus Millar (Hrsg.), Das Römische Reich und seine Nachbarn, 1966. Weltbild Weltgeschichte Band 8, Die Mittelmeerwelt im Altertum IV, 1998, Seite 215.

455 Fergus Millar (Hrsg.), Das Römische Reich und seine Nachbarn, 1966. Weltbild Weltgeschichte Band 8, Die Mittelmeerwelt im Altertum IV, 1998, Seite 215.

456 Fergus Millar (Hrsg.), Das Römische Reich und seine Nachbarn, 1966. Weltbild Weltgeschichte Band 8, Die Mittelmeerwelt im Altertum IV, 1998, Seite 217–218.

457 Fergus Millar (Hrsg.), Das Römische Reich und seine Nachbarn, 1966. Weltbild Weltgeschichte Band 8, Die Mittelmeerwelt im Altertum IV, 1998, Seite 231–232.

458 Max Weber, Die sozialen Gründe des Untergangs der antiken Kultur, 1896. In: Marianne Weber (Hrsg.), Max Weber: Gesammelte Aufsätze zur Sozial- und Wirtschaftsgeschichte, 1924, 1988, Seite 291.

459 Moses I. Finley, Die antike Wirtschaft, 1973, 1977, Seite 182.

460 Moses I. Finley, Die antike Wirtschaft, 1973, 1977, Seite 182.

461 Zu dem historischen Gegensatz zwischen Individuum und Persönlichem vgl. z.B.: Martin Seelos, Franz Kafka und das feudale Prinzip, 2017.

462 Vgl. Fergus Millar (Hrsg.), Das Römische Reich und seine Nachbarn, 1966. Weltbild Weltgeschichte Band 8, Die Mittelmeerwelt im Altertum IV, 1998, Seite 233.

463 Vgl. Franz Georg Maier (Hrsg.), Die Verwandlung der Mittelmeerwelt, 1968. Weltbild Weltgeschichte Band 9, 1998, Seite 82.

464 Franz Georg Maier (Hrsg.), Die Verwandlung der Mittelmeerwelt, 1968. Weltbild Weltgeschichte Band 9, 1998, Seite 89.

465 Franz Georg Maier (Hrsg.), Die Verwandlung der Mittelmeerwelt, 1968. Weltbild Weltgeschichte Band 9, 1998, Seite 90.

466 Franz Georg Maier (Hrsg.), Die Verwandlung der Mittelmeerwelt, 1968. Weltbild Weltgeschichte Band 9, 1998, Seite 90.

467 Da mir Staermans Arbeit nicht vorliegt, müssen wir uns auf die Besprechung bei Peter Hassel verlassen: Peter Hassel, Marxistische Formationstheorie und der Untergang Westroms. In: Alexander Fischer, Günther Heydemann (Hrsg.), Geschichtswissenschaft in der DDR. Band II: Vor- und Frühgeschichte bis Neueste Geschichte, Schriftenreihe der Gesellschaft für Deutschlandforschung, Bd. 25, 1990, Seite 85 ff.

468 Moses I. Finley, Die antike Wirtschaft, 1973, 1977, Seite 126.

469 Franz Georg Maier (Hrsg.), Die Verwandlung der Mittelmeerwelt, 1968. Weltbild Weltgeschichte Band 9, 1998, Seite 82.

470 Vgl. Franz Georg Maier (Hrsg.), Die Verwandlung der Mittelmeerwelt,1968. Weltbild Weltgeschichte Band 9, 1998, Seite 80.

471 Franz Georg Maier (Hrsg.), Die Verwandlung der Mittelmeerwelt, 1968. Weltbild Weltgeschichte Band 9, 1998, Seite 86.

472 Franz Georg Maier (Hrsg.), Die Verwandlung der Mittelmeerwelt, 1968. Weltbild Weltgeschichte Band 9, 1998, Seite 87 ff und 77 ff.

473 Franz Georg Maier (Hrsg.), Die Verwandlung der Mittelmeerwelt, 1968. Weltbild Weltgeschichte Band 9, 1998, Seite 87.

474 Franz Georg Maier (Hrsg.), Die Verwandlung der Mittelmeerwelt, 1968. Weltbild Weltgeschichte Band 9, 1998, Seite 88.

475 Vgl. Franz Georg Maier (Hrsg.), Die Verwandlung der Mittelmeerwelt,1968. Weltbild Weltgeschichte Band 9, 1998, Seite 90.

476 Moses I. Finley, Die antike Wirtschaft, 1973, 1977, Seite 105.

477 Moses I. Finley, Die antike Wirtschaft, 1973, 1977, Seite 125.

478 Moses I. Finley, Die antike Wirtschaft, 1973, 1977, Seite 106.

479 Moses I. Finley, Die antike Wirtschaft, 1973, 1977, Seite 106–107.

480 Moses I. Finley, Die antike Wirtschaft, 1973, 1977, Seite 107.

481 Moses I. Finley, Die antike Wirtschaft, 1973, 1977, Seite, Seite 107.

482 Moses I. Finley, Die antike Wirtschaft, 1973, 1977, Seite, 107–198.

483 Franz Georg Maier (Hrsg.), Die Verwandlung der Mittelmeerwelt, 1968. Weltbild Weltgeschichte Band 9, 1998, Seite 84.

484 Franz Georg Maier (Hrsg.), Die Verwandlung der Mittelmeerwelt, 1968. Weltbild Weltgeschichte Band 9, 1998, Seite 82.

485 Franz Georg Maier (Hrsg.), Die Verwandlung der Mittelmeerwelt, 1968. Fischer Weltgeschichte Band 9, 1992, Seite 82.

486 Vgl. Franz Georg Maier (Hrsg.), Die Verwandlung der Mittelmeerwelt, 1968. Weltbild Weltgeschichte Band 9, 1998, Seite 84 zu der Lage in Ostrom.

487 Karl Marx, Vorwort zu Kritik der Politischen Ökonomie, 1859, MEW 13, Seite 9.

488 Es ist hier nicht der passende Ort, um auf die Unterschiede beider einzugehen. Neben unzähligen Darstellungen zu diesem Thema sei auch auf folgende verwiesen: Martin Seelos, Negation des Eigentums, 2017 und in diesem Buch die Kapitel 7 bis 10.

489 Codex Theodosianus, 5,17,1 (332). Zitiert in: Peter Roth, Die Steuergeschichte des Römischen Reiches, 2016, Seite 35.

490 Friedrich Jaeger (Hrsg.), Enzyklopädie der Neuzeit: Band 8: Manufaktur–Naturgeschichte, 2008, Seite 3.

491 Karl Marx, Vorwort zu Kritik der Politischen Ökonomie, 1859, MEW 13, Seite 9.

492 Karl Marx, Vorwort zu Kritik der Politischen Ökonomie, 1859, MEW 13, Seite 9.

493 Pierre Grimal (Hrsg.), Der Hellenismus und der Aufstieg Roms, 1965. Weltbild Weltgeschichte Band 6, Die Mittelmeerwelt im Altertum II, 1998, Seite 306.

494 Pierre Grimal (Hrsg.), Der Hellenismus und der Aufstieg Roms, 1965. Weltbild Weltgeschichte Band 6, Die Mittelmeerwelt im Al-

tertum II, 1998, Seite 306.

495 Pierre Grimal (Hrsg.), Der Hellenismus und der Aufstieg Roms, 1965. Weltbild Weltgeschichte Band 6, Die Mittelmeerwelt im Altertum II, 1998, Seite 307.

496 Pierre Grimal (Hrsg.), Der Hellenismus und der Aufstieg Roms, 1965. Weltbild Weltgeschichte Band 6, Die Mittelmeerwelt im Altertum II, 1998, Seite 313.

497 Pierre Grimal (Hrsg.), Der Aufbau des römischen Reiches, 1966. Weltbild Weltgeschichte Band 7, Die Mittelmeerwelt im Altertum III, 1998, Seite 118.

498 Hans-Joachim Diesner, Kriege des Altertums, 1971, 1989, Seite 134.

499 Moses I. Finley, Die antike Wirtschaft, 1973, 1977, Seite 16.

500 Hans-Joachim Diesner, Kriege des Altertums, 1971, 1989, Seite 132.

501 Hans-Joachim Diesner, Kriege des Altertums, 1971, 1989, Seite 133.

502 Moses I. Finley, Die antike Wirtschaft, 1973, 1977, Seite 73.

503 Moses I. Finley, Die antike Wirtschaft, 1973, 1977, Seite 102.

504 Moses I. Finley, Die antike Wirtschaft, 1973, 1977, Seite 90.

505 Fergus Millar (Hrsg.), Das Römische Reich und seine Nachbarn, 1966. Weltbild Weltgeschichte Band 8, Die Mittelmeerwelt im Altertum IV, 1998, Seite 75.

506 Vgl. Barthold Georg Niebuhr, Römische Geschichte von dem ersten punischen Kriege bis zum Tode Constantins, 2. Band, 1811–1832, 1845, Seite 428.

507 Fergus Millar (Hrsg.), Das Römische Reich und seine Nachbarn, 1966. Weltbild Weltgeschichte Band 8, Die Mittelmeerwelt im Altertum IV, 1998, Seite 180.

508 Vgl. die Polemik gegen Thomas Robert Malthus bei: Karl Marx, Grundrisse der Kritik der politischen Ökonomie, 1858, MEW 42, Seite 505–511.

509 Fergus Millar (Hrsg.), Das Römische Reich und seine Nachbarn, 1966. Weltbild Weltgeschichte Band 8, Die Mittelmeerwelt im Altertum IV, 1998, Seite 179–180.

510 Ernst Schönbauer, Beiträge zur Geschichte des Bergbaurechts. Münchener Beiträge zur Papyrusforschung und antiken Rechtsgeschichte, 12. Heft, 1929, Seite 38.

511 Ernst Schönbauer, Beiträge zur Geschichte des Bergbaurechts. Münchener Beiträge zur Papyrusforschung und antiken Rechtsgeschichte, 12. Heft, 1929, Seite 38.

512 Michael Rostovtzeff, Studien zur Geschichte des Römischen Kolonates. Erstes Beiheft zum Archiv der Papyrusforschung und verwandte Gebiete. 1910, Seite 382.

513 Franz Georg Maier (Hrsg.), Die Verwandlung der Mittelmeerwelt, 1968. Weltbild Weltgeschichte Band 9, 1998, Seite 80–81.

514 Franz Georg Maier (Hrsg.), Die Verwandlung der Mittelmeerwelt, 1968. Weltbild Weltgeschichte Band 9, 1998, Seite 81.

515 Franz Georg Maier (Hrsg.), Die Verwandlung der Mittelmeerwelt, 1968. Weltbild Weltgeschichte Band 9, 1998, Seite 82.

516 Vgl. die langjährige Forschungsarbeit der University of Groningen zu diesem Thema: https://www.rug.nl/ggdc/productivity/pwt/ (30.1.2019), oder im Detail: https://ourworldindata.org, Chart „Productivity per hour worked“ (30.1.2019).

517 Moses I. Finley, Die antike Wirtschaft, 1973, 1977, Seite 19.

518 Raymond Descat, Die antike Wirtschaft und die griechische Polis. Diskussion eines Modells. In: Trivium Revue franco-allemande de sciences humaines et sociales - Deutsch-französische Zeitschrift für Geistes und Sozialwissenschaften, Nr. 24, 2016, Seite 1–2.

519 Raymond Descat, Die antike Wirtschaft und die griechische Polis.

Diskussion eines Modells. In: Trivium Revue franco-allemande de sciences humaines et sociales - Deutsch-französische Zeitschrift für Geistes und Sozialwissenschaften, Nr. 24, 2016, Seite 2.

520 Karl Marx, Einleitung [zur Kritik der Politischen Ökonomie], 1857, MEW 13, Seite 636.

521 Karl Marx, Einleitung [zur Kritik der Politischen Ökonomie], 1857, MEW 13, Seite 636.

522 Moses I. Finley, Die antike Wirtschaft, 1973, 1977, Seite 19.

523 Karl Marx, Einleitung [zur Kritik der Politischen Ökonomie], 1857, MEW 13, Seite 636.

524 Sitta von Reden, Antike Wirtschaft. Enzyklopädie der griechisch-römischen Antike, Band 10, 2015, Seite 5. Vgl. zum Beispiel auch: Frank Kolb (Hrsg.), Chora und Polis, 2004. Vgl. auch: https://www.hsozkult.de/conferencereport/id/tagungsberichte-5402 (11.9.2018).

525 Vgl. etwa François Furets Wirkung auf die Revolutionsgeschichtsschreibung bei Hans-Ulrich Thamer, Die Französische Revolution, 2004, 2009 und Ernst Schulin, Französische Revolution, 1988 mit Furets eigener Argumentation, z.B. in: François Furet, Die Französische Revolution und der Krieg 1792-1799. In: Weltbild Weltgeschichte, Band 26, Das Zeitalter der europäischen Revolutionen 1780–1848, 1998.

526 Moses I. Finley, Die antike Wirtschaft, 1973, 1977, Seite, 88. Der Passus lautet: „Kurz, das klassische Griechenland und Italien waren wie der amerikanische Süden in demselben weiten Sinne des Wortes eine Sklavenhaltergesellschaft. Es gab bedeutsame Unterschiede, darunter die Tatsache (...) daß der Teil der Bevölkerung, der Sklaven besaß, in der Antike im Verhältnis größer war als die geschätzten 25 % in den Südstaaten." An anderer Stelle wurde bereits ausgeführt, dass der Unterschied nicht im Anteil der Sklavenbesitzer an der Bevölkerung, sondern in dem die Produktionsweise umgebenden ökonomischen Milieu lag: Letzteres war im 19. Jahrhundert kapitalistisch, die Sklavenarbeit der Südstaaten nur ein Einsprengsel in dieser Struktur.

527 Vgl. Theodor Mommsen, Römische Geschichte, 1. Band, 2. Buch, 8. Kapitel, 1854.

528 Pierre Grimal (Hrsg.), Der Aufbau des römischen Reiches, 1966. Weltbild Weltgeschichte Band 7, Die Mittelmeerwelt im Altertum III, 1998, Seite 130–131.

529 Pierre Grimal (Hrsg.), Der Aufbau des römischen Reiches, 1966. Weltbild Weltgeschichte Band 7, Die Mittelmeerwelt im Altertum III, 1998, Seite 153.

530 Fergus Millar (Hrsg.), Das Römische Reich und seine Nachbarn, 1966. Weltbild Weltgeschichte Band 8, Die Mittelmeerwelt im Altertum IV, 1998, Seite 24.

531 Moses I. Finley, Die antike Wirtschaft, 1973, 1977, Seite 11–12.

532 Moses I. Finley, Die antike Wirtschaft, 1973, 1977, Seite 184–185.

533 Moses I. Finley, Die antike Wirtschaft, 1973, 1977, Seite 40.

534 Moses I. Finley, Die antike Wirtschaft, 1973, 1977, Seite 13.

535 Vgl. Moses I. Finley, Die antike Wirtschaft, 1973, 1977, Seite 13 und 14. Finley bestreitet indes nicht, dass Subsistenz-Ökonomien ihre Gesetzmäßigkeiten hätten. Vgl. Moses I. Finley, Die antike Wirtschaft, 1973, 1977, Seite 14.

536 Moses I. Finley, Die antike Wirtschaft, 1973, 1977, Seite 13.

537 Moses I. Finley, Die antike Wirtschaft, 1973, 1977, Seite 14.

538 Moses I. Finley, Die antike Wirtschaft, 1973, 1977, Seite 14.

539 Moses I. Finley, Die antike Wirtschaft, 1973, 1977, Seite 15.

540 Moses I. Finley, Die antike Wirtschaft, 1973, 1977, Seite 54.

541 Moses I. Finley, Die antike Wirtschaft, 1973, 1977, Seite 55.

542 Finley spricht von „gierige Erwerbstrieb der Angehörigen der Oberschicht“ – Moses I. Finley, Die antike Wirtschaft, 1973, 1977, Seite 58.

543 Moses I. Finley, Die antike Wirtschaft, 1973, 1977, Seite 29.

544 Das war nicht immer so. Selbst bei den über sehr weite Entfernungen organisierten metallurgischen Prozessen der Bronze- und Eisenzeit hatte dieser Handel mit Rohstoffen, Zwischenprodukten und Endprodukten Auswirkungen auf die innere Struktur der Gesellschaft, auch wenn die Nahrungsmittelproduktion noch nicht für den Markt erfolgte, sondern für die Selbstversorgung. In dem Maße, wie diese vor- und nebenantiken Gesellschaften ihre Nahrungsmittelproduktion mittels staatlicher Bewässerungsanlagen organisierten, verringerte sich der Einfluss der Metallproduktion auf die Sozialstruktur.

545 Vgl. Moses I. Finley, Die antike Wirtschaft, 1973, 1977, Seite 78.

546 Vgl. Moses I. Finley, Die antike Wirtschaft, 1973, 1977, Seite 28.

547 Moses I. Finley, Die antike Wirtschaft, 1973, 1977, Seite 29.

548 Moses I. Finley, Die antike Wirtschaft, 1973, 1977, Seite 29–30.

549 Moses I. Finley, Die antike Wirtschaft, 1973, 1977, Seite 43.

550 Moses I. Finley, Die antike Wirtschaft, 1973, 1977, Seite 38 ff.

551 Moses I. Finley, Die antike Wirtschaft, 1973, 1977, Seite 43.

552 Moses I. Finley, Die antike Wirtschaft, 1973, 1977, Seite 44.

553 Moses I. Finley, Die antike Wirtschaft, 1973, 1977, Seite 51. Vgl. hierzu auch Seite 45.

554 Moses I. Finley, Die antike Wirtschaft, 1973, 1977, Seite 45.

555 Moses I. Finley, Die antike Wirtschaft, 1973, 1977, Seite 45.

556 Vgl. die Beispiele, die Moses I. Finley, Die antike Wirtschaft, 1973, 1977, Seite 51 ff, anführt.

557 Moses I. Finley, Die antike Wirtschaft, 1973, 1977, Seite 48.

558 Vgl. Moses I. Finley, Die antike Wirtschaft, 1973, 1977, Seite 61.

559 Moses I. Finley, Die antike Wirtschaft, 1973, 1977, Seite 61.

560 Moses I. Finley, Die antike Wirtschaft, 1973, 1977, Seite 63.

561 Moses I. Finley, Die antike Wirtschaft, 1973, 1977, Seite 63.

562 Moses I. Finley, Die antike Wirtschaft, 1973, 1977, Seite 138.

563 Moses I. Finley, Die antike Wirtschaft, 1973, 1977, Seite 142.

564 Hans-Joachim Diesner, Kriege des Altertums, 1971, 1989, Seite 113.

565 Moses I. Finley, Die antike Wirtschaft, 1973, 1977, Seite 63.

566 Moses I. Finley, Die antike Wirtschaft, 1973, 1977, Seite 67.

567 Moses I. Finley, Die antike Wirtschaft, 1973, 1977, Seite 68–69.

568 Moses I. Finley, Die antike Wirtschaft, 1973, 1977, Seite 69.

569 Moses I. Finley, Die antike Wirtschaft, 1973, 1977, Seite 69.

570 Moses I. Finley, Die antike Wirtschaft, 1973, 1977, Seite 69.

571 Moses I. Finley, Die antike Wirtschaft, 1973, 1977, Seite 70.

572 Moses I. Finley, Die antike Wirtschaft, 1973, 1977, Seite 70.

573 Moses I. Finley, Die antike Wirtschaft, 1973, 1977, Seite 71.

574 Vgl. Moses I. Finley, Die antike Wirtschaft, 1973, 1977, Seite 72 ff.

575 Moses I. Finley, Die antike Wirtschaft, 1973, 1977, Seite 73.

576 Vgl. Moses I. Finley, Die antike Wirtschaft, 1973, 1977, Seite 75.

577 Vgl. Moses I. Finley, Die antike Wirtschaft, 1973, 1977, Seite 97 ff.

578 Moses I. Finley, Die antike Wirtschaft, 1973, 1977, Seite 75.

579 Moses I. Finley, Die antike Wirtschaft, 1973, 1977, Seite 79.

580 Vgl. Moses I. Finley, Die antike Wirtschaft, 1973, 1977, Seite 80.

581 Moses I. Finley, Die antike Wirtschaft, 1973, 1977, Seite 80.

582 Moses I. Finley, Die antike Wirtschaft, 1973, 1977, Seite 80.

583 Beide Positionen einer „Wirtschaftsmentalität", die auch bei Sitta von Reden, Antike Wirtschaft. Enzyklopädie der griechisch-römischen Antike, Band 10, 2015, Seite 3, dargestellt werden, scheinen uns ahistorisch und weder für den Kapitalismus noch für die Antike passend. Das Modell der Wirtschaftsmentalität geht davon aus, dass die Mentalität die Wirtschaft prägt und nicht umgekehrt.

584 Moses I. Finley, Die antike Wirtschaft, 1973, 1977, Seite 89.

585 Moses I. Finley, Die antike Wirtschaft, 1973, 1977, Seite 94.

586 Moses I. Finley, Die antike Wirtschaft, 1973, 1977, Seite 95.

587 Jacques LeGoff, Geld im Mittelalter, 2010, 2011, Kapitel 1, E-Book.

588 Jan A. van Houtte (Hrsg.), Europäische Wirtschafts- und Sozialgeschichte im Mittelalter. Hermann Kellenbenz (Hrsg.), Handbuch der europäischen Wirtschaftsgeschichte und Sozialgeschichte, Band 2, 1980, Seite 31.

589 Jan A. van Houtte (Hrsg.), Europäische Wirtschafts- und Sozialgeschichte im Mittelalter. Hermann Kellenbenz (Hrsg.), Handbuch der europäischen Wirtschaftsgeschichte und Sozialgeschichte, Band 2, 1980, Seite 43.

590 Jan A. van Houtte (Hrsg.), Europäische Wirtschafts- und Sozialgeschichte im Mittelalter. Hermann Kellenbenz (Hrsg.), Handbuch der europäischen Wirtschaftsgeschichte und Sozialgeschichte, Band 2, 1980, Seite 43.

591 Johannes Fried, Die Formierung Europas 840-1046. Oldenbourg Grundriss der Geschichte 6, 2008, Seite 45.

592 Jan A. van Houtte (Hrsg.), Europäische Wirtschafts- und Sozialgeschichte im Mittelalter. Hermann Kellenbenz (Hrsg.), Handbuch der europäischen Wirtschaftsgeschichte und Sozialgeschichte, Band 2, 1980, Seite 43.

593 Jan A. van Houtte (Hrsg.), Europäische Wirtschafts- und Sozi-

algeschichte im Mittelalter. Hermann Kellenbenz (Hrsg.), Handbuch der europäischen Wirtschaftsgeschichte und Sozialgeschichte, Band 2, 1980, Seite 46.

594 Jan A. van Houtte (Hrsg.), Europäische Wirtschafts- und Sozialgeschichte im Mittelalter. Hermann Kellenbenz (Hrsg.), Handbuch der europäischen Wirtschaftsgeschichte und Sozialgeschichte, Band 2, 1980, Seite 46.

595 Johannes Fried, Die Formierung Europas 840-1046. Oldenbourg Grundriss der Geschichte 6, 2008, Seite 45.

596 Werner Rösener, Bauern im Mittelalter, 1985, Seite 151.

597 Vgl. vor allem Jacques LeGoff, Geld im Mittelalter, 2010, 2011. Sowie für das Frankreich der Neuzeit vor der Revolution: Albert Soboul, Die Grosse Französische Revolution, 1962, 1988, Seite 40. Und Ahlers für den Feudalismus als Produktionsverhältnis in: Ahlers, Donner, Kreuzer, Orbon, Westhoff (Hrsg.), Die vorkapitalistischen Produktionsweisen, 1973, Seite 64 ff.

598 Moses I. Finley, Die antike Wirtschaft, 1973, 1977, Seite 123–124.

599 Vgl. Moses I. Finley, Die antike Wirtschaft, 1973, 1977, Seite 146 ff.

600 Moses I. Finley, Die antike Wirtschaft, 1973, 1977, Seite 153.

601 Vgl. Moses I. Finley, Die antike Wirtschaft, 1973, 1977, Seite 150 f.

602 Benedikt Eckhardt, Geld, Macht, Sinn. In: Benedikt Eckhardt, Katharina Martin (Hrsg.), Geld als Medium in der Antike, 2011, Seite 14–15.

603 Benedikt Eckhardt, Geld, Macht, Sinn. In: Benedikt Eckhardt, Katharina Martin (Hrsg.), Geld als Medium in der Antike, 2011, Seite 21–22.

604 Vgl. die, übrigens auch in anderer Hinsicht gehaltvolle, Darstellung: Peter Eich, Zur Metamorphose des politischen Systems in der römischen Kaiserzeit: Die Entstehung einer "personalen Bürokratieïm langen dritten Jahrhundert, 2005. Und generell zur Geldpolitik: Frank Beyer, Geldpolitik in der Römischen Kaiserzeit: Von der

Währungsreform des Augustus bis Septimius Severus, 2013.

605 Fergus Millar (Hrsg.), Das Römische Reich und seine Nachbarn, 1966. Weltbild Weltgeschichte Band 8, Die Mittelmeerwelt im Altertum IV, 1998, Seite 228.

606 Vgl. Moses I. Finley, Die antike Wirtschaft, 1973, 1977, Seite 114 ff.

607 Moses I. Finley, Die antike Wirtschaft, 1973, 1977, Seite 119.

608 Moses I. Finley, Die antike Wirtschaft, 1973, 1977, Seite 119.

609 Moses I. Finley, Die antike Wirtschaft, 1973, 1977, Seite 122.

610 Moses I. Finley, Die antike Wirtschaft, 1973, 1977, Seite 124.

611 Vgl. Moses I. Finley, Die antike Wirtschaft, 1973, 1977, Seite 124.

612 Moses I. Finley, Die antike Wirtschaft, 1973, 1977, Seite 124.

613 Moses I. Finley, Die antike Wirtschaft, 1973, 1977, Seite 125.

614 Moses I. Finley, Die antike Wirtschaft, 1973, 1977, Seite 128–129.

615 Moses I. Finley, Die antike Wirtschaft, 1973, 1977, Seite 138.

616 Fergus Millar (Hrsg.), Das Römische Reich und seine Nachbarn, 1966. Weltbild Weltgeschichte Band 8, Die Mittelmeerwelt im Altertum IV, 1998, Seite 133.

617 Fergus Millar (Hrsg.), Das Römische Reich und seine Nachbarn, 1966. Weltbild Weltgeschichte Band 8, Die Mittelmeerwelt im Altertum IV, 1998, Seite 140.

618 Moses I. Finley, Die antike Wirtschaft, 1973, 1977, Seite 144.

619 Moses I. Finley, Die antike Wirtschaft, 1973, 1977, Seite 145.

620 Karl Marx, Grundrisse der Kritik der politischen Ökonomie, 1858, MEW 42, Seite 494.

621 Moses I. Finley, Die antike Wirtschaft, 1973, 1977, Seite 138.

622 Moses I. Finley, Die antike Wirtschaft, 1973, 1977, Seite 131.

623 Moses I. Finley, Die antike Wirtschaft, 1973, 1977, Seite 130.

624 „Und in der Tat: die Existenz des Sklaven ist normalerweise eine Kasernenexistenz. Geschlafen und gegessen wird gemeinsam unter Aufsicht des villicus; die bessere Garnitur der Kleidung ist ‚auf Kammer' abgegeben an die als ‚Kammerunteroffizier' funktionierende Inspektorsfrau (villica); monatlich findet Appell statt zur Revision der Bekleidung. Die Arbeit ist streng militärisch diszipliniert (. . .)" – Max Weber, Die sozialen Gründe des Untergangs der antiken Kultur, 1896. In: Marianne Weber (Hrsg.), Max Weber: Gesammelte Aufsätze zur Sozial- und Wirtschaftsgeschichte, 1924, 1988, Seite 296–267.

625 Vgl. Moses I. Finley, Die antike Wirtschaft, 1973, 1977, Seite, Kapitel III. Herren und Sklaven.

626 Vgl. zu der historischen Komponente der politischen Ökonomie diverse Passagen in: Karl Marx, Grundrisse der Kritik der politischen Ökonomie, 1858, MEW 42; Karl Marx, Vorwort zu Kritik der Politischen Ökonomie, 1859, MEW 13 Seite 9 ff; und Karl Marx, Einleitung [zur Kritik der Politischen Ökonomie], 1857, MEW 13, Seite 615 ff.

627 Vgl. etwa: Jürgen Deininger, Zweierlei Geschichte des Altertums: Max Weber und Theodor Mommsen. In: Alexander Demandt (Hrsg.), Theodor Mommsen – Wissenschaft und Politik im 19. Jahrhundert, 2005, Seite 259 ff.

628 Michael Ivanovitch Rostovtzeff, The Social & Economic History of the Roman Empire, 1926, Seite 1.

629 Michael Ivanovitch Rostovtzeff, The Social & Economic History of the Roman Empire, 1926, Seite 1.

630 Michael Ivanovitch Rostovtzeff, The Social & Economic History of the Roman Empire, 1926, Seite 2.

631 Michael Ivanovitch Rostovtzeff, The Social & Economic History of the Roman Empire, 1926, Seite 2.

632 Michael Ivanovitch Rostovtzeff, The Social & Economic History of the Roman Empire, 1926, Seite 3.

[633] Michael Ivanovitch Rostovtzeff, The Social & Economic History of the Roman Empire, 1926, Seite 3–4.

[634] Tenney Frank, An Economic History of Rome, 1927, 2004, Seite 3.

[635] Tenney Frank, An Economic History of Rome, 1927, 2004, Seite 120.

[636] Tenney Frank, An Economic History of Rome, 1927, 2004, Seite 121.

[637] Tenney Frank, An Economic History of Rome, 1927, 2004, Seite 121.

[638] Tenney Frank, An Economic History of Rome, 1927, 2004, Seite 124.

[639] Tenney Frank, An Economic History of Rome, 1927, 2004, Seite 122.

[640] Tenney Frank, An Economic History of Rome, 1927, 2004, Seite 124.

[641] Tenney Frank, An Economic History of Rome, 1927, 2004, Seite 122.

[642] Vgl. Tenney Frank, An Economic History of Rome, 1927, 2004, Seite 123.

[643] Tenney Frank, An Economic History of Rome, 1927, 2004, Seite 123.

[644] Tenney Frank, An Economic History of Rome, 1927, 2004, Seite 124.

[645] Tenney Frank, An Economic History of Rome, 1927, 2004, Seite 124.

[646] Tenney Frank, An Economic History of Rome, 1927, 2004, Seite 125.

[647] Theodor Mommsen, Römische Geschichte, 1. Band, 3. Buch, 12. Kapitel, 1854, 1868, Seite 840.

[648] Theodor Mommsen, Römische Geschichte, 1. Band, 3. Buch, 12. Kapitel, 1854, 1861, Seite 827.

[649] Theodor Mommsen, Römische Geschichte, 1. Band, 3. Buch, 12. Kapitel, 1854, 1868, Seite 853.

[650] Theodor Mommsen, Römische Geschichte, 1. Band, 3. Buch, 12. Kapitel, 1854, 1861, Seite 832.

[651] Theodor Mommsen, Römische Geschichte, 1. Band, 3. Buch, 12. Kapitel, 1856, 1907, Seite 837.

652 Theodor Mommsen, Römische Geschichte, 1. Band, 3. Buch, 12. Kapitel, 1856, 1874, Seite 838.

653 Theodor Mommsen, Römische Geschichte, 1. Band, 3. Buch, 12. Kapitel, 1854, 1861, Seite 838–839.

654 Theodor Mommsen, Römische Geschichte, 1. Band, 3. Buch, 12. Kapitel, 1854, 2011, Seite 334.

655 Theodor Mommsen, Römische Geschichte, 1. Band, 3. Buch, 12. Kapitel, 1854, 2011, Seite 306.

656 Theodor Mommsen, Römische Geschichte, 1. Band, 3. Buch, 12. Kapitel, 1854, 2011, Seite 345.

657 Theodor Mommsen, Römische Geschichte, 1. Band, 3. Buch, 12. Kapitel, 1854, 2011, Seite 347.

658 Vgl. z.B.: https://www.faz.net/, Artikel „Die Kapitalisten aus dem Alten Rom“ vom 8.1.2011.

659 Theodor Mommsen, Römische Geschichte, 1. Band, 2. Buch, 8. Kapitel, 1854, 2017, Seite 187.

660 Theodor Mommsen, Römische Geschichte, 1. Band, 3. Buch, 12. Kapitel, 1854, 2016, Seite 259.

661 Theodor Mommsen, Römische Geschichte, 1. Band, 3. Buch, 11. Kapitel, 1854, 2011, Seite 282.

662 Egon Friedell, Kulturgeschichte des Altertums, 1950 (posthum), 2011, Seite 790–791.

663 Egon Friedell, Kulturgeschichte des Altertums, 1950 (posthum), 2011, Seite 792–793.

664 Egon Friedell, Kulturgeschichte des Altertums, 1950 (posthum), 2011, Seite 809–810.

665 Max Weber, Die protestantische Ethik und der Geist des Kapitalismus. Gesammelte Aufsätze zur Religionssoziologie, Band 1, 1920, Seite 33.

666 Max Weber, Die protestantische Ethik und der Geist des Kapitalismus. Gesammelte Aufsätze zur Religionssoziologie, Band 1, 1920, Seite 36.

667 Max Weber, Die protestantische Ethik und der Geist des Kapitalismus. Gesammelte Aufsätze zur Religionssoziologie, Band 1, 1920, Seite 40.

668 Max Weber, Die protestantische Ethik und der Geist des Kapitalismus. Gesammelte Aufsätze zur Religionssoziologie, Band 1, 1920, Seite 42.

669 Max Weber, Die protestantische Ethik und der Geist des Kapitalismus. Gesammelte Aufsätze zur Religionssoziologie, Band 1, 1920, Seite 30.

670 Max Weber, Die protestantische Ethik und der Geist des Kapitalismus. Gesammelte Aufsätze zur Religionssoziologie, Band 1, 1920, Seite 36.

671 Max Weber, Die protestantische Ethik und der Geist des Kapitalismus. Gesammelte Aufsätze zur Religionssoziologie, Band 1, 1920, Seite 37.

672 Karl Marx, Kritik der politischen Ökonomie, 1859, MEW 13, Seite 9.

673 Vgl. David S. Landes, Technologischer Wandel und industrielle Entwicklung in Westeuropa von 1750 bis zur Gegenwart, 1969, 1973.

674 Landes unterstützt diese Aussage keineswegs. Für ihn ist nicht das Angebot an Geldkapital entscheidend, sondern die Nachfrage nach der neuen Industrie. Und dort, wo es Landes um die passende Kultur für die Industrie geht, identifiziert er politische und nicht ethische Entwicklungen, die England einen Vorteil gegenüber der Konkurrenz am Kontinent verschafften, wie etwa der Abbau von Marktbarrieren (Zunftzwang).

675 Max Weber, Die protestantische Ethik und der Geist des Kapitalismus. Gesammelte Aufsätze zur Religionssoziologie, Band 1, 1920, Seite 52.

676 Max Weber ignoriert die Voraussetzung des nur in Westeuropa in diesem Ausmaß vorhandenen Kapitalangebots, wenn er sagt: „Die Frage nach den Triebkräften der Expansion des modernen Kapitalismus ist nicht in erster Linie eine Frage nach der Herkunft der kapitalistisch verwertbaren Geldvorräte, sondern vor allem nach der Entwicklung des kapitalistischen Geistes. Wo er auflebt und sich auszuwirken vermag, verschafft er sich die Geldvorräte als Mittel seines Wirkens, nicht aber umgekehrt." –Max Weber, Die protestantische Ethik und der Geist des Kapitalismus. Gesammelte Aufsätze zur Religionssoziologie, Band 1, 1920, Seite 52.

677 Max Weber, Die protestantische Ethik und der Geist des Kapitalismus. Gesammelte Aufsätze zur Religionssoziologie, Band 1, 1920, Seite 48.

678 Max Weber, Die protestantische Ethik und der Geist des Kapitalismus. Gesammelte Aufsätze zur Religionssoziologie, Band 1, 1920, Seite 82.

679 Max Weber, Kapitalismus im Altertum, 1908. In: Horst Baier (Hrsg.), Max Weber, Gesamtausgabe, Abteilung I: Schriften und Reden, Band 6, 2006, Seite 748 ff.

680 Max Weber, Die sozialen Gründe des Untergangs der antiken Kultur, 1896. In: Marianne Weber (Hrsg.), Max Weber: Gesammelte Aufsätze zur Sozial- und Wirtschaftsgeschichte, 1924, 1988, Seite 290.

681 Moses I. Finley, Die antike Wirtschaft, 1973, 1977, Seite 168.

682 Jacques LeGoff, Geld im Mittelalter, 2010, 2011, E-Book.

683 Jan A. van Houtte (Hrsg.), Europäische Wirtschafts- und Sozialgeschichte im Mittelalter. Hermann Kellenbenz (Hrsg.), Handbuch der europäischen Wirtschaftsgeschichte und Sozialgeschichte, Band 2, 1980, Seite 84.

684 Ulrike Malmendier, Law and Finance at the Origin, 2008, Seite 5.

685 Ulrike Malmendier, Law and Finance at the Origin, 2008, Seite 5–6.

686 Vgl. auch: Nikola Galaboff, Auswirkung des Innenverhältnisses der socii auf das Außenverhältnis der societas? In: forum historiae iuris, 22. Oktober 2012, https://forhistiur.de/2012-10-galaboff/ (22.9.2019).

687 Jan A. van Houtte (Hrsg.), Europäische Wirtschafts- und Sozialgeschichte im Mittelalter. Hermann Kellenbenz (Hrsg.), Handbuch der europäischen Wirtschaftsgeschichte und Sozialgeschichte, Band 2, 1980, Seite 84.

688 Moses I. Finley, Die antike Wirtschaft, 1973, 1977, Seite 168.

689 Max Weber, Die sozialen Gründe des Untergangs der antiken Kultur, 1896. In: Marianne Weber (Hrsg.), Max Weber: Gesammelte Aufsätze zur Sozial- und Wirtschaftsgeschichte, 1924, 1988, Seite 290.

690 Vgl. Fergus Millar (Hrsg.), Das Römische Reich und seine Nachbarn, 1966. Weltbild Weltgeschichte Band 8, Die Mittelmeerwelt im Altertum IV, 1998, Seite 85 ff.

691 Moses I. Finley, Die antike Wirtschaft, 1973, 1977, Seite 166.

692 Vgl. Moses I. Finley, Die antike Wirtschaft, 1973, 1977, Seite 167.

693 Fergus Millar (Hrsg.), Das Römische Reich und seine Nachbarn, 1966. Weltbild Weltgeschichte Band 8, Die Mittelmeerwelt im Altertum IV, 1998, Seite 150.

694 Fergus Millar (Hrsg.), Das Römische Reich und seine Nachbarn, 1966. Weltbild Weltgeschichte Band 8, Die Mittelmeerwelt im Altertum IV, 1998, Seite 85.

695 Fergus Millar (Hrsg.), Das Römische Reich und seine Nachbarn, 1966. Weltbild Weltgeschichte Band 8, Die Mittelmeerwelt im Altertum IV, 1998, Seite 86.

696 Fergus Millar (Hrsg.), Das Römische Reich und seine Nachbarn, 1966. Weltbild Weltgeschichte Band 8, Die Mittelmeerwelt im Altertum IV, 1998, Seite 87.

697 Fergus Millar (Hrsg.), Das Römische Reich und seine Nachbarn,

1966. Weltbild Weltgeschichte Band 8, Die Mittelmeerwelt im Altertum IV, 1998, Seite 87.

698 Max Weber, Die sozialen Gründe des Untergangs der antiken Kultur, 1896. In: Marianne Weber (Hrsg.), Max Weber: Gesammelte Aufsätze zur Sozial- und Wirtschaftsgeschichte, 1924, 1988, Seite 291.

699 Max Weber, Die sozialen Gründe des Untergangs der antiken Kultur, 1896. In: Marianne Weber (Hrsg.), Max Weber: Gesammelte Aufsätze zur Sozial- und Wirtschaftsgeschichte, 1924, 1988, Seite 291.

700 Max Weber, Die sozialen Gründe des Untergangs der antiken Kultur, 1896. In: Marianne Weber (Hrsg.), Max Weber: Gesammelte Aufsätze zur Sozial- und Wirtschaftsgeschichte, 1924, 1988, Seite 292.

701 Fergus Millar (Hrsg.), Das Römische Reich und seine Nachbarn, 1966. Weltbild Weltgeschichte Band 8, Die Mittelmeerwelt im Altertum IV, 1998, Seite 137.

702 Max Weber, Die sozialen Gründe des Untergangs der antiken Kultur, 1896. In: Marianne Weber (Hrsg.), Max Weber: Gesammelte Aufsätze zur Sozial- und Wirtschaftsgeschichte, 1924, 1988, Seite 292.

703 Max Weber, Die sozialen Gründe des Untergangs der antiken Kultur, 1896. In: Marianne Weber (Hrsg.), Max Weber: Gesammelte Aufsätze zur Sozial- und Wirtschaftsgeschichte, 1924, 1988, Seite 292.

704 Max Weber, Die sozialen Gründe des Untergangs der antiken Kultur, 1896. In: Marianne Weber (Hrsg.), Max Weber: Gesammelte Aufsätze zur Sozial- und Wirtschaftsgeschichte, 1924, 1988, Seite 292.

705 Max Weber, Die sozialen Gründe des Untergangs der antiken Kultur, 1896. In: Marianne Weber (Hrsg.), Max Weber: Gesammelte Aufsätze zur Sozial- und Wirtschaftsgeschichte, 1924, 1988, Seite 292.

706 Max Weber, Die sozialen Gründe des Untergangs der antiken Kultur, 1896. In: Marianne Weber (Hrsg.), Max Weber: Gesammelte Aufsätze zur Sozial- und Wirtschaftsgeschichte, 1924, 1988, Seite 292–293.

707 Max Weber, Die sozialen Gründe des Untergangs der antiken Kultur, 1896. In: Marianne Weber (Hrsg.), Max Weber: Gesammelte Aufsätze zur Sozial- und Wirtschaftsgeschichte, 1924, 1988, Seite 293.

708 Max Weber, Die sozialen Gründe des Untergangs der antiken Kultur, 1896. In: Marianne Weber (Hrsg.), Max Weber: Gesammelte Aufsätze zur Sozial- und Wirtschaftsgeschichte, 1924, 1988, Seite 293.

709 Vgl. Karl Marx, Das Kapital, Erster Band, 1867, MEW 23; Friedrich Engels (Hrsg.), Karl Marx, Das Kapital, Zweiter Band, 1885, MEW 24; Friedrich Engels (Hrsg.), Karl Marx, Das Kapital, Dritter Band, 1893, MEW 25.

710 Karl Marx, Grundrisse der Kritik der politischen Ökonomie, 1858, MEW 42, Seite 592–593.

711 Karl Marx, Grundrisse der Kritik der politischen Ökonomie, 1858, MEW 42, Seite 595.

712 Karl Marx, Grundrisse der Kritik der politischen Ökonomie, 1858, MEW 42, Seite 595.

713 Karl Marx, Grundrisse der Kritik der politischen Ökonomie, 1858, MEW 42, Seite 595.

714 Nikolai Bucharin, Evgenij Preobraschensky, Das ABC des Kommunismus, Populäre Erläuterung des Programms der Kommunistischen Partei Rußlands (Bolschewiki), 1920, 1921, Seite 10–11.

715 Nikolai Bucharin, Evgenij Preobraschensky, Das ABC des Kommunismus, Populäre Erläuterung des Programms der Kommunistischen Partei Rußlands (Bolschewiki), 1920, 1921, Seite 11.

716 Nikolai Bucharin, Evgenij Preobraschensky, Das ABC des Kommunismus, Populäre Erläuterung des Programms der Kommunis-

tischen Partei Rußlands (Bolschewiki), 1920, 1921, Seite 11–12.

717 Nikolai Bucharin, Evgenij Preobraschensky, Das ABC des Kommunismus, Populäre Erläuterung des Programms der Kommunistischen Partei Rußlands (Bolschewiki), 1920, 1921, Seite 14.

718 Zur Kritik an diesem Modell vgl.: Martin Seelos, Negation des Eigentums, 2017, Kapitel 4 und 5.

719 Nikolai Bucharin, Evgenij Preobraschensky, Das ABC des Kommunismus, Populäre Erläuterung des Programms der Kommunistischen Partei Rußlands (Bolschewiki), 1920, 1921, Seite 12.

720 Nikolai Bucharin, Evgenij Preobraschensky, Das ABC des Kommunismus, Populäre Erläuterung des Programms der Kommunistischen Partei Rußlands (Bolschewiki), 1920, 1921, Seite 14.

721 Nikolai Bucharin, Evgenij Preobraschensky, Das ABC des Kommunismus, Populäre Erläuterung des Programms der Kommunistischen Partei Rußlands (Bolschewiki), 1920, 1921, Seite 10.

722 Vgl. diesen Zusammenhang bei Marx: Karl Marx, Grundrisse der Kritik der politischen Ökonomie, 1858, MEW 42, Seite 592 ff.

723 Karl Marx, Grundrisse der Kritik der politischen Ökonomie, 1858, MEW 42, Seite 574–575.

724 Wir sagen hier -G-W-G‘, weil dieser Kreislauf mit Geld anfangen kann, aber auch mit Waren und am Ende ein Gewinn stehen kann, deswegen G‘.

725 Karl Marx, Grundrisse der Kritik der politischen Ökonomie, 1858, MEW 42, Seite 634.

726 Karl Marx, Grundrisse der Kritik der politischen Ökonomie, 1858, MEW 42, Seite 634.

727 Karl Marx, Grundrisse der Kritik der politischen Ökonomie, 1858, MEW 42, Seite 634.

728 Karl Marx, Grundrisse der Kritik der politischen Ökonomie, 1858, MEW 42, Seite 151.

729 Karl Marx, Grundrisse der Kritik der politischen Ökonomie, 1858, MEW 42, Seite 150.

730 Karl Marx, Grundrisse der Kritik der politischen Ökonomie, 1858, MEW 42, Seite 149.

731 Karl Marx, Grundrisse der Kritik der politischen Ökonomie, 1858, MEW 42, Seite 149.

732 Karl Marx, Grundrisse der Kritik der politischen Ökonomie, 1858, MEW 42, Seite 149

733 Karl Marx, Grundrisse der Kritik der politischen Ökonomie, 1858, MEW 42, Seite, 170 f.

734 Moses I. Finley, Die antike Wirtschaft, 1973, 1977, Seite 168.

735 Andreas M. Fleckner, Antike Kapitalvereinigungen: ein Beitrag zu den konzeptionellen und historischen Grundlagen der Aktiengesellschaft, 2010, Seite 129.

736 Andreas M. Fleckner, Antike Kapitalvereinigungen: ein Beitrag zu den konzeptionellen und historischen Grundlagen der Aktiengesellschaft, 2010, Seite 372.

737 Nikola Galaboff, Auswirkung des Innenverhältnisses der socii auf das Außenverhältnis der societas? In: forum historiae iuris, 22. Oktober 2012, https://forhistiur.de/2012-10-galaboff/ (22.9.2019).

738 Zu den Angaben über den Anteil des kaiserlichen Bodens vgl. z.B.: Jochen Martin, Spätantike und Völkerwanderung. Oldenbourg Grundriss der Geschichte, Band 4, 2000, Seite 178–179.

739 Ulrike Malmendier, Law and Finance at the Origin, 2008, Seite 10–11.

740 Vgl. Rainer Bernhardt, Polis und römische Herrschaft in der späten Republik (149-31 v. Chr.), 1985, Seite 172 ff.

741 Vgl. etwa Leonhard Schumacher, Sklaverei in der Antike: Alltag und Schicksal der Unfreien, 2001.

742 Michael Ivanovitch Rostovtzeff, The Social & Economic History of

the Roman Empire, 1926, Seite 2.

743 Christian Rollinger, Solvendi sunt nummi: die Schuldenkultur der späten römischen Republik im Spiegel der Schriften Ciceros, 2009, Seite 71.

744 Zu der Kritik an dem unwissenschaftlichen Luxusbegriff vgl. z.B.: Martin Seelos, Negation des Eigentums, Kapitel 10: Luxus, 2017.

745 Frank Kolb, Rom: die Geschichte der Stadt in der Antike, 2002, Seite 15.

746 Catherine Nixey, Heiliger Zorn: Wie die frühen Christen die Antike zerstörten, 2019, E-Book.

747 Catherine Nixey, Heiliger Zorn: Wie die frühen Christen die Antike zerstörten, 2019, E-Book.

748 Jan A. van Houtte (Hrsg.), Europäische Wirtschafts- und Sozialgeschichte im Mittelalter. Hermann Kellenbenz (Hrsg.), Handbuch der europäischen Wirtschaftsgeschichte und Sozialgeschichte, Band 2, 1980, Seite 84.

749 Hermann Kulke, Das europäische Mittelalter – ein eurasisches Mittelalter? 2016, Seite 20.

750 Hermann Kulke, Das europäische Mittelalter – ein eurasisches Mittelalter? 2016, Seite 20 und 22.

751 Gregor Weber, Das Imperium Romanum als Wirtschaftsraum. In: Vom Imperium Romanum zum Global Village. "Globalisierungenïm Spiegel der Geschichte, 2000, Seite 60. Gerne werden auch die „50 Millionen“ bei Plinius zitiert, etwa in: Hermann Kulke, Dietmar Rothermund, Geschichte Indiens: von der Induskultur bis heute, 2010, Seite 102.

752 Karl Marx, Grundrisse der Kritik der politischen Ökonomie, 1858, MEW 42, Seite 403.

753 Karl Marx, Grundrisse der Kritik der politischen Ökonomie, 1858, MEW 42, Seite 490.

754 Vgl., wenn auch ohne konkrete quantitative Einschätzung: Jochen

Martin, Spätantike und Völkerwanderung. Oldenbourg Grundriss der Geschichte, Band 4, 2000, Seite 60.

755 Vgl. einen kurzen Überblick über die verschiedenen Varianten des agers in: Der kleine Pauly, Lexikon der Antike, 1964–1975, Seite 125–126.

756 Saskia T. Roselaar, Public Land in the Roman Republic: A Social and Economic History of Ager Publicus in Italy, 396-89 BC, 2010, Seite 278.

757 Vgl. Jochen Martin, Spätantike und Völkerwanderung. Oldenbourg Grundriss der Geschichte, Band 4, 2000, Seite 60.

758 Karl Marx, Grundrisse der Kritik der politischen Ökonomie, 1858, MEW 42, Seite 492.

759 Vgl. die Reflexion dieses Satzes in der Belletristik bei: Martin Seelos, Franz Kafka und das feudale Prinzip. 2017.

AUSGEWÄHLTE LITERATUR

Peter Apathy, Georg Klingenberg, Martin Pennitz, Einführung in das römische Recht, 1994, 2016.

Aristoteles, Politik, Siebentes Buch, Julius Hermann von Kirchmann, 1880.

Rudolf Bahro, Die Alternative. Zur Kritik des real existierenden Sozialismus, 1977, 1980.

Karl Julius Beloch, Griechische Geschichte, Volume 3, Part 2, 1923, 2012.

Karl Julius Beloch, Griechische Geschichte, Volume 2, Part 1, 1914, 2012.

Hermann Bengtson (Hrsg.), Griechen und Perser, 1965. Weltbild Weltgeschichte Band 5, Die Mittelmeerwelt im Altertum I, 1998.

Hermann Bengtson, Die hellenistische Weltkultur, 1988.

Hermann Bengtson, Griechische Geschichte: Von den Anfängen bis in die römische Kaiserzeit, 1950, 1996.

Rainer Bernhardt, Polis und römische Herrschaft in der späten Republik (149-31 v. Chr.), 1985.

Frank Beyer, Geldpolitik in der Römischen Kaiserzeit: Von der

Währungsreform des Augustus bis Septimius Severus, 2013.

Carsten Binder, Plutarchs Vita des Artaxerxes: Ein historischer Kommentar. In: Göttinger Forum für Altertumswissenschaft. Beihefte N.F., 2008.

Heinrich Böll, Ansichten eines Clowns, 1963.

Heinrich Böll, Wanderer kommst du nach Spa… , 1950.

Nikolai Bucharin, Evgenij Preobraschensky, Das ABC des Kommunismus, Populäre Erläuterung des Programms der Kommunistischen Partei Rußlands (Bolschewiki), 1920.

Georg Büchner, Helden-Tod der vierhundert Pforzheimer, 1829/1830.

Karl Christ, Geschichte der römischen Kaiserzeit: von Augustus bis zu Konstantin, 1988, 2005.

Werner Dahlheim, Geschichte der Römischen Kaiserzeit, 2003.

Jürgen Deininger, Zweierlei Geschichte des Altertums: Max Weber und Theodor Mommsen. In: Alexander Demandt (Hrsg.), Theodor Mommsen - Wissenschaft und Politik im 19. Jahrhundert, 2005.

Hans Delbrück, Geschichte der Kriegskunst im Rahmen der politischen Geschichte, Zweiter Teil, 1902, 1921.

Der kleine Pauly, Lexikon der Antike, 1964–1975.

Raymond Descat, Die antike Wirtschaft und die griechische Polis. Diskussion eines Modells, 2016.

Hans-Joachim Diesner, Kriege des Altertums, 1971, 1989.

Ahlers, Donner, Kreuzer, Orbon, Westhoff (Hrsg.), Die vorkapitalistischen Produktionsweisen, 1973.

Benedikt Eckhardt, Geld, Macht, Sinn. In: Benedikt Eckhardt, Katharina Martin (Hrsg.), Geld als Medium in der Antike, 2011.

Peter Eich, Zur Metamorphose des politischen Systems in der römischen Kaiserzeit: Die Entstehung einer "personalen Bürokratieïm langen dritten Jahrhundert, 2005.

Reinhard Elze, Konrad Repgen (Hrsg.), Studienbuch Geschichte. Eine europäische Weltgeschichte, Band I, 1974, 1994.

Friedrich Engels (Hrsg.), Karl Marx, Das Kapital, Dritter Band, 1893, MEW 25.

Friedrich Engels (Hrsg.), Karl Marx, Das Kapital, Zweiter Band, 1885, MEW 24.

Moses I. Finley, Die antike Wirtschaft, 1973, 1977.

Andreas M. Fleckner, Antike Kapitalvereinigungen: ein Beitrag zu den konzeptionellen und historischen Grundlagen der Aktiengesellschaft, 2010.

Tenney Frank, An Economic History of Rome, 1927, 2004.

Johannes Fried, Die Formierung Europas 840-1046. Oldenbourg Grundriss der Geschichte 6, 2008.

Egon Friedell, Kulturgeschichte der Neuzeit, 1928, 2011.

Egon Friedell, Kulturgeschichte des Altertums, 1950 (posthum), 2011

François Furet, Die Französische Revolution und der Krieg 1792-1799. In: Weltbild Weltgeschichte, Band 26, Das Zeitalter der europäischen Revolutionen 1780-1848, 1998.

Nikola Galaboff, Auswirkung des Innenverhältnisses der socii auf das Außenverhältnis der societas? In: forum historiae iuris, 22. Oktober 2012.

Hans-Joachim Gehrke, Helmuth Schneider (Hrsg.), Geschichte der Antike: Quellenband, 2013.

Wilhelm Geiger, Ostiranische Kultur im Altertum, 1882.

Franz Georg Maier (Hrsg.), Die Verwandlung der Mittelmeerwelt,1968. Weltbild Weltgeschichte Band 9, 1998.

Barthold Georg Niebuhr, Römische Geschichte von dem ersten punischen Kriege bis zum Tode Constantins, 2. Band, 1811-1832, 1845.

Nikolai Wassiljewitsch Gogol, Die toten Seelen oder Tschitschikows Abenteuer, 1842, 1965.

Andreas Graeber, Auctoritas patrum: Formen und Wege der Senatsherrschaft zwischen Politik und Tradition. Schriftenreihe der Juristischen Fakultät der Europa-Universität Viadrina Frankfurt (Oder), 2001.

Robert Graves, Seven Days in New Crete, 1952.

Pierre Grimal (Hrsg.), Der Aufbau des römischen Reiches, 1966. Weltbild Weltgeschichte Band 7, Die Mittelmeerwelt im Altertum III, 1998.

Pierre Grimal (Hrsg.), Der Hellenismus und der Aufstieg Roms, 1967. Weltbild Weltgeschichte Band 6, Die Mittelmeerwelt im Altertum II, 1998.

Wolfgang Harich, Philosophiegeschichte und Geschichtsphilosophie - Vorlesungen, Teilband 1: Von der Antike bis zur Deutschen Aufklärung, Schriften aus dem Nachlass Wolfgang Harichs, Band 6.1., 2015.

Peter Hassel, Marxistische Formationstheorie und der Untergang Westroms. In: Alexander Fischer, Günther Heydemann (Hrsg.), Geschichtswissenschaft in der DDR: Vor- und Frühgeschichte bis Neueste Geschichte, 1990.

John Haywood, Der neue Atlas der Weltgeschichte: von der Antike bis zur Gegenwart, 2002.

Heinz Heinen, Geschichte des Hellenismus: von Alexander bis Kleopatra, 2003.

Peter Herz, Das Problem der Energieversorgung in der Antike. In: Jürgen Krahl, Josef Löffl (Hrsg.), Strömungen, Band 2, 2015.

Jan A. van Houtte (Hrsg.), Europäische Wirtschafts- und Sozialgeschichte im Mittelalter. Hermann Kellenbenz (Hrsg.), Handbuch der europäischen Wirtschaftsgeschichte und Sozialgeschichte, Band 2, 1980.

Sibylle Ihm, Eros und Distanz: Untersuchungen zu Asklepiades in seinem Kreis, 2004.

Friedrich Jaeger (Hrsg.), Enzyklopädie der Neuzeit: Band 8: Manufaktur-Naturgeschichte, 2008.

Hilmar Klinkott, Der Satrap: ein achaimenidischer Amtsträger und seine Handlungsspielräume. Oikumene. Studien zur antiken Weltgeschichte. Bd. 1, 2005.

Hilmar Klinkott, Sabine Kubisch und Renate Müller-Wollermann (Hrsg.), Geschenke und Steuern, Zölle und Tribute. Antike Abgabenformen in Anspruch und Wirklichkeit. In: Culture and History of the Ancient Near East, Band 29, 2007.

Frank Kolb (Hrsg.), Chora und Polis, 2004.

Frank Kolb, Rom: die Geschichte der Stadt in der Antike, 2002.

Viktor Korošec, Keilschriftrecht. In: Bertold Spuler (Hrsg.), Handbuch der Orientalistik, Ergänzungsband 3: Orientalisches Recht, 1964.

Hermann Kulke, Das europäische Mittelalter - ein eurasisches Mittelalter? 2016.

Hermann Kulke, Dietmar Rothermund, Geschichte Indiens: von der Induskultur bis heute, 2010.

David S. Landes, Technologischer Wandel und industrielle Entwicklung in Westeuropa von 1750 bis zur Gegenwart, 1969, 1973.

Jacques LeGoff, Geld im Mittelalter, 2010, 2011.

Ulrike Malmendier, Law and Finance at the Origin, 2008.

Joachim Marquardt, Theodor Mommsen (Hrsg.), Handbuch der römischen Alterthümer, Band 5.

Jochen Martin, Spätantike und Völkerwanderung. Oldenbourg Grundriss der Geschichte, Band 4, 2000.

Karl Marx, Das Kapital, Erster Band, 1867, MEW 23.

Karl Marx, Einleitung [zur Kritik der Politischen Ökonomie], 1857, MEW 13.

Karl Marx, Grundrisse der Kritik der politischen Ökonomie, 1858, MEW 42

Karl Marx, Vorwort zu Kritik der Politischen Ökonomie, 1859, MEW 13.

Karl Marx, Zur Judenfrage, 1843, MEW 1.

Franz Mehring, Eine Geschichte der Kriegskunst, 1908. In: Franz Mehring, Gesammelte Schriften, Band 8, 1982.

Christian Mileta, Der König und sein Land: Untersuchungen zur Herrschaft der hellenistischen Monarchen über das königliche Gebiet Kleinasiens und seine Bevölkerung, 2008.

Fergus Millar (Hrsg.), Das Römische Reich und seine Nachbarn, 1966. Weltbild Weltgeschichte Band 8, Die Mittelmeerwelt im Altertum IV, 1998.

Theodor Mommsen, Römische Geschichte, 1. Band, 2. Buch, 8. Kapitel, 1854.

Thomas Morawetz, Der Demos als Tyrann und Banause: Aspekte antidemokratischer Polemik im Athen des 5. und 4. Jahrhunderts v. Chr. In: Europäische Hochschulschriften, Série 3: Histoire et sciences auxiliaires, 2000.

Ian Morris, Walter Scheidel (Hrsg.), The Dynamics of Ancient Empires: State Power from Assyria to Byzantium, Oxford Studies in Early Empires, 2010.

Hans Neumann, Einheimische Tradition und interkulturell bedingter Wandel in den babylonischen Rechtsverhältnissen der hellenistischen Zeit. In: Robert Rollinger, Heinz Barta, Martin Lang (Hrsg.), Rechtsgeschichte und Interkulturalität. Zum Verhältnis des östlichen Mittelmeerraums und „Europas" im Altertum, Philippika 19, 2007.

Catherine Nixey, Heiliger Zorn: Wie die frühen Christen die Antike zerstörten, 2019.

Wilhelm Oncken, Die Staatslehre des Aristoteles in historisch-politischen Umrissen. Ein Beitrag zur Hellenischen Staatsidee und zur Einführung in die Aristotelische Politik, 2. Hälfte, 1875.

Christian Pfister, Sizilien - eine Entwicklungsregion im Spiegel ihrer Wirtschaftsgeschichte. In: Geographica Helvetica 25 / 4, 1970.

Gunter Pirntke, Geschichte des Rechts und der Wirtschaft: Vorlesungsskripte, 2016.

Platon, Politeia, 1940.

Evgenij Preobrazhenskij, Die neue Ökonomik, 1926, 1971.

Marcel Proust, Auf der Suche nach der verlorenen Zeit. Frankfurter Ausgabe, Band 2/2: Im Schatten junger Mädchenblüte, 1919, 1995.

Stefan Radt (Hrsg.), Strabons Geographika, Band 4, Buch XIV-XVII, 2005.

Real-Encyclopädie der classischen Alterthumswissenschaft in alphabetischer Ordnung, 1852.

Christian Rollinger, Solvendi sunt nummi: die Schuldenkultur der späten römischen Republik im Spiegel der Schriften Ciceros, 2009.

Saskia T. Roselaar, Public Land in the Roman Republic: A Social and Economic History of Ager Publicus in Italy, 396-89 BC, 2010.

Arthur Rosenberg, Demokratie und Klassenkampf im Altertum, 1921, 2007.

Werner Rösener, Bauern im Mittelalter, 1985.

Michael Ivanovitch Rostovtzeff, Die hellenistische Welt, Gesellschaft und Wirtschaft, Band 2, 1955.

Michael Ivanovitch Rostovtzeff, Studien zur Geschichte des Römischen Kolonates. Erstes Beiheft zum Archiv der Papyrusforschung und verwandte Gebiete. 1910.

Michael Ivanovitch Rostovtzeff, The Social & Economic History of the Roman Empire, 1926.

Peter Roth, Die Steuergeschichte des Römischen Reiches, 2016.

Eberhard Ruschenbusch, Die frühen römischen Annalisten: Untersuchungen zur Geschichtsschreibung des 2. Jahrhunderts v. Chr., Marburger altertumskundliche Abhandlungen, Band 2, 2004.

Friedrich Schiller, Der Spaziergang, 1795, 1804, Sämtliche Werke, Band 1, 1962.

Magnus Schlette, Die Selbst(er)findung des Neuen Menschen: zur Entstehung narrativer Identitätsmuster im Pietismus, Studien zur Umwelt des Neuen Testaments, Forschungen zur systematischen und ökumenischen Theologie, Band 106, 2005.

Sabine Schmidt, Von den Perserkriegen bis zum Tod Alexanders. In: Ingomar Weiler (Hrsg.), Grundzüge der Politischen Geschichte des Altertums, 1995.

Ernst Schönbauer, Beiträge zur Geschichte des Bergbaurechts. Münchener Beiträge zur Papyrusforschung und antiken Rechtsgeschichte, 12. Heft, 1929.

Ernst Schulin, Französische Revolution, 1988.

Leonhard Schumacher, Sklaverei in der Antike: Alltag und Schicksal der Unfreien, 2001.

Martin Seelos, 1917 und 1789: Aspekte der politischen Geographie, 2017.

Martin Seelos, Franz Kafka und das feudale Prinzip, 2017.

Martin Seelos, Negation des Eigentums, 2017.

Albert Soboul, Die Grosse Französische Revolution, 1962, 1988.

Walther Sontheimer, Konrat Ziegler, Der Kleine Pauly, Band 4, 1972.

Michael Stolleis, Dieter Simon (Hrsg.), Rechtsgeschichte im Nationalsozialismus: Beiträge zur Geschichte einer Disziplin, 1989.

Klaus Tausend, Geschichte Griechenlands von den Anfängen bis zu den Perserkriegen. In: Ingomar Weiler (Hrsg.), Grundzüge der Politischen Geschichte des Altertums, 1995.

Hans-Ulrich Thamer, Die Französische Revolution, 2004, 2009.

Codex Theodosianus, 5,17,1 (332). Zitiert in: Peter Roth, Die Steuergeschichte des Römischen Reiches, 2016.

Christopf Ulf, Die Welt der Hellenistischen Staaten. In: Institut für Alte Geschichte an der Universität Innsbruck (Hrsg.), Studienbuch zur Politischen Geschichte des Altertums, 1994, 1999.

Ulrike Malmendier, Law and Finance at the Origin, 2008.

Leopold von Ranke, Vorrede zu Geschichten der romanischen und germanischen Völker, 1824, Sämtliche Werke, Band 33/34, 1885.

Sitta von Reden, Antike Wirtschaft. Enzyklopädie der griechisch-römischen Antike, Band 10, 2015.

Wolfgang Waldstein, Zum Reskript Hadrians über Operae bei fideikommissarischer Freilassung. In: Gottfried Baumgärtel, Ernst Klingmüller, Hans-Jürgen Becker, Andreas Wacke, Festschrift für Heinz Hübner zum 70. Geburtstag am 7. November 1984, 1984.

Gregor Weber, Das Imperium Romanum als Wirtschaftsraum. In: Vom Imperium Romanum zum Global Village. „Globalisierungen“ im Spiegel der Geschichte, 2000.

Max Weber, Die protestantische Ethik und der Geist des Kapitalismus. Gesammelte Aufsätze zur Religionssoziologie, Band 1, 1920.

Max Weber, Die sozialen Gründe des Untergangs der antiken Kultur, 1896. In: Marianne Weber (Hrsg.), Max Weber: Gesammelte Aufsätze zur Sozial- und Wirtschaftsgeschichte, 1924, 1988.

Max Weber, Kapitalismus im Altertum, 1908. In: Horst Baier (Hrsg.), Max Weber, Gesamtausgabe, Abteilung I: Schriften und Reden, Band 6, 2006.

Nicolaus Wecklein, Über die Tradition der Perserkriege, 1876.

William Woodthorpe Tarn, Die Kultur der hellenistischen Welt, Band 3, 1966.